TIGER WOODS

Pour Lydia, la meilleure des épouses et la meilleure des femmes

Pour Dede, ma merveilleuse femme, pour avoir supporté, inspiré, eu confiance — et surtout, aimé

Publication originale : Simon & Schuster, mars 2018

© 2018, Hugo Sport, département de Hugo Publishing, pour la traduction française
34-36, rue La Pérouse
75116 Paris

Collection Hugo Sport dirigée par Bertrand Pirel
Ouvrage dirigé par Bertrand Pirel

Photo de couverture : © Michael O'Neill/Contour by Getty Images

ISBN : 9782755638585
Dépôt légal : septembre 2018
Imprimé en Espagne par Blackprint

TIGER
WOODS

JEFF BENEDICT ET ARMEN KETEYIAN

Traduit de l'anglais (USA) par Philippe Chassepot

Hugo ❖ Sport

SOMMAIRE

PRÉFACE
LA RÉSURRECTION ?

Tiger Woods était fini pour le golf de haut niveau. Ce n'est pas un jugement péremptoire de journaliste ni un point de vue de fan résigné, mais un aveu de sa part. Forfait pour le Masters 2017, il avait cependant tenu à se rendre au dîner des champions. Tout juste capable de marcher, il s'était penché vers Jack Nicklaus pour lui confier : «C'est fini. Mon dos est mort, je suis foutu.» L'Anglais Nick Faldo, trois fois vainqueur à Augusta, avait capté la conversation. Était-il surpris d'entendre un tel renoncement chez celui qui avait toujours montré une volonté de fer en toutes circonstances ? Pas vraiment : «Il sortait de trois opérations au dos en dix-huit mois et il avait l'air à l'agonie», avoua-t-il. Et puis Woods se fit arrêter par la police quelques semaines plus tard, inconscient derrière le volant de sa Mercedes, gavé de cachets et l'air aussi frais qu'un junkie. Ces images pathétiques firent ensuite le tour du monde pour un verdict sans appel : il n'y avait plus d'espoir. C'était fini, il était foutu.

Et puis il a subi une quatrième opération au dos, la bonne dirait-on, car tout semble redevenu comme avant. Sa carrière a repris son cours au printemps 2018. Il tape la balle sans aucune gêne, aussi vite et aussi fort qu'avant. Sa vitesse de swing a été mesurée à 208 km/h au premier semestre 2018, la plus rapide du circuit américain. Il n'en revient pas lui-même : «On vient de me donner une deuxième chance. Je suis un miracle ambulant», a-t-il reconnu. Les sportifs de très haut niveau ont un corps et un esprit bien différents des nôtres. Ils sont capables de toutes les résurrections, même quand ils ne s'y attendent plus eux-mêmes.

«Seules deux choses peuvent l'empêcher de battre les records de Jack Nicklaus : les blessures et un mauvais mariage», affirmait au début des années 2000 Dan Jenkins, la légende du journalisme de golf outre-Atlantique. Des propos visionnaires dans le sens où l'explosion subite de son mariage a fracassé les faux-semblants de son existence, et où les blessures à répétition ont fini par le coucher. Les auteurs de cette biographie ont voulu tout connaître de sa vie, et ils y sont parvenus. Son parcours est unique, pour des révélations nombreuses et inattendues. Un ouvrage qui sort au moment même où Tiger semble à nouveau capable de gagner, sur le circuit américain comme en Majeurs. Il en a les moyens physiques ; psychologiques, également, puisque guéri de toutes ses addictions. Est-il en route vers le plus grand come-back de l'histoire ? Peut-être. En attendant, il est urgent de lire l'incroyable odyssée du plus grand sportif de tous les temps. Le plus fascinant des voyages.

Philippe Chassepot

PROLOGUE

Vendredi 5 mai 2006. Les chaudes températures de saison ont considérablement ramolli la terre du Sunset Cemetery, le cimetière de Manhattan, une petite ville au nord-est du Kansas. Tant mieux pour Mike Mohler, le préposé à l'entretien, alors en plein travail : posté entre deux pierre tombales, il enfonce un pieu bien profondément dans le sol, comme un tire-bouchon géant. À quarante-six ans, ses cheveux se font de plus en plus rares, mais il est resté méticuleux comme personne quand il s'agit de creuser une sépulture. Il expulse de grosses mottes de terre, les unes après les autres, qu'il tasse ensuite sur le côté, aussi platement qu'il le peut. Il se doit d'être aussi bon que d'habitude : dans moins de vingt-quatre heures, le cimetière va accueillir les cendres du plus célèbre de ses citoyens. Personne ou presque n'est au courant, et ça tombe bien : c'est comme ça qu'il préfère travailler.

La veille au soir, il était chez lui à tranquillement regarder la télévision quand son téléphone a sonné, aux alentours de 21 heures. Au bout du fil, une voix de femme, qui ne juge pas utile de se présenter. «Des obsèques auront lieu demain dans votre cimetière», dit-elle simplement. Mohler a d'abord pensé : «Drôle de façon d'entamer une conversation, quand même, surtout à cette heure de la journée.» Avant de répondre :

«Quel est le nom de la personne décédée ?

– C'est une information que je ne peux pas vous donner.

– Eh bien, ça risque d'être compliqué pour moi de vous aider, si je ne sais pas de qui il s'agit.

– Je vous le dirai seulement si vous signez une clause de confidentialité.»

Une précaution inutile. La ville de Manhattan lui avait déjà fait parapher ce genre de papiers quand il avait pris son poste, dix-sept ans plus tôt, pour exiger de lui une discrétion à toute épreuve. C'est ce qu'il explique calmement, avec cet ultime argument : «Madame, j'ai besoin de savoir qui doit être mis en terre,

ne serait-ce que pour vérifier qu'il y a bien un caveau à son nom.»
Bien campée sur son anonymat, la femme ne lâche pas l'affaire
et jure que c'est le cas. C'est alors que Mohler entend une voix
dans le fond: «Allez, donne-lui le nom et n'en parlons plus.»

«Je vous appelle de la part de Tiger Woods, finit par avouer
la mystérieuse correspondante. Son père vient de mourir.»

Le lieutenant-colonel Earl Dennison Woods est mort d'une
crise cardiaque le 3 mai 2006 à son domicile de Cypress, en
Californie. Il avait soixante-quatorze ans, une santé très fragile,
un corps usé par un cancer et un amour immodéré de l'alcool et
des cigarettes. Il a servi deux fois au Vietnam, dans les Bérets verts,
mais c'est son rôle désormais mythique dans l'éducation du plus
grand golfeur de tous les temps qui lui a valu des louanges un
peu partout dans le monde. Et aussi une notoriété un peu moins
glorieuse pour ses prédictions à l'emporte-pièce, comme celle
lâchée à *Sports Illustrated* en 2002: «Mon fils est l'Élu. Il aura plus
d'influence que Nelson Mandela, Gandhi ou Bouddha. Il changera
le cours du monde.» Une prophétie un peu excessive, au final.
Quand bien même Tiger a toujours assuré que son père était celui
qui le connaissait le mieux sur cette terre, le qualifiant tantôt de
«meilleur ami», tantôt de «héros». Ils ont été tous deux acteurs
d'un des moments les plus mémorables de l'histoire du sport.
Dans les secondes qui ont suivi le putt victorieux de Tiger lors du
Masters 1997, son premier tournoi du Grand Chelem remporté
avec douze coups d'avance, les deux hommes se sont retrouvés
pour une accolade bouleversante d'émotion («C'est comme si cent
mille volts nous avaient traversés», racontera un jour Earl Woods).
Quarante-trois millions d'Américains se trouvaient devant leur
téléviseur (environ quinze pour cent des ménages du pays), pour
ce qui fut alors l'événement de golf le plus regardé de l'histoire.
Quarante-trois millions de personnes stupéfaites de voir un père
et son fils fondre en larmes dans les bras l'un de l'autre, avec Earl
Woods murmurant «Je t'aime, fils». Des dizaines d'autres tournois
connaîtront ensuite le même épilogue: une accolade, des larmes,
et Earl Woods susurrant ces quatre mots, toujours les mêmes.

Mike Mohler, lui, ne regardait pas les tournois à la télé.
Il n'aimait pas le golf et n'avait même jamais tenu un club de
toute sa vie. Cependant, comme tout le monde, il connaissait Tiger
Woods. Il l'admirait, même. Depuis 1989, année de ses débuts

dans ce métier, Mike Mohler avait creusé plus de deux mille tombes, et il était très fier de s'occuper de celle d'Earl Woods. Il avait facilement repéré son emplacement, grâce au plan du cimetière. Bloc 5, lot 12, tombe numéro 2 : juste entre ses parents Miles et Maude Woods. Une place bien plus petite que les autres, puisqu'il avait choisi de se faire incinérer. Tiger et sa mère Kultida allaient bientôt arriver de Californie du Sud, par avion, avec le petit cube en bois de vingt-cinq centimètres de côté qui contenait les cendres du défunt. Tout était prêt pour les accueillir. Mohler avait confectionné la tombe comme une mini cage d'ascenseur : longue et large de trente centimètres, et profonde d'un peu plus d'un mètre. Il avait nettoyé la terre accrochée sur les côtés avec une pelle et soigné les bordures pour les rendre aussi nettes qu'une équerre.

Le lendemain, sur le coup de midi, deux limousines s'arrêtèrent près d'une des artères les plus anciennes du cimetière. Trois personnes descendirent de la première : Tiger, sa femme Elin, sa mère Kultida. Trois autres sortirent de la seconde : les enfants qu'Earl Woods avait eus d'une première union. Mike Mohler et Kay, son épouse, étaient là pour les accueillir. Après une courte cérémonie d'une vingtaine de minutes, Kultida lui remit la boîte contenant les cendres de son ex-mari. Il la plaça dans le trou, la recouvrit de ciment. Sous le regard de toute la famille, il prit soin de remplir la tombe avec de la terre, de bien la niveler en surface, puis de la couvrir avec une motte de gazon. Ensuite, tout le monde remonta dans les limousines et fila vers l'aéroport, après un bref arrêt à la maison d'enfance d'Earl Woods.

Quelques jours plus tard, l'information était connue de tous. Et le directeur de Manhattan Monuments, une société locale spécialisée dans la fabrique de pierres tombales, s'attendait à recevoir une grosse commande. Ne voyant rien venir, il finit par passer un coup de téléphone à Mohler. Qui n'avait hélas rien de spécial à lui communiquer : personne ne lui avait laissé d'instructions. Ni Tiger, ni sa mère. Rien de surprenant pour Mohler, qui pensait que la famille avait simplement besoin de temps avant de prendre une décision. Mais cinq ans passèrent, puis dix, et la situation est toujours la même aujourd'hui. « Il n'y a pas de pierre tombale pour Earl Woods », assurait encore Mohler en 2015. « La seule façon de savoir où il est enterré, c'est de repérer

les marques au sol. Vous aurez besoin d'un plan pour le trouver.»
Earl Dennison Woods repose donc à Manhattan, Kansas, dans
une tombe anonyme. Pas de pierre tombale, pas d'inscription,
rien du tout. «C'est comme s'il n'était même pas là», glisse
Mike Mohler.

Une étoile lumineuse capable de transcender le jeu de golf
comme l'a fait Tiger Woods ? Sur cette terre ? C'est aussi fréquent
qu'un passage de la comète de Halley. Woods est le golfeur le
plus talentueux qui ait jamais existé, à tous points de vue, et très
probablement le plus grand athlète de tous les temps. En l'espace
de quinze ans – entre août 1994, lorsqu'il a remporté le premier
de ses trois US Amateur consécutifs alors qu'il n'était qu'un
lycéen de dix-huit ans, jusqu'aux premières heures du vendredi
27 novembre 2009, quand il a planté son 4x4 contre un arbre,
mettant ainsi un terme à la domination la plus folle de l'histoire
du golf –, Woods était comme un terrifiant tourbillon humain,
et l'acteur des moments les plus mémorables qu'on a pu voir
à la télévision. Quoi qu'il fasse à l'avenir, on le comparera toujours
à Jack Nicklaus, qui pour l'instant a remporté plus de Majeurs
que lui (dix-huit contre quatorze, en juin 2018). Mais mesurer
le fameux «effet Woods» en seuls termes de statistiques serait
un outrage à sa grandeur et son influence. Une comparaison
littéraire serait bien plus appropriée. Si on prend en compte tous
ses dons et le talent qu'il a eu pour les exploiter, Woods n'était rien
de moins qu'un Shakespeare des temps modernes. C'est simple :
on n'avait rien vu de tel avant, et on ne verra jamais rien de tel
à l'avenir.

Ce que Woods a apporté au golf flirte avec l'inimaginable.
A-t-il été le premier golfeur de niveau mondial d'origine afro-
américaine ? Oui, et aussi le plus jeune de l'histoire à remporter
un tournoi du Grand Chelem. Il s'est imposé quatorze fois en
Majeurs, soixante-dix-neuf fois sur le circuit américain (à trois
unités du record de Sam Snead), pour un nombre total de victoires
supérieur à cent si on prend en compte ses triomphes sur les autres
continents. Personne n'a franchi plus de cuts consécutivement
(142 tournois, sur une période de huit ans), et personne n'a
occupé plus longtemps que lui la place de numéro un mondial
(683 semaines au total). Il a été élu onze fois joueur de l'année
aux États-Unis. Il a décroché neuf fois la meilleure moyenne

de score annuel sur le PGA Tour[1]. Il a gagné plus de 110 millions de dollars uniquement sur le parcours – et là non plus, personne n'a jamais fait mieux. Il pouvait jouer n'importe quelle épreuve dans le monde, celle-ci explosait toujours les audiences télé. La dotation totale du circuit américain en 1996, l'année de son passage chez les pros ? 67 millions de dollars. Vingt ans plus tard, le prize money sur l'année 2017 se montait à 363 millions de dollars. Pourquoi ? Parce que Tiger Woods, sa domination, son charisme. À ses tout débuts, un tournoi offrait en moyenne 1,5 millions de dollars pour l'ensemble des participants, soit cent cinquante-six joueurs. Vingt ans plus tard, c'est à peu près ce que touche le seul vainqueur. C'est lui et lui seul qui a fait de plus de quatre cents golfeurs des multimillionnaires, qui sans lui n'auraient eu, pour la grande majorité d'entre eux, aucune chance de le devenir. Il a changé la face du golf partout dans le monde, aux niveaux athlétique, social, culturel, financier. Et même plus encore.

À l'apogée de sa domination, le golf avait dépassé le basket et le football américain, les deux vrais curseurs du sport américain. Il a représenté des marques telles que Nike, American Express, Disney, Gillette, General Motors, Rolex, Accenture, Gatorade, General Mills et EA Sports. On l'a vu absolument partout : dans des pubs télé, sur les panneaux d'affichage géants de bord de route, dans les magazines et les quotidiens. Il pouvait jouer en France, en Thaïlande, en Angleterre, au Japon, en Allemagne, en Afrique du Sud, en Australie, la carte postale était toujours la même : il était littéralement cerné par des milliers de fans. Même à Dubaï. Les rois, les présidents de tous les pays l'ont courtisé. Les entreprises du monde entier lui ont fait la cour. Les rock stars et les acteurs les plus célèbres auraient donné leur vie pour vivre la sienne. Les femmes voulaient coucher avec lui. Pendant vingt ans, il était le sportif le plus célèbre sur cette terre.

Il était seul au sommet du golf mondial ? Certes, mais pas seulement. Il était seul, tout court. Avait-il l'instinct du tueur sur un parcours ? Oui, mais dans la vraie vie, il était introverti, bien plus à l'aise au milieu des jeux vidéo que parmi les hommes. Ou alors à regarder la télé et s'entraîner en solitaire. Et on peut remonter aussi loin que possible, jusqu'à la petite enfance même : toute sa vie, il a passé bien plus de temps à jouer seul dans sa chambre

---

1. Principal circuit professionnel au monde, essentiellement basé aux États-Unis.

qu'à s'amuser dehors avec les gamins de son âge. Fils unique, il a cru bon de retenir cette leçon : mes parents seront les seules personnes à qui je pourrai jamais faire confiance, les seuls sur qui je pourrai compter quoi qu'il arrive. Ils l'avaient de toute façon plus ou moins programmé de la sorte. Son père a joué plusieurs rôles en même temps : mentor, sage, visionnaire, et aussi meilleur ami. Sa mère, Kultida, a elle endossé la double casquette de gendarme et de bouclier. Unis de la sorte, ils n'ont laissé personne s'approcher du chemin pour la gloire qu'ils avaient eux-mêmes tracé. Dans leur maison de Californie du Sud, la vie s'organisait autour de Tiger et du golf, avec ce mantra : la famille et rien d'autre.

Cette philosophie de vie a fait de lui l'athlète le plus secret de son temps, une énigme obsédée par la protection de sa vie privée. Un homme passé maître dans l'art de se rendre invisible aux yeux de tous, de parler sans absolument rien dévoiler. D'un côté, il a grandi sous nos yeux, avec des apparitions dans des shows télé dès l'âge de deux ans, et un suivi très régulier de sa carrière amateur aux États-Unis. Mais de l'autre, toute cette histoire nous a été servie avec des interviews sous contrôle, des communiqués de presse d'une prudence extrême, des légendes, des demi-vérités, des campagnes de pub très raffinées, et des gros titres de la presse à scandale.

Dire que nous avons été surpris lorsque son porte-parole Glenn Greenspan a décliné notre demande d'interview pour cet ouvrage serait mentir. Pour être tout à fait honnêtes, il nous a été répondu ceci : avant de prendre éventuellement notre demande en considération, nous avions l'obligation de divulguer les noms des personnes à qui nous comptions parler, ainsi que les questions que nous comptions poser. Des conditions simplement inacceptables. Kultida, la mère de Tiger, n'a elle pas donné suite à nos sollicitations. Cependant, Tiger Woods a autorisé son chiropracteur de toujours à nous décrire de façon aussi complète que possible les traitements médicaux qu'il a reçus, ainsi qu'à nous apporter des précisions sur la polémique à propos d'une éventuelle prise de produits dopants.

Pour avoir une vision complète du phénomène, nous avons lu tous les livres pertinents à son sujet, soit plus d'une vingtaine. Certains écrits par lui, d'autres par son père, ses anciens coachs, son ancien caddie, la première épouse de son père (Barbara Woods Gary) et plus encore. Nous nous sommes également appuyés sur le travail exceptionnel de plusieurs journalistes. Parmi eux :

Tom Callahan, John Feinstein, Steve Helling, Robert Lusetich, Tim Rosaforte, Howard Sounes et John Strege. Nous serions impardonnables de ne pas mentionner également deux sources inestimables d'informations : *Le Masters 1997, Mon histoire*, par Tiger Woods avec Lorne Rubenstein, publié en 2017 à l'occasion du vingtième anniversaire de sa victoire historique à Augusta. Et *The Big Miss, Mes années avec Tiger Woods*, par Hank Haney. Nous nous sommes appuyés sur pratiquement chaque page de ces deux ouvrages pour en exploiter les faits vus de l'intérieur, les idées et les réflexions, afin de coller au plus près de la vérité. Nous avons également lu des livres sur le bouddhisme, les Navy SEALs (les forces spéciales de la marine de guerre US), les enfants surdoués, le succès et ses conséquences, le business du golf, l'addiction au sexe, les comportements compulsifs, l'infidélité et le dopage. Dans le même temps, nous avons passé des mois à établir une chronologie complète de sa vie avec les moments les plus essentiels, de la naissance de ses parents jusqu'à aujourd'hui. Nous avons également lu la retranscription de plus de trois cent vingt de ses conférences de presse, entre 1996 et 2017, ainsi que des dizaines d'interviews qu'il a accordées au gré de sa carrière à des télévisions ou agences de presse. Avec l'aide d'un documentaliste du magazine *Sports Illustrated*, nous avons retrouvé puis lu des milliers d'articles le concernant. Et grâce à l'aide bienveillante de chaînes de télévision telles que CBS, NBC, Golf Channel, ainsi que l'aide du PGA Tour, nous avons visionné des centaines d'heures d'images de Tiger Woods sur et en dehors du parcours.

Pendant plus de trois ans, nous avons conduit plus de quatre cents interviews avec près de deux cent cinquante personnes : des enseignants de golf qui ont fait partie de son entourage le plus proche, le tout premier cercle de ses amis dans le golf et en dehors, ainsi que son tout premier amour. Mais certaines de nos informations viennent de gens qui n'avaient jamais été interrogés auparavant. Par exemple ceux qui l'ont aidé financièrement pendant sa carrière amateur, la propriétaire de la maison qu'il a louée chaque fois qu'il jouait le Masters à Augusta, une de ses confidentes, des anciens employés, des partenaires économiques, son professeur de plongée, ses voisins à Isleworth (Floride), et ceux qui travaillaient dans l'ombre chez IMG, Nike, Titleist, EA Sports, NBC Sports et CBS Sports.

Nous avons très vite compris que les deux qualités les plus recherchées par Tiger Woods étaient la discrétion et la loyauté. Beaucoup de ceux que nous avons approchés, tels son ancien agent J. Hughes Norton ou les anciens employés de ETW Corporation (le nom officiel de sa société), ont signé des clauses de confidentialité qui les ont empêchés de nous parler. «Comme la grande majorité de ses anciens salariés, j'ai prêté serment en signant des documents», nous a répondu l'un d'eux par e-mail. Rien de surprenant ici : la plupart des personnalités publiques ont recours à ce genre de contrats pour se protéger. Mais Tiger a fait preuve dans ce domaine d'une obsession hors du commun, en essayant de cacher même les détails les plus basiques de son existence. Il a par exemple exigé que les livres de classe de ses années de lycée ne soient accessibles à personne. Aussi incroyable que cela puisse paraître, son lycée public de secteur s'est plié à sa volonté et nous a dit que nous n'étions pas autorisés à les consulter (nous avons fini par aller les voir à la bibliothèque locale). En ce qui concerne la loyauté : ils ont été très nombreux à nous répondre qu'ils devaient d'abord «voir avec Tiger» avant d'éventuellement nous parler. Un de ses anciens camarades de classe que nous n'avions appelé que pour comprendre le fonctionnement du lycée d'Anaheim nous a répondu qu'il devait d'abord demander la permission à Tiger. Nous lui avons dit de ne pas se donner cette peine.

Toutes ces précisions pour nous amener à cette question : pourquoi s'attaquer à un tel projet ? La réponse est limpide : très peu de personnes sont connues dans le monde entier par la simple mention d'un seul mot. Tiger fait partie de ce club hyper exclusif parce qu'il est le plus grand golfeur de l'histoire contemporaine – certains diront le plus grand athlète de l'histoire tout court. Son histoire a transcendé le jeu de golf, et son influence s'est étendue tout autour de la planète. Il n'existait de surcroît aucune biographie qui prenait en compte tous les aspects de sa vie, une biographie qui s'était penchée sur ses racines et le rôle vital joué par ses parents dans son ascension, sa chute et sa renaissance. Nous avions déjà écrit *Le Système*, une plongée au cœur du football américain universitaire. Nous avions besoin d'une autre montagne à gravir. À nos yeux, il n'existait pas de projet plus enivrant et exigeant que de s'attaquer au mont Woods. Notre objectif principal était d'apporter à la connaissance du public de nouveaux éléments, de nouvelles informations, de vraies révélations. Nous voulions écrire le portrait d'une idole américaine. Une idole pour ceux qui l'adoraient vraiment, mais une idole à contrecœur.

Ce livre est ce portrait.

CHAPITRE 1
LA FIN

Pieds nus, à moitié K.O., l'athlète le plus puissant de la planète s'est enfermé dans sa propre salle de bains. Pendant des années, tel un magicien, il avait su effacer toute trace de sa vie secrète. Mais pas cette fois. Sa femme venait enfin de le prendre en flagrant délit de mensonge. Même s'il y avait encore des tonnes de choses qu'elle ignorait, et que nous ignorions tous. Il était à peu près deux heures du matin en ce vendredi 27 novembre 2009, lendemain de Thanksgiving. Tiger était dans les vapes, à cause des somnifères qu'il avait avalés, comme tous les soirs depuis des années. Et si obsédé qu'il fût par le contrôle de son intimité, jamais il n'aurait pu prévoir que les minutes à venir allaient faire voler en éclats une image si soigneusement travaillée au fil des ans. Jamais il n'aurait pu imaginer que sa chute serait la plus fracassante de l'histoire du sport. Alors Tiger ouvrit la porte, et il se mit à fuir...

Voilà des mois que le *National Enquirer*, un journal à scandale, le suivait à la trace. Deux jours plus tôt, ils venaient de publier une bombe à retardement titrée : «Tiger Woods, le scandale de son infidélité», avec des photos de la magnifique Rachel Uchitel, une hôtesse de boîte de nuit. Ce tabloïd de supermarché accusait Woods d'avoir organisé un rendez-vous avec elle à la sauvette une semaine plus tôt à Melbourne, pendant l'Australian Masters. Confronté aux soupçons de sa femme, Woods a d'abord nié, allant même jusqu'à oser une proposition plus qu'audacieuse : organiser un entretien téléphonique entre Uchitel et son épouse. Mais rien à faire : après une demi-heure d'une conversation aussi surréaliste que tendue, Elin n'était toujours pas convaincue. Elle était peut-être blonde et jolie, mais certainement pas stupide. Ce soir-là, jour de Thanksgiving, Tiger était parti jouer aux cartes avec des amis de sa communauté d'Isleworth, près d'Orlando. Une fois rentré chez lui, il a pris son somnifère habituel (de l'Ambien) juste avant d'aller se coucher. Elin a attendu qu'il s'endorme, un peu après minuit. Puis elle a récupéré son téléphone et s'est mise à fouiller dedans. Pour trouver un texto qui lui a brisé le cœur : «Tu es la seule que j'aie jamais aimée». Un message écrit par Tiger, donc, et envoyé à un numéro non identifié. Sous le choc, elle décidait d'envoyer elle-même un nouveau texto. Au même numéro, à partir du téléphone de Tiger. «Tu me manques. Quand est-ce qu'on se revoit ?»

La réponse fut immédiate. Elle marquait une surprise : celle de voir que Tiger n'était pas encore couché.

Alors Elin composa le numéro, pour entendre une voix de fumeuse lui répondre sur-le-champ. Cette même voix qu'elle avait entendue deux jours plus tôt lui jurer qu'il n'y avait rien entre Tiger et elle. Rachel Uchitel !

«Je le savais, hurla Elin. Je le savais.»

«Oh merde», dit simplement Uchitel, avant de raccrocher.

Quelques secondes plus tard, une Elin en furie s'en allait secouer un Woods plongé dans son premier sommeil. Titubant, en plein brouillard, Woods récupérait son téléphone et fonçait s'enfermer dans la salle de bains. «Je crois qu'elle est au courant», texta-t-il à Uchitel.

Était-il effrayé par la femme en train de hurler de l'autre côté de la porte ? Pas plus que ça. Voilà des années qu'il la trompait avec des dizaines de femmes, pour combler un appétit sexuel si insatiable qu'il s'était transformé en addiction totalement hors de contrôle. Non, la seule femme qu'il craignait sur cette terre dormait dans une chambre d'amis de leur gigantesque demeure. Sa mère, bien sûr, qui était venue leur rendre visite pendant les vacances. Veuve depuis un peu plus de trois ans, Kultida avait subi pendant des années un mariage qui avait parfois tourné à l'humiliation, avec insultes, négligences et infidélités à répétition. Tiger vénérait son père, certes, mais il avait toujours détesté la façon dont il avait brisé le cœur de sa mère. Dans «l'intérêt supérieur» de Tiger, comme disent parfois les politiques, Kultida n'avait jamais voulu divorcer. Ainsi, elle avait protégé le nom de famille Woods des rumeurs et du scandale, et avait pu se consacrer à plein temps à l'éducation de son fils. Pour en faire un champion. Sa réputation et Tiger : c'étaient les deux maîtres-mots de son existence.

Quand Tiger était encore enfant, Kultida lui avait imposé une règle, valable pour l'éternité : «Jamais, jamais tu ne détruiras mon rôle de mère et ma réputation », lui avait-elle dit. « Sinon je te tape dessus. »

Le jeune Tiger était toujours resté dans les clous, effrayé à l'idée d'une telle perspective. Mais à ce moment-là, il n'y avait pour lui rien de plus flippant que de savoir que sa mère allait se rendre compte de l'évidence : il avait lui-même marché dans les pas de son père. La regarder dans les yeux allait s'avérer d'une violence à la limite du supportable.

Simplement vêtu d'un short et d'un tee-shirt, alors que la température ne dépassait pas les cinq degrés cette nuit-là, Tiger sortit de sa maison. Sa femme à ses trousses avec un club de golf à la main, selon certaines sources. Dans une tentative désespérée pour lui échapper, il sauta dans son 4x4, un Cadillac Escalade. Il n'était pas vraiment en état de conduire. Alors il sortit rapidement de la route, passa par-dessus un trottoir et roula sur une parcelle de gazon, pour finalement traverser un autre trottoir, défoncer une rangée de haies, faire une embardée de l'autre côté de la route et percuter une bouche d'incendie avant de s'écraser contre un arbre dans la cour de son voisin. Toujours armée de son club, Elin le rattrapa sans peine et fracassa la vitre du côté conducteur, ainsi que celle du côté passager.

Réveillée par tout ce raffut, Kimberly Harris regarda par la fenêtre pour voir un drôle de spectacle dans son allée : un 4x4 noir encastré dans un arbre, avec un seul phare en état de marche, pointé sur sa maison. Inquiète, elle fila réveiller Jarius Adams, son frère de vingt-sept ans : « Je ne sais pas ce qui se passe, ni qui se trouve dehors, mais je crois bien que tu devrais aller jeter un œil », lui dit-elle.

Adams sortit prudemment de chez lui pour essayer de comprendre le tableau. Woods était allongé sur le dos au milieu du trottoir. Inconscient, pieds nus, la bouche en sang. Il y avait du verre brisé partout sur la chaussée, et un club de golf tordu à l'arrière du véhicule. Elin reniflait et s'affairait autour de son mari.

« Tiger », murmurait-elle, en le secouant doucement par les épaules. « Tiger, est-ce que ça va ? »

En se penchant vers lui, Adams remarqua que Tiger était non seulement endormi, mais aussi en train de ronfler. Il avait une coupure à la lèvre. Ses dents étaient maculées de sang.

Elin lui dit : « S'il vous plaît, aidez-moi, je n'ai pas de téléphone. Vous pouvez appeler quelqu'un ? »

Adams hurla à sa sœur d'apporter des couvertures et un oreiller. En rentrant chez lui, il ajouta : «Je crois que Tiger est au plus mal». Puis il appela le 911 de son portable et ressortit dehors.

STANDARDISTE : *Ici le 911, quelle est la nature de votre urgence ?*
ADAMS : *On a besoin d'une ambulance tout de suite.*
Quelqu'un est au sol devant chez moi.
STANDARDISTE : *Monsieur, s'agit-il d'un accident ?*
ADAMS : *Oui.*
STANDARDISTE : *Au moment où on parle, la personne est-elle encore coincée à l'intérieur du véhicule ?*
ADAMS : *Non là elle est étendue sur le sol.*
STANDARDISTE : *Le service médical est en ligne monsieur, précisez s'il vous plaît.*
ADAMS : *C'est mon voisin qui a percuté un arbre. On est sortis voir ce qu'il se passait et là, il est allongé par terre.*
STANDARDISTE : *Pouvez-vous me dire s'il respire ?*
ADAMS : *Non, je ne peux pas vous l'assurer là.*

C'est alors que Kultida sortit de la maison des Woods pour foncer vers son fils et sa belle-fille. «Mais qu'est-ce qu'il se passe ici ?» hurla-t-elle.

«On essaie de comprendre», lui répondit Adams. «Je suis au téléphone avec la police, là.»

Des larmes plein les yeux, Kultida se tourna vers Elin. Qui n'eut pas le temps de lui expliquer quoi que ce soit : des sirènes hurlantes déboulaient au coin de la rue et des gyrophares bleus illuminèrent bientôt la scène. Les Woods et leurs voisins n'étaient plus seuls. Arrivèrent un patrouilleur de la police de Windermere, une ambulance à sa suite, un shérif, et aussi un patrouilleur d'autoroute. Les secouristes vérifièrent immédiatement les fonctions vitales et cherchèrent à déceler une éventuelle paralysie en stimulant le pied gauche de Woods pour déclencher une réaction. Tiger gémit, ouvrit les yeux, mais ses pupilles partirent en arrière alors que ses paupières étaient toujours ouvertes. Tout ce qu'on voyait, c'était le blanc de ses yeux.

Pendant que les secouristes embarquaient Tiger sur un brancard, et que l'ambulance filait vers l'hôpital, la question posée par Kultida était restée sans réponse. Mais qu'est-ce qu'il se passe ici ? Pourquoi Tiger avait-il voulu fuir sa propre maison au beau milieu de la nuit ? Comment l'athlète le plus célèbre au monde s'était-il retrouvé au sol au bord de la route, inconscient, comme mort ? Les jours suivants, des questions beaucoup plus gênantes allaient surgir d'un peu partout. Les réponses, elles, allaient se révéler tout sauf simples et évidentes. Alors au moment de retracer un parcours de vie plutôt tordu, le mieux est sans doute de commencer par le tout début.

CHAPITRE 2
AFFAIRES DE FAMILLE

Le 14 septembre 1981, Tiger Woods fait son entrée à l'école maternelle de Cerritos. Il a cinq ans, c'est son tout premier jour d'école, et la classe a été décorée pour mettre tout le monde à l'aise. Il y a des photos d'animaux et de paysages un peu partout, et des dessins d'enfants accrochés aux murs : des nuages sur fond de ciel bleu et des soleils avec des gros rayons, comme dans toutes les écoles du monde. Des chiffres et des lettres, aussi, pour apprendre à compter, pour apprendre l'alphabet. Tout pour se sentir bien, donc, mais Tiger savait déjà qu'il était différent. Totalement différent. Il n'avait pas vraiment de jouets chez lui, mais un jeu de clubs de golf faits sur mesure. En dehors de ses parents, son meilleur ami était son professeur de golf, un homme à moustache de trente-deux ans prénommé Rudy. Il était déjà passé deux fois à la télé, sur des chaînes nationales, aux côtés de stars telles Bob Hope, Jimmy Stewart et Fran Tarkenton. Son swing était si parfait qu'on aurait dit un joueur professionnel en format miniature. Quand il signait des autographes, il écrivait TIGER en majuscules, parce qu'il ne maîtrisait pas encore l'écriture cursive. Avec les chiffres, en revanche, c'était déjà un expert. Sa mère lui avait appris à additionner et à soustraire alors qu'il n'avait que deux ans. À mémoriser les tables de multiplication à peine un an plus tard, en créant un système rien que pour lui. Il avait passé des jours et des jours dessus pour tout maîtriser. Plus elle lui donnait des exercices, plus il aimait les chiffres. Il avait déjà un niveau CE2, mais personne dans sa classe ne le savait. Même pas son institutrice.

En ce jour de rentrée, il s'installa tranquillement au milieu des autres. Trois choses sautaient aux yeux dès le premier regard. Sa peau était un peu plus sombre que celle de tous ses camarades ; il était d'une timidité maladive ; et il avait un prénom un peu bizarre, Eldrick. Mais quand Maureen Decker, son institutrice, joua sa petite comptine habituelle pour aider chaque élève à se présenter, il dit aux autres qu'il s'appelait Tiger. Puis ne dit plus un seul mot, malgré les multiples relances tout en douceur de Decker. Ce n'est qu'à la toute fin de la journée qu'il s'approcha d'elle pour lui dire, un peu sèchement : « Ne m'appelez pas Eldrick. Mon nom est Tiger. » On dit sèchement, mais pas dans un sens agressif. Tiger bégayait…

Kultida Woods avait elle donné les mêmes instructions : il fallait appeler son fils par son surnom, pas par son prénom officiel.

Tiger vivait à environ deux cents mètres de l'école. Sa mère l'accompagnait tous les matins et venait le chercher tous les soirs. Puis elle l'emmenait sur le parcours de golf voisin, où il s'entraînait. Decker s'est vite rendu compte que Tiger avait une sorte de routine très inhabituelle pour un garçon de son âge, et que ça lui laissait peu de temps pour s'amuser avec les autres enfants en dehors de l'école. Au niveau scolaire, il était des kilomètres devant ses camarades, surtout en maths. Il était aussi incroyablement calme et discipliné pour un garçon de cinq ans. Mais sur les aires de jeux, il avait l'air totalement perdu, comme s'il appréhendait de se mêler aux autres. Et puis il ne parlait presque jamais.

Une fois adulte, Tiger est revenu sur cette période de son enfance dans un triple DVD dont il avait contrôlé le contenu. Il y assumait son obsession du golf, disait aussi bien aimer jouer au baseball et au basket, mais pas plus que ça. « Le golf, c'était ma décision », disait-il. Sauf que ses instituteurs n'ont pas tout à fait les mêmes souvenirs. Lors de la toute première réunion parents-professeurs, Decker avait fait part de ses inquiétudes de manière très diplomatique, suggérant que Tiger pourrait participer à quelques activités extra-scolaires. Une idée balayée sur-le-champ par Earl, au motif que Tiger avait golf tous les soirs après l'école. Decker avait alors tenté une relance, pour expliquer à quel point ça pouvait être bénéfique pour lui de partager des moments avec des enfants de son âge. Mais elle n'a jamais pu finir sa phrase. Earl l'a interrompue, parce qu'il savait, lui, ce qui était bon pour son fils. Kultida, présente ce jour-là, n'a rien dit. Et la réunion s'est terminée dans une drôle d'ambiance…

Un peu refroidie, Decker décida de ne plus aborder le sujet. Mais quelques jours plus tard, pendant une récréation, Tiger vint la voir pour lui dire à voix basse : «Vous pouvez demander à ma maman si je peux aller jouer au soccer ?» Et elle alla voir Kultida, en toute discrétion. Les deux femmes avaient développé une relation presque amicale. Kultida était clairement de son avis à propos du football : elle n'y voyait que du bon pour Tiger. Et elle demanda à Decker de bien vouloir retenter sa chance lors d'une prochaine réunion. Ce que l'institutrice fit à la première occasion, mais cette fois, Earl le prit un peu moins calmement. Et pendant qu'il tenait un grand discours enflammé sur la meilleure façon d'élever son fils, Kultida restait murée dans son silence. La fin de l'histoire : pas de foot. Du golf, et rien d'autre.

«J'ai vraiment eu de la peine pour lui, je voulais tellement qu'il se mélange aux autres», se souvient Decker.

On parle ici d'une époque où les pères qui assistaient aux réunions parents-professeurs se faisaient plutôt rares. Mais Earl Woods était lui réputé pour ne pas en rater une seule, au point d'être le père le plus assidu à Cerritos. Il pouvait venir seul, sans Kultida. Il pouvait aussi venir en pleine classe pour faire des démonstrations.

Ann Burger, l'institutrice de Tiger en CP, jure qu'elle n'a jamais pu oublier ce jour où Earl Woods est venu dans sa classe, parce qu'elle n'a jamais rien vécu de tel en trente ans de carrière. Il avait apporté les clubs sur mesure de Tiger avec lui, et quelques minutes plus tard, toute la classe était dehors à regarder Tiger exécuter des swings au plus que parfait.

«Il était bon, vraiment, se souvient Burger. Il avait ces clubs spéciaux, qui étaient tout petits. Mais c'était les *siens*.»

Tiger tapait des balles, et Earl expliquait aux enfants que si son fils était aussi fort, c'est parce qu'il avait énormément travaillé. Tous les gamins de six ans en restaient bouche bée, mais il n'en allait pas de même pour les professeurs, qui se demandaient bien ce qui était en train de se passer sous leurs yeux. Où va donc cet enfant-là ? Qu'est-ce qu'il se passe chez lui, à la maison ? Et quel est le projet familial ?

Une partie de l'arbre généalogique de la famille de Tiger Woods prend ses racines à Manhattan, Kansas. Une ville de durs à cuire, balayée par les vents, qui appliquait encore le régime de ségrégation raciale quand Earl Woods y est né le 5 mars 1932. Son propre père s'appelait Miles Woods, un maçon de cinquante-huit ans à la santé déjà fragile au moment de la naissance de son fils. Earl l'a toujours décrit, avec beaucoup d'affection, comme un «vieil homme très pointilleux et obstiné». Croyant, pratiquant, sobre et non fumeur, Miles était connu de tout le comté pour jurer à toute heure comme un charretier. «Mon père m'a appris la discipline et la grossièreté», racontera Earl. «Il pouvait jurer non-stop pendant une demi-heure sans jamais utiliser deux fois le même mot.»

La mère d'Earl s'appelait Maude, et il fallait piocher dans tous les continents pour retrouver ses racines : ses ancêtres venaient d'Europe, d'Afrique, de Chine, certains étaient même Indiens d'Amérique. Diplômée d'économie de l'université du Kansas, c'est elle qui a appris à Earl à lire et écrire dans leur maison de 120 m². La famille n'avait ni voiture ni télévision, et Earl passa une bonne partie de sa jeunesse à traîner dehors avec son père. Ensemble, les deux hommes bâtirent le mur qui séparait la route de leur maison. «Il m'a appris à mélanger le mortier, et il avait sa façon de faire, bien à lui. Il disait : "Il faut la bonne dose de salive dedans" et il crachait. Il crachait dans le seau et il disait "voilà, là on est bien".»

Earl passa également un temps fou sur le petit terrain de baseball de Griffin Park, où son père avait l'habitude de gérer le tableau de score. Miles connaissait tous les noms et toutes les statistiques des joueurs professionnels de baseball originaires de Manhattan. En août 1943, il mourut à l'âge de soixante-dix ans, terrassé par une crise cardiaque quelques heures après s'être occupé des scores une toute dernière fois. Earl était alors âgé de onze ans. Il a toujours gardé le souvenir de sa mère, dans son rocking chair, incapable de faire son deuil et fredonnant en permanence l'hymne gospel *What Are They Doing In Heaven?* Quatre ans plus tard, Maude mourut à son tour, d'une crise cardiaque elle aussi. Earl n'avait pas encore seize ans. Orphelin, il tomba alors sous la coupe de sa grande sœur qui gérait les affaires courantes comme «un petit dictateur».

Miles Woods avait une obsession, juste avant de mourir : il voulait absolument que son fils devienne joueur professionnel de baseball. Rien n'aurait pu le rendre plus fier. Marqué par le souvenir et le poids du rêve paternel, Earl fit tout pour intégrer l'un des grands championnats. Un rêve rendu possible en 1947, lorsque Jackie Robinson brisa les barrières de la ségrégation raciale et signa aux Brooklyn Dodgers. Cet été-là, Earl travaillait comme batboy[2] à Griffin Park, et la plupart des joueurs des Negro Leagues[3] étaient justement en tournée dans le Midwest. C'est ainsi qu'il a pu rencontrer Roy Campanella, Josh Gibson et Monte Irvin. Il a aussi juré avoir pu s'entraîner un après-midi avec le légendaire lanceur Satchel Paige, dont la vitesse de balle était estimée à 160 km/h.

Après avoir terminé le lycée en 1949, Earl rejoignit l'université du Kansas et put intégrer l'équipe de baseball en tant que receveur, et de temps à autre comme batteur et joueur de première base. Il devint rapidement l'un des tout meilleurs joueurs d'une équipe malheureusement plus que médiocre. Bien des années plus tard, dans une autobiographie au succès retentissant, Earl Woods prétendit avoir reçu une bourse d'étude pour poursuivre sa carrière de joueur de baseball, et aussi avoir su casser la barrière raciale en devenant le premier joueur noir de la Big 7 Conference (aujourd'hui Big 12[4]). Deux affirmations un peu exagérées.

«Il n'a jamais reçu la moindre bourse de ma part. Je pense qu'il a ajouté ce petit détail pour rendre l'histoire encore plus belle», selon Ray Wauthier, l'ancien coach de l'équipe, qui l'assura en 2003 au journaliste Howard Sounes.

Il n'était pas non plus le premier joueur noir à évoluer en Big 7 : Harold Robinson et Veryl Switzer, qui ont ensuite signé pour les Green Bay Packers, l'avaient fait avant lui en football américain. Mais Earl Woods fut en revanche le premier joueur noir à faire partie de la American Legion All-State Team du Kansas (une compétition réservée aux meilleurs amateurs), ce qui a incité Wauthier à lui donner une place au sein de l'équipe de l'université du Kansas. Et à lui offrir par là-même cette distinction : Earl Woods fut effectivement le premier à briser la fameuse «barrière de la couleur» en baseball.

Sa carrière n'ira jamais au-delà de son parcours universitaire, mais elle ne fut pas vaine. Ses points de vue sur les questions raciales aux États-Unis furent grandement influencés par sa propre

---

2. Le batboy a pour rôle de ramasser la batte que le frappeur a laissé tomber pour courir.
3. Ligues professionnelles américaines de baseball réservées aux noirs lors de la période de ségrégation, de la fin du XIXᵉ siècle à 1948.
4. Big 12 Conference : groupement de dix universités gérant les compétitions sportives dans neuf sports masculins et dix sports féminins dans le centre des États-Unis.

singularité : être le seul et unique joueur noir d'une équipe. Pendant l'une de ses tournées au Mississippi avec ses camarades, le coach de l'équipe adverse fut plus que surpris de voir Earl Woods s'échauffer comme receveur. Et se permit de faire remarquer à Wauthier que la place de Woods n'était pas sur le terrain, mais plutôt dans le bus. La réaction du coach ? Il demanda à ses joueurs de remonter eux aussi dans le car et tous quittèrent l'aire de jeu. Une autre fois, dans l'Oklahoma, le manager d'un motel informa Wauthier que son joueur noir n'était pas autorisé à y dormir. Mais qu'il y avait un autre motel, à cinq kilomètres, parfaitement disposé à l'accueillir. La réaction de coach Wauthier ? Il annula la réservation pour l'ensemble de l'équipe, et tous partirent dormir ailleurs.

Ces expériences-là étaient loin d'être les toutes premières qu'il avait eu à affronter. Au lycée de Manhattan, il avait eu un coup de foudre pour une belle jeune fille. Blanche. Mais jamais il n'avait osé l'inviter à danser, même s'il en mourait d'envie. Dans le Kansas de la fin des années 1940, sortir avec une femme blanche aux yeux de tous était simplement impensable pour un homme noir. Il n'a donc jamais franchi le pas, gardant pour lui toute une série d'humiliations, d'obstacles et autres sarcasmes qui l'empêchaient de vivre normalement, simplement en raison de la couleur de sa peau.

Au cours de sa première année d'université, Earl décida de rejoindre les ROTC[5]. La toute première fois qu'il porta l'uniforme, il ressentit une forme de fierté et d'estime de soi complètement inédite – dans le sens où il n'avait jamais digéré le fait de ne pas être assez talentueux pour devenir joueur professionnel de baseball, comme son père en rêvait.

Un an après avoir décroché son diplôme en sociologie, Earl s'engagea dans l'armée et se fiança avec Barbara Ann Hart, une fille du coin qu'il connaissait depuis toujours. Elle était partie étudier à San Francisco, mais Earl se fit si insistant qu'elle arrêta ses études pour revenir s'installer avec lui au Kansas. Ils se marièrent le 18 mars 1954 à Abilene, alors qu'un orage tonnait au dehors. Il avait vingt-deux ans, elle seulement vingt.

Et l'orage était hélas un mauvais présage.

---

5. Reserve Officers' Training Corps, un programme de formation réservé aux étudiants.

Barbara en était sûre : Earl Woods était un homme plein d'avenir. Il possédait une Chevrolet modèle 1936 qu'il avait surnommée Jitney. Il écoutait du jazz. Il avait un diplôme universitaire. Et c'est en Allemagne qu'il connut sa première véritable affectation militaire, où il devint rapidement le leader naturel de son groupe. Leur premier enfant – Earl Woods Junior – naquit à l'hôpital militaire près du petit village de Zweibrücken. Du romantisme à l'état brut.

Earl et Barbara eurent deux autres enfants : Kevin Woods, né le 1er juin 1957 à Abilene (Kansas), puis Royce Woods, née le 6 juin 1958 à New York. En attendant l'arrivée de sa fille, Earl était cantonné dans les quartiers militaires de Fort Hamilton, à Brooklyn, et sa famille vivait dans les environs.

C'est à cette période-là qu'il commença à devenir invisible. Il était père de trois enfants de moins de quatre ans, mais il décida malgré tout de s'inscrire à l'université de New York pour décrocher un Master. Il passait ses journées à la base et ses soirées à l'école. Quand il n'était ni de garde ni en cours, il sortait avec ses potes militaires qui l'avaient surnommé Woody. Son mariage était déjà en grand danger lorsqu'il reçut son ordre de mobilisation pour le Vietnam, en 1962. Seule avec trois enfants âgés de sept, cinq et quatre ans, Barbara décida de s'installer à San José, Californie, dans une petite maison avec trois chambres.

Earl parti au Vietnam, Barbara seule en Californie : le ressentiment à son égard ne fit que s'accentuer. Elle se sentait abandonnée. Et quand Earl put rentrer au pays après douze mois de services, il eut la sale impression de se sentir comme un étranger dans sa propre maison. Il l'a lui-même raconté voilà quelques années : arrivé devant chez lui en pleine nuit, il voulut entrer mais trouva porte close. Il frappa assez fort pour réveiller Barbara.

« Qui est là ? » demanda-t-elle sans ouvrir.

« C'est moi », dit-il.

Un long silence. « Qui ça, "moi" ? »

« Ouvre cette foutue porte ! » hurla-t-il en guise de réponse.

Quelques instants plus tard, réveillée par le vacarme, leur petite fille fit irruption dans la pièce et demanda : « Maman, c'est qui ce monsieur ? »

Earl reconnut bien des années plus tard que ses trois premiers enfants eurent à souffrir de ses longues absences. Dans son autobiographie, il écrivit simplement : « Je dois admettre que je suis le seul responsable dans cette histoire. »

Reste que sa carrière militaire était en pleine ascension. Tout juste rentré de son premier séjour au Vietnam, il fut assigné au centre John F. Kennedy Special Welfare, puis en Caroline du Nord à Fort Bragg, dans les forces spéciales. Il put ensuite suivre la formation de la Ranger School (stages commando), ainsi que celle de l'Airborne School (parachutistes). À trente-deux ans, contre toute attente, il devint officiellement un Béret vert et partit en Alaska suivre des stages de survie extrêmes en pleine nature. Jusqu'au jour où il reçut un ordre de mobilisation pour la Thaïlande. Une nouvelle fantastique pour Barbara, ravie de pouvoir emmener sa petite famille à l'étranger. Mais une joie de courte durée : les ordres étaient clairs, Earl devait s'y rendre seul. Sans sa femme ni ses enfants, contraints de rester aux États-Unis.

Au printemps 1967, le lieutenant-colonel Earl Woods arriva à Bangkok. Sa mission était de rencontrer des civils thaïlandais désireux de faire partie d'un projet d'armée locale, et de s'occuper des entretiens d'embauche. Il supervisait l'intégralité du processus, avec le privilège d'avoir un assistant à ses côtés. C'est avec lui qu'il arriva à la réception des quartiers généraux de l'armée américaine. Derrière le comptoir, une jeune Thaïlandaise. Un coup d'œil, et ces quelques mots, en anglais : « Comment puis-je vous aider, monsieur ? »

La question ne s'adressait pas à Earl Woods, mais à son assistant. Un jeune homme blanc, qu'elle avait identifié à l'instinct comme le supérieur hiérarchique d'Earl Woods. Ce dernier n'en prit pas ombrage, ne dit rien et la laissa les guider vers leurs bureaux. Une grande baie vitrée les séparait de la réception. Earl Woods s'assit tranquillement, posa les pieds sur le bureau et commença à donner des ordres à son assistant. Il avait bien remarqué que, justement, la secrétaire l'avait elle aussi remarqué...

« Je suis tombé direct sous le charme », raconta-t-il un jour. « Elle était incroyablement séduisante. »

Un clin d'œil à son assistant, puis cette annonce : « Je vais aller parler à cette jolie petite chose. »

Voici ce qu'il a ensuite raconté dans son autobiographie :

J'étais sous le choc. La beauté de cette femme était saisissante, avec un regard terriblement expressif. Je me suis approché d'elle et, je le jure,

elle a rougi. Elle venait de se rendre compte que c'était moi le colonel,
et pas mon assistant.
Elle a voulu s'excuser, mais je l'ai vite interrompue pour lui dire
de ne pas s'en faire. Ce quiproquo nous a même aidés à briser
la glace et à parler de choses plus personnelles. On s'est mis à bavarder,
elle avait l'éclat de rire facile. Son visage était rayonnant, ses yeux
pétillaient. J'ai tout de suite senti qu'il se passait un truc.
De retour à mon bureau, je souriais comme un gosse : j'avais un rencard
avec elle.

Kultida Punsawad est née en 1944, tout près de Bangkok. C'était la quatrième et dernière enfant d'une famille aisée. Son père était architecte, sa mère professeur. Tout le monde l'appelait Tida. Elle avait cinq ans quand ses parents ont divorcé. Comme si ça ne suffisait pas, elle fut en plus placée en pensionnat jusqu'à l'âge de dix ans. « Ça a vraiment été dur pour moi après leur divorce », a-t-elle raconté en 2013. « Je n'ai pratiquement vu personne de ma famille pendant mes cinq années d'internat. Je restais à l'école, c'est tout. Tous les week-ends, je priais pour que mon père ou ma mère viennent me chercher. Ou pour que mes grands frères et sœurs me rendent une petite visite. Mais personne n'est jamais venu. Je me sentais abandonnée. » Elle a un jour confié à une amie les deux mots qui convenaient le mieux pour définir son enfance : traumatisante et solitaire.

Bien éduquée, à l'aise en anglais, elle fut embauchée comme secrétaire et réceptionniste dans les bureaux de l'armée américaine, à tout juste vingt ans. Elle ne savait pas qu'Earl Woods était marié et père de famille au moment de leur rencontre. Elle était surtout flattée qu'on puisse s'intéresser à elle. Leur premier rendez-vous en dehors du travail ? Dans une église, et nulle part ailleurs. Des débuts tout en douceur pour ce qui allait ensuite donner naissance à l'un des plus grands sportifs de l'histoire. Sauf qu'à ce moment-là, personne ne tirait de plans sur la comète. Elle avait douze ans de moins que lui, elle n'était jamais sortie de son pays, et ils habitaient à 13 000 kilomètres l'un de l'autre. Et lui voyageait partout dans le monde, avec une famille à charge. Et puis ils étaient si différents l'un de l'autre. Elle était bouddhiste pratiquante, lui chrétien évangéliste qui ne pratiquait plus depuis une éternité. Et pourtant : entre eux, il fut très rapidement question que Kultida rejoigne Earl aux États-Unis. Avec quand même cet avertissement :

«Je sais que tu viens de Thaïlande, que tu es Thaïlandaise, lui dit Earl. Mais aux États-Unis, il n'y a que deux couleurs : blanc, et non blanc. Les blancs te feront très vite sentir que tu ne l'es pas. Tu t'en rendras compte tout de suite à leur façon d'agir et de se comporter avec toi. Donc ne crois surtout pas que tu seras considérée comme une citoyenne à part entière là-bas.»

À la fin de sa mission asiatique, Woods fut assigné à Fort Totten, près de Bayside (Queens, New York), bientôt rejoint par Barbara et les enfants. Il devint professeur assistant à temps partiel au City College of New York (un établissement d'enseignement supérieur), spécialisé en stratégie militaire et en psychologie de guerre, matières qu'il enseignait aux étudiants du ROTC. Barbara avait comme l'impression qu'il se servait de ses compétences pour la torturer psychologiquement. Elle a un jour raconté ce dialogue, symbole de son sens de la manipulation verbale comme émotionnelle :

> BARBARA : *Je ne comprends pas. J'ai fait quelque chose de mal ?*
> EARL : *Ah, parce que tu ne vois pas ?*
> BARBARA : *Je n'ai aucune idée de ce que tu me racontes.*
> EARL : *Ma fille, tu es complètement à côté de la plaque.*
> *Tu as besoin d'aide.*

Après plusieurs échanges du même type, Barbara commença à se poser des questions. Notamment celle-ci : est-ce que je suis vraiment à côté de la plaque ? C'était une femme sûre d'elle, très confiante. En tout cas elle l'avait toujours été. Mais la guerre psychologique menée par son mari portait ses fruits. Elle appela un jour sa sœur, en larmes, pour lui dire : «Je sais que je ne suis pas folle. Mais peut-être qu'il a raison. Peut-être que j'ai besoin d'aide.»

Peu de temps après, le 29 mai 1968, Earl rentra chez lui accompagné de son ami Lawrence Kruteck, un avocat prometteur de New York. Barbara regardait la télévision dans la chambre, mais elle fut priée de les rejoindre au salon. Elle vit tout de suite que Kruteck portait une petite mallette.

«C'est sans aucun doute la chose la plus dure que j'ai eu à faire de toute ma vie», lui dit-il d'emblée.

Il ouvrit son attaché-case, en sortit un document et commença à lire : «Attendu que les deux parties présentes sont aujourd'hui mari et femme, suite à la cérémonie qui a eu lieu à Abilene, Kansas, le 18 mars 1954...»

«Attends un peu, il se passe quoi là?» interrompit-elle.

«Woody demande une séparation de corps», dit Kruteck.

Prise de court, elle se tourna vers Earl, tranquillement assis dans un coin.

«Oui», confirma-t-il, et ce fut là son seul mot.

Kruteck demanda ensuite à Barbara de bien vouloir lire le document.

Sous le choc, tout juste capable de se concentrer, elle lut ceci: «Attendu que, au vu des divergences qui ont pu apparaître ces derniers temps entre les deux parties, et que celles-ci veulent désormais vivre séparément...»

Séparément? Barbara n'eut pas la force d'aller plus loin. Qu'est-ce que ça voulait dire? Qu'est-ce qu'il se passait?

Le document était clair: il stipulait qu'Earl et Barbara Woods allaient désormais vivre séparés pour le restant de leurs jours, «comme s'ils n'étaient plus mariés». Barbara aurait la garde des enfants, et Earl un droit de visite. Il lui donnerait également deux cents dollars tous les mois en guise de pension alimentaire.

Sous le choc, Barbara signa le document sans même consulter un avocat.

Cet été-là, toute la famille traversa le pays en voiture, de New York à San José. Un vrai *road trip*, comme des vacances en famille qu'ils n'avaient finalement jamais pu prendre. Avec des visites de monuments tels Liberty Bell (à Philadelphie) ou le Lincoln Memorial (à Washington). Ils passèrent une nuit à Las Vegas, où Earl et Barbara dormirent ensemble. Ça ressemblait presque à une seconde lune de miel, une seconde chance.

«Pourquoi cette séparation, au juste?» demanda Barbara.

«Parce qu'il le faut», lui répondit Earl.

Une fois sa famille réinstallée à San José, Earl repartit pour New York. Il ne remit plus les pieds en Californie pendant plusieurs mois.

À sa visite suivante, c'est l'oncle de Barbara qui vint le chercher à l'aéroport. Il fut quelque peu surpris de le voir accompagné d'une jeune femme asiatique. La version d'Earl ce jour-là: il venait de la rencontrer dans l'avion, et il lui avait proposé de l'aider à trouver un job à son retour à New York.

À ce moment-là, leur première rencontre remontait pourtant à près de dix-huit mois. Kultida était arrivée aux États-Unis en 1968 et avait rapidement trouvé du travail dans une banque à Brooklyn. Et selon Earl, ils se sont mariés en 1969.

Barbara ne savait rien de tout ça, bien entendu. Et son oncle n'eut pas la cruauté, ou le courage, de lui avouer qu'une autre femme était entrée dans la danse.

Au printemps 1969, Barbara connut de graves problèmes de santé. Elle souffrit de sévères hémorragies et les docteurs finirent par diagnostiquer un fibrome. L'opération, une hystérectomie, était inévitable, et Barbara demanda à Earl de bien vouloir la rejoindre à San José pour l'aider dans cette épreuve. Ce qu'il fit, mais seulement après un détour par le Mexique pour arriver en Californie quatre jours après l'opération. Cette nuit-là, alors que Barbara se reposait à la maison, il lui dit qu'il avait obtenu des papiers officiels de divorce, au motif « d'incompatibilité d'humeur entre les époux ». Elle en resta sans voix.

Barbara raconta cette nuit-là dans ses mémoires. Ils réveillèrent les enfants pour leur expliquer la situation. Puis passèrent le reste de la nuit à essayer de les empêcher de pleurer. Sans succès. Et puis Earl sortit de sa vie, pour de bon cette fois.

Il se révéla qu'au final, Earl Woods n'avait pas pu légaliser son divorce comme espéré. Le 25 août 1969, deux jours après qu'il fut rentré du Mexique, l'administration américaine refusa de valider le document, au motif suivant : « En aucun cas le consulat ne peut être tenu responsable du document ci-joint, de la même façon que ce dernier ne peut avoir aucune valeur légale dans n'importe quel État des États-Unis. »

À ce moment-là, Barbara ignorait tout du point de vue du consulat ainsi que de l'histoire en cours entre son ex-mari et Kultida. Elle ne savait qu'une chose : elle en avait ras-le-bol de tout ce bazar. Ce même 25 août, le jour où l'administration américaine refusait de valider le divorce prononcé à Juarez, elle lança une procédure officielle de divorce à San José, aux motifs de « harcèlement répété » et de « grande détresse psychologique ». Un peu plus de deux ans plus tard, le 28 février 1972, la Cour supérieure de Californie décida que « les deux parties étaient toujours mariées et qu'aucune d'entre elles ne pouvait procéder à un autre mariage tant qu'un jugement final n'avait pas été prononcé». La Cour finit par rendre son jugement le 2 mars 1972, officialisant ainsi le divorce entre Earl et Barbara Woods. Earl et Kultida étaient déjà mariés depuis presque trois ans, et Barbara commençait à comprendre tout ce qui s'était passé dans son dos.

«Je conteste la légalité de ce mariage, déclara-t-elle dans un autre dépôt au tribunal. Cet homme était bigame selon les lois de la Californie. Tout ça n'était qu'un plan prévu de longue date et exécuté de sang-froid. Il y a eu infraction à la loi depuis le tout début.»

En réponse à ces accusations, Earl fit une déclaration sous serment, dans laquelle il disait : «Nous avons divorcé au Mexique dans le courant de l'année 1967. Puis je me suis remarié en 1969.» Un mensonge. Une copie conforme du jugement prononcé au Mexique prouve qu'il a cherché à obtenir un divorce légal le 23 août 1969, soit deux ans après qu'il a prétendu l'avoir fait. De plus, l'État de Californie avait de son côté prononcé un jugement assurant que Barbara et lui étaient toujours légalement mariés jusqu'en 1972. Mais Earl n'en avait que faire. Des années plus tard, il dit : «Je ne suis au courant de rien à ce sujet-là, je ne vivais pas en Californie à l'époque. Je ne me suis jamais considéré comme bigame.»

Earl Woods n'avait pas vraiment envie d'avoir un enfant avec Kultida. Après avoir été un père absent pendant presque toute sa carrière militaire, puis avoir abandonné leur mère, il avait fini par renouer avec ses enfants. Il prit sa retraite de l'armée à l'âge de quarante-deux ans et trouva un emploi comme acheteur pour McDonnell Douglas, une entreprise d'armement sous contrat fédéral basée à Long Beach, Californie. Selon les termes du divorce, ses enfants avaient la possibilité de venir vivre avec lui une fois leur lycée terminé. Ce que firent ses deux fils. Alors devenir père une nouvelle fois ? Ça ne rentrait pas dans ses plans.

La plupart du temps, Kultida était au service de son mari. Elle lui préparait à manger, lui coupait les cheveux, s'occupait de son linge et de la maison. Elle avait été élevée dans une société patriarcale, où la population était bouddhiste à quatre-vingt quinze pour cent et où la femme était considérée comme inférieure à l'homme. Un cliché thaïlandais prétendait que le mari était comme les deux pattes avant d'un éléphant, alors que l'épouse représentait ses deux pattes arrière, au simple soutien des décisions prises par le chef de famille. Mais dans le même temps, la naissance d'un enfant et son éducation étaient des éléments essentiels de la culture thaïe. Kultida finit par faire entendre raison à son époux.

«Ça me convenait bien de ne pas avoir d'enfant, dit Earl. Mais dans la culture thaïe, un mariage n'en est pas vraiment un tant qu'il n'y a pas eu de naissance.»

Après six ans de mariage, Kultida tomba enceinte au printemps 1975, à l'âge de trente et un ans. L'euphorie des tout débuts de leur relation s'était alors dissipée, et Earl s'était trouvé un nouvel amour : le golf. L'un de ses amis l'avait initié et il avait pris le virus sur-le-champ. Si le golf avait été une drogue, on aurait pu dire qu'il était accro. Cette passion le dévorait de l'intérieur, et il passait bien plus de temps avec ses clubs qu'avec sa femme. «Je venais de trouver ce qui m'avait manqué toute ma vie, dit-il. Alors si je devais avoir un autre fils, les choses étaient claires : je le mettrais au golf à la première heure.»

CHAPITRE 3
UNE ÉTOILE EST NÉE

Le 30 décembre 1975, à 22 h 50, Kultida donna naissance à un garçon au Long Beach Memorial Hospital. Juste après l'accouchement, les médecins lui annoncèrent qu'elle ne pourrait plus avoir d'autre enfant. Les choses étaient claires : son nouveau-né resterait fils unique.

Il était évident depuis le début que tout serait plus que compliqué, à commencer par son nom : Eldrick Tont Woods. Inventé tout spécialement pour lui, il symbolisait la nature de sa relation avec ses parents. Le E de Eldrick, c'était pour Earl. Le K à la fin, pour Kultida. Dès son arrivée ici-bas, Eldrick était entouré par ses géniteurs, au sens propre comme au figuré. Un père qui retenait l'attention d'un côté, et une véritable maman tigre de l'autre.

Devenir mère avait plus de valeur que tout le reste aux yeux de Kultida. Enfant, elle avait été négligée par ses parents et abandonnée à son propre sort. Elle voulait devenir la mère qu'elle aurait aimé avoir. Et donc ne jamais emmener son fils à la crèche ou devoir travailler en dehors de chez elle, et peu importe si la famille avait du mal à joindre les deux bouts. Elle allait apprendre à son fils à lire, écrire, compter. La situation était limpide à ses yeux : elle allait consacrer sa vie à son fils, qui saurait toujours à quel point sa mère l'aimait.

Earl n'avait aucune intention d'appeler son fils Eldrick. Il lui donna tout de suite le surnom de Tiger, en hommage à un camarade disparu au Vietnam. Vuong Dang Phong était lieutenant-colonel dans l'armée du Sud-Vietnam, et Earl a souvent rappelé qu'il lui avait sauvé la vie à au moins deux reprises. Une fois en lui demandant de rester immobile pour éviter la morsure fatale d'une vipère particulièrement dangereuse, une autre fois en le poussant dans un fossé pour échapper aux tirs d'un sniper. Earl Woods l'avait surnommé Tiger, bien avant ce deuxième épisode, pour sa conception très féroce du combat rapproché. Pendant la grossesse de Kultida, la ville de Saïgon tomba aux mains de l'ennemi et la guerre du Vietnam prit fin. Earl perdit ensuite tout contact avec Phong et craignait qu'il ne fût capturé et enfermé dans un camp nord-vietnamien. Pour lui faire honneur, il décida de donner le surnom de son ami à son fils.

La question de la race était elle aussi plus que complexe. Du côté de sa mère, Tiger était trois-quarts Thaïlandais et un quart Chinois. Du côté de son père, ses gènes étaient un mélange d'Indiens d'Amérique, d'Afro-Américains et de Blancs. Son patrimoine dominant était clairement asiatique, mais Earl décida de l'élever comme un Afro-Américain. « Il n'avait peut-être que deux gouttes de sang noir en lui, dit Earl un jour de 1993. Mais comme je lui ai expliqué : "Il n'y a que deux couleurs dans ce pays : blanc et non-blanc." Et il n'était pas blanc. »

Earl et Kultida ramenèrent Tiger à leur maison, un ranch de 137 m² au 6704 de la rue Teakwood à Cypress, une ville coincée entre Anaheim et Long Beach, au nord d'Orange County, et qui comptait à l'époque à peine plus de 30 000 habitants. Orange County avait été de tous temps le site de riches terres agricoles, connu pour ses champs de fraises et ses pâturages laitiers. Mais dans les années 1970, le comté s'était transformé en patrie de Richard Nixon – une population blanche à presque 100 % et profondément conservatrice. De mémoire collective, les Woods étaient le seul couple mixte du coin. Ils n'avaient aucun contact avec leurs voisins, s'estimant victimes de racisme larvé.

Six mois après la naissance de Tiger, Royce, la fille d'Earl, décrocha son baccalauréat à San José et vint s'installer avec eux. On ne sait pas vraiment comment Kultida accueillit la nouvelle à cette époque, mais Royce lui fut au final d'une aide précieuse. Elle s'occupa aussi bien de la maison que de Tiger quand Kultida avait besoin de se reposer. Tiger ne savait pas encore parler, mais il appelait sa grande sœur La La. Et elle l'aimait tant que La La devint son surnom officiel.

Earl se faisait lui plutôt rare. Il travaillait de 9 heures à 17 heures et passait l'essentiel de son temps libre au golf. Il avait installé un filet dans son garage qui lui permettait de travailler son swing même à domicile. Il posait un bout de tapis sur le sol et tapait des balles qui s'arrêtaient contre le filet. Le garage était comme sa grotte, où il pouvait fumer, siroter une bière bien fraîche et peaufiner son swing. C'était comme un refuge. Tiger avait six mois quand Earl commença à l'emmener au garage avec lui et à l'installer sur une chaise haute. Il tapait des tonnes de balles avec son fer 5, et il lui parlait. Parfois, Kultida s'asseyait près de la chaise avec une cuillère dans une main et un petit pot dans l'autre. Selon elle, Tiger ouvrait la bouche à chaque fois que son père tapait une balle, et elle pouvait glisser la cuillère dedans. Et ainsi de suite jusqu'à ce qu'il termine son repas. C'était devenu une routine, tous les soirs : Earl swinguait et parlait, Tiger regardait et écoutait, et Kultida lui donnait à manger.

Des spécialistes en neurosciences ont longuement étudié les effets des comportements répétitifs sur le cerveau des enfants, surtout chez les moins de trois ans. Ce genre d'expériences répétées, ajoutées à la qualité des relations parents-enfants, ont une influence concrète et durable sur leur développement. En ce qui concerne Tiger, Earl Woods a fait ses petits calculs : il semblerait que son fils ait passé entre cent et deux cents heures à le regarder taper des balles avant de fêter son premier anniversaire.

Même si Tiger ne s'en souvient pas, Earl a raconté un jour ce qu'il s'était passé quand il avait à peu près onze mois. Après l'avoir regardé taper encore et encore, Tiger descendit de sa chaise haute pour prendre un club que son père avait coupé pour en faire un jouet. Puis il s'approcha tant bien que mal du tapis, se mit à l'adresse devant une balle et frappa. La balle termina sa course dans le filet, et Earl cria : « Chérie, viens vite voir ! Nous avons un petit génie ici. »

Un bébé de onze mois capable d'effectuer son premier swing spontanément, en toute coordination ? Ça ressemble à un conte de fées brodé par des parents un peu baratineurs. Peut-être bien. Après tout, la plupart des enfants sont tout juste capables de marcher à neuf mois, et il n'est pas rare qu'ils aient besoin d'au moins un an avant d'y arriver sans tomber systématiquement. Mais ce serait une grossière erreur de s'en tenir à ça et d'oublier que Tiger avait passé un temps fou à regarder son père swinguer. À une époque où Tiger était très malléable, son père lui a servi de modèle en tapant des balles sous ses yeux à n'en plus finir.

En outre, les neuroscientifiques et les pédiatres sont d'accord sur un point : la confiance se développe pendant la première année de vie. Et comme l'a précisé un expert, plus la personne qui s'occupe de l'enfant est aimante et réceptive, plus l'enfant s'attachera à cette personne. Le club de golf qu'Earl avait scié et adapté à la morphologie de Tiger est devenu un peu plus qu'un jouet : un lien symbolique entre le père et le fils. Plutôt que de se promener avec un doudou ou une peluche, Tiger traînait son club de golf aux quatre coins de la maison. Il ne le lâchait pratiquement jamais. Et dans le même temps, sa mère ne le quittait pas d'une semelle. Elle lui donnait à manger, essuyait sa bouche, lui parlait, le faisait rire.

Earl l'a raconté plus tard : son couple a commencé à battre de l'aile à ce moment-là, quand ils se sont rendu compte que leur petit garçon accrochait avec le golf. «On s'était fait une promesse : consacrer toute notre énergie et tous nos moyens, quel que soit le prix à payer, pour que notre fils soit élevé dans les meilleures conditions possibles. Une promesse sur laquelle on ne pouvait pas revenir. Il fallait forcément que ce soit au détriment de quelque chose. Et ce quelque chose, c'était notre relation. Tiger était devenu notre priorité. Quand je regarde en arrière, je me dis que c'est à ce moment-là que ça a commencé à ne plus aller entre Kultida et moi.»

Un engagement aussi fort est un fardeau terrible sur les épaules d'un enfant. Mais l'histoire racontée par Earl est incomplète. Ça faisait déjà un bon moment qu'il négligeait son épouse. C'est plutôt Tiger et ses prouesses au golf qui ont maintenu leur couple à flots. D'un autre côté, Earl a su reconnaître très tôt les compétences hors du commun et le talent naturel de son fils, et tout le crédit lui revient. En tant que père, il avait bien l'intention de faire tout ce qui était en son pouvoir pour exploiter ce talent si rare.

Le Navy Golf Course (Seal Beach, Orange County) a vu le jour en 1966. Il consacre depuis toujours l'intégralité de ses bénéfices au soutien moral et financier des militaires de la marine américaine et de leurs familles. À l'époque réservé aux seuls militaires de carrière, le complexe possédait un parcours de dix-huit trous long de 6 200 mètres nommé Destroyer, ainsi qu'un petit neuf trous composé de cinq par 3 et quatre par 4, baptisé quant à lui Cruiser.

Le parcours était à cinq minutes en voiture de la maison familiale, à tout juste trois kilomètres. Earl était retraité de l'armée, mais il y avait accès et ne s'en privait pas : il passait tout son temps là-bas. Avec le temps, il devint l'un des tout meilleurs joueurs du club. On n'y voyait jamais Kultida, jusqu'à ce que Tiger soit en état de s'y rendre. Elle a commencé à l'accompagner au practice alors qu'il n'avait que dix-huit mois, pour qu'il puisse taper des balles. Puis elle le remettait dans sa poussette et il s'endormait. Il arrivait aussi qu'elle téléphone à Earl, sur son lieu de travail, pour lui passer Tiger. « Papa, est-ce que je pourrais aller au golf avec toi aujourd'hui ? » demandait-il. Earl adorait ça, et il ne disait jamais non. C'était ensuite à Kultida d'amener Tiger jusqu'au club. Quand son fils a eu deux ans, Earl a fait en sorte qu'il passe deux heures par jour au practice, systématiquement. À un âge où la plupart des tout-petits développent leurs capacités motrices et partent à la découverte de toutes sortes de matières inconnues, par exemple en jouant dans les bacs à sable, Tiger était sur le parcours avec son père pour mettre au point sa nouvelle routine : s'entraîner, s'entraîner, s'entraîner.

Et puis, un soir de l'année 1978, Earl Woods prit une décision qui allait changer la vie de Tiger. Il appela la chaîne de télé KNXT, alors une filiale de CBS basée à Los Angeles, et demanda à parler à Jim Hill, un présentateur de trente-deux ans spécialisé dans le sport.

« Mon fils a deux ans, et je ne vais pas y aller par quatre chemins : il sera la prochaine grande révélation du monde du golf. Il va tout révolutionner, y compris les relations entre les différentes races », lui dit-il.

C'était une façon assez directe d'ouvrir les débats avec quelqu'un qu'il n'avait jamais rencontré.

Totalement sceptique sur cette prédiction, Hill ne savait pas trop quoi répondre.

« Et qu'est-ce qui vous fait dire ça ? » finit-il par dire.

Earl Woods savait très bien comment vendre son histoire aux médias. Et il avait toujours bien étudié ses dossiers. Hill avait évolué pendant sept ans comme défenseur en NFL et il adorait le golf. Plus important encore : c'était un Afro-Américain qui manifestait un intérêt particulier pour la défense des jeunes issus des minorités. Il s'impliquait aussi dans l'aide sociale de sa région, à travers la Los Angeles Urban League[6] et le Los Angeles Department of Parks

---

6. Association d'aide aux jeunes issus des minorités.

and Recreation[7]. Il savait parfaitement que nombre de parcours de golf refusaient d'accueillir des noirs à travers tout le pays. Alors Earl insista sur un point précis : son fils allait un jour ouvrir tous les parcours des États-Unis aux enfants « de couleur ».

Le lendemain matin, Hill et son équipe technique débarquaient sur le parking du Navy Golf Course. Vêtu d'une chemisette de golf et d'une casquette, Earl les accueillit la main tendue, avec un grand sourire.

« Où est Tiger ? » demanda Hill.

« Viens avec moi », lui répondit Earl en se dirigeant vers le practice.

En chemin, Hill reconnut l'un des bruits les plus délectables qui existent en golf – celui où le club effectue un contact parfait avec la balle. Il fut sous le choc quand il se rendit compte de l'auteur de cette douce symphonie.

« Et là, je vois ce petit bonhomme en train d'envoyer des traits, se rappelle Hill. Je veux dire : des traits, des balles toutes droites, pas des balles à peu près bien touchées. Il faisait moins d'un mètre, et il envoyait des coups de fusil à cinquante mètres à chaque fois. »

Hill n'était plus sceptique du tout.

« Hey Tiger, comment tu vas ? » demanda-t-il.

Tiger le regardait, sans dire un mot.

« Je peux taper quelques balles avec toi ? »

Tiger lui fit un signe de tête.

Hill balança un gros slice sur son premier drive, puis un hook sur le second. « Je ne suis pas si bon que ça, hein ? » plaisanta-t-il.

« Non », répondit Tiger, imperturbable.

Hill était sous le charme. Ce gamin de deux ans avait un swing déjà prêt pour le circuit américain, mais il avait gardé une innocence qui se mariait parfaitement à sa petite taille. Ça valait vraiment le coup d'avoir fait le voyage jusqu'à Long Beach. Les cameramen prirent plusieurs plans de Tiger en train de swinguer et de putter, et Earl les amena jusqu'au club-house.

« Tiger, demanda Hill, j'aimerais bien faire une interview avec toi. »

Earl prit son fils sur ses genoux et le tourna face caméra.

« Tiger, demanda Hill, qu'est-ce qui te plaît tant dans le golf ? »

Tiger soupira, puis pencha sa tête sur le côté, sans rien dire. Quoi que tente Hill, Tiger ne disait pas un mot. Après un long silence

---

7. Service municipal qui gère des programmes culturels et sociaux.

et quelques encouragements prodigués par Earl, Hill se pencha en avant. «Tiger, dit-il dans un grand sourire, ma carrière est entre tes mains. Il faut que tu me dises pourquoi tu aimes tant le golf.»

Tiger descendit des genoux de son père et souffla : «Il faut que j'aille faire caca.» Et tout le monde explosa de rire.

Le reportage de Hill fut diffusé à Los Angeles et reste aujourd'hui encore l'un des moments les plus mémorables de sa carrière de journaliste, qui court depuis plus de quarante ans. Ces images d'un gosse de deux ans en train de taper des balles de golf de façon aussi puissante que naturelle étaient saisissantes. Sa toute petite taille, associée à la mécanique parfaite de son geste – les épaules qui tournent au début du backswing, alors que son corps et ses hanches restent en place sans glisser vers la droite –, on aurait dit une fiction hollywoodienne. Comme si un gamin encore trop jeune pour savoir lire avait écrit un manuel scolaire. Pendant la diffusion, Hill fit cette prédiction audacieuse : «Ce jeune homme sera un jour au golf ce que Jimmy Connors et Chris Evert sont aujourd'hui au tennis.»

On ne sait pas vraiment ce qui a poussé Earl Woods à démarcher Hill de la sorte. Était-ce une envie irrépressible de montrer au monde qui était son fils ? Un coup de tête complètement innocent, conséquence d'une fierté paternelle tout à fait compréhensible ? Ou alors Earl était-il bien plus calculateur ? Dans son autobiographie publiée en 1998, il donne sa version des faits : il espérait que son fils devienne une célébrité mondiale et l'aiderait ainsi à retrouver son ami disparu. «C'était mon fantasme : que cet enfant qui portait le même surnom que Phong soit un jour connu de tous. Ainsi, mon cher et vieil ami le verrait à la télévision ou lirait son nom dans les journaux, et il ferait le rapprochement.»

Earl écrivit ces mots juste après que Tiger fut passé professionnel en 1996. Sans doute avait-il également autre chose en tête en 1978. Reste cette vérité : à seulement deux ans et demi, Tiger avait déjà montré d'indubitables signes de son talent, et son père avait lui commencé à imaginer une série d'événements qui paraissaient encore plus improbables – et en fin de compte encore plus pesants – que tout ce que Charles Dickens avait pu imaginer pour Pip, le jeune orphelin héros de son roman *Les Grandes Espérances*.

Peu de temps après le reportage diffusé sur KNXT, l'animateur Mike Douglas demanda à ses assistants de faire venir Tiger sur son plateau. Son *Mike Douglas Show*, diffusé sur ABC, était l'un des programmes de jour les plus regardés dans le pays. Le tournage eut lieu à Philadelphie le 6 octobre 1978, devant un public tout acquis à la cause du jeune héros. Tiger Woods arriva sur scène vêtu d'un short kaki, de chaussettes blanches, d'une chemise col rouge à manches courtes, et coiffé d'une casquette rouge. Ses épaules tombaient vers l'avant sous le poids de son sac de golf. Avec Douglas à ses côtés, ainsi que les acteurs Bob Hope et Jimmy Stewart, il posa une balle sur le tee, se mit à l'adresse et l'envoya dans le filet de practice.

« Parfait ! » s'enthousiasma Douglas devant un public en délire et ses deux autres invités en train d'applaudir.

Mais on voyait bien que Tiger était mal à l'aise. Il tirait nerveusement sur son oreille gauche.

« Quel âge as-tu, Tiger ? » lui demanda Douglas.

Tiger continua à tirer sur son oreille, et Earl répondit à sa place.

Sentant la gêne de Tiger, Douglas se mit à genoux, tout près de lui, posa sa main sur ses épaules, et demanda d'une voix toute douce : « Tu sais qui est ce monsieur, juste là ? » en montrant Bob Hope.

Pas de réponse de Tiger. Et toujours ce tic sur l'oreille gauche…

« C'est quoi le nom de ce monsieur ? » demanda Earl à son tour.

Mais Tiger détourna le regard.

« Tourne-toi et regarde-le, Tiger, dit Earl. Cet homme, juste là. »

La situation devenait vraiment gênante. Hope se pencha en avant, les mains sur ses genoux, et fit un grand sourire à Tiger.

« Quel est son nom ? » répéta Earl.

Tiger finit par jeter un œil vers Hope, toujours sans dire un mot.

Earl le prit alors dans ses bras.

« Et pourquoi pas un concours de putting entre Tiger et M. Hope ? lança Douglas. Il sait putter, aussi ? »

« Oh que oui », répondit Earl.

Alors Tiger plaça sa balle à environ 1,5 m du trou, mais manqua sa tentative. Il réessaya deux fois, pour autant d'échecs. Earl plaça une quatrième balle juste devant lui, mais Tiger la prit pour aller la poser à dix centimètres du trou, et cette fois réussit son tout petit putt. Le public devint comme fou. Hope était mort de rire, à s'en taper les cuisses. Douglas rit si fort qu'il en fit tomber tout un seau de balles.

Il est facile de voir dans cette scène un simple bon moment de télé, mais la performance de Tiger lors du *Mike Douglas Show* fut aussi un révélateur. Tiger avait toutes les caractéristiques de l'enfant surdoué telles qu'on les décrit dans les livres spécialisés : silencieux, sensible, à l'écart. Il avait aussi ce tic nerveux, à tirer en permanence sur son oreille ; ce désir manifeste de faire plaisir à son papa ; et puis ce besoin de gagner, mis en évidence par sa détermination à ne pas manquer son tout dernier putt. Dans son livre *Le drame des enfants surdoués*, un ouvrage qui tient lieu de référence, la psychologue et chercheuse Alice Miller a donné sa définition de l'enfant surdoué : quelqu'un de plus intelligent, plus sensible et plus conscient de ses émotions que les autres. Des années et des années de recherche l'ont amenée à la conclusion qu'un surdoué peut être très conscient des attentes de ses parents et faire tout son possible pour les satisfaire. Même si cela implique de mettre de côté ses propres émotions et ses envies. Elle nomme « cave de verre » l'endroit où le surdoué enferme sa vraie personnalité pour essayer de devenir l'enfant idéal attendu par ses parents.

L'acteur Jimmy Stewart n'était lui pas psychologue pour enfants. Mais il avait plus de soixante ans de vécu dans le milieu du show business, et il avait vu son lot de jeunes enfants envoyés sur scène par des parents totalement incapables d'imaginer les conséquences à long terme que pouvait générer une célébrité précoce. Juste après le show, il discuta en coulisses avec Earl. Puis il revint vers Mike Douglas et lui dit : « J'ai vu assez d'enfants précoces comme ça, et aussi trop de parents idéalistes. »

La première apparition de Tiger Woods sur une chaîne nationale fut un moment fondateur. On n'exagérera pas en affirmant qu'une star est née ce jour-là. Mais on pourrait également dire qu'elle était née prématurément. Les plus grands athlètes de l'histoire, tels Mohammed Ali, Michael Jordan, Pelé, Steffi Graf ou Usain Bolt, n'avaient eux jamais connu les joies d'un passage télé à deux ans. Mais pour Tiger, la vie devant les caméras allait devenir son nouveau quotidien, tant son père multipliait les événements de ce genre.

Plus tard, il l'emmena sur le plateau de *That's Incredible!*, une émission de télé-réalité incroyablement populaire dans laquelle on pouvait retrouver aussi bien des jongleurs de couteaux que des inconscients qui sautaient en moto par-dessus l'hélice d'un hélicoptère ou qui descendaient des cascades plus que dangereuses. À cinq ans, Tiger en fut l'invité principal, mais on n'entendit que son père. Avec Kultida à ses côtés et les trophées remportés par Tiger en arrière-plan, Earl expliqua : « On ne peut pas lui imposer ce qu'il doit être ou ce qu'il ne doit pas être. Tout ce qu'on peut faire, c'est l'accompagner dans sa passion, le golf. S'il était fan de bowling, eh bien on l'aiderait à devenir bon en bowling. Chacun de nous doit vivre sa vie. Et lui peut vivre la sienne comme il l'entend. »

Kultida ne dit pas un mot, mais elle jeta un regard noir à son mari lorsqu'il déballa son grand discours sur les « choix » supposés de son fils. Tiger n'avait rien choisi du tout à cette époque-là. En toute honnêteté, aucun enfant de cinq ans ne décide de la façon dont il doit mener sa vie. Ce sont les parents qui le font pour lui. Et chez les Woods, Earl décidait de la marche à suivre pour Tiger.

Quand Tiger eut quatre ans, Earl décida qu'il était temps pour lui d'avoir un professeur particulier. Il avait jeté son dévolu sur le Heartwell Golf Course, un parcours public de par 3 situé près de Long Beach, à tout juste dix kilomètres de chez eux. Le problème, c'est qu'il n'avait pas les moyens de payer des leçons individuelles pour son fils. Et c'est Kultida qui trouva la solution.

Rudy Duran, un assistant pro de trente et un ans, s'occupait des juniors à Heartwell. Il avait les cheveux noirs et ondulés, une moustache, et il était bâti comme une montagne. Il travaillait derrière le comptoir du pro-shop en ce matin du printemps 1980 quand il vit arriver une femme avec un gamin de quatre ans dans son sillage.

« Mon fils a beaucoup de talent, lui dit-elle. Mon mari et moi serions ravis si vous pouviez lui donner des cours particuliers. »

Duran jeta un œil par-dessus le comptoir, et Tiger leva les yeux vers lui. Duran n'avait jamais vu de golfeur âgé de quatre ans. Sa première réaction fut similaire à celle de Jim Hill quand Earl lui passa son fameux coup de fil – sceptique. Mais il ne voulait manquer de respect à personne.

« Très bien, dit-il, allons voir ça. »

Tiger le suivit jusqu'au practice, accompagné par sa mère. Duran posa quatre balles sur le tee. Tiger sortit le bois que son père avait fabriqué pour lui. Avec un grip de baseball (les dix doigts qui serrent le club), il swingua et envoya les quatre balles cinquante mètres plus loin, avec une trajectoire droite-gauche parfaite.

Incroyable ! pensa Duran, bluffé à la fois par le vol des balles et le swing de Tiger. Il connaissait même des professionnels qui n'avaient pas cette maîtrise.

«Je serais très heureux de pouvoir travailler avec votre fils, dit-il à Kultida. Il peut venir ici autant qu'il le souhaite.»

À l'époque, une heure de cours particulier pour un jeune joueur coûtait dans les quinze dollars à Heartwell. Mais Duran n'aborda pas le sujet, et Kultida non plus. Convaincu que Tiger était une petite merveille, il avait hâte de commencer à travailler avec lui, sans se laisser ennuyer par des contraintes financières ou des obligations d'âge minimum. Pendant six ans, il fut l'instructeur privé de Tiger. Jamais il n'envoya la moindre facture à la famille Woods. Et jamais ceux-ci ne lui proposèrent de payer quoi que ce soit.

Tiger fut tout de suite à l'aise avec Duran, qui commença par lui fabriquer un jeu de clubs sur mesure. En ce temps-là, les clubs pour juniors ressemblaient plus à des jouets qu'à de véritables outils de travail. Mais Duran avait appris à refaire les grips et remettre à neuf des bois de parcours, des compétences qui allaient se révéler bien utiles au moment de bricoler un truc pour un enfant de quatre ans. Il trouva des shafts de clubs pour femmes, histoire de réduire le poids total. Puis il les coupa pour les adapter à la morphologie de Tiger, et refit les grips pour que l'enfant puisse les avoir bien en mains.

Sa pédagogie était simple : laisser Tiger s'amuser. Il avait déjà un rythme et un équilibre quasi parfaits. Au finish, le poids de son corps reposait sur son pied gauche, et il était tourné vers la cible. Une telle maîtrise des fondamentaux, c'était du jamais-vu chez un enfant aussi jeune. Alors plutôt que de l'embrumer avec des détails techniques, il laissa son talent et son amour du jeu croître de façon naturelle. Tiger n'avait que quatre ans, mais il pouvait déjà jouer dix-huit trous avec Duran. Sur le parcours, on aurait dit un pro qui avait roulé sa bosse partout dans le monde. Mais en dehors, il parlait de *Star Wars* ou voulait manger un Happy Meal. Rudy devint très rapidement son meilleur ami.

Le parcours de Heartwell était un par 54. Mais pour mettre son jeune élève en confiance, Duran inventa ce qu'il appela le «Tiger par», soit un score de 67. À titre d'exemple : sur un par 3 de 130 mètres, Duran imaginait que Tiger pouvait envoyer son drive à soixante-dix ou soixante-quinze mètres, ce qui lui laissait un fer 7 ou un fer 9 pour atteindre le green. Si ensuite il rentrait son putt, alors son score de 3 valait birdie, et non le par. En moins d'un an, il fit voler en éclats le «Tiger Par» en scorant 59, soit -8.

Duran estima qu'il était temps pour Tiger d'avoir ses propres fers, faits sur mesure eux aussi. Earl pensait de même, et les deux hommes prirent contact avec le vendeur d'une société nommée Confidence Golf. La réputation de Tiger s'était répandue dans tout le petit monde du golf de Californie du Sud, et le représentant de Confidence Golf n'avait qu'une envie : conclure un marché avec le petit prodige dont tout le monde parlait. Il proposa d'offrir les clubs à Tiger.

Il était rentré en maternelle voilà quelques mois seulement, mais il venait d'apprendre une leçon qui n'avait pas de prix : les meilleurs sportifs n'ont pas besoin de payer. Les cours particuliers, les green-fees, le matériel – c'était là les dépenses d'une économie à part, celle qui en temps normal faisait du golf l'apanage des familles des riches clubs privés, les fameux country clubs. Tiger ne serait jamais membre de ce genre de club, mais ce n'était pas ça qui allait l'arrêter.

Earl cherchait toujours à donner des coups de pouce à son fils. Tiger était encore en primaire quand son père lui offrit des cassettes de motivation personnelle, ainsi qu'un lecteur. Sur ces bandes, des discours pour renforcer la confiance et le développement personnel, mais aussi des musiques apaisantes et des bruits de nature, comme ceux d'un ruisseau. Au début des années 1980, alors que les gamins de son âge écoutaient l'album *Thriller* de Michael Jackson sur leur walkman, Tiger se nourrissait de mots destinés à faire de lui un champion. Il écrivit même certaines phrases de ses cassettes sur une feuille blanche, qu'il accrocha au mur de sa chambre :

Je crois en moi
Je suis maître de mon destin
Les obstacles ? Ça me fait sourire
Je suis plus que déterminé
Je m'engage avec fermeté dans tout ce que je fais
Je suis fort
Je m'en tiens à ça, facilement, naturellement
Je suis capable de déplacer des montagnes

Je suis concentré, je donne tout ce que j'ai
Mes décisions sont fortes
J'y mets tout mon cœur

Tiger écouta ces cassettes si souvent qu'il finit par les user. Sa confiance en lui était telle qu'à l'âge de six ans, il disputa un tournoi à San Diego, nommé Optimist International Junior Golf Championship, et qu'il termina huitième sur cent cinquante participants. Les sept golfeurs mieux classés que lui avaient tous dix ans. En 1984, à l'âge de huit ans, il remporta le championnat réservé aux neuf-dix ans. Il gagna également l'année suivante, avec quatorze coups d'avance sur le deuxième.

Il était si confiant sur un parcours qu'il avait l'air arrogant et un peu prétentieux quand il célébrait un putt victorieux. Mais à l'école, il avait peur de lever la main. Son anxiété était telle qu'il développa des troubles du langage. « Mon bégaiement se voyait tellement que ça me rendait très nerveux, écrivit-il plus tard. Du coup, je m'asseyais au fond de la classe en espérant que mes professeurs ne m'interrogent pas. »

Les seuls moments où il ne bégayait pas à l'école, c'était quand il parlait de golf. Ses professeurs avaient remarqué que son débit devenait alors bien plus fluide. Sinon, il se repliait sur lui-même. « Mon esprit fonctionnait normalement, mais les mots ne sortaient pas de ma bouche. Chaque fois que je devais parler, je bégayais tellement que je finissais par laisser tomber », expliqua-t-il un jour.

Il suivit pendant deux ans un programme spécial de cours du soir pour lutter contre son handicap, mais son bégaiement resta problématique pendant toute sa scolarité en primaire. Et le golf était comme une épée à double tranchant pour lui. D'un côté, il n'était plus nerveux du tout quand il prenait un club entre ses mains, et sa confiance en lui était resplendissante. Mais de l'autre, au contraire des sports collectifs qui permettaient de progresser dans la communication, le golf était un sport individuel et solitaire. Et plus sa scolarité avançait, moins il avait de temps pour jouer avec ses camarades.

« Je me souviens avoir passé des heures à putter dans le garage. Papa y avait installé un affreux tapis tout usé, mais il avait ce que je pourrais appeler des lignes aussi larges que la tête de mon putter. Du coup, je pouvais faire monter le club en suivant une ligne, puis taper la balle sur le chemin de retour, et ensuite suivre la ligne après l'impact», a-t-il un jour raconté.

«Inconsciemment, c'est dans ce garage, sur ce bout de tapis miteux, que j'ai tout appris. Les couleurs étaient presque aveuglantes, avec du jaune, du vert et de l'orange. Il était tout pourri, mon père ne s'en servait jamais, mais j'ai putté là-dessus encore et encore.»

Quand il n'était ni sur le parcours, ni avec son professeur particulier, ni dans le garage, Tiger trouvait refuge dans sa chambre. Là, il retrouvait ses cassettes, et aussi le chien que ses parents lui avaient offert. Un labrador qu'il avait appelé Boom-Boom. Tiger lui parlait pendant des heures, sans jamais bégayer.

«Il m'écoutait jusqu'à ce que je m'endorme», raconta-t-il.

CHAPITRE 4
L'ENFANT PRODIGE

Assis sur le canapé du salon, sa mère à ses côtés, son père dans son fauteuil, Tiger Woods est scotché devant sa télé. Il a dix ans, nous sommes le 13 avril 1986, et CBS retransmet le dernier tour du Masters. Plus tôt dans la journée, dans un de ces moments de complicité père-fils, il avait joué neuf trous avec Earl sur le Navy Golf Course, près de chez eux. Mais là, il regardait le grand Jack Nicklaus, quarante-six ans, prendre la tête du tournoi après son birdie à un mètre réussi sur le trou numéro 16 d'Augusta, et qui venait de mettre le public en transe. « Il n'y a plus de doute, l'Ours est sorti de sa tanière ! » dit le commentateur.

Nicklaus finit par gagner son sixième Masters ce jour-là, pour devenir le golfeur le plus âgé à avoir jamais porté la veste verte du vainqueur. C'était son dix-huitième et dernier tournoi du Grand Chelem. Et ça faisait seulement sept ans que Tiger était lui capable de compter sa carte de score. Il rêvait de pouvoir jouer à Augusta. L'exploit historique de Nicklaus reste son premier vrai souvenir de Masters. « Son attitude sur les derniers trous m'a vraiment fait de l'effet parce qu'elle était authentique. Ça m'a appris toute l'intensité qu'il fallait mettre dans chaque coup de golf, écrivit Woods des années plus tard. Jack avait quarante-six ans, moi seulement dix, et je ne pouvais pas traduire mes sensations avec des mots. Mais je voulais tout faire comme lui. »

Earl fumait. Il aimait tirer une grande latte et recracher lentement la fumée quand il pensait à quelque chose. Et il avait plein de choses en tête après avoir vu son fils regarder le grand Jack Nicklaus à la télé. Le tableau de l'Augusta National Golf Club était bien différent de celui du salon des Woods : un public entièrement blanc, avec un vainqueur blanc aux cheveux blonds. En 1934, la PGA of America, l'association des joueurs professionnels américains, avait modifié ses règlements : seuls les « golfeurs professionnels de race caucasienne » étaient autorisés à devenir membres. Et même si cette clause fut finalement supprimée en 1961, les country clubs comme Augusta demeuraient des bastions réservés aux seuls blancs. Earl Woods n'avait que mépris pour cet aspect-là du golf aux États-Unis. Il fut persuadé toute sa vie que sa couleur de peau avait été un frein, pour sa carrière militaire comme dans sa vie de tous les jours – la jolie blonde qu'il n'avait pas osé inviter à danser ; les motels du Midwest qui ne voulaient pas de lui quand il voyageait avec ses coéquipiers blancs ; le colonel raciste qui l'avait empêché d'avoir une promotion.

« J'ai passé ma vie à combattre le racisme, la discrimination et le manque d'opportunités, dit-il. Un noir intelligent et qui s'exprime bien ? Aucune chance pour lui de faire quelque chose de valable de sa vie. Ça a souvent été frustrant et étouffant, surtout pour quelqu'un qui voulait vraiment y arriver, sans qu'on ne lui donne la moindre chance. »

Earl était résolu à voir son fils changer tout ça. Les questions de race n'allaient pas l'arrêter en si bon chemin. Tiger allait faire quelque chose qui en valait la peine. Il allait avoir sa chance. Alors l'encourager à devenir comme Jack ? Que nenni : Earl allait le préparer pour qu'il soit meilleur que Nicklaus.

Après le Masters 1986, le magazine *Golf Digest* publia la liste de tout ce que Nicklaus avait accompli dans sa vie. En précisant son âge à chaque exploit qui avait eu un peu de sens pour lui. Tiger accrocha cette liste sur le mur de sa chambre avec des punaises. C'est là que Jack Nicklaus est vraiment entré dans sa vie : il le voyait tous les matins au réveil, et tous les soirs au moment de s'endormir.

Voilà six ans qu'il travaillait avec Rudy Duran, et Earl décida qu'il était temps de passer à autre chose. Tiger grandissait, et son père voulait un coach qui soit capable de bâtir un swing qui tienne compte de sa croissance physique. Il jeta son dévolu sur John Anselmo, le responsable de l'enseignement au Meadowlark Golf Course à Huntington Beach, à vingt kilomètres au sud de Cypress. Anselmo avait vu passer plein d'enfants prodiges entre ses mains. Earl alla le voir juste après le Masters 1986 pour lui poser des questions sur sa philosophie et ses méthodes d'enseignement.

Anselmo avait entendu parler de Tiger. Mais c'est seulement en le voyant taper des balles qu'il prit conscience du phénomène.

«Je n'avais jamais vu un gamin avec un tel potentiel», dit-il. Il expliqua à Earl qu'on ne s'occupait pas des enfants à part comme des autres. «Ils n'ont pas besoin de faire grand chose, en fait. Tout ce qu'ils font est naturel, et ils grandissent comme ça. Il faut surtout qu'ils gardent leurs sensations.»

Earl en avait assez entendu pour comprendre qu'Anselmo était le meilleur professeur de toute la Californie du Sud. Il conclut avec lui un accord identique à celui qu'il avait avec Duran : Anselmo ne demandait pas d'argent, et lui n'en proposait pas.

Lors de leur toute première séance de travail, le professeur remarqua deux choses. La première : Tiger avait un swing plat, et son bras gauche ne montait jamais au-dessus de ses épaules lors du backswing. La deuxième : il cassait son poignet droit au tout début du swing. Personne ne s'en était rendu compte avant lui.

Tiger adhéra immédiatement aux conceptions techniques de son nouveau coach et aux exercices censés le faire progresser. Très appliqué, il se tint davantage en équilibre sur la plante des pieds, et laissa tomber les bras devant lui de façon plus naturelle. Dans le même temps, il délaissait parfois ses clubs pour prendre un panier de balles vide à la place. Il l'agrippait avec ses deux mains, puis il déclenchait son backswing pour éloigner le seau de la cible. Une action qui avait pour effet d'étirer les muscles de son dos et de son bras gauche. C'était une sensation toute nouvelle, et le début d'un nouveau swing, plus ample, plus dynamique.

Anselmo remarqua autre chose : Tiger était obsédé par l'idée d'envoyer la balle le plus loin possible. Ce n'était pas un problème technique, mais plutôt mental, et certainement pas quelque chose qui pouvait se régler avec des exercices. Mais il fallait que ça change. Selon lui, vouloir taper trop fort dans une balle pouvait détruire n'importe quel golfeur, aussi talentueux fût-il.

Les deux hommes se voyaient maintenant une fois par semaine.

Kultida accompagnait son fils à chacune de ses leçons, ainsi qu'au practice. Elle faisait aussi la navette pour tous ses tournois. Earl travaillait à plein temps et Tiger passait l'essentiel de son temps avec sa mère. Ils voyagèrent partout ensemble. Tiger se rendit même en Thaïlande, l'été qui précéda le début de sa collaboration avec Anselmo. C'était une vraie chance pour lui de découvrir le pays de sa mère et d'en apprendre davantage sur sa religion. Il eut même l'occasion de rencontrer un moine bouddhiste.

Kultida l'accompagnait et elle remit au moine un graphique qu'elle tenait à jour depuis la naissance de son fils, retraçant tous les exploits des neuf premières années de sa vie. Elle a plus tard raconté à un journaliste ce qui s'est passé.

« Le moine m'a demandé si j'avais adressé une requête spéciale à Dieu pendant ma grossesse. Je lui ai demandé pourquoi, il m'a répondu que cet enfant était spécial, comme si Dieu avait voulu envoyer un ange sur Terre. Ce moine ne connaissait rien au golf, et de toute façon les moines ne regardent pas la télé. Il a juste dit que Dieu avait donné vie à un ange. Et aussi que Tiger serait un leader. Aurait-il fait carrière dans l'armée qu'il serait devenu général quatre étoiles[8]. »

Ce voyage en Thaïlande fut essentiel pour Tiger dans le cadre de la relation avec sa mère. Tous les soirs avant de se coucher, Kultida priait Bouddha pour que Tiger soit à nouveau son fils dans sa prochaine vie. Lui ne se sentit pas obligé de devenir bouddhiste pratiquant, mais il avait envie de lui faire plaisir. Sur ses couvre-clubs, il y avait écrit *Rak jak Mea* en thaïlandais, qu'on pourrait traduire par « Avec tout l'amour de ta maman ». « Tu pourras toujours compter sur moi. Je ne te mentirai jamais », lui assura-t-elle.

Ils passèrent des milliers d'heures tous les deux dans la voiture, à se rendre aux leçons, au practice, sur les tournois de Californie du Sud. Elle le suivait sur chaque trou lorsqu'il disputait une compétition, un stylo à la main pour noter ses scores. Elle y tenait plus que tout. Elle avait beau être respectueuse des adversaires de son fils, elle n'appréciait pas que quelqu'un puisse le battre. Sur la route qui les amenait vers les tournois, elle lui expliquait sa façon de voir les choses : « Il faut leur sauter à la gorge, c'est comme ça que ça se passe en sport. Parce que si tu es trop gentil, ils peuvent revenir et te botter le cul. Alors tu les tues. Tu leur arraches le cœur. »

En dehors du parcours, Tiger connaissait les règles à suivre :

1. D'abord l'éducation, ensuite le golf.
2. Les devoirs d'abord, l'entraînement après.
3. Tu ne réponds pas.
4. Tu respectes tes parents.
5. Tu respectes tes aînés.

---

8. Grade le plus élevé dans l'armée américaine.

Mais sur le parcours, il n'y avait qu'une seule règle : sois sans pitié.

C'était une mentalité qui tranchait avec celle en cours sur les épreuves réservées aux jeunes en ce temps-là. En 1987, alors qu'il avait onze ans, Tiger disputa trente-trois tournois juniors et les remporta tous. « Rien n'est aussi bon que de battre tout le monde. Le deuxième, c'est le premier perdant », dit-il.

Earl entrait dans la danse le soir venu. La plupart du temps, Tiger le rejoignait sur le parcours du Navy Course après qu'il fut sorti du travail, pour jouer avec lui jusqu'à la nuit. Jouer tout seul avec son père ? C'était son passe-temps favori. Il disait que c'était ses moments de vie les plus paisibles. En de rares occasions, il leur arrivait cependant de partager leur partie avec quelqu'un d'autre.

Un jour, alors que Tiger avait douze ans, Eric Utegaard se joignit à eux. Il était commandant d'un navire de type Destroyer. En 1969, il fut le tout premier membre de la Naval Academy à obtenir le statut de All-American[9], alors que la Marine avait lancé son programme de golf dès 1909. Il était accompagné de Jay Brunza, un ami titulaire d'un doctorat et ancien capitaine de la Marine, qui avait auparavant travaillé avec l'équipe de golf de l'académie.

« Et tu fais quoi pour gagner ta vie ? » demanda Earl à Brunza.

Ce dernier lui répondit qu'il avait été psychologue à la Naval Academy basée à Annapolis, Maryland. Puis qu'il avait travaillé en oncologie pédiatrique à l'hôpital militaire de Bethesda, avec des enfants souffrant de cancers et autres maladies très graves. Par exemple, quand un enfant devait subir une chimiothérapie, Brunza l'aidait à déplacer son attention sur d'autres pensées – une méthode qu'il appelait « conscience alternative ». Ça consistait surtout en une forme d'hypnose, qui aidait ses patients à composer avec la gêne. Brunza était également un excellent golfeur et il avait travaillé comme psychologue du sport pour l'équipe de golf de la Marine.

Utegaard proposa un *foursome* : Earl et lui contre Tiger et Brunza. Dès le début, Tiger parla de façon très familière avec Brunza, qui le lui rendait bien. Il adorait ça, et appréciait aussi que son partenaire d'un jour soit capable de bien jouer au golf.

---

9. Statut non officiel pour les amateurs américains, censé désigner les meilleurs dans chaque discipline.

Plus la partie avançait, plus Earl se rendait compte qu'il se passait un truc entre eux deux. Il prit Brunza à part juste après leur partie.

«Est-ce que tu voudrais bien me filer un coup de main pour aider Tiger, pour lui donner un avantage dont bénéficient la plupart des gamins des country clubs? Est-ce que tu voudrais bien travailler avec lui?» lui demanda-t-il.

Ça faisait maintenant plus d'un an que Tiger avait commencé sa collaboration avec Anselmo afin d'améliorer son équilibre. Le week-end, Brunza faisait le voyage depuis San Diego pour l'aider à visualiser les coups. Dès le début, il lui donna des cassettes qui contenaient des messages subliminaux créés tout exprès pour lui. Ils travaillaient aussi sur la respiration. Tiger apprit à inspirer profondément, garder l'air dans ses poumons puis souffler très lentement quand il était à l'adresse. Le but était de l'amener à se décontracter. Puis il modifia sa conception du putting. Plutôt que de viser le trou, il imagina un dessin autour du trou et le prit pour cible. Brunza utilisait toute une palette de techniques d'hypnose dont il se servait depuis des années avec ses malades.

«Vous croyez perdre le contrôle avec l'hypnose, mais c'est en fait le contraire. Ça vous procure un très haut niveau de conscience et de concentration. J'ai enseigné à Tiger une technique pour se concentrer au maximum, une conscience créative qui se mariait parfaitement avec son caractère.»

Après chaque séance, Brunza donnait à Tiger des exercices à faire à la maison. Il n'eut jamais besoin de le lui rappeler. «C'était l'un des tout meilleurs élèves que j'avais jamais eus, dit-il. Un enfant très doué et très créatif.»

Comme tous les enfants, Tiger aimait les jeux et les jouets. Mais il était fasciné par le matériel de golf: les grips, la face lisse et brillante d'un driver, et même l'odeur et le contact avec le cuir d'un nouveau sac de golf. Il était extrêmement soigneux avec tout ce qu'il possédait, ses chaussures de golf comme ses balles ou encore ses couvre-clubs. Anselmo l'avait bien remarqué, et il organisa une rencontre avec l'un de ses anciens élèves: un jeune homme de vingt-cinq ans nommé Scotty Cameron.

Alors qu'il était encore adolescent, Scotty et son père se mirent à tester des putters dans leur garage. Au début, c'était surtout du bricolage, mais petit à petit, le garage se transforma en atelier. Quand les deux hommes n'étaient pas sur le parcours, ils changeaient des grips, façonnaient des têtes de clubs et concevaient des putters qu'ils certifiaient avoir testés sur le parcours. Cameron avait vite compris qu'il ne ferait pas carrière chez les professionnels et que son vrai talent était de fabriquer des putters. À la vingtaine, il décida de quitter le garage pour emménager dans un vrai studio où il pourrait confectionner des outils très haut de gamme.

Tiger était très admiratif de son travail. Il avait peut-être treize ans de moins, mais il parlait le même langage. Quant à Cameron, l'avenir était, selon lui, dans la fabrication de putters qui se retrouveraient un jour entre les mains d'un golfeur qui révolutionnerait le jeu. Tiger commença à les utiliser.

À douze ans, Tiger était un enfant qui vivait au milieu des adultes. Son coach était le meilleur de toute la Californie du Sud. Son psychologue du sport avait une formation militaire et lui servait souvent de caddie pendant ses compétitions. Un authentique artisan lui fabriquait des putters sur mesure. Son matériel était de bien meilleure qualité que celui de ses adversaires, y compris son sac de golf. Et ses deux parents, parfois vêtus de tee-shirts floqués «Team Tiger», n'avaient qu'un but dans la vie : lui fournir le moindre avantage imaginable pour qu'il puisse vaincre les enfants des country clubs, bien plus riches que lui. Quand il débarquait sur un tournoi, les autres étaient intimidés.

Mais quand il se regardait dans une glace, Tiger se trouvait petit et maigrichon. Il était persuadé de ne pas être assez fort, et il demanda de l'aide à son père.

Alors Earl le fit rentrer dans ce qu'il appelait la Woods Finishing School, quelque chose comme «l'université finale», «l'école de la dernière touche». Pour le former aux techniques et à la psychologie de guerre qu'il avait autrefois enseignées aux soldats. Pour le briser afin de le rendre plus fort.

«La formation psychologique que mon père m'a donnée m'a aguerri, pour ensuite me permettre d'affronter tout ce que j'allais pouvoir rencontrer sur un tournoi de golf, raconta-t-il plus tard. Il m'a appris à acquérir une pleine conscience de l'environnement dans lequel j'évoluais, tout en restant concentré sur ce que j'avais à faire.»

Earl s'en est ensuite vanté auprès de journalistes de presse écrite. Il faisait tinter les pièces de monnaie dans ses poches lorsque Tiger puttait. Ou alors il toussait, ou il faisait tomber son sac en plein milieu de son backswing. «C'était une vraie guerre psychologique. Je voulais être sûr que jamais il ne puisse un jour se retrouver face à un gars plus costaud que lui mentalement. Et nous avons réussi», a-t-il ensuite raconté dans son autobiographie.

Ce genre d'anecdotes, rapportées par Earl ou par d'autres témoins, avaient l'air toutes bêtes – juste un père qui passe le flambeau à son fils, en fin de compte. Des années après la mort de son papa, Tiger a révélé la face cachée de l'histoire : Earl usait de stratégies qui, selon les standards d'aujourd'hui, pourraient passer pour de la maltraitance.

«Il m'insultait non-stop quand je jouais, y compris pendant mes swings. Parfois, c'était : "Va te faire mettre, Tiger !", ou alors "Pauvre petite merde", ou "Enculé de ta mère", ou encore "Alors, quel effet ça fait d'être un petit nègre ?" – des choses de ce genre. Il me rabaissait en permanence. Et quand je commençais à devenir vraiment fou, il me disait : "Je sais que tu crèves d'envie de taper ce club par terre. Mais essaie seulement. Essaie seulement..." Il essayait de m'amener au point de rupture, et il se calmait. Et puis il essayait encore, puis marquait une pause. Et ainsi de suite. C'était violent», se souvient-il.

On ne saura jamais vraiment ce que Tiger a pu ressentir quand son père l'appelait par ces noms d'oiseaux à l'âge de onze, douze ou treize ans. Mais voici ce qu'il a dit en 2017, alors qu'il en avait quarante et un : «Je voulais qu'il me pousse à la limite et que je sois au bord du renoncement, parce que je devais apprendre à me débarrasser de tout sentiment d'insécurité. On avait un code : un simple mot, que je devais prononcer si je n'étais plus capable d'encaisser tout ça. Mais je n'ai jamais prononcé ce mot. Il était hors de question que je cède. J'aurais été un dégonflé si j'avais utilisé ce code. Et je ne me dégonfle jamais.»

Ce mot-code qui n'est jamais sorti de sa bouche, c'était : assez !

Cette pédagogie voguait à des kilomètres de tout ce qu'il avait pu vivre jusqu'ici. Rudy Duran et John Anselmo s'étaient surtout évertués à renforcer sa confiance en lui. Et le docteur Brunza était lui un professeur plein de sensibilité et de douceur, qui n'avait jamais élevé la voix. Son approche globale, c'était de pousser Tiger dans une zone de confort. Earl, de son côté, essayait plutôt de lui enlever toute assurance.

En dehors de Tiger, personne ne savait à ce moment-là ce que son père était en train de faire. «Il m'a entraîné pour devenir ce qu'il appelait un "tueur de sang-froid" sur le parcours, en utilisant essentiellement ce qu'il avait appris pendant sa carrière militaire. J'avais besoin de cette drôle de formation pour être capable de vivre pleinement ma vie de golfeur professionnel, et aussi de "grand espoir noir" du golf. Celui dont on attendait monts et merveilles. Alors je disputais chaque tournoi pour le gagner, et je m'attendais vraiment à y arriver», admit Woods en 2017.

Ce fut dur mais efficace. Tiger massacra toute forme d'opposition dans les compétitions de jeunes en Californie du Sud. Y compris lors du Leyton Invitational disputé à Yorba Linda, une épreuve qui réunissait tous les meilleurs jeunes de la région. Tom Sargent, l'un des enseignants les plus réputés d'Orange County, était justement le *head pro*[10] du Yorba Linda Country Club. Il n'était pas au courant des méthodes alors utilisées par Earl Woods, mais il suivait Tiger depuis des années et connaissait plutôt bien sa mère. Ils se parlaient de temps à autre sur les tournois, et Kultida l'appelait même parfois pour partager ses impressions. Selon Sargent, c'était elle la principale responsable du succès de Tiger.

«Tida est une force, et vous n'avez aucune envie de vous mettre en travers de son chemin. Je le dis comme un compliment. Tiger était comme entouré de force et de dureté. Je vais le dire autrement : jamais vous n'auriez osé chercher la merde avec lui. Vous vous seriez fait botter le cul.»

Sargent est ensuite devenu le professeur particulier de Bob May, un gars de la haute société et toute première priorité de recrutement pour les universités de Californie du Sud. Deux coachs l'avaient repéré et suivaient son évolution avec une attention toute particulière : Wally Goodman, de Stanford, et Dwaine Knight, de l'université du Nevada à Las Vegas. Mais Sargent avait vu Tiger fracasser ses aînés les uns après les autres. Il conseilla aux deux hommes de jeter un œil sur un garçon de douze ans appelé Tiger Woods. Selon lui, il était à des années-lumière devant les autres.

Au printemps 1989, Tiger rentra chez lui après le collège et tomba sur une lettre écrite par Wally Goodman. La missive lui était adressée, mentionnait Tom Sargent et exprimait clairement tout l'intérêt de Stanford pour le recruter. Les règles de la NCAA[11] étaient claires : les coachs d'université n'avaient pas le droit de contacter des lycéens entre la seconde et la première. Mais

---

10. Responsable de l'enseignement au sein d'un club.
11. National Collegiate Athletic Association, l'organisme qui gère les règles du sport universitaire.

il n'existait aucune loi interdisant à un professeur de golf d'écrire une lettre à un collégien – de la même façon qu'il n'y en avait aucune interdisant à un collégien d'écrire à un professeur de golf.

Le 23 avril 1989, Tiger prit sa plume pour répondre à Goodman :

Cher coach Goodman,

Un grand merci pour votre lettre faisant part de l'intérêt de Stanford de me recruter comme futur étudiant et golfeur. J'ai d'abord eu du mal à comprendre pourquoi une université aussi prestigieuse que la vôtre manifestait un intérêt pour un garçon de treize ans, élève de quatrième. Mais après avoir parlé avec mon père, je comprends mieux et je me sens très honoré. Et j'apprécie aussi l'implication de M. Sargent pour mon avenir grâce à sa recommandation.

J'ai commencé à m'intéresser à la pédagogie de Stanford en regardant les jeux Olympiques et Debi Thomas[12]. Mon but est de bénéficier d'une formation de qualité dans le domaine des affaires. Vos conseils seront très utiles pour m'aider en vue de ma carrière universitaire. Mon GPA[13] est de 3,86 et j'espère le maintenir ou même l'améliorer pour mon entrée au lycée.

Je suis actuellement un entraînement spécifique pour devenir plus fort. Mon index USGA du mois d'avril est de 1, et j'ai l'intention de disputer des tournois officiels de Californie du Sud et peut-être des tournois nationaux juniors. Mon but est de remporter les Junior Worlds une quatrième fois en juillet et de devenir le premier joueur à s'imposer dans chaque tranche d'âge. Et mon but ultime est de devenir professionnel sur le PGA Tour. En février prochain, j'ai l'intention de me rendre en Thaïlande pour disputer le Thai Open en tant qu'amateur.

J'ai beaucoup entendu parler de votre parcours de golf et j'espère pouvoir le jouer un jour ou l'autre avec mon père.

En espérant avoir de vos nouvelles dans un futur proche.

Cordialement

Tiger Woods
1,67 m, 45 kilos

---

12. Patineuse artistique américaine, championne du monde en 1986 et médaillée de bronze aux J.O. de 1988.
13. Sorte de moyenne générale et point de référence essentiel pour les universités américaines en vue de leurs recrutements.

En son for intérieur, Goodman n'était pas persuadé que Tiger avait écrit cette lettre lui-même. Il y a eu d'autres exemples avérés où Earl lui indiquait clairement ce qu'il devait écrire, et cette lettre en particulier semble avoir été dictée par son père. Elle était bien trop raffinée et saupoudrée d'arrière-pensées pour un gamin de treize ans. Mais Goodman s'en fichait. Il était si heureux qu'il la fit lire à toute son équipe, et il était très fier de voir à quel point elle était bien tournée. Selon lui, Stanford venait de prendre une longueur d'avance sur les autres universités pour le recrutement de Tiger Woods.

L'été 1989 marqua un tournant dans la vie de Tiger et de sa famille. Il n'avait que treize ans, mais tout le monde était d'accord pour dire qu'il était prêt à disputer les tournois juniors au niveau national. Ce qui conduisit à une inversion des rôles chez ses parents. Earl prit sa retraite, ce qui lui permettait désormais de voyager avec son fils. Dans le même temps, Kultida restait elle à la maison pour s'occuper des chiens et des affaires courantes. La première épreuve disputée par Tiger fut le Big I National Championship, le plus grand tournoi du pays. Cent cinquante-cinq participants au total, dont Justin Leonard, David Duval, Notah Begay III, Chris Edgmon, Patrick Lee et plein d'autres encore. Tiger était le plus jeune de tous.

Le tournoi se disputait au Texarkana Country Club dans l'Arkansas, et les organisateurs avaient trouvé un foyer pour loger tous les participants. Mais Earl déclina la proposition. Il ne voulait pas que son fils reste avec les autres compétiteurs. Il appela le directeur du tournoi pour lui dire que son fils dormirait à l'hôtel. Il voulait qu'il soit aussi concentré que possible.

Le tout premier jour de la compétition, Tiger avait l'air d'un enfant perdu au milieu des adolescents. Mais il scora 71 pour prendre la tête du tournoi, à égalité avec deux autres joueurs. Il franchit le cut facilement. Le troisième jour, les juniors étaient alignés avec des professionnels du PGA Tour. Tiger se retrouva aux côtés de John Daly, un joueur turbulent de vingt-trois ans connu pour être le plus long frappeur du circuit. Dès les premiers trous, Daly commença à balancer des drives par-dessus les arbres et à toucher les pars 5 en deux avec un sandwedge. Woods eut très envie de lui montrer sa puissance hors normes, mais il s'en tint aux conseils d'Anselmo : pas d'overswing. Après neuf trous,

Tiger avait deux coups d'avance sur Daly. N'ayant aucune envie de se faire mettre la honte par un gosse de treize ans, Daly s'y mit sérieusement sur le retour. Mais avec seulement trois trous à jouer, Tiger avait encore la possibilité de le battre, ou au moins de rendre la même carte que lui. Avant de commettre deux bogeys sur ses trois derniers trous, pour finalement perdre de deux coups. Mais il termina deuxième du tournoi, pour devenir le plus jeune joueur à avoir jamais terminé dans le top 5.

Il avait presque réussi à battre John Daly, et c'était là l'événement principal du tournoi. Les gens commencèrent à se demander quand il allait passer pro. Tiger ne répondit rien à ce sujet. De son côté, Earl fit tout ce qui était en son pouvoir pour raconter aux reporters présents que son fils était libre de ses choix : «S'il veut être pompier en chef à Memphis, Tennessee, ça me va. On n'attend rien de spécial, il n'a aucune pression particulière pour faire carrière.»

Cet automne-là, Tiger était incontestablement le meilleur athlète de son collège d'Orangeview Junior. Et pourtant il ne jouait pas au football américain, au basket, au soccer ou au baseball – du moins pas officiellement. «Ça lui est arrivé quelquefois, mais en toute discrétion. Jamais il ne l'aurait dit à son père», se souvient l'un de ses amis les plus proches.

Tiger n'avait pas le droit de participer officiellement aux autres sports en compétition, mais c'était plus fort que lui : il fallait qu'il se mesure aux autres sur le terrain de jeu. Un jour où il jouait au football américain pendant une récréation, il sauta pour intercepter une passe, chuta et s'écorcha le genou. Ce qui ressemblait à une blessure superficielle était à ses yeux une affaire d'État.

«Oh mon Dieu!» fit-il en examinant son genou.

«Ça va, ça n'a pas l'air si grave», le rassura un de ses amis.

«Tu ne comprends pas, mon père va me tuer. Je ne suis pas supposé jouer au foot sur un terrain», dit Tiger.

CHAPITRE 5
MAIS QUI EST TIGER WOODS ?

Tiger effectua sa rentrée au lycée Western High School d'Anaheim à l'automne 1990. À quatorze ans, il mesurait 1,79 m pour 54 kilos, et il était capable d'envoyer un drive à près de deux cent soixante-dix mètres. Seuls une poignée de joueurs professionnels pouvaient taper aussi loin. C'était le meilleur jeune de Californie du Sud et toutes les universités avec un programme de golf de haut niveau avaient les yeux rivés sur lui. Les journalistes spécialisés donnaient déjà leur avis sur le meilleur moment pour passer professionnel.

Don Crosby, le responsable golf de Western High, eut très vite l'impression que son équipe de novices avait gagné au loto avec l'arrivée de Tiger. Mais le personnel à la tête du lycée n'avait pas la moindre idée de ce que représentait leur nouvel élève, à savoir le futur du golf. Quelques mois avant la rentrée, le district local avait envisagé une petite modification de la carte scolaire, qui aurait eu pour effet de mettre la maison des Woods juste en dehors de la zone de Western High. Crosby demanda une réunion d'urgence avec le proviseur, déploya une carte et traça un cercle qui englobait les rues de Teakwood et de Chasnut à Cypress.

« Quoi qu'il arrive cet été, ne renoncez pas à cette zone », lui dit-il.

« Et pourquoi donc ? » demanda le principal.

« Parce qu'un certain Tiger Woods habite ici. »

Le principal releva ses yeux de la carte pour jeter un regard vide à Crosby : « Mais qui est Tiger Woods ? »

Les élèves ne le connaissaient pas eux non plus. Son cercle d'amis se limitait à trois personnes : Alfredo Arguello, Mike Gout et Bryon Bell. Arguello était sa plus ancienne connaissance. Ils s'étaient rencontrés en CE1, pour rester amis depuis. Ils avaient joué dans la même équipe de soccer chez les jeunes. Mais pendant toutes ces années, Arguello n'avait mis les pieds qu'à une seule reprise chez les Woods. Gout avait lui un an de plus que Tiger et habitait à quelques pas de chez lui. Et puis il y avait Bell, la grosse tête de la bande. Tiger l'avait rencontré au collège. Il jouait au golf lui aussi, et deviendrait même le deuxième meilleur joueur du lycée.

Woods, Arguello et Bell étaient comme les trois Mousquetaires. Ils avaient tous un an d'avance et se classaient parmi les meilleurs élèves. Arguello était le meilleur de sa classe de troisième, avec Woods et Bell juste derrière lui. C'étaient des «nerds» dans tous les sens du terme, en concurrence permanente pour savoir qui serait le meilleur des trois. Ils avaient bien conscience de ne pas faire partie des «populaires», un groupe d'élèves essentiellement constitué de sportifs et de pom-pom girls, mais ils savaient déjà ce qu'ils comptaient faire de leurs vies.

«Alfredo, tu seras mon avocat», disait Woods.

«Et moi je serai ton médecin», ajoutait Bell.

Tiger avait aussi un ami en dehors de l'école : Joe Grohman, vingt-quatre ans, assistant pro au Navy Golf Course. Ils s'étaient rencontrés en 1989, peu de temps après que Grohman eut intégré ses fonctions. L'été juste avant son entrée en troisième, Tiger passait près de dix heures par jour au practice. Grohman était là lui aussi tous les jours et jouait le rôle de grand frère. Ça l'intriguait de voir Woods passer autant de temps au practice plutôt que sur le parcours. Il finit par lui poser la question.

«Pourquoi est-ce que tu ne vas pas jouer des trous plus souvent ?»

«Je préfère m'entraîner», répondit Tiger.

On n'exagérera pas en affirmant qu'il passa probablement plus de cinq cents heures au practice l'été avant son entrée en troisième. Sans compter les centaines d'heures sur les tournois. Sa routine radicale d'entraînement n'avait rien de nouveau ou d'exigeant en ce qui le concernait. «La première chose que je lui ai apprise, en dehors de l'amour du jeu, c'est d'aimer s'entraîner, dit Earl. Alors qu'il était encore tout petit, les gens lui demandaient : "Comment tu as fait pour devenir aussi fort ?" et Tiger leur répondait : "L'entraînement, l'entraînement, l'entraînement."»

Le practice n'était pas une corvée pour Tiger : jamais il ne s'est senti obligé de s'y coller. Il avait toujours hâte de s'y retrouver seul avec ses clubs, symboles et prolongation de son génie créatif.

Dans son livre *Outliers*[14], Malcom Gladwell analyse les trajectoires de surdoués tels Bill Gates, Mozart, Bobby Fischer ou encore les Beatles. Il en conclut que les routines et les habitudes de préparation ont toujours joué un rôle plus important dans leurs succès que le simple talent naturel. Notamment dans les cas de Bill Gates ou des Beatles, pour lesquels Gladwell insiste sur le temps passé à s'entraîner et à se projeter pendant leurs jeunesses. Gates, par exemple, a passé plus de mille cinq cents heures sur un ordinateur central pendant sept mois, alors qu'il était encore collégien, en y ajoutant entre vingt et trente heures par semaine à se former lui-même à la programmation. De la même façon, Paul McCartney et John Lennon ont joué ensemble au lycée pendant plus de sept ans avant de devenir des stars, et se sont produits environ mille deux cents fois sur scène avant leur tout premier concert aux États-Unis. Gladwell a inventé l'expression « La règle des dix mille heures » pour expliquer ce qui différencie les gens exceptionnels des autres : « Les gens au sommet ne travaillent pas plus ou même beaucoup plus que le commun des mortels. Ils travaillent beaucoup, beaucoup plus », écrit-il.

Tiger a commencé à travailler son art bien plus tôt que les personnes que nous venons de citer. À l'âge de six mois, tout juste capable de tenir assis, il a passé un nombre incalculable d'heures sur sa chaise haute à regarder son père taper des balles. À deux ans, selon la version livrée par Earl, il tapait chaque jour des balles pendant deux heures. À ce rythme-là, il aurait atteint la barre des dix mille heures vers l'âge de quinze ans. Mais dès ses cinq ans, ce n'était plus deux heures par jour qu'il passait à travailler son golf, mais bien davantage. À ce moment-là, on le voyait à la télévision et il jouait des tournois. On peut estimer qu'il avait déjà passé plus de trois mille heures à jouer et s'entraîner lorsqu'il est apparu sur l'écran de *That's Incredible!*, et encore, c'est une fourchette basse. À titre de comparaison, Lennon et McCartney ont dû atteindre la barre des dix mille heures d'entraînement à plus ou moins la vingtaine, et Bill Gates aux alentours de vingt et un ans. Tiger Woods a sans doute accumulé dix mille heures de jeu, de travail et d'étude du golf à l'âge de douze ans.

Grohman surnomma Tiger « Champ », juste avant de commencer le lycée. L'expression n'a jamais vraiment pris, mais il continua

---

14. « Les cas particuliers ».

à l'appeler ainsi et Tiger aimait bien. Il apprécia aussi le conseil franc et direct que son coach lui donna à propos des filles : évite-les. Le golf exigeait qu'on s'y consacre à temps plein, et avoir une petite amie ne pouvait que le détourner du jeu. « Les forêts sont pleines de gars qui avaient un talent fou, jusqu'à ce qu'ils rencontrent une fille », lui disait-il.

Tiger ne s'en faisait pas trop à ce sujet. Les filles ne le regardaient pas, de toute façon. Elles s'intéressaient aux joueurs de football. C'étaient eux les gars qui flirtaient, pas lui. Elles ne connaissaient même pas son nom. Au tout début de ses années lycée, il fut interviewé par le magazine *People*. Avec cette question : ce n'était pas trop dur de ne pas avoir pu profiter de toutes les expériences de la jeunesse – et notamment le fait de ne pas avoir de petite copine ? « Il n'y avait pas de place pour elle », répondit Tiger, en ajoutant : « C'est bien meilleur que l'enfance. »

Il parlait du golf, bien entendu.

Tiger avait fait sa rentrée au lycée depuis un mois quand son père reçut un coup de fil de Jaime Diaz, un journaliste expérimenté de *Golf Digest*. Ce dernier voulait rencontrer Tiger et éventuellement écrire un portrait pour le magazine. Earl proposa de jouer d'abord dix-huit trous avec lui. Diaz accepta le deal et prit un avion pour Los Angeles.

Rencontrer un journaliste ? Ce n'était pas la définition de l'éclate selon Tiger Woods. Il n'avait jamais vraiment apprécié de parler à des étrangers qui se baladaient avec des stylos, des bloc-notes et des enregistreurs. Son père l'avait contraint à répondre à des interviews depuis qu'il avait deux ans, et à quatorze, il en avait marre. Mais en ce samedi matin de l'automne 1990, il le suivit consciencieusement jusqu'à Coto de Caza Golf & Racquet Club, un parcours privé d'Orange County, pour rencontrer Diaz.

Les yeux baissés, il marmonna un « salut » lorsque Diaz se présenta à lui. Ce dernier ne prit pas la peine de faire la conversation et ils filèrent directement sur le tee de départ. Après quelques trous, Tiger cessa de battre froid son partenaire du jour. Diaz avait l'air différent des autres. Déjà, tous les journalistes étaient blancs, sauf lui, une exception notable. Il était capable de jouer convenablement au golf – toujours un bon point dans l'esprit de Tiger. Les trois hommes déjeunèrent après leur partie, et la conversation tourna rapidement autour des médias.

«Bon, alors, qui sont les trous du cul chez vous?» demanda Tiger entre deux bouchées.

Plutôt cynique, pour un gamin de quatorze ans, se dit Diaz dans sa tête. «Je pense que c'est à toi de voir, répondit-il à Tiger. Par exemple, il y a des gars avec qui j'ai vraiment du mal, alors qu'un autre va les trouver nickel.»

Tiger hocha la tête.

«Je dirais donc que tu dois garder l'esprit ouvert, et surtout ne pas imaginer que tout le monde cherche à te baiser», poursuivit Diaz.

Earl précisa qu'il avait appris à son fils à simplement répondre à la question posée, mais sans développer.

Il était évident que Tiger avait une grande compréhension du monde des médias et de son fonctionnement. Il connaissait les noms de tous les journalistes et il lisait beaucoup. Puis Diaz fut invité à rencontrer Kultida à la maison. En les quittant, il les appelait tous par leurs prénoms. C'était le début d'une relation unique qui promettait d'être aussi bénéfique pour lui que pour la famille Woods.

Tiger avait grandi à soixante kilomètres du Bel-Air Country Club, un resort ultra exclusif. Il n'avait jamais eu la chance d'y mettre les pieds avant ce jour du printemps 1991 où il s'y rendit pour voir Jack Nicklaus donner un clinic[15]. Le club était impressionnant. Impossible de ne pas tomber sous le charme de ses fairways d'un vert luxuriant et de ses piscines claires comme du cristal. Parmi les membres, on retrouvait des célébrités telles Ronald Reagan, Richard Nixon, Bing Crosby, Jack Nicholson et Clint Eastwood. Et ce n'était que très récemment qu'avait été accepté le tout premier membre de couleur...

Nicklaus demanda à Tiger de bien vouloir faire une petite démonstration de son swing. Estampillé «grand espoir noir du golf» à grands renforts de battage médiatique, le jeune Tiger sentit tous les regards de l'assistance se poser sur lui. Un sentiment qu'il avait déjà connu plusieurs fois dans ce genre de clubs. En petit comité, il appelait ça «The Look», le Regard. Il disait que c'était comme marcher dans une prison avec tout le monde en train de le regarder.

---

15. Mélange d'exhibition et de leçons données par un professionnel devant un public.

Cette sensation était encore plus forte ce jour-là. Quelques semaines plus tôt, le chauffeur de taxi afro-américain Rodney King avait été sauvagement tabassé par quatre policiers blancs après une course-poursuite qui s'était achevée dans la vallée de San Fernando. Une vidéo amateur avait enregistré l'incident, avec d'abord un coup de taser pour le mettre au sol, puis une succession de coups de bâtons, de piétinements et de coups portés au visage et sur la nuque. Ces images à glacer le sang conduisirent à l'arrestation des quatre policiers impliqués et déclenchèrent un vaste débat sur les brutalités policières et les questions raciales en Amérique.

Tiger garda son calme et effectua quelques swings, tous parfaits. Puis Jack Nicklaus lui demanda d'arrêter et lui dit, dans un sourire : «Tiger, quand je serai grand, j'aimerais bien avoir le même swing que toi.»

La foule du Bel-Air éclata de rire. Bien que Nicklaus ait prononcé ces louanges avec une pincée d'auto-dérision, c'était une déclaration publique plutôt rare : la reconnaissance par le plus grand golfeur de tous les temps de ce prodige que tout le monde annonçait comme son successeur. Les parents présents ce jour-là regardèrent tous Tiger avec un mélange d'envie, de stupeur et d'émerveillement.

Alors que son année scolaire touchait à sa fin, Tiger se montra à la hauteur des attentes les mois suivants. Il surpassa tout le monde au championnat des lycées de Californie, y compris les élèves de première et terminale, pour décrocher le titre. En juin, il remporta le Los Angeles Junior Championship. En juillet, bien que parmi les plus jeunes des 15/17 ans qui disputaient l'épreuve, il remporta l'Optimist International Junior Golf Championship à San Diego. Puis il s'imposa à l'US Junior Amateur Championship, disputé au Bay Hill Country Club d'Orlando, pour devenir le plus jeune vainqueur de l'épreuve en quarante-quatre ans – et accessoirement le premier noir à s'y imposer.

«Mon fils, tu as fait un truc que personne n'a jamais réussi aux États-Unis. Tu es entré à jamais dans l'histoire», lui dit son père.

Tiger se sentait bien. Sa série de victoires en mode machine lors de cet été 1991 l'avait clairement désigné comme le meilleur junior de tout le pays. En août, le *New York Times* titra en gras : «*Fore!*[16] Nicklaus, prends garde à cet adolescent». L'histoire était

---

16. Avertissement hurlé par un golfeur lorsque sa balle prend la direction du public, pour prévenir les spectateurs du danger.

racontée par Jaime Diaz, qui signait maintenant pour le grand quotidien. «Je veux devenir le Michael Jordan du golf. Je veux être le meilleur de tous les temps», disait Tiger.

Dina Gravell était l'une des plus jolies filles du lycée Western High : pom-pom girl, blonde aux yeux bleus, avec des jambes élancées. À seize ans, c'était une élève assidue et une sportive accomplie, qui jouait dans les équipes premières de tennis et de soccer. Elle avait une foule d'amis, essentiellement des sportifs et des pom-pom girls, et n'avait jamais eu l'occasion de croiser Tiger. Elle n'avait même jamais entendu parler de lui. Mais on pourrait parier que Tiger l'avait remarquée quand elle s'était retrouvée avec lui en cours de comptabilité, en début de deuxième année.

Même s'il avait un an de moins qu'elle, tous deux étaient les meilleurs élèves du cours. Après quelques semaines, leur professeur les prit à part pour leur demander s'ils voulaient bien aider un de leurs camarades qui rencontrait des difficultés. Tiger ne dit pratiquement rien lors de la toute première séance, s'en remettant à Dina. Mais il était très bon pédagogue à chaque fois qu'il intervenait. Elle n'avait aucun doute sur son intelligence, mais elle voyait bien qu'il était différent des autres. Mais incapable de comprendre le pourquoi du comment, elle en conclut que ce n'était qu'un «nerd» de base. Elle estima aussi que ça lui ferait le plus grand bien de voir un peu de monde.

«Hey, tu devrais sortir avec nous un de ces jours, lui dit-elle après une session de cours particulier. Tu sais, aller voir un match de foot.»

Tiger ne savait pas trop quoi répondre.

«T'es déjà venu voir un match ?» demanda-t-elle.

«Pas vraiment.»

«Alors viens avec nous.»

Cette invitation réveilla chez lui le syndrome de l'anxiété sociale. Il ne connaissait rien des amis de Dina Gravell. Son monde, c'était le golf, les études et son petit cercle de copains. Et ça lui allait bien comme ça. Assister à un match de football en compagnie de Dina, c'était partir en terre inconnue et sortir bien loin de sa zone de confort. Mais il appréciait malgré tout le fait que l'une des plus belles filles du lycée s'intéresse un peu à lui. Ses potes n'allaient jamais le croire. Un vendredi soir, il prit place en tribune avec Dina et ses amis à elle. Il allait avoir seize ans dans moins de deux mois et ça lui faisait du bien de mettre un peu le nez dehors. Juste après le coup d'envoi, Dina se tourna vers lui.

«Alors dis-moi, qu'est-ce que tu fais?»

«Je joue au golf.»

«C'est quoi ce truc?»

«Ben c'est un sport.»

«Oui, je sais bien. Mais, genre, c'est les vieux qui jouent au golf. Pourquoi tu fais ça?»

Il éclata de rire. «Disons que j'aime bien ça.»

«Ah ouais.»

«Et je me débrouille plutôt bien en plus.»

Elle ne posa plus de questions et il n'en dit pas davantage. Elle n'avait pas idée du talent de Tiger et de son avenir radieux. Une semaine plus tôt, le magazine *People* avait publié un portrait de lui. Son nom était familier dans les rédactions, de Los Angeles à New York. Mais lui n'en fit pas mention. Assis au milieu d'une marée d'adolescents un vendredi soir, il était plus que content d'être une étoile invisible. À Western High, Dina Gravell était bien plus célèbre que Tiger Woods.

Deux semaines plus tard, Dina invita à nouveau Tiger. Ils arrivèrent ensemble, retrouvèrent ses amis à elle, et une des filles murmura: «Hey, c'est ce gars qui joue au golf...»

Tiger ne dit rien et alla s'asseoir directement en tribunes derrière Dina. Il ne connaissait pas ses amis et n'avait aucunement l'intention de les laisser entrer dans sa vie. Il regardait le match, c'est tout. À un moment, Dina se retourna vers lui et posa ses bras sur ses jambes, tout en se servant des genoux de Tiger comme d'un dossier de chaise, histoire de poursuivre tranquillement sa conversation avec une amie. C'est comme si un courant électrique lui avait traversé le corps: il n'arrivait plus à se concentrer sur le match. Quand ils se retrouvèrent tous les deux, un peu plus tard, il lui fit cette confidence:

«Tu as failli me tuer quand tu as touché mes jambes.»

Elle rit: «Je me suis juste retournée, rien de plus.»

Le silence qui suivit en disait long sur la situation. Il était tombé amoureux d'elle. Ça allait bien au-delà du fait qu'elle était magnifique. Il pouvait lui parler, et elle l'écoutait. Le fait qu'il soit célèbre et golfeur de haut niveau lui était indifférent. Elle n'était même pas au courant de cette partie-là de sa vie. Tous ceux qu'il rencontrait lui témoignaient de l'intérêt en raison de son statut. Elle s'intéressait à lui en tant qu'être humain.

Dina n'était pas indifférente elle non plus. Plus elle passait du temps avec lui, plus elle tombait sous le charme. Il était si différent des autres garçons. La plupart des sportifs étaient lourdingues, toujours prêts à se vanter de quelque chose ou à se la raconter. Tiger ne parlait à personne et ne se mettait jamais en avant. «Il n'essayait pas de devenir populaire, se souvient-elle. Il n'essayait pas de sortir du lot à tout prix. C'était juste un gentleman. Il s'occupait de ses affaires et faisait ses trucs dans son coin. Je crois que c'est ce qui m'a plu chez lui.»

Dina finit par inviter Tiger à dîner chez ses parents, alors que les vacances approchaient. Tiger accepta, un peu malgré lui. Qu'est-ce qu'il était supposé raconter ? Il baissa la tête pendant tout le repas, presque muet. Mais il remercia la mère de Dina pour la qualité de son repas et pour l'invitation. Les parents de la jeune fille ne savaient rien de ses exploits en golf, mais ils en conclurent que c'était un jeune homme timide et poli. Ils lui dirent qu'il était le bienvenu chez eux, à sa convenance.

Peu de temps après, Tiger invita Dina à son tour. Elle fut stupéfaite quand elle entra dans la maison des Woods, remplie de trophées. Il y en avait partout : sur les dessus de table, sur les étagères, et même par terre. Sans doute une bonne centaine au total. Et puis il y avait ces articles de magazine, encadrés...

«Attends, *People* a écrit un truc sur toi ?» demanda-t-elle, sous le choc.

«Tu ne l'as pas vu quand il est passé à *That's Incredible!* ?» demanda Earl.

Elle ne voyait pas du tout ce qu'il entendait par là.

Earl Woods mit une cassette dans le magnétoscope. Tiger s'en moquait complètement, mais Dina n'en croyait pas ses yeux. Le gars dont elle était tombée amoureuse était passé à la télévision alors qu'il n'avait que cinq ans ?

Earl la reprit : Tiger n'avait que deux ans lors de son premier show télé !

Elle n'arrivait pas à le croire. Et pourquoi Tiger ne lui avait-il rien dit ?

Il y avait en fait beaucoup de choses qu'il n'avait jamais mentionnées.

Kultida prépara un succulent poulet pour le dîner. Tiger n'avait jusqu'ici jamais ramené de fille à la maison, alors sa mère fit de son mieux pour que Dina se sente bien. Après le repas, Tiger tenait surtout à présenter sa copine à son nouveau chiot.

Il se rendit vite compte qu'il préférait aller chez elle plutôt que de l'inviter dans sa maison. Il s'y rendit de plus en plus souvent après son entraînement, pour dîner avec ses parents qui le considéraient maintenant comme un membre de leur famille. Les week-ends, ils regardaient la télévision jusqu'à point d'heure. Et ils s'embrassaient sur le canapé une fois les parents de Dina endormis.

Tiger fêta son seizième anniversaire en Floride, où il participait au IMG Orange Bowl Junior Classic. Il se rendit chez Mark O'Meara juste après le tournoi. Tout avait été arrangé par Mark McCormack, le fondateur d'IMG, et son agent vedette Hughes Norton. Les deux hommes s'étaient rapprochés de Tiger bien avant que la plupart des gens ne prennent conscience de son immense potentiel. Woods savait qu'IMG était la plus grande et la plus puissante des sociétés dans le monde du sport. Il venait de comprendre qu'il allait signer avec eux, mais sans connaître toute l'histoire, notamment l'arrangement passé avec son père Earl.

À la fin des années 1940, Mark McCormack était un golfeur acharné du College of William & Mary. Une fois son diplôme validé, il suivit des études de droit à Yale, puis s'engagea dans l'armée américaine avant d'exercer comme avocat à Cleveland. Il trouva rapidement le moyen de mêler sa carrière professionnelle à sa passion du golf. Il organisa d'abord des exhibitions avec des professionnels, avant d'avoir une idée bien plus rémunératrice : leur trouver des contrats publicitaires. À la fin des années 1950, les dotations sur le PGA Tour atteignaient péniblement les deux mille dollars. Un professionnel sous contrat avec un équipementier ? Ça n'existait pas. Le golf était un sport de riches, mais certainement pas un sport qui pouvait rendre riche. Jusqu'à ce que McCormack s'en mêle.

Le 15 janvier 1959, il réussit à convaincre Arnold Palmer, vingt-neuf ans, de signer avec lui. Palmer avait grandi dans une ville minière de Pennsylvanie. Fils d'un greenkeeper, il était humble, intelligent et charismatique. Selon McCormack, il représentait le golfeur idéal pour convaincre les classes moyennes de se mettre au golf. L'avocat laissa vite tomber son cabinet pour monter sa propre boîte, qu'il appellerait plus tard International Management

Group. Il conclut également des accords avec Jack Nicklaus et Gary Player pour faire d'IMG une agence de sport et un poids lourd du marketing. Avec une telle société pour gérer les contrats et la promotion des plus grands golfeurs du monde, Cleveland devint rapidement la destination à la mode de ce petit univers.

Hughes Norton rejoignit IMG en 1972. Diplômé de Yale et de Harvard, à la fois dur et raffiné, il avait la réputation d'être intraitable en affaires. En revanche, personne n'avait jamais fait état d'une quelconque humilité à son sujet. Il avait également un côté vindicatif et pouvait se comporter comme un tyran. Mais lui et McCormack possédaient deux qualités hors du commun : repérer les talents, et en tirer le plus grand profit pour le bien d'IMG. La première fois qu'ils croisèrent Tiger, ils furent convaincus sur-le-champ que le jeune homme pouvait révolutionner le jeu comme Arnold Palmer l'avait fait trente ans plus tôt.

On ne sait pas vraiment quand IMG a fait sa toute première offre à la famille Woods, mais Earl a un jour prétendu que Hughes Norton était entré dans la danse alors que son fils n'avait que cinq ans. Dans son livre *His Father's Son: Earl and Tiger Woods*, l'auteur Tom Callahan assure que Norton avait entendu parler de Tiger alors qu'il était encore tout petit, pour ensuite se rendre à la maison familiale au plus tôt. Tiger faisait du vélo pendant que les deux hommes discutaient.

Earl aurait dit à Norton : « Je pense que le premier noir à vraiment bien jouer au golf fera fortune. »

Et Norton de répondre : « Oui M. Woods, c'est pour ça que je suis venu vous voir. »

Norton n'a pas voulu répondre à nos questions sur ses relations avec la famille Woods. Mais il nous a précisé par e-mail avoir accompagné « Tiger et sa famille » pendant dix ans, laissant entendre qu'il aurait débuté avec eux en 1988. Tiger n'avait pas encore treize ans à ce moment-là. Avant sa mort en 2003, McCormack a confirmé l'existence de liens entre IMG et Earl Woods alors que Tiger était encore tout jeune. « J'ai rencontré Earl à plusieurs reprises alors que Tiger était encore amateur. On balayait le champ des possibles, rien de plus », a-t-il raconté au journaliste anglais Howard Sounes, auteur de *The Wicked Game*. « Il était alors évident qu'il allait jouer un rôle majeur à l'avenir. »

On a entendu tout et son contraire sur la prétendue poignée de mains entre Palmer et McCormack qui aurait changé toute l'économie du golf. Reste qu'au moment où Norton courtisait la famille Woods, IMG était devenue une super-puissance avec des centaines de golfeurs sous contrat partout dans le monde. La société spécialisée dans le sport avait pris une autre dimension et voyait en Tiger Woods son plus grand potentiel économique. Il avait bien trop de valeur pour prendre le risque de le laisser s'échapper.

À cette époque-là, les Woods n'avaient pas les moyens de dépenser des dizaines de milliers de dollars tous les ans. C'est pourtant ce qu'exigeait la carrière amateur de Tiger avec ses nombreux voyages à travers le pays. Selon les archives judiciaires de cette période, les revenus annuels d'Earl Woods ne dépassaient pas les 45 000 dollars, et ses dépenses mensuelles excédaient les 5 800 dollars. Il payait les frais relatifs à la carrière de son fils avec des cartes de crédit et ce qu'il appela ensuite des «prêts sur valeur nette de propriété». Une sorte d'hypothèque de leur maison contractée chaque été, avec l'obligation de rembourser l'hiver suivant. Pour le dire autrement : la famille avait besoin d'argent, et IMG leur avançait les fonds. Dans les grandes largeurs.

Selon un haut responsable d'IMG qui a travaillé directement avec McCormack, sa société a sans doute commencé à verser 50 000 dollars par an à Earl Woods à partir de l'été 1991. Motif de la rémunération : «junior talent scout», soit «découvreur de jeunes talents». Ce qui correspondrait tout à fait à ce qu'il avait affirmé au cours d'une interview pour l'émission *Primetime Live* sur la chaîne ABC, selon laquelle il dépensait 50 000 dollars par an pour la carrière amateur de son fils.

Le vice-président d'IMG Alastair J. Johnston était aussi directeur de la division golf au début des années 1990. Nous lui avons envoyé un e-mail en septembre 2017 au sujet de ces fameux 50 000 dollars, et il nous a répondu ceci : «Je ne peux pour l'instant entrer dans les détails. Je sais qu'IMG fournissait une indemnité à Earl Woods en échange de son travail de repérage sur les circuits juniors. Mais je me souviens aussi – parce que c'était très important – que nous avions eu des échanges avec l'USGA[17] pour nous assurer que nous n'étions pas en dehors des clous par rapport au statut amateur de Tiger.»

---

17. United States Golf Association, l'équivalent de la fédération américaine, qui gère aussi les règles du jeu au niveau des États-Unis et du Mexique. Une des deux autorités mondiales du jeu avec le Royal & Ancient basé à Saint Andrews, en Écosse.

L'argent qu'IMG pouvait espérer engranger en gérant la carrière de Tiger était susceptible de faire tomber tous les records. À cet égard, verser une somme à cinq chiffres tous les ans à Earl Woods représentait un investissement mineur. Son travail de «scout»? Tout ce qu'il avait à faire, c'était de repérer un golfeur et un seul – son fils. Tout ce qu'IMG a mis en place à l'époque était prémédité pour que l'histoire se termine ainsi, y compris présenter Mark O'Meara à Tiger quand ce dernier serait en Floride pour y disputer leur tournoi.

O'Meara habitait le resort d'Isleworth, un immense lotissement sécurisé de 245 hectares dans la ville de Windermere, environ seize kilomètres à l'ouest d'Orlando. Norton lui avait demandé de passer un peu de temps avec Tiger pour lui montrer à quoi ça ressemblait, et aussi de faire un parcours avec lui. Peut-être qu'ils s'entendraient bien. En tout cas c'était le plan.

Tiger est tout de suite tombé sous le charme d'Isleworth. C'était très différent de Cypress. Il fallait passer un poste de sécurité pour entrer. Une police privée patrouillait dans les allées. On y trouvait à peu près deux cents maisons, et elles étaient toutes impeccables. L'acteur Wesley Snipes y habitait, tout comme les superstars Shaquille O'Neal et Ken Griffey Jr. La maison des O'Meara était tout près du club-house et du parcours qu'Arnold Palmer avait lui-même dessiné. Tout était séduisant.

Woods et O'Meara jouèrent dix-huit trous ensemble. Ils parlèrent de tout et de rien, et O'Meara lui donna ce simple conseil : «Amuse-toi, surtout. Rejoindre le circuit? Rien qui presse.»

Ils se posèrent ensuite dans la maison de l'aîné, où Tiger passa l'essentiel de son temps à parler avec son épouse. Alicia O'Meara était considérée comme l'une des plus belles femmes de joueurs sur le circuit, et elle fit tout son possible pour mettre Tiger à l'aise. Elle lui présenta leurs deux enfants. Mark avait l'air de mener la plus parfaite des existences. Il jouait au golf pour gagner sa vie, habitait une maison somptueuse, avec une femme splendide et deux enfants adorables. L'ambiance était décontractée. Tiger pourrait facilement se faire à cette vie-là.

Après que Woods fut parti, Mark demanda à Alicia : «Alors, comment tu le trouves?»

«Je trouve que c'est un garçon incroyablement talentueux», répondit-elle.

«Vraiment?»

«Bien sûr!»

Mark ne saisissait pas. Après tout, Alicia ne l'avait pas vu jouer au golf. Comment pouvait-elle dire qu'il était *doué*? Sauf qu'elle ne parlait pas de golf. Elle avait été par le passé membre active du conseil scolaire des écoles de ses enfants et avait eu l'occasion de côtoyer plein d'adolescents. Tiger avait l'air d'avoir tellement plus de maturité que ceux qu'elle connaissait. Il la regardait dans les yeux quand il lui parlait. Il disait des choses intéressantes. Il avait une présence, et un charisme inhabituel. Il y avait un truc en lui qui faisait qu'on ne pouvait pas le quitter des yeux.

«Mais est-ce qu'il joue bien au golf?» demanda-t-elle.

Mark leva les sourcils et hocha la tête: «Je crois bien, oui.»

Tiger était en âge de conduire quand il revint à Cypress. Il rangea son sac de golf dans le coffre de sa vieille Toyota Supra et roula jusque chez Dina.

«Tu devrais venir faire un tour au practice», lui dit-il.

«C'est quoi ça?» demanda-t-elle.

Il rit. Elle avait l'air soudain si naïve, si innocente. Il n'avait pas envie de se perdre en explications, il lui dit juste de grimper.

Ils rencontrèrent Joe Grohman sur place.

«Salut, Champ», dit-il.

Joe jeta un coup d'œil à Dina et comprit très vite que Tiger n'avait pas tenu compte de ses conseils. Mais au fond de lui, il souriait. Son «Champ» avait changé de statut pour passer de célibataire endurci à petit ami d'une bombe blonde. *C'est tout à fait lui*, pensa-t-il. *Passer de zéro à cent cinquante à l'heure.*

Puis Tiger emmena Dina jusqu'au practice, plaça une balle sur le tee et envoya une flèche.

«Waouh!» fit-elle, avec un mouvement de recul au moment où le club fracassa la balle. Il fit étalage de tout son talent pendant une demi-heure, et Dina n'arrêtait pas de répéter: «Waouh!» C'est comme si Tiger était entré dans une cabine téléphonique pour en ressortir cinq secondes plus tard en super-héros, façon Superman. Son attitude était totalement différente quand il prenait ses clubs en mains. Il marchait tête haute. Il avait l'air plus grand. Il débordait de confiance. *Wow! Mais c'est qui ce mec, en fait?* se demanda-t-elle. Il ne parlait quasiment à personne au lycée. Mais sur un parcours, il parlait d'égal à égal avec les adultes.

Tiger prit le temps de lui expliquer les basiques : le grip, les différentes trajectoires, la position de ses pieds. Des trucs très techniques mais qu'il savait rendre très accessibles. Avec lui, c'était cool.

« Pour moi, le golf, ce n'était pas un sport, reconnut Dina. Je pensais que c'était juste un passe-temps pour les vieux. »

Tiger ne pouvait s'empêcher de se moquer gentiment d'elle. Elle n'y connaissait rien en golf, tout comme elle ne savait rien de sa vie en dehors du lycée. Mais ça les amusait bien d'inverser les rôles. Dina trouvait très drôle de le voir un peu perdu dans sa vie sociale au lycée. Et là, c'était lui qui lui apprenait deux ou trois choses. Le Navy Course n'était qu'un détail, l'endroit où il venait pour s'entraîner, précisa-t-il. Pour avoir un aperçu de sa vraie vie, il fallait qu'elle l'accompagne sur un tournoi.

« Parce qu'il se passe quoi là-bas ? » demanda-t-elle.

« Tu verras. »

Il avait toujours été nerveux sur le tout premier tee. Mais là, c'était différent, encore plus intense. Au moment de sortir le driver de son sac, c'est comme s'il avait été frappé d'une rigidité cadavérique. Il eut un mal fou à prendre son club. Respire, lui avait-on appris. Respire, rien d'autre. Nous étions le jeudi 27 février 1992 au matin. En temps normal, Tiger aurait dû suivre un cours de géométrie à Anaheim. Mais il se trouvait à soixante-dix kilomètres de là, sur une falaise de Pacific Palisades, vingt mètres au-dessus du fairway du trou numéro 1 du Riviera Country Club, sur le point de débuter le Nissan Los Angeles Open. Un trou de 458 mètres, mais ça ne l'inquiétait pas plus que ça. Il n'avait aucun problème de distance en golf. Non, le poids sur ses épaules, c'était les attentes. Elles étaient plus fortes que jamais. Il jouait là son tout premier tournoi sur le PGA Tour.

Il avait fêté ses seize ans voilà seulement deux mois. Il était le plus jeune joueur à s'aligner sur une épreuve du circuit américain. Les cent quarante-trois autres joueurs du champ étaient tous professionnels. Une armée de journalistes, photographes et cameramen le suivaient à la trace. Six rangées de spectateurs s'étaient agglutinées autour du tee de départ.

Chemisette rayée, casquette blanche, pantalon à pinces, Tiger finit par swinguer et envoyer sa balle par-dessus la falaise. Eclairé par le soleil, le jeune homme de 1,86 m et 63 kilos, élève de première, ressemblait à une statue – hanches ouvertes, colonne vertébrale vrillée, le club dans le dos. Il resta ainsi, immobile, jusqu'à ce que sa balle finisse sur le fairway, deux cent cinquante mètres plus loin. La foule se mit à rugir. Entouré de gardes du corps, il prit le chemin du fairway avec les caméras à sa traîne.

Les gardes du corps donnaient une touche supplémentaire au tableau général. C'est le directeur du tournoi, Mark Kuperstock, qui avait décidé de les embaucher. Et qui avait aussi décidé de donner une «sponsor exemption», à savoir une invitation réservée aux partenaires du tournoi, à un jeune homme totalement novice sur le PGA Tour et qui n'était donc pas qualifié pour l'épreuve. En conséquence de quoi il reçut un appel anonyme d'un homme qui appréciait modérément qu'on puisse accorder une invitation à un «nègre». Tiger reçut lui aussi des menaces de mort. Mais les fans tout autour du fairway l'adoraient déjà.

«C'est toi le gosse!» cria l'un d'eux, dans une subtile variation du «C'est toi le boss!» habituel.

«C'est le futur Jack Nicklaus, il sera peut-être même meilleur», ajouta un autre.

Sa nervosité disparut au fil des trous et il ramena une carte de 72, un coup au-dessus du par et huit derrière le leader. Il manqua le cut le vendredi soir, mais tous les joueurs pros savaient désormais qu'il était devenu le grand sujet de conversation. Les journalistes en oubliaient le reste du tournoi pour aller lui parler. Les fans l'adoraient. Les spectateurs voulaient un autographe, une photo, ou juste une chance de pouvoir le toucher. Se retrouver au centre de l'attention lui donnait une énergie folle. C'était ça qu'il voulait faire, il n'y avait pas de doute.

Dina Gravell ne savait pas quoi dire. Le suivre sur le parcours aux côtés de Kultida lui avait offert une expérience hors du commun. Qu'est-ce qui avait bien pu arriver au gosse ringard qu'elle avait croisé pour la première fois cinq mois plus tôt en cours de compta? Il avait l'air fort, invincible même, avec un club entre les mains. Il se présentait face aux caméras et objectifs photos en toute confiance, armé d'un sourire étincelant et magnétique. Il ne bougeait pas un cil quand les enfants, les hommes classieux ou les jolies femmes criaient son nom. Le film *Wayne's World* était en tête du box-office cette semaine-là, mais Dina voyait bien que le monde de Tiger était bien plus excitant que tout ce que Hollywood pouvait imaginer. Ou que tout ce qui pouvait se passer dans les couloirs de son lycée, là où les gars soi-disant cool le voyaient comme un simple golfeur. Aux yeux du reste du monde, Tiger Woods était le boss.

Tiger avait hâte de parler avec Dina après son deuxième tour, mais il devait d'abord répondre aux questions de *Sports Illustrated*.

« C'étaient les deux plus beaux jours de ma vie. Je le pense vraiment. Les gens applaudissaient même quand je tapais un mauvais coup », dit-il au magazine.

Trois jours plus tard, il jouait le match d'ouverture de son lycée contre celui de Gahr High à Cerritos. Cette fois sans journalistes, sans public, ni même ses parents ou sa petite amie. Tiger fut le meilleur de son équipe, mais c'était plutôt dur à vivre après avoir disputé une épreuve du PGA Tour. À bien des niveaux, le lycée limitait sa créativité. Il était fait pour des terrains de jeu bien plus grands.

Il se rendit ensuite au domicile des Gravell, où les parents de Dina l'accueillirent avec effusion. Ils avaient suivi le Los Angeles Open dans les journaux et la presse régionale. Et puis Dina ne leur avait parlé que de ça depuis trois jours. Tiger se sentait bien parmi eux. Il aimait surtout leur façon toute simple de montrer leurs sentiments. C'était leur façon d'être, et il n'avait pas l'habitude. Chez lui, c'était beaucoup plus réservé. On ne s'embrassait pas, ses parents avaient rarement un mot doux l'un pour l'autre, ni même pour lui d'ailleurs. Voilà pourquoi Tiger préférait aller chez eux plutôt que d'emmener Dina chez lui.

Une fois seule avec lui, sa petite amie lui dit qu'elle avait un truc en tête depuis qu'elle l'avait vu jouer. Pour le dire simplement : elle trouvait que le Tiger du lycée n'avait rien à voir avec celui qu'elle avait observé en tournoi. Le premier marchait tête basse, ne parlait presque jamais, et paraissait limite asocial ; le second était fort, confiant, en contrôle. On aurait dit deux personnes différentes.

Jamais on ne lui avait parlé ainsi, et il ne savait que répondre. C'est un peu comme si elle l'avait obligé à se poser la question : *qui suis-je vraiment ?* Une interrogation qui exigeait une sacrée séance d'introspection, et il voyait bien qu'elle attendait de lui qu'il partage ses émotions. Mais ce n'était pas son truc. Il ne savait même pas comment il était censé s'y prendre. Une des règles non écrites de la famille, c'était : on ne montre ni ne partage nos émotions avec qui que ce soit. Ses parents ne lui disaient rien de ce qu'ils ressentaient, ou des tourments du cœur, ou de n'importe quel sujet qui exigeait qu'on s'ouvre un peu. Tiger en parlera un jour ainsi : « Être un Woods, c'était notre affaire à nous. »

Plutôt que d'expliquer tout ça à Dina, il se contenta d'ignorer sa remarque pour mieux se concentrer sur un sujet bien plus paisible : son avenir. La route était dégagée, et il était très impatient de pouvoir l'emprunter. Cependant, pour la toute première fois, il imaginait la possibilité d'avoir quelqu'un à ses côtés pour le voyage. Dina s'était intéressée à lui en tant qu'être humain, sans rien connaître de son talent ni de sa réputation. C'était aussi la première fille à lui témoigner une tendresse physique. Il n'était certes pas prêt à tout lui dire, mais il la voulait à ses côtés.

CHAPITRE 6
LE CRAN AU-DESSUS

John Merchant avait l'habitude de tout diriger. L'avocat de soixante ans portait des costumes bien taillés, siégeait au comité directeur de la plus grande banque du Connecticut, et le gouverneur l'avait récemment nommé à la tête du Office of Consumer Counsel, une association de gestion des dépenses publiques. De son bureau situé dans le bâtiment du State Capitol à Hartford, il dirigeait plusieurs services d'avocats de l'État du Connecticut. Mais en ce sublime jour d'été de la fin juillet 1993, il se trouvait à près de cinq mille kilomètres de chez lui, sur le golf de Portland, Oregon. Vêtu d'un pantalon kaki et d'une chemisette à manches courtes qui faisait ressortir sa moustache blanche et sa coupe afro grisonnante parfaitement taillée, il sortit en tout anonymat de la Field House du Waverley Country Club. C'était le premier jour de l'US Junior Amateur Championship, et l'endroit d'habitude si tranquille était rempli de monde. Tout en vérifiant l'état du terrain, impeccable, il ne put réprimer un sourire et se dit à lui-même : *Mais comment en suis-je arrivé là ?*

L'aventure avait commencé trois ans plus tôt, au moment où le golf avait dû faire face à une crise morale de grande ampleur provoquée par Hall W. Thompson, un célèbre homme d'affaires de l'Alabama qui avait créé le Shoal Creek Golf and Country Club près de Birmingham. Shoal Creek avait été désigné pour accueillir l'USPGA en août 1990. Mais en juin de cette année-là, Thompson accorda une interview à un journaliste du *Birmingham Post-Herald* qui l'interrogea sur la politique d'adhésion de son club – qui accueillait des juifs, des femmes, mais pas de noirs. « On ne fait preuve d'aucune discrimination, sauf pour les noirs », dit-il.

Les réactions outrées furent immédiates. La Southern Christian Leadership Conference[18] menaça de manifester devant le club.

---

18. Une association de droits civiques.

Des sponsors majeurs comme IBM annulèrent des campagnes de publicité télé d'un montant supérieur à deux millions de dollars. Des journaux et organes de presse commencèrent à enquêter sur les règles d'adhésion des clubs privés un peu partout dans le pays. Le *Charlotte Observer* publia un article assurant que dix-sept clubs privés qui accueillaient des épreuves du PGA Tour n'acceptaient pas les noirs en leur sein. Un autre article prétendait même que trois clubs privés sur quatre avaient des pratiques similaires à celles de Shoal Creek dans le pays.

Thompson prétendit d'abord que ses propos avaient été sortis de leur contexte, mais il présenta néanmoins ses excuses. Trop tard : le PGA Tour se retrouvait en plein milieu d'une tempête incontrôlable, avec le racisme comme thème principal. Grant Spaeth, le président de l'USGA, admit que son association organisait régulièrement des épreuves dans des clubs qui refusaient d'admettre des membres noirs. Il affirma au *New York Times* : « On peut trouver ce débat aussi pénible que possible, mais j'en conclus sans l'ombre d'un doute qu'il n'a que trop tardé et qu'il est temps pour nous de le régler de façon juste et définitive. »

En 1991, à la suite de cette histoire, John Merchant reçut un appel inattendu de S. Giles Payne, un avocat du Connecticut impliqué depuis longtemps dans les affaires de l'USGA. Les deux hommes étaient de vieux amis, partenaires occasionnels de golf, même s'ils ne s'étaient plus parlé depuis plusieurs années. Payne alla droit au but en lui demandant s'il acceptait d'intégrer le comité exécutif de l'USGA. Flatté, Merchant avoua dans un rire qu'il n'était pas très sûr de savoir ce que c'était. Payne lui expliqua qu'il s'agissait d'un conseil de seize membres en charge des règles du golf et de la législation sur le matériel pour les États-Unis et le Mexique. Les places à cette table étaient très convoitées et échouaient en général aux hommes riches et influents.

Merchant se montra dubitatif. Il n'était pas si riche que ça, et son influence se limitait aux cercles bancaires et juridiques du Connecticut. Mais il avait compris ce qu'on attendait de lui. Le fin mot de l'affaire, c'est que l'USGA n'avait jamais eu d'Afro-Américain à son comité exécutif au cours de ses quatre-vingt dix-sept ans d'existence. Shoal Creek avait clairement montré, et de façon plutôt embarrassante, que le temps de la diversification avait sonné. Le comité avait besoin d'un noir et Merchant était la personne idéale. Premier noir à sortir de la fac de droit de l'université de Virginia, en 1958 ; premier noir à devenir membre du très exclusif Country Club of Fairfield dans le Connecticut ; et premier noir à intégrer le comité directeur de la plus grande banque du Connecticut. Cerise sur le gâteau, c'était aussi un excellent golfeur.

Entre les enquêtes et le respect de la procédure, sa nomination fut officiellement annoncée un an plus tard. Mais en 1993, Merchant était dans la place. Il avait juste un souci : « Je ne laisserai personne croire que je ne suis qu'un putain de pion », jura-t-il.

En dépit de ses engagements gouvernementaux comme « avocat en chef pour les contribuables du Connecticut », Merchant était déterminé à assister à un nombre conséquent de tournois juniors pour se montrer à la hauteur de sa tâche. Celui disputé à Portland était son tout premier. Ne connaissant pas le parcours, il décida d'en faire le tour. Il fut d'abord frappé par l'absence totale de gens de couleur parmi le public. Puis il repéra un homme noir assis à une table, sous un parasol, dans un patio tout près du parcours. Il s'approcha, et l'homme leva les yeux de son verre.

« Je suis John Merchant, du comité exécutif de l'USGA », dit-il.

« Earl Woods. Je vous en prie, asseyez-vous. »

Un serveur apparut quelques instants plus tard.

« Donnez-moi la même chose que lui », dit Merchant en montrant le verre de son voisin de table.

Les deux hommes firent connaissance pendant près d'une heure. Earl dit que son fils participait au tournoi, sans jamais mentionner son prénom et sans que Merchant ne fasse le rapprochement. Ils parlèrent surtout de golf et de race. Earl Woods était très impressionné par le parcours de Merchant, que ce soit en tant qu'avocat, banquier ou homme d'affaires. Il nota aussi que son hôte du jour avait été deux fois champion de son club dans le Connecticut. Toujours à l'affût d'une aide extérieure pour la carrière de Tiger, Earl n'avait encore jamais rencontré un homme noir aussi intelligent, accompli et bon golfeur que Merchant pouvait l'être. Ils échangèrent leurs numéros de téléphone et décidèrent de rester en contact.

Tiger remporta le tournoi de façon spectaculaire, en battant Ryan Armour grâce à deux birdies sur ses deux derniers trous. C'était son troisième titre à l'US Junior Amateur et sa dix-huitième victoire consécutive en match-play, pour un record de vingt-deux victoires et une défaite en quatre participations au tournoi. Une fois la victoire de Tiger acquise, John Merchant avait rassemblé les pièces du puzzle : l'homme avec qui il avait bu un verre était son père. De retour dans le Connecticut, il téléphona à Earl pour le féliciter. Ce dernier insista pour qu'ils se revoient sur le tournoi suivant. Merchant était on ne peut plus d'accord. Les deux hommes avaient beaucoup à se dire.

Lors de sa dernière année de lycée, Tiger reçut un nombre incalculable de sollicitations pour la suite de ses études. Les meilleures universités le voulaient toutes. Mais après avoir visité l'UNLV, il fut définitivement convaincu que Las Vegas lui conviendrait à merveille. Il trouvait les installations et le climat exceptionnels. Le campus n'était pas si loin de chez lui – à peine quatre cent trente kilomètres –, il pouvait y être en moins de cinq heures. Et puis la ville avait une ambiance particulière. Ça ressemblait à l'endroit idéal pour des études supérieures. Ses parents, en revanche, restaient bloqués sur Stanford. L'université californienne jouait dans la même cour que Yale et Harvard, un élément d'importance aux yeux de Kultida. Et niveau golf, c'était ce qui se faisait de mieux dans le pays.

Tout le monde, y compris son responsable du programme golf Wally Goodman, était convaincu que Tiger choisirait Stanford. Mais si Tiger pouvait parler de son dilemme à quelqu'un, c'était bien avec Dina Gravell. Ils étaient devenus inséparables, elle avait même choisi de rester près de chez elle pour sa toute première année de fac, à l'université de Cypress Community College, pour ne pas trop s'éloigner de Tiger qui en terminait avec le lycée. Il lui dit qu'il avait choisi l'UNLV, mais aussi qu'il ne voulait pas aller contre l'avis de ses parents ou de ce qu'ils avaient imaginé pour lui.

Petit à petit, Tiger avait fini par s'ouvrir à Dina, lui donnant quelques indications sur la pression qu'il pouvait ressentir à la maison. Tout sauf une surprise pour elle. Elle en savait assez pour comprendre que son éducation avait été très différente de la sienne, plus dure aussi. Avec quelques amis, ils avaient un jour fait une drôle de farce au voisinage, en recouvrant les maisons avec du papier toilette. Kultida l'avait ensuite houspillé devant tout le monde : « Mais qu'est-ce qui t'est passé par la tête ? » dit-elle d'une voix sévère. Puis ce fut au tour de son père, qui n'arrêtait pas de chanter les louanges de son fils dans la presse pour construire sa légende. Dina ne voulait pas envenimer les choses.

« Quoi que tu décides, on s'en sortira », lui dit-elle.

Tiger devait également prendre une autre décision d'importance : le choix de son prochain professeur. Un peu plus tôt dans l'année, on avait diagnostiqué un cancer du colon chez John Anselmo, contraint de prendre du recul pendant la durée de son traitement. Leur collaboration avait duré près de sept ans et vu Tiger remporter ses trois US Junior Amateur de rang. Il était non seulement devenu le meilleur golfeur de Californie, mais aussi le meilleur junior de tout le pays. Anselmo avait l'intention de reprendre son poste une fois guéri, mais Earl imaginait déjà autre chose : trouver un pro capable d'assurer la transition amateur-professionnel. Et il avait un nom bien précis en tête.

Claude Harmon Jr., que tout le monde appelait « Butch » sur le PGA Tour, avait du sang golfique royal dans les veines. Son père, Eugene Claude Harmon Sr., avait remporté le Masters en 1948. Butch était devenu directeur du golf au Lochinvar Golf Club, un club uniquement masculin situé à Houston. Il était aussi le professeur de Greg Norman, le joueur australien qui possédait le swing le plus pur sur le circuit en 1993.

Tiger était justement à Houston en août 1993 pour y disputer son premier US Amateur[19]. Il se rendit à Lochinvar. Le club comptait relativement peu de membres, dont l'ancien président américain George W. Bush, des magnats du pétrole, des PDG et un certain nombre de sportifs de haut niveau. Harmon proposa à Tiger de faire une petite exhibition. Il accepta, mais dans son esprit, c'était comme un casting. Le public ? Des millionnaires qui possédaient des jets privés, des plateformes pétrolières et des ranchs grands comme un département. Tous étaient en admiration à le voir exécuter des coups ahurissants autour des arbres ou balancer des balles à près de trois cents mètres. Butch était lui aussi impressionné par son talent brut et sa créativité, mais plus encore par sa vitesse de swing et sa puissance. Le premier mot qui venait à l'esprit, c'était *violent*. Il swinguait de façon tellement violente qu'il en avait des plaies aux avant-bras, qui se frottaient l'un l'autre à la toute fin de son geste.

« C'est quoi le coup sur lequel tu peux te reposer quand tu es dans un mauvais jour ? » lui demanda Harmon.

Tiger haussa les épaules et continua à balancer des flèches. « Swinguer aussi vite que possible, et mettre tout ce que j'ai dans la balle, répondit-il. Puis je la retrouve et je la frappe à nouveau. »

---

19. Tournoi ouvert aux meilleurs amateurs du monde, quel que soit leur âge.

Harmon venait de réaliser que Tiger n'avait aucun plan B, aucun swing sur lequel s'appuyer quand il était dans un jour moyen – pas de trois-quarts de coups, pas de swing de rechange, pas de coup punché : juste de la puissance brute. Mais il avait gagné trois US Junior avec ça, ce qui prouvait qu'il savait scorer et gagner. Ça fichait la trouille rien que d'imaginer à quel point il serait imbattable quand il saurait amener un peu de finesse dans son répertoire.

La nuit suivante, Earl passa un coup de fil à Butch avec une question toute simple : «Est-ce que vous êtes d'accord pour aider Tiger à passer au cran au-dessus?»

Harmon n'espérait qu'une chose : qu'Earl lui pose cette question. Depuis vingt-quatre heures, il ne pensait qu'à cela : ce que ça ferait de devenir le coach de Tiger Woods. Il donna son accord et renonça même à son tarif habituel de trois cents dollars de l'heure : «Je sais que vous n'êtes pas riche, donc je ne vous ferai rien payer du tout, dit-il à Earl. Mais quand le jeune homme sera devenu une superstar, et je suis sûr que ce sera le cas, alors je vous enverrai une facture.»

«C'est bon pour moi», dit Earl.

Tiger était totalement d'accord avec son père à propos de Butch. Mais il n'avait toujours rien dit à ses parents à propos de l'université. Les discussions chez les Woods étaient si rares que même eux ne savaient rien de ce qu'il avait décidé. Kultida lança un appel d'urgence à Wally Goodman, le pressant de leur rendre une toute dernière visite. Mais Goodman n'en voyait pas l'utilité.

«Je crois que Tiger et moi avons balayé tous les sujets», lui dit-il.

«Oui, eh bien vous feriez mieux de venir nous voir», répondit-elle.

Goodman commençait à redouter la tournure des événements. Il arriva chez les Woods deux jours plus tard. Tiger ne dit rien quand il le vit se joindre à eux pour un dîner improvisé à base de pizzas. L'ambiance était pour le moins étrange. Earl et Kultida tentaient bien de faire la conversation, mais ça ressemblait davantage à une veillée mortuaire qu'à un dîner décontracté. Finalement, Tiger s'adressa à Goodman avec le visage grave.

«Coach, j'ai un truc à vous montrer», dit-il. Puis il fouilla sous sa chaise pour y trouver une casquette avec le logo de l'UNLV.

«Tiger, qu'est-ce que tu me fais là?» demanda Goodman.

Tiger le regarda dans les yeux, sans rien dire.

«Tu ne m'as quand même pas fait venir jusqu'ici pour me montrer cette casquette, n'est-ce pas?»

Tiger fouilla à nouveau sous sa chaise pour en sortir cette fois une casquette USC[20].

Goodman trouva ça moyennement drôle. «Ok, c'est bon, j'ai compris», dit-il en essuyant sa bouche et en se levant de table.

«Non coach, attendez», finit par dire Tiger.

Troublé, Goodman marqua une pause pendant que Tiger plongeait encore sous sa chaise, pour lui montrer une troisième casquette. Rouge, celle-là, avec le S de Stanford dessus. Sans dire un mot, il la mit sur sa tête.

Quelques jours plus tard, le 10 novembre 1993, Tiger postula officiellement en envoyant sa lettre d'intention à Stanford. Il assura à la presse que la décision fut facile à prendre.

«J'ai choisi Stanford pour progresser en tant qu'être humain, dit-il. Il y a bien d'autres choses dans la vie que de simplement frapper dans une petite balle blanche. J'ai toujours été éduqué dans ce sens. L'école a toujours été la priorité numéro 1 pour ma famille.»

En privé, le discours n'était pas tout à fait le même. «Je ne sais même pas combien de temps je vais rester là-bas, dit-il à Dina. Je dois pouvoir supporter ça pendant un moment, comme tout ce que je fais d'ailleurs.»

Tiger et Dina se rendirent ensemble à son bal de fin d'année, mais ce n'était plus tout à fait la même chose que l'année précédente, quand il l'avait accompagnée à son bal à elle. Les choses avaient bien changé, à tous points de vue. Il ne passait plus inaperçu dans les couloirs de son lycée. Son cercle d'amis n'avait pas bougé, mais désormais, tout le monde le respectait et l'admirait. Ses camarades de classe l'élurent «Most Likely To Succeed», celui qui avait le plus de chances de réussir. Tout semblait se mettre en place. Après avoir décroché son diplôme avec un GPA de 3,8, il prit tout de suite la route pour aller disputer les tournois d'été amateurs. Puis il arriva à Stanford à l'automne pour suivre sa scolarité avec une bourse complète, qui prenait tous ses frais en charge. Ensuite, ce serait le PGA Tour. Sa vie était déjà toute tracée. Sans feux rouges, ni limitation de vitesse.

---

20. University of South California, grand rival de Stanford.

Celle de Dina était en revanche plus précaire. Elle vivait toujours chez ses parents, avec un job au SMIC tout en suivant les cours de son université locale. Tout semblait totalement figé, surtout si elle se comparait à Tiger. Mais jamais ils ne parlaient de son avenir à elle. Tiger imaginait juste qu'elle le suivrait là où il irait. Sauf que Dina n'était pas très à l'aise à le voir sans arrêt sous les projecteurs. Elle se rendait rarement sur les tournois, dont elle n'appréciait pas l'ambiance générale. En plus, elle ne pouvait jamais l'approcher. Lui était sur le parcours, à l'intérieur des cordes, et elle perdue au milieu de la foule. Elle n'arrêtait pas de se demander si elle était capable de supporter cette vie-là. Elle allait partir pour Las Vegas, où sa tante pouvait lui louer une chambre. Elle avait prévenu Tiger, juste après sa remise de diplôme au lycée. À tout le moins, il fallait qu'elle quitte Cypress pendant un moment.

Tiger n'arrivait pas à comprendre. Il voulait qu'elle reste en Californie du Sud, mais Dina n'en voyait pas l'intérêt. Ce n'était pas comme si Tiger était là, tout près d'elle, tout le temps. À la fin de l'été, il allait partir pour Palo Alto, à six cents kilomètres au nord. Entre-temps, il jouerait sur le circuit amateur à plein temps. Ils seraient loin l'un de l'autre, quoi qu'elle fasse.

«Si on s'aime vraiment, alors on se retrouvera», lui dit-elle.

John Merchant savourait le privilège d'être le premier membre noir du comité exécutif de l'USGA. Il bénéficiait ainsi d'une tribune pour promouvoir son combat favori : l'implication des minorités ethniques dans le golf. Presque toute sa vie, il avait été le seul noir sur un parcours, et il s'était souvent demandé quoi faire pour changer cette situation. Là, il avait un boulevard devant lui pour amener les jeunes des quartiers défavorisés au golf, un jeu qu'il aimait depuis toujours. Sans compter le fait que sa relation particulière avec la famille Woods commençait à être connue de tous.

Merchant était devenu une sorte de parrain pour Tiger. Les deux hommes jouaient souvent ensemble, et Tiger adorait lui poser des questions qui n'avaient rien à voir avec le golf. Il leur était même arrivé de voyager ensemble sur certaines épreuves amateurs. Merchant avait l'impression que la relation père-fils chez les Woods était la plus forte qu'il ait jamais pu voir. L'un pouvait finir la phrase de l'autre. Et Earl s'en remettait de plus en plus souvent à lui, au vu de ce qu'il avait à offrir.

Merchant pouvait se permettre de rouler un peu des mécaniques, aussi bien au State Consumer Counsel que dans son Country Club de Fairfield. Il aimait bien mettre en avant sa relation avec Tiger, qui venait à l'été 1994 de remporter le Pacific Northwest Amateur, le Southern California Amateur et le Western Amateur. Il se délectait de la situation, mais dans le même temps, un avocat de son cabinet à State Capitol posa une réclamation contre lui pour non-respect de l'éthique, au motif qu'il se servait de sa position pour faire du business avec l'USGA – en s'appuyant notamment sur le fait qu'il assistait à des tournois sur son temps de travail. Les instances concernées lancèrent alors une enquête, qui mit en évidence sa relation privilégiée avec Earl Woods.

Tiger ne savait rien de ces histoires-là, et ignorait aussi que son nom était apparu lors des enquêtes de probité. À l'été 1994, il avait fait une découverte bien plus traumatisante : son père trompait sa mère. Et ça faisait des années que ça durait. Des jeunes femmes appelaient parfois chez les Woods et demandaient à lui parler à propos de leçons de golf privées. Kultida avait bien cerné le manège. Et même si le couple avait perdu toute intimité depuis des années, elle restait mariée pour le seul intérêt de Tiger.

Earl était un homme à femmes, et le reste de sa famille le savait bien. Sa propre sœur, Mae, qui l'aimait plus que tout, eut un jour ce malicieux trait d'esprit : « Je l'aurais tué s'il avait été mon mari. » Mais il était plutôt fier de ses conquêtes à répétition. Il disait que c'était un jeu et pas une trahison. « Il n'en avait absolument pas honte, dit le journaliste Tom Callahan. En fait, il était tellement fier de son "équipement" qu'il n'hésitait pas à aller ouvrir nu quand il savait qui frappait à sa porte. » Kultida avait jusqu'ici réussi à laisser Tiger en dehors de ça. Mais Earl avait ses secrets qu'elle-même ignorait, aggravés par ses vices comme l'alcool, les cigarettes et la pornographie. Ses habitudes finirent par creuser un fossé entre lui et sa famille.

Les Woods fêtèrent le dix-septième anniversaire de Tiger au restaurant. Des membres de la famille de Kultida se joignirent à eux, pour une soirée où il fut uniquement question de rendre hommage aux exploits de Tiger et d'évoquer son avenir. Earl était venu avec sa propre voiture. Sur le chemin du retour, il s'arrêta dans une supérette pour en ressortir avec un sac en papier marron, dans lequel se trouvaient une bouteille de Colt 45, une liqueur de malt, et un magazine porno ; le tout à usage personnel et immédiat.

Mais quand il décida de prendre sa retraite pour pouvoir accompagner son fils un peu partout, il eut le plus grand mal à cacher son mode de vie. Tiger comprit rapidement ce qui se passait.

La famille avait pour principe de ne rien dire – les secrets ne sortaient pas du cercle familial, c'était ça être un Woods –, mais c'en était trop pour Tiger. Il finit par téléphoner à Dina. En larmes, il lui avoua que son père – son héros – avait été infidèle. Il avait du mal à parler, il ne faisait que pleurer. Il appela plusieurs fois sa petite amie au cours des semaines suivantes, pour chercher un peu de réconfort.

Son conflit intérieur était évident. D'un côté, il aimait son père et le considérait comme son meilleur ami. De l'autre, il haïssait ce qu'il était capable de faire. Ses commentaires un peu trop francs du collier et ses prédictions spectaculaires à propos de son avenir étaient déjà assez embarrassants comme ça. Mais il avait le plus grand mépris pour sa façon de traiter sa mère. Il rêvait d'une famille bien sous tous rapports, mais il commençait à se rendre compte que ce ne serait sans doute jamais le cas.

Dina finit par lui donner son avis : «Tu ne peux pas vivre avec ces secrets et cette pression. Tu dois avoir une conversation avec ton père. Tu dois savoir ce que tu veux vraiment.»

En parler à Dina, c'était une chose. Mais avec son père ? Hors de question. Ils pouvaient évoquer le golf, le sport ou des sujets plus anodins, mais rien de ce qui concerne les tourments du cœur. Et jamais ils ne le firent.

Tiger était réticent à partager quoi que ce soit de personnel avec la presse, y compris ses objectifs. Il en avait plus d'un dans un coin de sa tête, mais son silence sur le sujet finit par aboutir à ce qu'il appela plus tard un grand malentendu avec les médias – persuadés que son objectif essentiel était de remporter plus de victoires dans les tournois du Grand Chelem que Jack Nicklaus. Les dix-huit Majeurs de Nicklaus, ce n'était pas ce qu'il visait. Il se souciait plus des âges que des chiffres.

Il s'en expliqua juste avant ses quarante ans : «C'était la première fois où il avait scoré moins de 40 sur neuf trous, la première fois moins de 80 sur dix-huit trous, le premier tournoi qu'il avait gagné, son premier titre amateur, son premier US Amateur, et la première fois où il s'était imposé à l'US Open. C'était ça le truc. Je l'avais mis sur ma liste. Ça concernait l'âge de ses exploits, c'est ça qui était important à mes yeux. Ce gars-là est le meilleur joueur qui ait jamais existé. Si je pouvais faire mieux que lui au même âge, tout le temps, alors j'aurais une chance de devenir à mon tour le meilleur de tous les temps.»

L'un des objectifs de Tiger – devenir le plus jeune joueur à remporter l'US Amateur – était au centre de toutes les attentions à l'été 1994. Nicklaus s'était imposé en 1959 à l'âge de dix-neuf ans, alors qu'il était encore à l'université d'Ohio State. Tiger voulait absolument s'imposer à dix-huit ans et sans avoir débuté sa scolarité universitaire. Voilà un an qu'il s'entraînait avec Butch Harmon, pour ralentir un peu son swing et apprendre à poser ses balles là où il le fallait. «Butch m'a cassé les oreilles avec ça, expliqua-t-il. Pour que je comprenne la stratégie, et que j'arrête de vouloir mettre systématiquement ma balle à hauteur de drapeau. Par exemple, si le drapeau se trouve à cent cinquante mètres, je peux décider d'envoyer ma balle à cent quarante-cinq histoire d'être sûr d'avoir un putt en montée.»

Toutes ces heures passées avec Butch avaient fait de Tiger un meilleur golfeur, encore plus difficile à battre. Mais lors de la finale de l'US Amateur qui se disputait au TPC Sawgrass de Ponte Vedra Beach (Floride) le 24 août 1994, il ne semblait plus en mesure de battre le record de précocité de Nicklaus. Il restait treize trous à jouer, et il avait six trous de retard sur un jeune homme de vingt-deux ans, Ernest W. Kuehne III, plus communément appelé Trip. S'il voulait s'imposer, Tiger n'avait d'autre choix que de réaliser la plus grande remontée de l'histoire du tournoi.

Kuehne n'était pas seulement un adversaire à ses yeux : c'était aussi un ennemi. Deux fois champion de son État en tant que lycéen, Kuehne avait aussi été le compagnon de chambre de Phil Mickelson à l'université d'Arizona State avant de poursuivre ses études à Oklahoma State, où il devint All-American. Il espérait passer professionnel, mais il ne savait pas ce que c'était de crever de faim.

Il y a un an de cela, quand Tiger avait joué le Byron Nelson Classic à Dallas, il avait habité la maison de famille des Kuehne avec son père Earl. Une propriété si gigantesque qu'elle rendait la maison des Woods encore plus petite. Et le séjour avait prouvé ce qu'Earl Woods prétendait depuis toujours : le golf était d'abord un sport de blancs privilégiés. Ernest II, le père de Trip, était un avocat de premier plan qui possédait deux banques et occupait un poste de PDG dans une compagnie pétrolière. Il avait tenu à emmener les Woods visiter les installations où ses trois enfants recevaient des cours particuliers d'un pro nommé Hank Haney. Tiger n'avait aucune envie de rencontrer Haney ni de voir le reste. Il était bien conscient de ne pas avoir eu la même éducation que les Kuehne, notamment sur la façon d'apprendre à jouer au golf, et il appréciait moyennement qu'on le lui rappelle sans arrêt. Même topo pour son père. À la fin du séjour, le père de Trip demanda à Earl : « Comment vous arrivez à gérer tout ça alors que vous êtes retraité de l'armée ? » Le père de Tiger était furieux, notamment parce que la question sous-entendait qu'un homme noir n'était pas capable de faire aussi bien.

Trip Kuehne avait lui appris à jouer au golf de façon assez traditionnelle – en étant membre d'un country club depuis des années. Son père tenait à ce qu'il passe professionnel et faisait tout ce qui était en son pouvoir pour l'aider. Sauf que Trip avait d'autres options et d'autres avantages – les meilleures écoles, une assise financière, un réseau. S'il n'y arrivait pas avec le golf, il trouverait son chemin dans la finance ou le business.

De son côté, Tiger avait appris à jouer sur des parcours publics, et son mentor était son propre père, dont les méthodes peu orthodoxes avaient développé chez lui un instinct de tueur, une méchanceté qu'on s'attendait plutôt à trouver chez un boxeur. Earl n'était pas PDG. Sa mère était une immigrée venue d'un pays lointain. Sa famille avait peu d'argent et presque pas de réseau. Sa seule chance d'ascension sociale reposait sur le jeu de Tiger.

Alors pendant l'US Amateur, il n'avait pas simplement envie de battre Trip Kuehne. Il voulait vaincre tout ce qu'il représentait. Il voulait montrer à la bonne société des country clubs qu'il était meilleur qu'eux.

John Merchant, Butch Harmon et Earl étaient sur le parcours pour voir Tiger commencer à grignoter son retard sur les neuf derniers trous, en jouant de façon plus agressive. Dans le même temps, Kuehne devenait lui de plus en plus hésitant. Les deux joueurs étaient *all square*[21] avec deux trous à jouer, et ce qui semblait impossible dix trous plus tôt paraissait désormais inévitable au moment où ils arrivèrent sur le tee du fameux trou 17. Devant le par 3 le plus intimidant au monde – un green en île plus

---

21. À égalité.

que célèbre, entouré d'eau et relié à la terre ferme par une passerelle en gazon longue et étroite –, Tiger choisit de taper le plus audacieux des coups. Il joua directement le trou, 125 mètres plus loin : un coup magistral qui rebondit sur la droite du green pour ensuite filer vers le rough, et peut-être même jusque dans l'obstacle d'eau. Mais les gémissements de la foule se transformèrent en acclamations euphoriques lorsque la balle spina de façon incompréhensible pour s'arrêter à soixante centimètres de l'eau, à moins de cinq mètres du trou. Quelques instants plus tard, il se retrouva devant sa balle, avec l'eau derrière lui. Le silence était total, sinon les cris d'un héron au loin au moment où Tiger tapa la balle avec son putter. D'abord totalement immobile, il commença à serrer le poing et à se déplacer vers la gauche bien avant que la balle ne finisse par tomber dans le trou. Ensuite, ce fut comme s'il frappait le ciel d'un uppercut, avec l'un de ses fameux *fist pumps*. « *Yeah!* » hurla-t-il en traînant les pieds.

Ce fut un moment-clé. Le putter dans la main gauche, le bras droit plié en forme de L parfait, Tiger Woods serrait le poing et ses chaussures blanches glissaient sur le gazon tout soyeux. Kuehne avait mené la partie toute la journée. Il ne restait qu'un trou à jouer, Tiger savait déjà que c'était plié, et il savait que Kuehne le savait lui aussi. Quelques instants plus tard, il prit son adversaire par l'épaule alors que celui-ci venait de manquer un putt à 1,5 m. Woods remporta le match 2up.

Il venait également de battre le record de précocité de Jack Nicklaus sur un US Amateur, grâce au plus grand come-back jamais vu dans l'épreuve. Il était aussi le premier Afro-Américain à gagner ce tournoi.

La grandeur qu'on lui promettait commençait à prendre forme.

« Ce n'est que le début de l'histoire », fanfaronna Earl Woods. Son fils venait tout juste de soulever le trophée qu'il était déjà en train de parler à un reporter du magazine *People*. « Je l'ai déjà vu réaliser ce genre d'exploits toute sa vie, poursuivit-il. Il est numéro un mondial depuis qu'il a huit ans... Il est et il restera toujours comme ça... Quand il devient un peu trop sûr de lui, je lui dis : "T'étais pas une petite merde avant, tu ne l'es pas aujourd'hui et tu ne le seras jamais." »

Après avoir retranscrit ces propos, le journaliste de *People* les transmit à son rédacteur en chef, qui décida de ne pas les publier.

Ces déclarations polémiques finirent dans un épais dossier en papier kraft intitulé TIGER WOODS. L'image d'un père totalement dévoué à la réussite et au bonheur de son fils n'en fut ainsi pas écornée.

Heureusement pour Tiger, les médias n'avaient pas envie d'aller gratter ce qui se cachait derrière les déclarations excentriques de son paternel. Ils préféraient se concentrer sur son incroyable victoire à l'US Amateur. Un exploit qui le propulsa directement en une du *New York Times* et de *USA Today*. *Sports Illustrated* le surnomma le « *Comeback Kid* ». Jay Leno et David Letterman le voulaient en direct dans leurs talk-shows. Le président Bill Clinton lui envoya même une lettre de félicitations.

Cypress lui remit les clés de la ville à son retour. La cérémonie eut lieu au Cypress Golf Club, où Tiger tint un petit discours devant quelques dignitaires du coin.

« Ce qui m'arrive là est juste incroyable, leur dit-il. J'ai à peine dix-huit ans et je reçois déjà les clés de la ville. J'ai beaucoup de chance que la municipalité de Cypress fasse une telle chose pour moi. Et j'ai aussi beaucoup de chance d'avoir des parents qui m'aiment plus que tout. »

Mais tout le monde ne se réjouissait pas de ce succès. Sa notoriété grandissante irritait certaines personnes, notamment au Navy Course, là où il avait pu bénéficier de privilèges tout au long de sa jeunesse. Pendant des années, l'assistant pro Joe Grohman avait autorisé Tiger et son père à jouer gratuitement, ainsi qu'à utiliser les voiturettes ou à prendre des jetons de practice sans contrepartie. C'étaient le genre d'avantages en nature offerts à ceux que le commun des mortels vénérait. Mais certains gestionnaires du golf ne l'entendaient plus de cette oreille.

Selon la version de Grohman, deux semaines avant l'US Amateur, Tiger reçut une lettre de l'intendant du parcours soulignant de « nombreuses plaintes » venant de membres, et l'informant qu'il devrait désormais s'acquitter de ses green-fees et fournir le justificatif si on lui demandait. Sous le choc, Tiger dit qu'il ne pouvait croire que certains membres se soient plaints de la sorte. Grohman n'y croyait pas non plus. Selon lui, seul le club et son directeur étaient responsables de la missive, juste pour montrer à Tiger qu'il n'était plus le bienvenu.

L'affaire connut son point culminant une semaine après sa victoire à l'US Amateur. Tiger se trouvait à sa place habituelle, sur la droite du practice, lorsque Grohman arriva en voiturette.

«Hey Champ», lui dit-il. «Dis-moi, tu n'aurais pas vu des gars en train de taper des balles dans le coin?»

«Ouais, j'en ai vu passer deux tout à l'heure, près du hangar d'entretien», répondit-il.

Mais il ne fit pas attention lorsque Grohman s'y rendit sur-le-champ. Il ne savait pas non plus qu'une femme venait de passer un coup de fil pour se plaindre que quelqu'un balançait des balles dans son jardin. Quelques minutes plus tard, Tiger fut de nouveau interrompu, cette fois par le responsable des voiturettes. Sans lui expliquer quoi que ce soit, il le vira du practice. Livide, Tiger prit ses affaires et rentra chez lui.

Grohman retourna lui à son pro-shop, sans avoir pu mettre la main sur les coupables. Il y trouva l'autre assistant pro, en larmes, qui lui dit que le responsable des voiturettes avait mis Tiger dehors.

Dégoûté, Grohman alla voir le responsable de l'incident, un Marine.

«Mais qu'est-ce que tu as fait?» lui demanda-t-il.

«Une dame a appelé pour se plaindre qu'un jeune noir envoyait des balles vers les maisons, alors je l'ai mis dehors.»

«Foutaises! hurla Grohman. C'est moi qui ai reçu ce coup de fil!»

Tiger était dans la cuisine avec ses parents lorsque Grohman arriva chez eux. Earl l'invita à entrer, et Grohman proposa d'appeler un général afro-américain trois étoiles, un membre du club qui travaillait à la base navale voisine.

«Non, lui dit Earl, ce n'est pas la peine.»

«Putain de Marine! dit Kultida. On les emmerde! On n'a pas besoin d'eux.» Earl et Kultida étaient unis comme les cinq doigts de la main si on manquait de respect à leur fils.

«Je considérais le Navy Course comme l'endroit où Tiger avait appris à jouer au golf, dit Earl. Mais ils viennent de perdre ce droit.»

Tiger ne dit rien. Dans deux semaines, il serait à Stanford. Il était temps de passer à autre chose.

CHAPITRE 7
STANFORD

Parmi les trois enfants qu'Earl avait eus de son premier mariage, c'est avec sa fille Royce que Tiger entretenait les meilleures relations. À trente-six ans, elle vivait à Cupertino, tout près du campus de Stanford. C'était l'automne 1994, et Tiger lui passa un coup de fil quelques jours avant son arrivée.

«Au fait, tu la veux toujours, ta maison?» lui dit-il.

Elle éclata de rire. C'était une vieille histoire entre eux : Tiger n'avait que trois ans lorsqu'il lui avait promis de lui acheter une maison une fois devenu riche. Royce le lui rappelait régulièrement, sur le ton de la plaisanterie. Mais là, ça faisait un bon moment qu'elle ne l'avait pas taquiné sur le sujet.

«Bien sûr», répondit-elle.

«Bon ben du coup, tu accepterais de t'occuper de mon linge pendant quatre ans?» relança-t-il.

Elle rit, une fois de plus.

Sauf qu'il ne plaisantait pas, cette fois. Il avait bien conscience que Stanford était une université de top niveau et qu'il avait une image à défendre. Il avait besoin de quelqu'un pour laver et repasser ses vêtements, une chose que sa mère avait toujours fait pour lui. Si Royce était partante, alors il lui achèterait sa maison une fois devenu professionnel.

C'était une offre qu'elle ne pouvait refuser.

Tiger débuta sa scolarité le 28 septembre 1994, avec une majeure en économie et une spécialisation en comptabilité. Mais il avait un mal fou à rencontrer ses professeurs. Il était pourtant arrivé à Palo Alto quelques jours en avance, pour prendre ses quartiers dans sa nouvelle maison – chambre 8 du Stern Hall. Il fit connaissance avec son colocataire : Bjorn Johnson, un futur ingénieur aux cheveux longs. Il récupéra son emploi du temps :

mathématiques, éducation civique, culture portugaise et histoire, de l'Antiquité jusqu'à l'an 1500. Puis il prit un avion pour la France. Grâce à sa victoire à l'US Amateur, il avait été sélectionné pour représenter son pays aux championnats du monde par équipes à Versailles. Le signe qu'il n'allait pas suivre une scolarité classique.

À peine arrivé sur le tournoi, il fut pris d'assaut par la presse étrangère dès sa descente du van de l'équipe américaine. Une armée de fans lui fonça dessus. Les reporters hurlaient leurs questions, les appareils photo leurs flashes, les fans son nom, mais la foule s'écartait sur son passage comme la mer Rouge dans *Les Dix commandements* tandis qu'il se rendait vers le club-house. On n'avait jamais vu autant de monde sur un tournoi en France. Il y avait plus de spectateurs sur sa partie que sur celles de tous les golfeurs français réunis.

Il resta neuf jours en France, pour aider ses trois coéquipiers à remporter l'épreuve devant quarante-quatre autres pays. Les États-Unis s'imposèrent avec onze coups d'avance sur leurs seconds, l'équipe de Grande-Bretagne et d'Irlande. C'était la première victoire américaine dans l'épreuve depuis douze ans. Tiger ramena le sixième meilleur score total du tournoi. Son statut de vedette avait clairement franchi l'Atlantique : le quotidien *L'Équipe* le surnomma «Tiger la terreur» et *Le Figaro* établit une comparaison avec un autre enfant prodige – Mozart. C'était la première fois qu'une star américaine rencontrait autant de succès en France depuis Jerry Lewis.

Les cours avaient commencé depuis deux semaines quand Tiger fit sa réapparition à Stanford, le 10 octobre. La baie de San Francisco brûlait d'un sujet essentiel : la quête d'un cinquième Super Bowl par les 49ers. S'il fallait désigner une seule personne à l'origine de leur fabuleux palmarès, c'était bien leur coach légendaire Bill Walsh. Il avait débuté sa carrière d'entraîneur à Stanford en 1977, avant de prendre en mains la franchise californienne en 1979. Il avait ensuite pris sa retraite pour retourner s'occuper du football à Stanford en 1992.

Tiger était en admiration devant lui depuis toujours et décida de rendre visite à celui qui avait la réputation d'être un coach de génie. Il passa dans son bureau à l'improviste. Walsh était aux anges de pouvoir le rencontrer.

Les deux hommes n'aimaient pas partager leurs conceptions de l'approche mentale de leurs disciplines respectives. Du genre introvertis, ils se sentaient plus à l'aise seuls qu'au milieu des autres. Ils avaient du mal à se faire des amis, mais ce jour-là, leur complicité fut immédiate. Ils étaient tous les deux ultra-perfectionnistes, avec des qualités identiques en ce qui concernait leur façon de s'organiser. Ils avaient envie d'apprendre l'un de l'autre.

Walsh lui proposa de passer aussi souvent qu'il le souhaitait, sans prendre rendez-vous. Tiger ne se le fit pas dire deux fois, initiant ainsi une série de longues conversations. Très vite, Walsh fit avec lui ce qu'il n'avait jamais fait avec aucun de ses joueurs de football : il lui donna sa clé d'accès à la salle de musculation. Personne d'autre que lui sur le campus n'avait un tel privilège. Au bout d'un mois, Tiger passait presque toute sa vie là-bas. Ses coéquipiers en golf évitaient délibérément de s'y rendre, mais lui soulevait plus de poids que certains joueurs de l'équipe de football.

Il fit tout son possible pour convaincre Dina de le rejoindre à San Francisco, par exemple pour venir suivre les cours de l'université de San Jose State. Elle était toujours aussi amoureuse, elle avait très envie d'être tout près de lui, mais elle préférait éviter tout le cirque autour de son petit ami. Un reporter était venu lui parler la dernière fois qu'elle avait assisté à un tournoi et ça ne lui avait pas plu. Tiger faisait tout son possible pour la protéger en refusant systématiquement de dire quoi que ce soit à son sujet, sinon qu'elle était elle aussi originaire de Cypress et qu'elle ne s'intéressait pas au golf. Il ne voulait même pas révéler son prénom. Reste que Dina ne voulait pas quitter Las Vegas. Alors Tiger lui proposa un marché : ils devaient se parler tous les jours au téléphone. Parfois, il l'appelait juste pour lui dire qu'il avait passé une sale journée. D'autres fois, pour lui dire à quel point il était sous pression à Stanford. Mais la plupart du temps, son sujet de conversation concernait ses parents. La situation chez lui était telle qu'il ne pouvait vivre sereinement à l'université.

John Merchant avait pris l'habitude de dormir dans la chambre de Tiger quand il rendait visite à Earl et que le jeune prodige se trouvait à Stanford. Après deux séjours chez les Woods, il prit conscience qu'il y avait un vrai problème entre Kultida et son mari. Il avait passé beaucoup de temps avec Earl en déplacement, et vu et entendu suffisamment de choses pour en déduire que son mariage prenait l'eau. Mais il estimait que ce n'était pas ses affaires et jamais il n'aborda le sujet. Il y avait toutefois des choses qu'il ne pouvait laisser passer quand il se trouvait chez eux, notamment lorsqu'Earl demandait à Kultida de «fermer sa putain de gueule».

Il finit par parler à Earl, alors que Tiger était encore en première année à Stanford. «Tu fais et tu dis ce que tu veux quand je ne suis pas là et que tu es seul avec ta femme, lui dit-il. Ce ne sont pas mes affaires. Mais là, si je ne dis rien, ma mère va sortir de sa tombe pour venir me botter le cul. Tu ne peux pas continuer à insulter ta femme comme ça devant moi. Alors s'il te plaît, arrête!»

Merchant était persuadé que si Earl se permettait de parler ainsi en sa présence, il devait en faire de même quand Tiger était là. Peut-être même pire encore. Les conséquences de ses actes sur son fils, voilà ce qui l'inquiétait. Il savait à quel point Tiger vénérait et adorait son père, et le voir ainsi parler à sa mère était susceptible de créer des ravages à long terme.

«Les fans de golf et de Tiger voyaient surtout ses exploits et la qualité de sa relation avec son père, expliqua Merchant un jour. Mais c'est sa mère qui était sa plus grande fan, sans aucun doute. Elle était présente sur tous les tournois. Elle marchait les dix-huit trous, peu importe où il jouait. C'est elle qui portait la culotte. Vous me parliez de vénération : cette femme aimait son fils comme c'est pas possible. Mais Earl la traitait comme de la merde, et ça me rendait fou. Vraiment.»

Les problèmes conjugaux de ses parents perturbaient beaucoup Tiger à l'université. Ils avaient besoin d'un break, peut-être même de se séparer. Mais ils n'en avaient pas les moyens : ils n'avaient jamais mis d'argent de côté, et Earl dépensait tout le montant de sa retraite à suivre Tiger sur sa carrière amateur. Jusqu'à ce qu'il passe professionnel, le couple semblait condamné à vivre ensemble, dans le conflit et l'amertume, accentués par la consommation d'alcool excessive du père et ses yeux baladeurs.

L'homme le plus proche de Tiger à Stanford était Notah Begay III, un Amérindien à 100% et accessoirement meilleur joueur de l'équipe jusqu'à son arrivée. Begay avait un sourire contagieux et un grand sens de l'humour. Il eut tôt fait de surnommer Tiger «Urkel», histoire de le taquiner sur sa ressemblance avec Steve Urkel, héros de la série *Family Matters*, un gamin un peu coincé avec de grosses lunettes rondes.

Begay savait aussi se montrer sérieux quand il le fallait. Lorsque Stanford reçut une invitation pour le prestigieux tournoi du Jerry Pate National Intercollegiate disputé au Shoal Creek Golf and Country Club, il aborda le sujet avec Tiger. Il y avait selon lui un véritable enjeu social à jouer sur un parcours où la politique d'adhésion raciste avait déclenché un débat national sur les questions de race. Voilà quatre ans que le tristement célèbre Hall W. Thompson avait tenu ses propos sur l'exclusion des noirs au sein de son club. Begay assura à Tiger que s'imposer là-bas serait un véritable camouflet pour ceux qui pensaient que les minorités étaient des races inférieures.

Tiger ne voyait pas les choses de cette façon, mais il n'avait pas particulièrement envie de s'en expliquer auprès de Begay – pas plus qu'il ne voulut en parler à la presse. Quand le *New York Times Magazine* lui demanda si la politique raciste de certains clubs représentait une motivation supplémentaire pour s'imposer à Shoal Creek, il donna la plus courte des réponses : non. C'était un rejet total des opinions de son père. Mais Earl assura le contraire au magazine. « Ça lui donne de la volonté. Ça lui donne de l'inspiration. Ça lui donne de la motivation. Ça lui donne de la force. »

Earl essayait par tous les moyens de mettre le sujet du racisme au centre de l'histoire. Juste après la première victoire de Tiger à l'US Amateur, il le compara au boxeur Joe Louis : « Louis fut l'élément moteur qui redonna de la fierté au peuple noir. Il nous a permis de tenir le coup malgré le racisme. Et maintenant l'histoire se répète avec Tiger. Partout dans le pays, des noirs me disent à quel point ils étaient fiers de le voir jouer comme ça à l'US Amateur. »

Mais Tiger ne voulait pas de ce rôle-là. Le militantisme social ? À dix-huit ans, encore étudiant en première année, il préférait éviter toute forme de polémique. Ça commençait à le fatiguer d'être sans arrêt comparé aux héros cités par son père.

Tiger n'avait pas grand chose en commun avec Joe Louis, en dehors du fait d'être un sportif de haut niveau. Le boxeur s'était engagé dans l'armée juste après que les États-Unis avaient déclaré la guerre à l'Allemagne. Il était déjà champion du monde poids lourds à ce moment-là, et il était adulé aussi bien par les blancs que par les noirs. Alors qu'on lui demandait ce que ça faisait de s'engager dans une armée qui pratiquait la ségrégation raciale, il répondit : « L'Amérique fait fausse route dans de nombreux domaines, mais ce n'est pas Hitler qui va y remédier. » Louis n'avait jamais hésité à se servir de sa notoriété pour parler du racisme, mais ce n'était pas le truc de Tiger. « J'y pense seulement quand les médias me posent la question », dit-il à un journaliste.

Kultida reprochait à Earl de systématiquement mettre son fils sur un piédestal, et par là-même dans l'œil du cyclone. À chaque fois que son père le comparait à un leader des droits de l'homme ou un athlète qui avait fait avancer la cause des noirs, il rendait Tiger plus vulnérable, parce que les gens pouvaient attendre de lui des choses totalement hors de propos. Elle appelait ses grands discours les « foutaises du vieil homme ». Tiger était encore fragile, et dans son esprit à elle, Earl ne faisait que renforcer cette fragilité. En ce qui la concernait, les déclarations de son mari sur Shoal Creek n'étaient que des foutaises de plus.

Lorsque l'équipe de Stanford arriva sur place, des manifestants et des militants se trouvaient déjà devant les portes du club. Mais Tiger resta en dehors de tout ça pour poser sa patte sur le tournoi et mener les siens à la victoire. Après avoir enquillé son dernier putt au 18 pour s'imposer avec deux coups d'avance, il tomba sur Hall Thompson.

« Tu es un grand joueur. Je suis fier de toi, tu es sublime », lui dit ce dernier.

Tiger n'avait pas grand chose à lui répondre. Quand la presse lui demanda ensuite son opinion sur le fait de s'imposer à Shoal Creek, Tiger ignora la question pour évoquer le parcours.

« C'est génial ici, dit-il. Le parcours a été construit avant que Jack Nicklaus ne se lance dans des designs délirants. C'est assez plat, plutôt franc, et il n'y a rien de diabolique autour des greens, à part au 18. Le type de parcours que je préfère. »

Quand un reporter le relança sur le sens social de sa victoire, Tiger balaya la question : « La plus grande signification de tout ça, c'est que mon équipe a remporté l'épreuve. Et que je me suis imposé en individuel. »

Tiger savourait sa victoire, mais il se rendait compte que, bien malgré lui, il ne passerait désormais plus jamais inaperçu. De retour à Stanford, il appela un soir le 911 pour dénoncer un vol et une attaque au couteau dont il avait été victime une demi-heure plus tôt, sur un parking tout près de sa résidence universitaire. Il était seul dans sa chambre quand le shérif adjoint

Ken Bates de la police de Stanford le rejoignit pour prendre sa déposition. Tiger lui dit qu'il avait passé la soirée avec Jerry Rice et d'autres membres des 49ers de San Francisco, lors d'un dîner qui regroupait des célébrités. Puis qu'il avait pris sa voiture pour rentrer sur le campus, en était sorti et avait à peine enclenché l'alarme qu'un individu l'avait saisi par derrière pour lui mettre un couteau sous la gorge en lui disant : «Donne-moi tout ce que tu as, Tiger.» Woods n'avait pas de portefeuille sur lui, mais une chaîne en or d'une valeur de cinq mille dollars que sa mère lui avait offerte. Le voleur l'avait dérobée, avait aussi exigé qu'il lui remette la montre Casio à son poignet, puis l'avait frappé à la mâchoire de la même main qui tenait le couteau pour le mettre au sol. L'agresseur s'était ensuite enfui à pieds. Tiger était incapable de le décrire, sinon qu'il mesurait à peu près 1,80 m, qu'il portait des vêtements sombres et des chaussures blanches.

Trois autres officiers de police ainsi qu'un sergent passèrent dans toutes les chambres de la résidence qui donnaient sur l'endroit où l'agression était supposée avoir eu lieu. Personne n'avait rien vu. Bates examina aussi la mâchoire et le cou de Tiger : d'après son rapport, il n'y avait aucune trace de rougeurs ni de griffures. Il regarda aussi l'intérieur de sa bouche, sans y déceler de traumatisme ni de contusion. Tiger accompagna ensuite les policiers jusqu'au parking. La zone était bien éclairée et son véhicule était garé sous un lampadaire double. Le parking était situé le long d'une artère principale avec pas mal de circulation, que ce soient des piétons, des voitures ou des vélos. Les officiers lui demandèrent de situer précisément le lieu de l'agression, ce que Tiger fit. Les feuilles mortes qui recouvraient le sol n'avaient pas bougé. Bates vérifia une nouvelle fois la mâchoire de Woods, sans rien y trouver de nouveau. Puis il lui donna sa carte de visite, lui demandant de l'appeler si quoi que ce soit lui revenait à l'esprit. Dans son rapport, Bates ne chercha pas à savoir où se trouvait le portefeuille de Tiger – qui devait sans doute contenir son permis de conduire et qu'il n'avait a priori pas pris avec lui alors qu'il rentrait de San Francisco.

Tiger demanda au shérif adjoint de ne pas ébruiter l'incident. Quand Bates lui demanda pourquoi, il répondit qu'il préférait ne pas en dire davantage. Goodman arriva sur place juste après que la police eut quitté les lieux. On l'avait prévenu, il voulait savoir si tout allait bien. Puis Tiger passa un coup de fil à Dina, juste après le départ de son entraîneur. Il était en larmes quand elle décrocha.

«Qu'est-ce qui s'est passé?» demanda-t-elle.

«Je viens de me faire agresser», expliqua-t-il.

«Oh mon Dieu! Appelle vite la police!»

«Je viens de leur parler, là.»

Elle essayait de rester aussi calme que possible.

«Je vais bien, ajouta-t-il. Mais j'ai eu vraiment peur. Je ne sais pas si je vais pouvoir continuer.»

Il était bien au-delà de minuit, Tiger avait un contrôle le lendemain matin, mais il resta un long moment avec Dina au téléphone. Il ne voulait pas parler de l'agression, mais plutôt de la pression qu'il subissait. C'était bien plus dur à Stanford qu'au lycée. Les médias ne le lâchaient pas d'une semelle. Ses parents ne s'entendaient plus. Il se sentait obligé de passer professionnel pour leur venir en aide. À au moins deux reprises, il lui dit qu'il ne pensait plus être en état de supporter tout ça.

«Je ne suis plus un enfant», conclut-il.

Le lendemain matin, pendant que Tiger passait son examen, Kultida donna un coup de fil à John Strege, journaliste au *Orange County Register*. Il suivait la carrière de son fils depuis ses débuts et entretenait de bonnes relations avec la famille. Kultida l'appelait souvent pour parler de tout et de rien. Il avait l'impression qu'elle se sentait seule, mais il comprit assez vite que ce coup de téléphone ne ressemblait pas aux précédents. Il y avait comme une pointe d'urgence dans sa voix lorsqu'elle lui dit que Tiger s'était fait frapper et dépouiller à Stanford.

Strege avait des doutes et il ne pouvait s'empêcher de penser: *Première année d'université, peut-être qu'il avait bu, peut-être qu'il se sentait tout penaud.* Mais il n'allait certainement pas lui en parler à elle. Il appela le poste de police de Stanford, où on lui confirma rapidement qu'un étudiant avait été agressé au couteau la veille au soir. Il appela également Earl Woods, qui lui donna davantage de précisions. Le lendemain, il publia son papier sous le titre «Woods agressé au couteau et dépouillé». Seul Earl y était cité.

En réaction au papier, Stanford prit la décision plutôt inhabituelle de déroger à ses habitudes en livrant le nom de la personne agressée. Le 2 décembre, l'université publia un communiqué qui contenait des déclarations de Tiger, les seules qu'il ait jamais faites publiquement:

«Je n'ai pas été frappé, et je n'ai pas été blessé. J'ai tout de suite prévenu la police du fait que j'ai été volé et je n'ai pas eu besoin de soins. Ma mâchoire était douloureuse mais j'ai pris de l'aspirine. Des gens se font dépouiller tous les jours, et c'est ce qui m'est arrivé à moi aussi. Ce n'est qu'un incident parmi d'autres, je veux juste passer à autre chose et mettre ça derrière moi. Je veux juste passer mes examens, un bon Noël et ensuite revenir.»

Tiger espérait que l'incident serait clos après ce communiqué, mais son père n'en avait pas terminé. Il dit au *Los Angeles Times* que son fils avait reçu un coup, mais que ça ne changeait rien à son amour pour Stanford. « Il était juste au mauvais endroit au mauvais moment », ajouta-t-il. Le *New York Times* en fit un gros titre le jour suivant : « Le golfeur Woods agressé ».

Désespérément en quête de tranquillité, Tiger attendait les vacances avec impatience. Mais avant de quitter Stanford, il subit une intervention chirurgicale pour enlever deux kystes situés sur la veine saphène de son genou gauche. C'était la première opération d'une longue série à venir tout au long de sa carrière, due à un entraînement trop intensif et radical qui allait finir par user son corps. Au cours de la procédure, le médecin remarqua un tissu cicatriciel important. Tiger lui dit qu'il avait des soucis au genou depuis l'enfance : « À cause de tout ce qui m'est arrivé à l'époque. Le temps passé sur les skateboards, les chutes en moto, des sauts de toutes sortes. Je l'ai beaucoup secoué.» Les interviews menées avec sa famille et ses amis ne mettent pas vraiment en évidence ce type de pratiques durant son enfance, et encore moins des chutes à répétition. Reste que l'opération avait laissé une grande cicatrice derrière le genou. Quelques semaines plus tard, on lui enleva les points de suture pour les remplacer par une attelle. Lorsqu'il demanda aux médecins s'il pouvait jouer au golf, ceux-ci le lui déconseillèrent fortement. Sa réponse donna un aperçu de ce qui l'attendait les années à venir.

« Je leur ai dit d'aller au diable, a-t-il raconté un jour. Je suis sorti de là pour aller jouer le Navy Course avec mon père.»

Au lieu de rester tranquille chez lui pendant les vacances, Tiger retourna sur le parcours d'où il avait été viré quelques mois plus tôt. Son père trouvait que ce n'était pas une si bonne idée de vouloir rejouer aussi vite, mais Tiger finit par le convaincre de le laisser l'accompagner en voiturette. Et profitant de ce qu'Earl avait le dos tourné, il planta une balle sur le tee et balança un énorme coup en plein milieu du fairway. À son père qui lui demandait comment ça allait, il répondit que tout était OK. Mais en fait, il vivait un enfer. Son genou était si gonflé qu'on pouvait voir la peau sortir de la genouillère. Déterminé à jouer quoi qu'il lui en coûte, Tiger n'arrêtait pas de strapper son attelle de plus en plus fort.

«La douleur était insoutenable, j'étais à l'article de la mort», raconta-t-il plus tard.

Il réussit malgré tout à scorer 31 sur les neuf premiers trous, soit six coups sous le par. Mais il finit par arrêter.

«Tu sais quoi, papa? C'est bon là, j'en ai assez, je range les clubs», dit-il.

Mais bien qu'en grande souffrance, il resta avec son père dans la voiturette pour les neuf derniers trous, de la glace tout autour de son genou surélevé. Jamais il ne laissa entendre qu'il avait mal. *L'esprit est plus fort que tout*, se dit-il.

En avril 1995, Tiger était officiellement numéro 2 américain au classement universitaire et déjà considéré comme All-American. Sa victoire lors du dernier US Amateur l'avait qualifié d'office pour le Masters, quand bien même il était encore étudiant. Il s'envola donc pour Augusta en plein milieu de son année universitaire.

Les magazines *Golf World* et *Golfweek* lui demandèrent de tenir un journal pour rendre compte de son expérience. Il avait beaucoup de choses à raconter. Les spectateurs afro-américains étaient de plus en plus nombreux. Partout où il allait, des enfants et des adolescents – les blancs comme les noirs, les riches comme les pauvres – faisaient la queue pour avoir un autographe. Et bien qu'il fût physiquement et mentalement épuisé par sa semaine d'examens, il fut le seul amateur à franchir le cut pour terminer à la quarante et unième place, en sidérant l'assistance et les autres joueurs par son aplomb et sa puissance.

Sa distance moyenne au drive de 284 mètres faisait de lui le plus long frappeur du tournoi. Davis Love III se classait juste derrière, avec 280 mètres. Mais le moment qui stupéfia aussi bien les pros que les spectateurs eut lieu après le troisième tour, sur le practice. Tiger se trouvait aux côtés de Davis Love III, qui termina deuxième du tournoi cette année-là. À trente ans, le joueur américain était le plus long frappeur du tour, et les spectateurs se mirent à crier et à l'encourager quand il sortit le driver de son sac. Ils voulaient voir si Love était capable d'envoyer une balle par-dessus le filet de protection, haut de quinze mètres et posé deux cent trente-cinq mètres plus loin, pour éviter que les balles n'atterrissent sur la route qui se trouvait juste derrière.

Love essaya deux fois, sans succès.

« Je peux ? » lui demanda Tiger. Love lui fit un signe de tête.

Woods sortit à son tour le driver du sac, pour replonger les spectateurs dans la folie. Puis il balança un coup de fusil au ciel, qui franchit le filet et continua à rouler bien après. Le public exulta, et les autres pros présents firent une pause pour admirer ce qui venait de se passer. Au moment de la frappe, tous comprirent que le golf s'apprêtait à changer pour toujours.

Tiger était tout juste rentré à Palo Alto quand son coach Goodman demanda à le voir : il y avait un souci avec la NCAA, traditionnellement très à cheval sur le statut amateur. Le premier problème, c'était les chroniques qu'il avait publiées dans *Golf World* et *Golfweek* pendant le Masters. La NCAA se demandait si ces écrits-là ne constituaient pas une « publicité pour les magazines », ce qui représenterait une infraction au règlement. Stanford lui demanda aussi comment il s'était procuré la série de fers avec laquelle il avait joué Augusta. Tiger leur dit que c'était celle de Butch Harmon, son entraîneur. Et l'université voulut également savoir pourquoi il avait joué avec une balle Maxfli plutôt qu'avec la Titleist qu'elle fournissait à ses étudiants. Réponse de Tiger : c'est Greg Norman qui lui avait proposé de l'essayer.

Au final, Stanford décida de donner un jour de suspension à Tiger pour ses chroniques. Il ne fut en revanche pas sanctionné pour les clubs et la balle. En privé, il était furieux. Il estimait n'avoir commis aucune faute, et il avait moyennement aimé se retrouver sous le feu des questions. Mais il ne dit rien. Earl, de son côté, proféra une menace pas spécialement finaude. Il laissa entendre à *Sports Illustrated* que « Tiger pourrait mettre fin à ses études plus vite que prévu si de telles insinuations venaient à se répéter ».

Les parents de Tiger ne venaient pas souvent à Palo Alto, mais ils décidèrent de rendre visite à leur fils pour l'American College

Invitational, deux semaines après le Masters. Tiger passa alors un coup de fil à Dina, toujours à Las Vegas, avec cette simple requête : « Viens. S'il te plaît. »

Il n'en dit pas plus, mais il était évident qu'il avait besoin d'elle.

Le jour même où 168 personnes furent tuées et 680 autres blessées dans l'attentat d'Oklahoma City, Dina fit ses bagages pour un week-end prolongé. Le lendemain, elle arrivait à l'hôtel de Palo Alto que Tiger avait réservé pour eux deux. Toutes les télés couvraient le même sujet : la chasse aux terroristes qui avaient piégé un camion rempli d'explosifs devant l'Alfred P. Murrah Federal Building. Tiger, lui, semblait davantage préoccupé par son propre sort. À savoir les mêmes sujets qu'il abordait avec Dina depuis des mois : la relation problématique entre ses parents et la pression sur ses épaules. Elle l'écouta, comme d'habitude. Ils passèrent la nuit ensemble.

Les parents de Dina arrivèrent le lendemain pour eux aussi assister au tournoi et rencontrer les deux tourtereaux. Il ne se passa rien de spécial lors du premier tour. Tiger fit bonne figure, sous les yeux de sa petite amie et de sa demi-sœur Royce. Les deux filles s'entendaient à merveille, et Royce considérait Dina comme sa propre sœur. Elles avaient en outre un point commun : elles ne supportaient pas la foule et la notoriété.

Voilà des mois que Dina n'avait pas vu les parents de Tiger. Elle voulut les saluer, mais ils lui tournèrent le dos et s'éloignèrent comme si elle n'existait pas. Ils ne lui firent pas le moindre signe. Elle en parla le soir même à Tiger, qui voulut dédramatiser en lui assurant qu'ils ne l'avaient sans doute pas vue.

Le deuxième jour, il abandonna subitement après onze trous, prétextant une douleur à l'épaule. Après une rapide consultation avec le staff médical, il informa Dina qu'il devait se rendre à l'hôpital pour passer une IRM.

« Tu veux que je vienne avec toi ? » lui demanda-t-elle.

« Non, pas la peine, dit-il. Reste avec tes parents, on se verra plus tard. Je t'appelle. »

« Je t'aime », dit-elle encore.

« Je t'aime aussi », répondit-il en l'embrassant.

Cinq heures passèrent, sans qu'elle ait de nouvelles.

Dina était dans la chambre d'hôtel de ses parents quand la réception signala à son père qu'on avait laissé un colis pour lui.

Il était près de 21 heures. Étonné, il se rendit à l'accueil pour y trouver les bagages de sa fille ainsi qu'une enveloppe à son nom. Il monta ses affaires dans la chambre et lui donna la lettre.

Dina regarda son père, sans comprendre ce qui se passait. C'était bien sa valise, celle qu'elle avait rapportée de Las Vegas. Comment avait-elle pu se retrouver ici ? Elle l'avait laissée à son hôtel. Elle l'ouvrit pour trouver toutes ses affaires à l'intérieur – trousse de toilettes, produits de beauté, vêtements et chaussures. Elle secoua la tête. Il se passait quoi, là ?

Elle ouvrit l'enveloppe pour y trouver une lettre manuscrite. Elle reconnut tout de suite l'écriture, et ressentit un terrible frisson tout le long de son corps.

Dina,
Mon épaule va bien, c'est juste un muscle froissé et trop sollicité.
Je t'écris cette lettre pour te signifier ma grande colère et ma déception la plus absolue. Mes parents m'ont dit aujourd'hui que tu avais raconté à qui voulait l'entendre que tu étais la «petite amie de Tiger». Et tu as eu l'audace de me dire au club-house que tu avais répondu «juste une amie» à un reporter qui te demandait qui tu étais. Mes parents, Royce, Louisa et moi-même ne voulons plus jamais te voir. Quand je repense à notre histoire, je me rends compte que vous vous êtes servi de moi, ta famille et toi. J'espère que tout se passera bien pour toi à l'avenir. Je sais bien que tout ça est très soudain, mais je pense que c'est mieux comme ça.

Cordialement
Tiger

PS : S'il te plaît pense à me renvoyer par courrier le collier que je t'ai offert. Et ne viens pas sur le tournoi demain, tu n'es pas la bienvenue.

Prise de convulsions, Dina tendit la lettre à sa mère. Tout ça n'avait aucun sens. Elle n'avait parlé à personne dans le public. Elle avait tout fait pour éviter les gens, et Royce en avait été témoin. De plus, comment Earl et Kultida pouvaient-ils savoir ce qu'elle avait fait ou dit pendant le tournoi ? Ils avaient tout fait pour l'éviter pendant deux jours. Et qu'entendait-il par «la fin de leur relation» ? Ils étaient ensemble depuis près de quatre ans! Ils étaient les meilleurs amis du monde. Ils n'avaient aucun secret l'un pour l'autre. Elle était la toute première personne dont il s'était senti proche. Et ils n'avaient connu aucune autre aventure pendant ce temps-là.

Tout en séchant ses larmes, elle appela Royce.

«Je viens de recevoir une lettre de Tiger, je ne comprends pas ce qui se passe», lui dit-elle.

«Il t'a quittée, Dina», répondit-elle doucement.

«Je veux juste lui parler.»

«Tu ne peux pas lui parler.»

«Je ne comprend pas!»

«Je suis vraiment désolée, mais je n'ai plus le droit de te parler.»

Pas le droit? Mais qui avait décidé un truc pareil? Il se passait quoi, là?

Dina raccrocha et éclata en sanglots. Sa mère donna la lettre à son mari et prit sa fille dans ses bras. Elle ne méritait pas qu'on la traite ainsi. Ça la rendait malade que les parents de Tiger puissent l'accuser de s'être comportée de la sorte.

«Tu mérites mieux que ça», lui dit-elle.

Mais Dina était en larmes.

Le jour suivant, le physio de l'équipe dit à Tiger que l'IRM avait révélé une lésion de la «coiffe des rotateurs» de son épaule droite. Tiger précisa que c'était une vieille blessure qui remontait au lycée: «Je jouais au baseball, et après un coup de batte, j'ai ressenti une vive douleur à cet endroit. J'ai tout de suite arrêté.»

Une explication plausible pour le staff médical. Mais un drôle de diagnostic, malgré tout, vu que Tiger n'avait jamais joué au baseball au lycée. Il semble d'ailleurs qu'il n'ait jamais joué à quoi que ce soit d'autre qu'au golf pendant cette période. Il écrivit un jour: «Quand je suis arrivé au lycée, mes parents m'ont demandé de choisir un seul sport.» Mais au fil des années, il a souvent parlé de sa pratique d'autres disciplines à Western High, comme le baseball, la course sur piste ou les courses de fond. Un éducateur de son lycée se souvient que Tiger avait voulu intégrer l'équipe du 400 mètres, mais que cela impliquait trois entraînements par semaine à 6h30 et qu'il avait donc laissé tomber. Et Don Crosby, son entraîneur de golf, nous a confirmé que Tiger n'avait pratiqué aucun autre sport. Dans le même temps, l'équipe médicale de Stanford n'a jamais parlé du fait que sa fréquentation assidue de la salle de musculation pouvait être à l'origine de ses douleurs.

Au moment même où Tiger recevait le diagnostic du staff, Dina embarquait dans un avion à destination de Las Vegas. Il avait coupé tout lien avec son premier amour et sa meilleure amie, une fille qui s'était liée d'amitié avec lui en cours de comptabilité, qui était restée à Cypress après son bac pour être près de lui, et n'avait révélé à personne tout ce qu'il lui avait confié. Mais les parents de Tiger ne la supportaient plus. Ils ne voulaient personne autour d'eux qui puisse représenter un frein pour sa carrière. Et Tiger n'allait certainement pas se battre contre eux, même pour sauver l'amour de sa vie. Il ne lui passa plus aucun coup de fil après avoir mis fin à leur relation. Jamais plus il ne lui adressa la parole.

Huit mois passèrent, jusqu'au jour où elle reçut cette lettre.

Je suis vraiment désolé pour ce que je vous ai fait, à toi et ta famille. Je regrette, vraiment. Je sais que ça n'aurait pas dû se terminer comme ça, et j'en suis désolé. J'espère vraiment que tu es passée à autre chose et que tu as trouvé quelqu'un qui puisse te rendre heureuse, parce que tu le mérites. Je te souhaite le meilleur, quoi que tu fasses.

Avec toute mon affection
Tiger

Il ne reçut jamais de réponse. Sa façon de rompre avait été tellement brutale qu'elle avait eu l'impression que son meilleur ami venait de mourir subitement. Elle était persuadée que c'étaient ses parents qui l'avaient poussé à agir ainsi.

«Je pense que ses parents avaient peur que je m'immisce dans sa vie, dit-elle. Mais je ne l'aurais jamais fait. Je l'aimais trop pour ça.»

CHAPITRE 8
DE RICHES AMIS

Le 17 avril 1995, le comité d'éthique de l'État du Connecticut publia un communiqué de presse, indiquant qu'il avait de bonnes raisons de penser que John Merchant avait enfreint la loi en oubliant de poser des vacances ou des jours de congés pour aller suivre des tournois en dehors de l'État dans le cadre de ses fonctions à l'USGA. Au cours de l'enquête, Merchant avait reconnu avoir utilisé son téléphone de bureau, son fax, sa secrétaire ainsi que sa voiture de fonction à des fins personnelles. Une audience avant un éventuel procès avait été fixée plus tard dans l'année. Dans le même temps, une action en justice auprès de la cour fédérale avait été lancée à son encontre, au motif qu'il avait pris des mesures de rétorsion contre la personne qui avait donné l'alerte. Ça ne l'inquiétait pas plus que ça : il était persuadé de n'avoir rien fait de mal. Et il avait des choses bien plus importantes à gérer avec Earl.

Earl Woods avait un souci. IMG avait arrêté de lui verser 50 000 dollars par an lorsque son fils était entré à Stanford, de peur d'enfreindre le règlement de la NCAA qui interdisait aux membres de la famille d'un étudiant de signer un contrat avec un agent ou une société. « Le souvenir que j'en ai, c'est qu'IMG avait mis fin à sa relation avec Earl Woods au moment même où Tiger entrait à Stanford, parce que n'importe quel type d'accord aurait de toute façon contrevenu au règlement », selon le mail que nous a envoyé Alastair Johnston, l'ancien directeur des opérations golf chez IMG.

En grand besoin de liquidités pour financer le programme très ambitieux de son fils sur le circuit amateur à l'été 1995, Earl fit appel à Merchant. Ils eurent alors une idée de génie : tirer profit de la notoriété de Tiger pour offrir aux membres bien nantis des country clubs l'occasion de jouer avec lui, en échange d'une participation financière. Ils en profiteraient également pour inviter des gamins issus des minorités à participer à des clinics avec Tiger.

Mais comme son statut amateur lui interdisait de percevoir la moindre rémunération, les sommes versées iraient directement dans la poche d'Earl, qui serait systématiquement présent pour un bref discours de présentation avant chaque événement. Merchant avait sa petite idée du premier endroit où initier cette stratégie : Fairfield, Connecticut, là où se trouvaient deux des codes postaux les plus fortunés des États-Unis. Ainsi que deux prestigieux parcours de golf : le Brooklawn Country Club et le Country Club of Fairfield. Il avait aussi coutume de dire qu'il était plus facile de devenir membre à Augusta qu'à Fairfield. Et en tant que premier membre noir du club, il n'avait aucune crainte sur l'accueil qui leur serait réservé : « Personne n'a envie de se quereller avec un gars de couleur ici », disait-il dans un sourire.

Tiger devait participer à l'US Open, qui se disputait mi-juin au Shinnecock Hills Golf Club de Southampton, État de New York. Fairfield se situait tout près, et Merchant décida d'organiser un clinic avec des jeunes issus des minorités à Brooklawn, suivi d'une exhibition au Country Club of Fairfield. Puis il appela Jack Welch, le PDG de General Electric, pour lui demander de bien vouloir apporter son soutien financier. Welch et Merchant étaient devenus membres du Country Club of Fairfield la même année, et leur relation était suffisamment bonne pour que Merchant l'appelle directement. Il lui proposa de jouer dix-huit trous avec Tiger. Le lendemain, il reçut un appel de la fondation General Electric.

« M. Welch m'a demandé de vous appeler, lui dit-on. Nous sommes d'accord pour vous soutenir à hauteur de 10 000 dollars, mais pas plus. »

Cette somme suffisait à couvrir les dépenses liées à l'événement ; Merchant se mit néanmoins en quête de nouveaux donateurs. Le 24 avril, il écrivit quarante-quatre lettres personnalisées à des PDG, des banquiers et d'autres poids lourds du comté de Fairfield. L'un des destinataires se nommait John Akers, l'ancien PDG d'IBM, membre du comité directeur du *New York Times*. Merchant lui envoya cette lettre à son domicile de Westport, Connecticut.

24 avril 1995

Cher John,
Le 19 juin prochain au matin, Tiger Woods dirigera un clinic pour les jeunes issus des minorités, et aussi les autres, au Brooklawn

Country Club. La Fondation General Electric a eu la gentillesse de nous assurer de sa participation, de même que la People's Bank and Hall House de Bridgeport.

La banque a aussi demandé à Earl Woods de s'adresser à une petite soixantaine de personnes au Country Club of Fairfield, juste après le clinic. Earl Woods nous fera partager ses expériences sur son rôle de père et l'éducation qu'il a donnée à son fils lors d'un déjeuner prévu à midi.

Juste après le déjeuner et le discours, onze foursomes[22] seront invités à jouer le parcours ainsi qu'à la petite cérémonie prévue ensuite. Il n'y a rien d'obligatoire, mais si vous voulez apporter votre contribution aux honoraires qui seront versés à Earl Woods pour sa participation, vous pouvez le faire en envoyant une subvention au Hall Neighborhood House.

J'espère sincèrement que votre agenda vous permettra d'être présent parmi nous pour écouter Earl Woods et jouer dix-huit trous. Tiger Woods et son père nous rejoindront tous les deux, sur le parcours comme à la cérémonie. Merci de bien vouloir nous donner votre réponse avant le 15 mai.

Cordialement
John F. Merchant

Merchant et Earl ne s'arrêtèrent pas en si bon chemin. Tiger devait s'aligner au Northeast Amateur Invitational à Rhode Island fin juin, et ils avaient imaginé procéder de la même façon là-bas. Le lendemain de ses courriers aux décideurs du Connecticut, Merchant envoya une note à un homme d'affaires de premier plan à Rhode Island, également impliqué dans le Northeast Amateur.

De : JOHN F. MERCHANT
OBJET : DISCOURS D'EARL WOODS

La lettre ci-jointe a été envoyée à quarante-quatre golfeurs, ainsi qu'à douze non-golfeurs, qui ont été invités à déjeuner au Country Club of Fairfield afin d'écouter le discours d'Earl Woods. Ce dernier recevra une rémunération pour sa participation, un détail qui ne remet nullement en cause le statut amateur de Tiger.

---

22. Parties de quatre joueurs.

Le 19 juin au matin, Tiger donnera un clinic pour les jeunes issus des minorités, et aussi les autres, au Brooklawn Country Club. Je l'ai également invité à jouer l'après-midi avec Jack Welch (le PDG de General Electric, dont la fondation prendra en charge les coûts liés à l'événement) et moi-même.

Le mémo et la lettre jointe avaient pour but d'essayer de mettre en place la même chose à Rhode Island. Sur le fax figurait la mention : « ENVOYÉ PAR : L'ÉTAT DU CONNECTICUT ». Les enquêteurs étaient en train de rédiger leur plaidoyer contre Merchant, mais ils ne savaient pas qu'il en faisait de plus en plus pour aider les Woods. L'USGA, de son côté, espérait surtout que tout cela ne fuite pas dans la presse. L'un des destinataires de la lettre envoyée par Merchant a faxé ce document le 5 mai 1995 à David Fay, le directeur exécutif de l'USGA :

À : DAVID FAY
OBJET : EARL WOODS

David, je vous envoie ces quelques mots non pas pour vous faire part des activités de John Merchant, mais davantage pour vous demander conseil sur l'attitude que je dois adopter eu égard aux règles écrites et non-écrites de l'USGA.
John m'a fait parvenir ce mémo qui donne un aperçu de ce qu'il attend de moi.
Je suis toujours prêt à faire tout mon possible pour aider un joueur amateur. Selon vous, est-ce qu'il serait mal venu de ma part de faire une donation pour l'événement qui doit se tenir dans le Connecticut ? Je me sens un peu entre deux chaises, parce que tout ce que je pourrais faire pour rendre servir à Earl Woods reviendrait à donner de l'argent directement à Tiger, et ce n'est pas du tout l'esprit du statut amateur.
Dans l'attente de votre réponse, je devrais peut-être appeler John et lui dire que je suis prêt à consulter un banquier pour voir si ce jeune homme ne pourrait pas obtenir un prêt. Après tout, il y a des gens qui contractent un emprunt pour payer les études de leurs enfants, et la situation ne me semble pas si différente.

Fay avait l'habitude qu'on lui demande si, à ses yeux, Earl respectait les lignes directrices du golf amateur. Les deux hommes étaient entrés en contact dès 1991 à ce propos. Plus tard, quand Hughes Norton avait suggéré d'embaucher Earl comme dénicheur de talents, le PDG d'IMG Mark McCormack lui avait fortement conseillé d'évoquer le sujet avec David Fay. L'USGA avait finalement décidé qu'IMG pouvait le salarier tant qu'il n'avait pas le statut d'agent. L'association lui avait également donné le feu vert pour négocier avec Nike et Titleist. Elle était prête à fermer les yeux sur pas mal de choses, parce qu'elle tenait à ce que Tiger participe à ses épreuves amateurs.

« Si vous me demandez mon avis, je dirai qu'Earl Woods a toujours fait passer l'intérêt de son fils en premier et qu'il a reçu nombre de conseils d'un peu tout le monde, y compris l'USGA », assure David Fay.

Mais le meilleur conseil qu'il ait jamais reçu lui fut donné par Merchant lui-même, dont l'inquiétude principale résidait dans le fait qu'Earl Woods aimait bien l'ouvrir à tout bout de champ, pour attirer une attention pas forcément bienvenue. « Je lui ai dit : "Les gens font gaffe à ce que tu dis maintenant, tu ferais mieux de la fermer". »

Merchant connaissait par cœur les règles de l'USGA et fit ce qu'il fallait pour éviter que les Woods sortent des clous. Il poussa parfois le bouchon un peu loin, mais jamais il ne franchit la ligne blanche. Lorsqu'une entreprise proposa son jet privé pour emmener Tiger au Brooklawn Country Club après l'US Open, il refusa, prétextant que cela pouvait mettre en danger son statut amateur. Mais il accepta qu'on mettre une voiture à sa disposition, sans qu'on lui fasse non plus payer les péages, car ce n'était pas interdit par le règlement.

Cependant, David Fay voyait bien que les soucis juridiques entre Merchant et l'État du Connecticut attiraient de plus en plus l'attention, et ce n'était pas forcément bon pour l'image de l'USGA.

À son arrivée à Shinnecock, pour son tout premier US Open, Tiger se rendit au Media Center pour y lire un communiqué. « Je suis venu ici pour donner des précisions sur mon héritage culturel, ce qui sera sans doute utile pour les médias, notamment pour ceux qui me voient pour la première fois. C'est la toute dernière fois que je m'exprime sur ce sujet. Mes parents m'ont appris à être fier de mes racines. Et je vous assure que ça a toujours été le cas, que ça l'est encore et que ça le sera forcément à l'avenir. Les médias ont parfois dit de moi que j'étais afro-américain, ou alors asiatique. En fait, je suis les deux.»

C'était une drôle de façon de se présenter aux reporters qui couvraient habituellement le PGA Tour. Pire encore : quand les journalistes essayaient de parler avec lui, il n'avait presque rien à dire. Ça tenait en partie à sa personnalité, mais surtout à son éducation : on lui avait appris à ne pas faire confiance à la presse. Earl Woods aimait bien se dépeindre comme un expert en médias, et il apprit à Tiger à garder les journalistes à distance respectable et à ne rien leur révéler pendant les interviews. Cette attitude rendait Merchant complètement fou, lui qui savait à quel point le jeune homme pouvait se montrer charmant et charismatique. Mais il choisit de ne rien dire à Earl sur le sujet.

Tiger ramena une carte de 74 pour son premier tour, soit quatre coups au-dessus du par. Les deux autres amateurs présents dans le champ – Chris Tidland et Jerry Courville – scorèrent respectivement 70 et 72.

«Ce n'était pas de ma faute, dit-il après coup. Je n'ai pas fait des bogeys parce que je tapais mal la balle, mais juste parce que je n'ai pas réussi à rentrer un seul putt.»

Il débuta son deuxième tour de la même façon, pour se retrouver à +7 et en position de manquer le cut tandis qu'il approchait du tee de départ du trou numéro 5. Il remarqua alors son père au milieu de la foule, derrière les cordes. Il envoya son drive dans le rough. Puis, une fois arrivé à sa balle, il se tourna vers ses partenaires de jeu – Ernie Els et Nick Price – pour leur dire qu'il devait abandonner, au motif qu'une «foulure au poignet l'empêchait de serrer le club normalement».

Le *New York Times* écrivit que Tiger Woods quitta le tournoi avec le poignet bandé et que sa situation nécessitait des soins. Ceux qui s'étaient engagés auprès de Merchant pour ses opérations à Brooklawn et Fairfield firent part de leurs inquiétudes. Ils imaginaient que le clinic et l'exhibition allaient être annulés. Merchant rassura tout le monde.

Fondé en 1895, le Brooklawn Country Club fut l'un des tout premiers clubs à intégrer l'USGA. Redessiné par le célèbre architecte A. W. Tillinghast, bien ancré dans la tradition, son par 71 est constitué de fairways impeccables bordés par des arbres, et d'immenses bunkers de greens. Plus d'une centaine de jeunes du centre-ville avaient été amenés par bus de la ville voisine de Bridgeport. Ils étaient assis par terre, tout près du green du 16. Ils avaient les yeux rivés sur Earl, qui leur expliquait à quel point il était important d'avoir un but précis lors des séances d'entraînement. Puis Tiger prit place sur un tee de départ provisoire, juste à côté, et le vrai show put alors débuter.

«Tiger, lui demanda Earl, je veux que tu tapes une balle en fade[23] vers ces arbres pour ensuite la ramener au centre du fairway.»

Et Tiger frappa une balle très haute, qui frôla les arbres sur la gauche pour ensuite tourner vers la droite et atterrir exactement là où son père l'avait demandé.

«Et maintenant, je veux que tu tapes un draw[24] vers les arbres de droite pour la ramener au milieu.»

Le résultat fut identique: Tiger posa la balle en plein milieu du fairway. Les jeunes de Bridgeport avaient la bouche grande ouverte.

«Maintenant, je veux que tu tapes un stinger[25] au même endroit.»

Tiger frappa une merveille de coup qui ne dépassa pas les dix mètres de haut pour aller se nicher dans la même zone que les deux précédentes. Les gamins n'en revenaient pas. Même les adultes présents étaient scotchés. «On aurait pu recouvrir les trois balles avec une simple couverture», raconta Athan Crist, membre de longue date et historien du club qui assista à la scène ce jour-là. «Vous voyez ce que ça fait, quand on est encore enfant et qu'on assiste à des tours de magie? Eh bien c'était exactement ce qui était en train de se passer.»

Le clinic dura trois quarts d'heure, avec Earl qui aboyait ses ordres et Tiger qui les exécutait: un sandwedge posé au pied d'un arbre, un fer 8 au même endroit, et ainsi de suite. Tiger ne manqua pas un seul coup. Tout dernier exploit: il prit un bois 3 pour envoyer sa balle sur le green du 17, qui se trouvait à plus de 270 mètres. Puis il rangea son club et se tourna vers les enfants.

L'un d'eux leva la main et lui demanda: «C'est quoi ton meilleur score?»

Earl répondit à la question.

---

23. Trajectoire gauche-droite.
24. Trajectoire droite-gauche.
25. Balle punchée très basse.

Puis un autre : « C'est quoi ton club préféré ? »
Là encore, son père donna la réponse.
Une troisième main se leva.
« Oui ? » interrogea Earl.
Le garçon montra Tiger et dit : « Il sait parler ? »

Ça ne l'amusait pas plus que ça de faire des clinics et des exhibitions. Il se remettait tout juste d'une période exténuante qui l'avait vu perdre sept kilos en raison d'un empoisonnement alimentaire subi en plein milieu du Pac-10[26], suivi d'une très frustrante deuxième place derrière Oklahoma State University lors du NCAA Championships[27] qui s'était tenu à Colombus, Ohio. Dépité par sa performance lors du premier tour disputé sur le Scarlet Course (6 500 mètres), Tiger frappa violemment le sol avec son club après un coup manqué sur le trou numéro 12. Un peu plus tard, après un autre mauvais coup, il cassa son wedge en le frappant contre son sac. Ses coups de sang amenèrent les officiels de la NCAA à lui donner un avertissement, un événement plutôt rare. Ce qui ne l'empêcha pas de porter les siens presque à lui tout seul sur les tours suivants, pour être en mesure de s'imposer sur le tout dernier trou. Mais son putt de huit mètres pour birdie frôla le trou pour finalement amener les deux équipes en play-off, le tout premier de l'histoire des NCAA. Et par-dessus le marché, il termina son année scolaire avec un GPA de 3,0, intégra la fraternité Sigma Chi et se débrouilla plutôt bien pour ses tout derniers examens.

Il avait clairement besoin d'une pause, mais il n'en avait hélas pas le temps. Son programme d'été était bien rempli, avec des tournois amateurs et des exhibitions que Merchant avait organisées pour couvrir ses dépenses et le prix des inscriptions à ses tournois. Au County Club of Fairfield, il joua dix-huit trous avec Merchant, le head pro et celui qui avait remporté huit fois le championnat du club. Aussi mécanique que le geyser Old Faithfull du parc de Yellowstone, Tiger joua merveilleusement bien, pour la plus grande joie des spectateurs et de Merchant. Mais il se fit ensuite plus que discret lors de la petite cérémonie d'après-parcours. Pendant que son père et Merchant descendaient des cocktails

26. Tournoi universitaire.
27. Finale de la saison universitaire.

et discutaient avec les membres du club, Tiger s'éclipsa pour filer sur le putting green, où il passa deux heures à s'entraîner dans le silence et la solitude.

Assis à l'arrière d'une voiture de location, Tiger franchit une barrière de sécurité en fer forgé noir, passa devant des chênes feuillus et des érables pour finalement s'arrêter devant une gigantesque maison en bardeaux de bois située près du trou numéro 8 du Point Judith Country Club à Narragansett, Rhode Island. La demeure appartenait à Tommy Hudson, un membre du club qui l'avait prêtée à toute son équipe – Tiger, mais aussi son père, John Merchant et son caddie-psychologue Jay Brunza – pour l'US Amateur 1995, qui se disputait à quarante kilomètres de là, au Newport Country Club. La maison, la nourriture, les green-fees, les moyens de transport – tout avait été pris en charge par Ed Mauro, l'ancien président de la Rhode Island Golf Association. Son réseau et sa courtoisie étaient sans égal, et Merchant avait logiquement fait appel à lui quelques mois plus tôt.

Tiger suivit Mauro dans la maison et choisit sa chambre. Il pouvait accéder au parcours en utilisant la porte de derrière. Il avait dormi dans beaucoup de maisons différentes pour ses tournois amateurs, mais celle-là offrait tout ce dont il rêvait pour celle qu'il comptait s'offrir plus tard : la sécurité, l'isolement, et un parcours de golf en guise d'arrière-cour.

Mauro invita tout le monde chez lui pour un barbecue. Des membres de sa famille étaient présents, tous très impatients de rencontrer Tiger. Fatigué de toujours se retrouver au centre de l'attention, ce dernier trouva discrètement refuge dans la maison. À la recherche d'un endroit tranquille, il arriva dans le salon où il tomba sur le petit-fils de Mauro. Il avait quinze ans, s'appelait Corey Martin, et sa mère l'avait obligé à venir. Il s'ennuyait à mourir et avait foncé tout droit au salon de son grand-père pour regarder la télé. Il ne s'intéressait pas au golf et n'avait jamais entendu parler de Tiger Woods, de la même façon qu'il ne savait pas que la petite fête était donnée en son honneur. Il s'imaginait que Tiger était juste un post-ado qui s'était retrouvé là par hasard.

«Hey, comment ça va ?» dit Corey.

«Tu regardes quoi ?» lui demanda Woods.

«Les Simpsons.»

Tiger s'assit sur le canapé et Corey remplit deux coupes de glace. Les deux garçons riaient devant les facéties de Bart et Homer, et Corey fit un peu la conversation. Il demanda à Tiger d'où il était et ce qu'il venait faire à Rhode Island. Woods comprit rapidement qu'il ne savait même pas qu'il jouait au golf. Il baissa un peu sa garde face à tant de naïveté, et finit par dire à Corey qu'il aimerait bien se teindre les cheveux en violet juste pour agacer les gens.

Une demi-heure plus tard, deux autres petits-enfants de Mauro – bien plus jeunes – arrivèrent à leur tour au salon. Ils ne connaissaient pas Tiger eux non plus. Ils le trouvaient juste grand, beau et drôle. Tiger était allongé par terre, devant la télé, et il les laissa s'appuyer contre lui, tel un oreiller très grand format. L'un d'eux finit par piquer un somme, sa tête posée sur le corps de Tiger.

L'arrivée au Newport Country Club ressemblait un peu aux décors de *Downton Abbey* – majestueuse, une splendeur à couper le souffle, chargée d'histoire. Le club avait été créé en 1893 après que Theodore Havemeyer, dont la famille possédait l'American Sugar Refining Company, eut convaincu de grandes fortunes américaines de l'époque (John Jacob Astor, Perry Belmont, Cornelius Vanderbilt) d'acheter une ferme de cinquante-six hectares avec vue sur l'océan. Deux ans plus tard, en 1895, le Newport Country Club accueillait le premier US Amateur Championship et le premier US Open. L'USGA avait décidé d'y retourner pour fêter le centième anniversaire de l'épreuve.

Tiger avait déjà joué la plupart des meilleurs parcours du pays, mais c'était la première fois qu'il mettait les pieds à Newport. Depuis le balcon du vestiaire situé au deuxième étage, il avait une vue imprenable sur le premier fairway et l'océan. L'endroit était en temps normal réservé aux seuls membres, mais il avait droit à un traitement de faveur.

Un peu plus tôt dans la semaine, le head pro du club Bill Harmon – le frère de Butch – lui avait proposé de découvrir le parcours en sa compagnie. Ça faisait partie des avantages de travailler avec Butch Harmon. Bill avait bien insisté : il y avait des choses qu'il devait absolument savoir avant de jouer ici. Déjà, il y avait ce vent tourbillonnant qui changeait de direction sans qu'on s'y attende. Tiger allait devoir maîtriser ses trajectoires dans ces bourrasques. Et puis Newport n'arrosait pas les fairways, ils s'en remettaient à la nature pour ce qui était du gazon. Conséquence, les fairways étaient durs et secs, surtout pendant l'été. Sur un parcours humide, Tiger pouvait balancer des coups de fusil avec son driver, tout en sachant que la balle finirait par s'arrêter assez vite. Mais ce n'était pas le cas sur un parcours sec. Et il n'avait quasiment pas plu de l'été à Newport.

Bill Harmon lui dit : « Par exemple, le trou numéro 3 ne mesure que 310 mètres. Mais si tu as le vent dans le dos, un fer 2 ou un fer 3 sur le tee de départ fera l'affaire. Tu prends ton par et tu passes au trou suivant. Ne va *surtout* pas tout foutre en l'air sur ce trou. »

Mais le conseil le plus important que Bill donna à Tiger concernait les greens, qui s'étaient tassés au fil du temps pour provoquer des cassures impossibles à déchiffrer. « Les "breaks" ne sont pas ceux qu'on croit, lui expliqua-t-il. Il est absolument impossible de les lire correctement la première fois que tu joues ici. » À l'affût de toute information susceptible de l'aider, Tiger observa Bill lui montrer deux ou trois putts sur chaque green ainsi que les probables positions de drapeau. Au grand étonnement de Harmon, Tiger s'adapta rapidement, étudiant scrupuleusement chaque green, pour noter toutes les informations dans un coin de sa tête et définir sa stratégie.

Butch, de son côté, avait fait le voyage depuis le Texas pour les rejoindre. Voilà deux ans que Tiger travaillait avec lui, pour affiner son swing et apprendre de nouveaux coups. Parmi eux, un que l'on pourrait appeler le « swing au rabais », à savoir une balle basse punchée très utile dans le vent. Tiger ne l'avait encore jamais testé en tournoi, mais Butch se fit très clair sur le sujet : il en aurait besoin pour gagner à Newport. « Il y a des trous sur lesquels tu seras obligé de le jouer », lui assura-t-il.

Le jour J, Tiger arriva sur place escorté par la police. Il y avait des milliers de spectateurs, et Merchant nourrissait quelques inquiétudes quant à sa sécurité.

Le regard droit devant lui, Tiger ne dit pas un mot lorsque sa garde rapprochée fendit la foule venue le voir jouer. Il se rendit sur le tee de départ avec Jay Brunza à ses côtés. La terrasse du deuxième étage du club-house était pleine. Des centaines de spectateurs se massaient autour des greens. Il avait l'occasion de devenir le neuvième joueur de l'histoire à remporter deux US Amateur à la suite.

Le dernier homme en travers de son chemin se nommait George «Buddy» Marucci, un concessionnaire Mercedes âgé de quarante-trois ans originaire de Pennsylvanie. Il n'avait absolument rien à perdre, et il menait 1up après les dix-huit trous du matin.

Tiger avait deux heures à tuer avant les dix-huit trous de l'après-midi, et il décida de les passer au club-house. Marucci prit une douche et déjeuna avec des membres du club, mais Tiger décida de s'isoler. Assis sur un divan juste devant le vestiaire des femmes, il posa sa tête en arrière et ferma les yeux. Il ne parla à personne pendant une heure, pour mettre en pratique les exercices de relaxation que Brunza lui avait appris. Au moment de débuter son dernier tour, il était vêtu d'un tee-shirt rouge, d'une casquette Stanford, et il avait ce regard à la fois posé et d'acier.

Marucci remporta le premier trou de l'après-midi, le dix-neuvième de la journée, pour passer 2up. Mais au départ du trente-sixième et dernier trou, c'est Tiger qui menait 1up. Il envoya alors son fer 2 dans un bunker de fairway, à 126 mètres du drapeau. Il devait faire face à une décision de grande importance. Marucci était déjà sur le green, avec un putt de onze mètres pour birdie qui pouvait envoyer les deux hommes en play-off. Tiger avait lui un coup en montée, sans doute un fer 9, ou alors un pitching wedge. Mais il demanda à son caddie de lui passer le fer 8. Il était temps d'essayer le fameux coup «au rabais» sur lequel il avait travaillé tout l'été avec Butch.

Tiger visa directement le drapeau, pour faire tomber sa balle cinq mètres derrière. Mais avec le backspin et le green en pente, elle revint en arrière pour se coller à cinquante centimètres du trou. La foule explosa, mais c'était bien Tiger le plus excité de tous. Quelques instants plus tard, il enquilla son petit putt pour remporter son deuxième US Amateur consécutivement. Après une très longue accolade pleine de larmes avec son père, il hurla à son coach : «T'as vu ça Butch? Je l'ai fait, je l'ai fait!»

«Je savais que tu pouvais le faire, je te l'avais bien dit!» répondit Butch.

«Je l'ai vraiment fait, Butch! J'ai réussi le coup que tu m'as appris!»

Tiger souriait à pleines dents et brandit le trophée Havemeyer au-dessus de sa tête. «Celui-là est dédié à toute la famille Brunza.

Jay, il est pour toi », dit-il. Brunza fondit en larmes. Son père venait de mourir un mois plus tôt. Que Tiger y pense à l'instant même de son triomphe représentait un geste plein de prévenance. Ces mots étaient extraordinaires, pleins d'humilité alors qu'il les prononçait seulement quelques minutes après l'un de ses plus grands exploits.

Tiger fut ensuite rejoint devant le club-house par les officiels, les plus anciens membres du club, les frères Harmon et Tim Rosaforte, l'envoyé spécial de *Sports Illustrated*. Earl était également présent, mais il fit un détour par le bar du club-house pour boire quelques verres. Butch Harmon remplit le trophée de champagne, et tout le monde applaudit. Tiger ne but pas une goutte, au contraire de son père, qui lui prit le trophée des mains.

« Alors, qu'est-ce que tu en penses, Bobby Jones[28] ? » dit-il à haute voix en le hissant au-dessus de sa tête comme si c'était lui qui avait gagné le tournoi. « Le plus grand joueur de tous les temps est un noir. »

Tout le monde s'arrêta d'applaudir. S'ensuivit un silence gênant, qui fit ressortir la voix d'Earl Woods davantage encore.

« Bobby Jones peut venir lécher le cul noir de mon fils », poursuivit-il.

Le sourire éclatant de Tiger disparut. Il resta stoïque derrière son père, pendant que celui-ci déversait sa diatribe pendant deux minutes encore. Incrédules, les personnes présentes avaient les yeux rivés au sol. À dix-neuf ans, Tiger venait de remporter son deuxième US Amateur de la plus spectaculaire des manières. Et ce qui aurait dû être un moment de joie intense pour lui et de fierté indescriptible pour son père était gâché par un dérapage plein de colère, de ressentiment et d'amertume. Tandis qu'Earl en terminait en assurant que son fils aurait un jour plus d'impact que Jack Nicklaus, Bill Harmon fouilla dans sa poche pour en sortir un jeton. Lui, l'ancien alcoolique, fêtait ce jour-là son troisième anniversaire sans avoir bu une goutte. Il avait assisté à une réunion des Alcooliques Anonymes quelques heures avant le dernier tour, lors de laquelle on lui avait remis ce jeton symbole de sa sobriété. Il regardait Earl, et ça lui rappelait de mauvais souvenirs. *Je me comportais comme ça quand je buvais,* se dit-il. *S'il me*

---

28. Bobby Jones (1902-1971) : le plus grand golfeur de l'entre-deux-guerres, vainqueur de l'US Amateur à cinq reprises, ainsi que de l'US Open (quatre fois) et du British Open (trois fois). Il a toujours refusé de passer professionnel.

fallait une confirmation du fait que j'étais sur le bon chemin, Earl venait de me la donner.

Tim Rosaforte ne savait pas trop quoi faire. S'il écrivait mot pour mot ce qu'Earl avait dit, les conséquences pour la carrière de Tiger pouvaient s'avérer désastreuses. Outre que ses commentaires incendiaires risquaient d'être compliqués à justifier auprès du grand public, ils pouvaient également stigmatiser son fils de façon injuste, en amenant par exemple certains sponsors à se poser sérieusement la question de s'engager ou non avec lui à son passage professionnel. Rosaforte décida plutôt de faire profil bas pour éviter de mettre des bâtons dans les roues de Tiger, ce qui fut tout à son honneur. Son article, intitulé « Encore ! Encore ! », parut quelques jours plus tard dans *Sports Illustrated*. L'attaque du papier racontait ce qui s'était passé devant le club-house.

> « Je vais vous prédire l'avenir », dit Earl Woods le dimanche soir, alors que le champagne avait coulé à flots et délié sa langue. « Mon fils aura remporté quatorze Majeurs avant de prendre sa retraite. » Alors le père le plus célèbre du monde du golf se cramponna au trophée Havemeyer, dans lequel il buvait depuis un moment, et jeta un œil autour de lui. Il restait une poignée d'amis et de chasseurs d'autographes, qui tous riaient et criaient. Tiger Woods, son fils de dix-neuf ans, souriait lui aussi – de façon très pudique. C'est toujours embarrassant quand votre père révèle publiquement vos pensées secrètes.

Après avoir remercié tout le monde au Newport Country Club, Tiger prit place à l'arrière du véhicule conduit par Jay Brunza. Earl s'était installé côté passager. Le trophée sur ses genoux, Tiger resta quasiment muet sur le chemin de la maison. Son père dit alors qu'il avait un besoin pressant. Brunza gara la voiture sur le parking d'une supérette. Earl était à l'intérieur depuis un petit moment quand Tiger décida d'aller voir ce qui se passait. Il trouva son père en train de draguer la jeune femme qui travaillait derrière le comptoir. Il se mettait en scène, mais Tiger savait comment réagir.

« Allez papa, arrête, dit-il calmement. Tu vaux mieux que ça. »

Puis il ramena son père à la voiture, sans lui faire de reproches.

Ce ne serait pas la dernière fois que Tiger tiendrait le rôle du père, et Earl celui du fils.

CHAPITRE 9
LE COUP DE BOOSTER

L'été avait duré une éternité, la plupart du temps sur les routes. Plus Tiger découvrait le monde et plus Stanford ressemblait à une utopie. Ce n'était pas la vraie vie, et c'est précisément pour cette raison qu'il aimait s'y retrouver. Après une première année pleine de rebondissements, il était soulagé de pouvoir reprendre sa scolarité. Son jeu était sans doute assez bon pour le PGA Tour, mais il n'était pas prêt mentalement et émotionnellement à vivre comme un professionnel. Pas encore, en tout cas.

Et puis, à l'université, il devait répondre à des défis aussi bien intellectuels que psychologiques. C'était comme un concours permanent entre lui et ses camarades de classe, et sa soif d'excellence se faisait ressentir. Et Stanford était à la pointe dans les domaines qui l'intéressaient. C'était l'une des toutes premières écoles du pays à proposer des adresses e-mail à ses étudiants. Des professeurs de l'université travaillaient avec des sociétés d'internet auxquelles Wall Street faisait les yeux doux. Plusieurs d'entre elles, ainsi que des sociétés de capital-risque, avaient leur siège tout près du campus. Étudiant en économie, Tiger suivait plusieurs cours avec des professeurs qui possédaient de solides connaissances sur la révolution en ligne qui se préparait. Voilà qui nourrissait son intérêt pour le business et la finance et l'amenait aussi à réfléchir sur l'économie du golf, et à la perspective d'en faire partie.

Les cours avaient à peine repris qu'il reçut un appel d'Arnold Palmer, qui disputait une épreuve du circuit seniors à Napa, Californie. La ville se trouvait à une heure et demie de voiture de Palo Alto, et il invita Tiger à dîner au Silverado Resort and Spa. Le jeune homme s'y rendit au volant de sa Toyota, ses clubs de golf dans le coffre et en appuyant bien fort sur le champignon.

Rouler à grande vitesse ne l'avait jamais effrayé. Ce n'était pas le moment de s'embêter avec les règles de la sécurité routière. Il avait rendez-vous avec l'un des plus grands golfeurs de tous les temps. *Est-ce que ce n'est pas hyper cool ?* pensa-t-il.

Tiger avait déjà rencontré Palmer une fois, en 1991, à son club de Bay Hill à Orlando. Mais ce fut différent, cette fois. Ils passèrent près de deux heures à discuter autour d'un steak, en parlant surtout de la vie en dehors du parcours. Par exemple, Tiger voulait connaître son avis à propos des fans de golf (quand bien même il ignorerait ses conseils à l'avenir). Et ils pesèrent le pour et le contre de son passage professionnel. Ce fut le début de leur amitié. Tiger admirait sincèrement Palmer, qui de son côté se souciait authentiquement de la vie du jeune homme.

Deux semaines plus tard, Goodman prit Tiger à part. Il avait eu vent de leur dîner, et il posa cette simple question : « C'est toi qui as payé l'addition ? »

Question stupide, pensa Tiger. *Je suis un étudiant de dix-neuf ans, et Palmer, eh bien c'est Palmer, quoi. Bien sûr que je n'ai pas payé.*

Ce qui amena ensuite une question encore plus bête : le dîner a coûté combien ?

Toutes ces questions étaient ridicules. Comme si Tiger avait vérifié le montant. Il n'avait même pas vu l'addition.

Goodman passa alors un coup de fil à la NCAA, qui décida que la règle qui interdisait à ses étudiants-athlètes de bénéficier d'avantages ou de cadeaux grâce à leur statut ou leur réputation avait été enfreinte. Tiger serait ainsi interdit de jeu tant qu'il n'aurait pas remboursé Arnold Palmer. Furieux, il appela ses parents. Un chèque de vingt-cinq dollars fut envoyé à Palmer, qui dut ensuite faxer la preuve de son encaissement à la NCAA.

Tiger en avait plein le dos de la NCAA, mais il laissa ses parents gérer la situation. Kultida appela une nouvelle fois John Strege à l'*Orange County Register* : « C'est totalement injuste, surtout vis-à-vis d'un jeune homme qui représente un exemple pour les garçons de son âge qui veulent poursuivre leur scolarité, dit-elle. On dirait qu'ils essaient de le mettre dehors. »

Earl alla même plus loin, en tirant à boulets rouges sur Stanford et la NCAA. « Voilà une belle opportunité de leur dire d'aller se faire voir et d'arrêter ses études, dit-il. Tout le monde comprendrait. Ils ont vraiment dépassé les bornes. L'ironie, dans tout ça, c'est que Tiger adore Stanford et veut vraiment poursuivre ses études. »

«Il pourrait se faire au moins vingt-cinq millions de dollars en claquant des doigts, poursuivit-il. Tiger n'a pas besoin de la NCAA, pas plus que de Stanford. Il pourrait dire stop et se sentir mille fois mieux. Cela ressemble à du harcèlement. Il veut respecter les règles, sauf que parfois, elles sont juste impossibles à comprendre.»

Une fois encore, une histoire qui serait restée sous l'œil du radar en temps normal devint une affaire d'État en raison des propos tenus par ses parents et de l'intérêt porté par les médias. Le 20 octobre 1995, soit le lendemain du coup de fil passé par Kultida à Strege, l'*Orange County Register* publia en gros titre: «NCAA Driving Wedge in Woods' College Career?»[29] Ce qui fut immédiatement repris par les autres organes de presse. Tiger se trouvait à El Paso quand l'affaire éclata, pour remporter le Savane College All-America Golf Classic en play-off. Quand un reporter lui demanda si la décision de la NCAA pourrait l'inciter à mettre un terme plus rapide que prévu à sa scolarité, il eut cette réponse toute en nuances: «Je ne pense pas, non. Mais on ne sait jamais. C'est quand même bien embêtant.»

Il était plus qu'ennuyé: ça le rendait fou de voir qu'il se trouvait sous la menace d'une suspension pour une chose aussi innocente qu'accepter un dîner avec Arnold Palmer. Il avait exprimé son mécontentement, et Stanford ainsi que la NCAA firent rapidement machine arrière.

«Tout est réglé, il n'y aura pas de suspension», affirma Goodman au *Register*.

Tiger appréciait tout particulièrement deux choses à Stanford: il était à l'abri du regard public, et il pouvait travailler son jeu en toute discrétion. Il avait aussi accès libre à la salle de musculation dernier cri. Il était inutile de se demander qui travaillait le plus au sein de l'équipe: il passait plus de temps au practice que le reste de l'équipe réunie. Et puis il pouvait appeler Butch Harmon quand il le voulait. Un jour, alors qu'il avait du mal à mettre un nouveau coup de golf dans son sac malgré toute son application, il passa un coup de fil à son coach pour lui exprimer sa frustration et lui demander conseil.

---

29. Succession de jeux de mots avec les notions de drive et de wedge, qu'on pourrait traduire par «La NCAA sème-t-elle la zizanie dans la carrière universitaire de Tiger?»

Harmon rigola. «Tu es à Stanford, dit-il. Qu'est-ce que tu fais sur un practice à taper ces putains de balles ? Tu devrais être en train de baiser ! »

Tiger pratiquait plusieurs disciplines à haut niveau – les maths, les jeux vidéo, citer des répliques des Simpsons – mais ce n'était toujours pas un expert avec les filles. On ne lui connaissait aucune aventure depuis qu'il avait mis fin à son histoire d'amour avec Dina. Le gars le plus confiant au monde sur un parcours était un très mauvais danseur, maladroit dans sa façon de leur parler, et même inadapté au niveau relationnel.

Tiger ne racontait rien à Butch Harmon, mais il ouvrit un peu son cœur à Jaime Diaz au cours de sa deuxième année de fac. Il le connaissait depuis sept ans, suffisamment en tout cas pour baisser la garde. «Je ne chope aucune chatte », lui dit-il.

Il lui sortit cela de façon si cavalière que Diaz en fut durablement marqué : « C'était sa manière à lui d'en parler, se souvient-il. Sa façon de compenser, vu qu'il ne se passait rien et qu'il n'arrivait pas à les séduire. Alors il sortait des vannes.»

Diaz connaissait trop bien son père pour ne pas remarquer la similitude entre les deux hommes. «C'était exactement le même état d'esprit macho que son père : tu en baises autant que possible et tu les laisses tomber une fois que c'est fait.»

Tiger aborda aussi ce sujet-là avec Diaz : sa célébrité galopante lui faisait rencontrer de plus en plus de femmes partout où il allait – tournois, aéroports, restaurants. Et si elles ne lui faisaient pas clairement des avances, en tout cas elles venaient le voir. Il y avait des étudiantes, les petites amies de ses adversaires, des femmes mariées. Elles voulaient une photo ou un autographe. Ou alors poser leurs mains sur les siennes juste pour dire qu'elles avaient touché Tiger Woods. S'il arrivait dans un country club, eh bien la plus belle femme du club – celle avec du vernis à ongles rouge, des bijoux autour du cou et un gros diamant au doigt – ne pouvait s'empêcher de le regarder. Aucun autre golfeur de son âge ne provoquait un tel intérêt chez elles.

«J'ai même pas besoin de me donner du mal, disait-il à Diaz. J'ai juste à me baisser pour ramasser.»

«Fais bien attention à toi», lui dit Diaz, le plus sérieusement du monde.

«T'inquiète pas, je mets toujours deux capotes», lui répondit Tiger.

Diaz n'avait pas les oreilles spécialement chastes, mais tout de même, il voyait bien comment Tiger parlait des femmes et de sa virilité. « Il était simplement question de baiser des gonzesses et de montrer quel genre de gars il était, se souvient-il. Mais ce n'était pas comme si ça arrivait *vraiment*. Il ne faisait qu'en *parler*. Il savait que les occasions allaient se présenter. »

Fatigué, ayant du mal à joindre les deux bouts, Earl Woods s'assit dans le fauteuil sans âge du petit salon de sa maison en ce jour de janvier 1996. Il prit un papier et un crayon pour tracer deux colonnes. Dans la première, les tournois que Tiger était supposé jouer cette saison ; dans l'autre, les dépenses que cela allait nécessiter.

NCAA Finals (Chattanooga, Tennessee) : 1710 $
US Open (Detroit, Michigan) : 2480 $
Northeast Amateur (Rumford, Rhode Island) : 1230 $
Scottish Open (Écosse) : 5850 $
Western Amateur (Benton Harbor, Michigan) : 2970 $

Et ainsi de suite. Selon lui, il y avait au moins dix tournois immanquables pour Tiger, et il devait se débrouiller pour les financer. Un an de plus à Stanford, ça voulait dire un an de plus à mettre tout son cirque en place – à savoir faire le tour des country clubs et remplir les caisses pour que Tiger puisse poursuivre sa carrière amateur. Ce serait tellement plus simple si son fils décidait de passer professionnel dès maintenant. Ils crouleraient sous les billets verts à la minute même où il l'annoncerait. Les gains sur les tournois. Les contrats de sponsoring. Les contrats de licence. Ce serait tellement bien de changer de vie : conduire une voiture toute neuve, voler en première classe, ne plus jamais hypothéquer la maison ou se soucier des dépenses et des green-fees... Ils auraient enfin assez d'argent pour que Kultida puisse déménager. La guerre quotidienne que le couple se livrait prendrait fin. Il pourrait faire ce qu'il veut de sa vie, et Kultida pareil de son côté dans une maison tout confort. Les dépenses de la vie courante, voilà une notion qui n'existerait même plus. Il pourrait même avoir un salaire à six chiffres en travaillant pour son fils. Le champ des possibles était infini.

Earl a toujours prétendu que l'argent n'était jamais entré en ligne de compte pour la date du passage professionnel de son fils. « Il n'y a ni attentes ni pression à ce sujet-là, avait-il dit au *Los Angeles Times* en 1992. Il n'y a aucune espèce de pression financière sur ses épaules, et certainement pas pour assurer mon bien-être. De ce côté-là, je suis tranquille pour la vie. »

Sauf qu'à soixante-trois ans, Earl Woods brûlait d'envie de toucher enfin ce qui lui avait fait défaut toute sa vie : la tranquillité financière. Il avait besoin d'aide. Alors il prit son téléphone et appela une fois de plus John Merchant.

Ce dernier était empêtré dans ses propres problèmes. Le 24 janvier 1996, l'État du Connecticut l'avait déclaré coupable de ne pas avoir respecté la loi fédérale en utilisant son bureau à ses fins personnelles, et en décidant qu'il était inconvenant de prétendre avoir effectué son travail alors qu'il se trouvait en dehors du Connecticut dans le cadre de ses fonctions à l'USGA. Il encourait une amende de mille dollars, et on lui avait demandé de s'engager par écrit à ne plus commettre de tels manquements à la déontologie[30]. L'affaire faisait les gros titres de la presse locale. Lui prétendait au contraire avoir simplement oublié une petite démarche : celle de remplir un document expliquant qu'il prenait sur ses congés pour remplir sa mission auprès de l'USGA. Il paya l'amende et dit à la commission d'aller « se faire foutre ! »

Mais il y avait autre chose, plus grave : lors de l'enquête, il avait reconnu avoir utilisé son ordinateur de fonction pour gérer ses histoires de golf. Notamment en y écrivant des lettres en tant qu'« organisateur de clinics avec la participation du vainqueur de l'US Amateur, Tiger Woods ». Cet aveu incita les enquêteurs à émettre une assignation à comparaître à propos de ces dossiers présents sur son ordinateur.

Malgré tout ce bazar, Merchant accepta d'aider Earl une nouvelle fois. Avec comme devise « Je ferai tout pour Tiger », il se remit au travail et rappela Earl quelques jours plus tard. Il avait une bonne nouvelle : une personne que Merchant décrivait comme « un bon ami » et « une vieille connaissance » avait accepté de financer ce qui semblait devoir être la toute dernière année amateur de Tiger. La personne en question connaissait parfaitement les règles de la NCAA sur le statut amateur, mais elle était également bien consciente que la famille n'avait pas les moyens de prendre en charge les coûts inhérents à une telle saison. Il acceptait donc,

---

30. Procédure « Cease and Desist ».

mais à une seule condition : qu'on ne sache pas que l'argent venait de lui. Seul Merchant pouvait être au courant. Même Tiger ne devait rien savoir.

«Du coup j'ai besoin que tu m'envoies ton budget prévisionnel pour l'année», dit-il à Earl.

Début février, Merchant reçut un courrier écrit à la main dans sa boîte aux lettres.

28 janvier 1996

John,

Tu trouveras ci-joint le programme de Tiger pour 1996 et les dépenses qui s'y attachent. J'ai compté 90 $ pour une nuit d'hôtel. J'espère que tu recevras tout ça à temps.
J'ai pas mal de choses à te dire, donc appelle-moi si tu as le temps.

Ton ami (je le pense)
Earl

Il y avait un autre document dans l'enveloppe, intitulé BUDGET DÉPENSES 1996. On y trouvait les onze tournois que Tiger avait prévu de jouer, avec les dates, les lieux, les frais d'inscriptions, les billets d'avions, les hôtels et les repas, pour un total de 27 170 $.

Merchant envoya les éléments à son ami, et tout fut réglé en quelques semaines. «Il m'a donné l'argent, je l'ai transmis à Earl, et Tiger a pu jouer les tournois», confirma Merchant.

L'USGA préférait fermer les yeux sur les histoires d'argent entre Merchant et la famille Woods. Mais l'association ne pouvait pas ne pas voir ce qu'il se passait dans le Connecticut. L'ambiance était si lourde que le gouverneur lui-même s'en mêla. Dans une lettre qui fit grand bruit, John Rowland accusa Merchant de graves abus de confiance et le menaça de poursuites pénales. La majeure partie de ses problèmes venaient de ses liens avec les Woods, mais leur relation avait plus d'importance à ses yeux que tout le reste. Il était l'homme de confiance d'Earl pour toute question financière ou légale. Il adorait ce rôle de conseiller en chef et d'homme qui avait solution à tout alors que Tiger dominait le circuit amateur.

Cela flattait son ego et il avait l'impression d'être intouchable. Alors quand le gouverneur appela lui aussi à sa démission du Consumer Counsel, il devint encore plus réfractaire. « Je ne laisse jamais un trou du cul me dicter ma conduite », asséna-t-il en 2015 en se rappelant cet épisode. « On peut parler avec moi, pas de problème. Mais on ne me dit pas ce que je dois faire. »

Vu la tournure que les événements prenaient dans le Connecticut, l'USGA n'avait aucune envie de se retrouver dans le même type d'embrouilles avec Merchant. L'association voulait aussi éviter de virer le seul membre afro-américain de son comité exécutif. Alors elle créa la National Minority Golf Foundation pour lui en confier la gestion au titre de directeur exécutif.

Earl trouvait cette « promotion » géniale. À eux deux, pensait-il, ils pourraient faire sérieusement progresser la cause. Mais en février 1996, ses priorités se situaient clairement ailleurs. Il appela à nouveau son ami.

« Écoute, lui dit-il. Je ne sais pas ce que Tiger compte faire. Mais s'il décide de passer pro, alors je veux que tout soit prêt. »

Ces derniers mots – *je veux que tout soit prêt* – étaient le signal que Merchant attendait : il n'avait plus à s'en faire pour ces histoires d'État du Connecticut, d'USGA et du reste. Il allait devenir l'avocat personnel de Tiger. En attendant, il serait celui d'Earl et préparerait le terrain pour le passage professionnel de son fils. Earl Woods n'avait pas les moyens de lui faire des avances sur honoraires, les deux hommes le savaient. Merchant accepta d'en reparler une fois que Tiger aurait rejoint les rangs du PGA Tour. Il y avait beaucoup à faire d'ici là : Woods devait signer avec un agent ; recruter un conseiller financier ; il avait besoin d'un avocat pour régler les histoires de succession. Il y avait des sponsors à trouver, des contrats à signer, une maison à acheter. Deux, en fait : une pour Tiger, une pour Kultida.

C'était beaucoup trop pour un seul homme, et Earl n'aurait jamais les moyens de gérer la situation. Et il n'avait aucune expertise dans les domaines financier et légal. Il avait peur d'une chose : que Hughes Norton tire un peu trop profit de la situation. L'agent avait l'habitude de signer des gros contrats à plusieurs millions de dollars, et ça faisait des années qu'il courtisait les Woods. Earl n'avait jamais parlé à Merchant des dizaines de milliers de dollars qu'IMG lui avait versés pour son job de « talent scout ». Mais il lui dit malgré tout que Hughes Norton serait l'agent de Tiger à son passage pro.

« C'est avec lui que tu dois parler en premier », dit-il à Merchant.

Merchant appela Norton pour lui proposer un tête-à-tête. Les deux hommes ne s'étaient jamais rencontrés, mais Merchant précisa qu'il était l'avocat d'Earl et qu'il préparait la transition amateur-pro pour son fils. Les deux hommes convinrent d'un rendez-vous, mais juste avant de raccrocher, l'avocat posa cette question : « Dites-moi Hughes, juste pour savoir : vous prenez quelle commission sur les contrats des athlètes du niveau de Tiger ? »

Norton avait vite compris que Merchant débutait dans le métier. « On a l'habitude de prendre 25 % », dit-il.

« Hughes, je crois que ce n'est pas la peine de se rencontrer, finalement. »

« Quoi ? Mais pourquoi ? »

« Laissez-moi vous dire une chose, poursuivit Merchant. On ne se connaît pas, mais je suis sûr que vous savez que le président Lincoln a aboli l'esclavage. Et je ne vous laisserai pas faire de Tiger votre esclave avec une commission aussi aberrante. »

« Bon, et vous avez quel chiffre en tête ? » demanda Norton.

« Je n'y ai pas encore vraiment pensé, mais plutôt autour de 5 % », répondit Merchant.

Après quelques va-et-vient, IMG accepta de baisser son pourcentage bien en dessous des 20 % qui avaient habituellement cours dans ce type de business. C'étaient des débuts plutôt conflictuels entre celui qu'Earl avait choisi pour être l'agent de Tiger, et celui qu'il avait choisi pour être son avocat. Tout se passait exactement comme prévu.

Lorsque Tiger arriva au Honors Course Club près de Chattanooga au printemps 1996 pour y disputer la finale du championnat NCAA, il savait déjà qu'il avait remporté le trophée Jack Nicklaus de meilleur joueur universitaire du pays. Sa présence éclipsait totalement l'équipe de privilégiés de l'université d'Arizona State, avec ses joueurs bronzés, fumeurs de cigares et difficilement supportables. Quinze mille billets avaient été vendus, un record pour l'épreuve, et la NCAA avait accordé deux cent vingt-cinq accréditations presse, bien au-dessus du précédent record de quatre-vingts, qui datait de l'année précédente alors que Tiger y faisait ses débuts. La foule et les reporters s'étaient déplacés pour une raison et une seule, et ce n'était certainement pas pour voir jouer Arizona State.

Tiger répondit présent. Il remporta facilement le titre en individuel, pour devenir le premier golfeur de Stanford à y parvenir en plus de cinquante ans. Un honneur qui venait s'ajouter à une deuxième saison remarquable en tous points :

- Il remporta le Pac-10 Championship en scorant notamment 61 (-11) lors du premier tour, record de l'épreuve.

- Il s'imposa au NCAA West Regional.

- Il établit un record sur dix-huit trous lors d'une finale de championnat NCAA grâce à son 67 (-5) du deuxième tour, pour terminer l'épreuve à -3 au total.

- Il boucla sa saison avec la moyenne de score la plus basse toutes universités confondues, pour finir numéro un du classement Rolex/Nicklaus.

Il avait beau adorer vivre dans sa bulle à Palo Alto, Tiger se rendait bien compte qu'il n'avait plus rien à prouver au niveau universitaire. C'était, et de loin, le meilleur joueur du pays. Il lui restait certes deux ans à faire pour décrocher son diplôme en économie, mais il savait qu'une fortune l'attendait s'il passait pro, de celles qui feraient pâlir d'envie même un PDG de la Silicon Valley. Il ne voulait pas partager ses pensées avec la presse, mais son père s'en chargeait de son côté.

«Je sais qu'il fait vendre des journaux et des magazines, dit Earl à *Sports Illustrated* au moment de la finale NCAA. Moi, je ne décide rien. C'est lui qui prendra la décision. Mais s'il choisit de passer professionnel, alors il devra m'expliquer pourquoi. Et j'aurai des contre-arguments imparables, ça fait six mois que je les prépare. Je ferai face à toutes ses explications, toutes ses justifications et toutes ses questions. Et s'il veut toujours passer professionnel, alors je serai derrière lui à 100 %.»

Earl, bien évidemment, jouait là son meilleur rôle : raconter des foutaises. Tiger avait pris sa décision depuis un bon moment déjà, et son père en était à la fois soulagé et excité. Sauf qu'il ne savait pas vraiment comment prendre ses parents en charge, et ça l'inquiétait. Il consulta John Merchant à ce sujet.

«Je lui ai recommandé les sommes à verser directement à son père et à sa mère. Une somme à six chiffres pour Kultida, ainsi qu'une carte de crédit illimitée. Et je pensais que son père devait toucher deux fois plus que sa mère. Par exemple, s'il donnait 100 000 $ à sa mère, alors il devait en donner 200 000 à Earl.»

Enfant, Jim Riswold était un grand fan de sport. Il avait grandi en collectionnant les cartes de baseball. Pour lui, la partie la plus intéressante de la carte n'était pas celle où on pouvait voir la photo ou lire les statistiques du joueur, mais plutôt celle avec la petite bande dessinée qui se trouvait au verso. C'est ce qui vous en apprenait le plus sur la vie personnelle d'un joueur. Ted Williams, par exemple, avait servi comme pilote de chasse lors de deux conflits. Ce statut, apprit-il plus tard, l'avait rendu célèbre dans le monde de la publicité avec l'étiquette d'«argument de vente unique». Parce qu'il était différent de tous les autres joueurs.

Après l'université, il entra chez Wieden+Kennedy, une petite agence de pub basée à Portland, Oregon. Riswold était seulement leur huitième salarié, mais ils comptaient Nike parmi leurs clients. Riswold travailla très vite avec la marque à la virgule. Il était notamment chargé de la campagne de pub pour les chaussures de course Bo Jackson. Il avait ainsi une belle opportunité de mettre en valeur son talent pour mêler la pop culture avec les principes de base du monde publicitaire. Vu la singularité de Bo Jackson, qui avait joué chez les pros aussi bien en baseball qu'en football, Riswold créa le slogan «Bo Knows»[31]. Il se chargea aussi du scénario de la pub télé où le joueur star de baseball Kirk Gibson disait «Bo connaît le baseball»; puis le footballeur star Jim Everett enchaînait sur «Bo connaît le foot»; et enfin la légende du blues Bo Diddley affirmait «Bo, tu n'y connais que dalle!»[32] Cette publicité, ainsi que celles qui suivirent, firent de Bo Jackson l'«athlète le plus convaincant dans une pub télé» selon une étude menée par une agence new-yorkaise en 1990.

Le PDG et fondateur de Nike Phil Knight comprit rapidement que Riswold était un génie. Ce dernier écrivit en 1992 la publicité «Instant Karma», qui utilisait la chanson du même nom, écrite par John Lennon. Puis on lui demanda d'écrire quelque chose avec Michael Jordan. Grand fan de musique et de films, il avait vu le film culte *She's Gotta Have It*[33], écrit et interprété par Spike Lee. Riswold rêvait de pouvoir associer Spike Lee – dans son personnage du film, Mars Blackmon – et Michael Jordan dans la même publicité. Son scénario : Blackmon aimait

---

31. «Bo s'y connaît».
32. «Bo, you don't know diddly» en V.O.
33. *Nola Darling n'en fait qu'à sa tête* en V.F.

tellement ses Air Jordan qu'il refusait de les enlever en toutes circonstances, même s'il avait l'occasion de coucher avec la femme de ses rêves.

En 1996, Riswold était comme une rock star dans le monde de la publicité, et c'est vers lui que se tournait Nike au moment de lancer une campagne avec une vedette. En juillet de cette année-là, il reçut un coup de fil de Joe Moses, un dirigeant important de Nike, qui ne prit même pas la peine de lui dire bonjour.

« Il est prêt à passer professionnel, dit-il. C'est un truc qui va changer le monde. »

Riswold voyait parfaitement de qui Moses voulait parler, et il savait ce qu'on attendait de lui – commencer à bosser sur une pub qui allait révéler Tiger Woods aux yeux du monde entier. Au cours des deux semaines suivantes, il rencontra Phil Knight et quelques huiles de chez Nike. Le projet était classé top secret. Une décision fut prise très rapidement : il n'y aurait pas de tournage spécifique, et Nike utiliserait des images d'archives pour bâtir la campagne. À Riswold de choisir celles qui lui convenaient pour ensuite écrire un scénario à sa guise. Même s'il était très doué dans son domaine, il ne pouvait s'empêcher de penser que le golf était un sport de snobinards. La campagne qu'il s'apprêtait à créer devait absolument montrer que l'arrivée de Tiger allait changer tout ça et ouvrir de nouveaux horizons.

Dès 6 heures du matin, tous les jours, Riswold partait marcher au milieu des arbres, dans le sud-est de Portland. Fin juillet, il eut une première illumination pendant sa balade : « Je ne suis pas un pion ! » *Non, ça ne va pas le faire*, pensa-t-il. Trop brutal. Puis il eut une autre idée, associée avec une série de mots. À peine rentré chez lui, il les coucha sur le papier. Et au fur et à mesure qu'il trouvait des images pour les accompagner, il sut qu'il était en train de faire un truc hors du commun.

Avant de se rendre à Portland pour y disputer l'US Amateur 1996, Tiger avait assuré à Goodman qu'il reviendrait à Stanford dès l'automne. Mais tout, autour de lui, le poussait à passer professionnel juste après le tournoi. John Merchant et Hughes Norton avaient trouvé un terrain d'entente. La nouvelle commission prévue pour IMG, plus faible, avait permis à Tiger d'économiser près de cinq millions de dollars sur ses tout premiers contrats. IMG avait d'autres gros projets sous le coude. Nike s'apprêtait à lancer une énorme campagne de publicité. L'équipementier avait même prévu un jet privé pour l'emmener plus vite sur son tout premier tournoi pro, à Milwaukee. Quelques journalistes de confiance, parmi lesquels Jaime Diaz et John Strege, avaient été mis dans la confidence quelques semaines plus tôt : Tiger allait faire son annonce juste après l'US Amateur. Mais tous se tenaient à carreau, de peur de sortir du cercle à tout jamais s'ils lâchaient le morceau avant qu'Earl Woods n'ait donné sa bénédiction.

Strege le raconta des années plus tard : « Earl m'avait dit : "Tu ne peux pas l'écrire tant que je ne te donne pas le feu vert." Et donc, on avait cette bombe entre les mains, et on n'avait pas le droit de l'utiliser. C'était très embarrassant. »

Quand Tiger débarqua à la mi-août au Pumpkin Ridge Golf Club au nord-ouest de Portland, le golf bénéficiait d'un coup de projecteur inhabituel grâce à Kevin Costner. Son film *Tin Cup* était numéro un du box-office dans tout le pays, et l'histoire plutôt dure d'un golfeur doué qui gâchait son avenir en raison d'une nature rebelle et d'un comportement inapproprié offrait un contraste parfait avec Woods, dont l'image immaculée avait été soigneusement polie depuis l'enfance. L'entourage de Tiger sur le tournoi donnait l'impression assez évidente qu'il allait zapper ses deux dernières années à Stanford. En plus de ses parents, on pouvait voir son psychologue du sport, Jay Brunza ; son avocat personnel, John Merchant ; son probable futur agent, Hughes Norton ; son professeur, Butch Harmon. Il y avait aussi les PDG des sociétés qui allaient devenir ses sponsors, tels Phil Knight de Nike et Wally Uihlein de Titleist. Mais on pouvait malgré tout lire ce gros titre dans le *New York Times* : « Pour Woods, la question, c'est : passer pro, oui ou non ? »

Tiger n'avait aucun doute sur son avenir : il allait passer pro et devenir multimillionnaire avant la fin du week-end. Mais il avait encore un peu de boulot. Personne n'avait jamais remporté trois US Amateur consécutivement. Bobby Jones, unanimement considéré comme le plus grand golfeur amateur de l'histoire, avait lui réussi deux fois le doublé, mais jamais trois titres à la suite. Tiger voulait terminer sa carrière amateur en beauté, en dépassant Bobby Jones pour mettre la barre à un niveau inédit. Ce serait, pensait-il, une façon idéale de clore le premier chapitre de sa vie de golfeur avant d'ouvrir le suivant.

Lors de ses premiers tours, Tiger eut plus de mal à esquiver les questions sur son avenir qu'à expédier ses adversaires au tapis.

Le troisième jour, il se trouva pris au piège par Carol Lin, la correspondante d'*ABC World News Tonight*. Il n'avait aucune envie d'évoquer son avenir.

«J'aime bien l'université, dit-il en récitant sa leçon. Malheureusement, ce n'est pas ce que les gens veulent entendre. Et ce n'est pas ce que vous, médias, voulez entendre non plus.»

«Et vous pensez qu'on veut entendre quoi?» lui demanda-t-elle.

«Vous voulez que je vous dise que je passe pro dès demain. Mais ce n'est pas la question du jour. Ce qui compte aujourd'hui, c'est que je sois heureux.»

Dans l'après-midi, Tiger retrouva un visage familier en demi-finale – son coéquipier à Stanford Joel Kribel. Ils faisaient chambre commune lors de leurs déplacements cette année-là, et Kribel considérait Tiger comme un ami. Mais Tiger ne croyait pas à l'amitié quand il s'agissait de compétition. Il lui adressa à peine la parole pour le battre et se qualifier pour la finale.

Phil Knight portait des lunettes de soleil noires et un chapeau blanc avec un bandana bleu orné du logo Nike, et il aimait ce qu'il était en train de voir. Il marchait sur le fairway quand Carol Lin le rejoignit pour lui parler de Tiger et de son avenir.

«Qu'est-ce qu'il aurait à perdre s'il décidait de poursuivre ses études?» lui demanda-t-elle.

Knight lui fit un grand sourire : «Des millions de dollars.»

Tiger devait affronter en finale un certain Steve Scott, un garçon prometteur de dix-neuf ans qui s'apprêtait à rentrer en deuxième année à l'université de Floride. Il ne savait pas grand chose de lui. Scott avait atteint les quarts de finale de l'US Amateur l'année précédente, à Newport, et fini dans le top 10 de la finale NCAA au mois de juin.

Mais ce qu'on remarquait le plus chez lui, c'était son caddie. Sa cadette, plus exactement, une blonde à l'allure sportive nommée Kristi Hommel, qui attachait ses cheveux blonds en queue de cheval. Elle faisait partie de l'équipe féminine de golf à l'université de Florida Southern, et les deux jeunes gens sortaient ensemble depuis qu'ils s'étaient croisés sur le parking du practice. Elle était devenue la coqueluche du tournoi au fil des tours. Tout le monde était sous le charme, de l'équipe de retransmission de NBC jusqu'au fan de base, grâce à la façon qu'elle avait d'encourager son petit ami, de porter son sac ou de se montrer fair-play avec les cinq adversaires que Scott avait battus pour se qualifier.

Mais cette ambiance de bisounours s'évapora d'un seul coup quand Tiger se dirigea vers le premier tee de départ le dimanche matin. Les spectateurs étaient alignés par rangées de douze derrière les cordes. Les fairways étaient remplis de monde. On comptait près de quinze mille spectateurs sur le parcours de Witch Hollow.

«Tous ces gens, ils sont venus pour voir mon Tiger», dit Kultida.

Ça ressemblait plus à un couronnement qu'à un tournoi de golf.

Kristi Hommel eut soudain l'impression que c'était elle et son Steve contre le reste du monde. Elle regarda Scott au fond des yeux et lui dit qu'elle croyait en lui. Remonté, le jeune homme scora six birdies sur ses trous du matin. Il disait «bien joué» à chaque fois que Tiger tapait un coup crucial. Celui-ci lui répondait simplement «merci», sans même le regarder.

Et quand Scott tapait un bon coup, Tiger ne disait rien. Il ne bougeait même pas une oreille.

«Il n'a pas dit "bien joué" une seule fois de la partie, se souvient Kristi. Mais peu importe. C'est comme ça. Il était – comment son père l'avait qualifié, déjà? Dressé pour tuer.»

Tiger était fou de rage après les dix-huit trous du matin. Scott menait 5up, et les spectateurs étaient sous le choc. NBC n'arrivait pas à y croire, et les reporters étaient circonspects. Tiger avait remporté ses trente dernières rencontres en match-play, mais là, il semblait vraiment sur le point de perdre.

Il était furieux contre lui-même pendant la pause d'une heure et demie avant les trous de l'après-midi. Il finit par se calmer pour aller voir Butch Harmon, qui procéda à deux ou trois ajustements au niveau de sa posture. Et Jay Brunza l'aida aussi à rassembler ses esprits.

Dans le même temps, Steve Scott et Kristi Hommel filaient le parfait amour sous la «merchandize tent», ce grand chapiteau où on pouvait trouver tout et n'importe quoi. Ils achetèrent des tee-shirts, des casquettes et des souvenirs pour ne rien oublier de leur semaine. Scott n'éprouva pas le besoin d'aller taper des balles, au contraire de Woods. Sa routine fonctionnait à merveille et il n'avait aucune intention de la modifier. Mais il savait cependant que Woods allait sonner la charge, à un moment ou un autre.

Tiger s'était changé pour sa partie de l'après-midi : chaussures blanches, pantalon à pinces marron, tee-shirt rouge sang et casquette noire. Il remporta trois trous sur les cinq premiers, et Scott était seulement 1up après neuf trous disputés.

Persuadé de se faire massacrer s'il ne réagissait pas au plus vite, Scott répondit de la plus spectaculaire des manières sur le par 3 suivant, long de 175 mètres. Sa balle semblait bien enfoncée dans un rough épais près du green, mais il frappa un flop-shot tout en délicatesse qui finit sa course directement dans le trou. Les spectateurs exultèrent, et lui sauta de joie tout en balayant l'air d'un grand coup de poing. Il était repassé 2up.

Mais pas pour longtemps. Sur le trou suivant, Tiger rentra un putt impossible de douze mètres pour eagle, avec un gros break, pour revenir 1 down et rendre la foule totalement hystérique. L'histoire était sur le point de s'écrire, et tout le monde voulait que ça se passe ainsi – les spectateurs, NBC, Nike et IMG.

«Tiger n'était pas seulement un golfeur, mais une vraie machine de guerre, se souvient Hommel. Et c'était juste nous deux contre cette machine.»

Le trou numéro 16 du Witch Hollow à Pumpkin Ridge est un par 4 de 395 mètres. Scott frappa un troisième coup très agressif du bunker de green, qui finit sa course trois mètres derrière le trou. À ce moment-là, il menait 2up avec seulement trois trous à jouer. Woods avait lui drivé cinquante mètres plus loin que son adversaire, et son coup de wedge se posa à 1,80 m du drapeau, en plein sur la ligne de putt de Scott. Tiger marqua sa balle, et Scott lui demanda de bien vouloir décaler son marque-balles. Puis il rentra son putt pour sauver le par, obligeant ainsi Woods à rentrer le sien pour gagner le trou.

Tandis qu'il quittait le green, il remarqua du coin de l'œil que Woods plaçait directement sa balle devant son marqueur. Dans un moment de déconcentration très inhabituel chez lui, Tiger avait oublié de replacer son marque-balles à l'endroit initial. Il s'apprêtait à putter du mauvais endroit. Et la sanction est sans appel pour ce genre de faute : perte du trou automatique.

Alors que son adversaire était sur le point de commettre une erreur monumentale, Scott prononça ces quelques mots, qui auraient sans doute rendu très fiers les inventeurs écossais de ce jeu : «Hey, Tiger, tu as replacé ta balle ?»

Woods s'arrêta sur-le-champ pour réparer son erreur. Puis il rentra son putt pour revenir 1 down avec deux trous à jouer. On venait de vivre un de ces moments qui changent le cours de l'histoire. Si Scott n'avait rien dit et laissé Tiger putter du mauvais endroit, le 96e US Amateur se serait arrêté là. Woods aurait perdu le trou, sans aucune chance de pouvoir revenir en étant 3 down avec seulement deux trous à jouer. Mais Scott ne voulait pas gagner sur une faute technique. Il voulait remporter ce trophée avec ses clubs.

Alors qu'il se dirigeait vers le tee suivant, Tiger ne manifesta aucune reconnaissance pour ce geste plein de fair-play. Il ne dit pas merci. Il ne prononça pas un mot.

Une attitude froide et cruelle pour Scott et Hommel. Mais Tiger ne jouait pas au golf pour être sympa ou se faire des amis. Son approche mentale du jeu était telle qu'il savait qu'il allait battre Scott, et elle finit d'ailleurs par entamer la confiance de son adversaire. Tiger rentra un putt essentiel pour birdie sur le green du 17, à plus de dix mètres, pour revenir all square. À égalité après trente-six trous, ils durent disputer un play-off, au cours duquel Scott finit par craquer. Sur le deuxième trou de prolongation, son putt à 2,50 m pour le par effleura le trou. Et pendant que Kristi Hommel avait le plus grand mal à retenir ses larmes, Tiger rentra lui son dernier putt à trente centimètres pour remporter son troisième US Amateur consécutif. Les bras levés pour savourer son triomphe, il vit sa mère fondre sur lui et l'embrasser sur la joue. L'accolade dura tout juste trois secondes, avant qu'il ne tombe dans les bras de son père, en train de pleurer. Leur étreinte dura trente-deux secondes, une éternité à l'échelle de la télévision. Kultida entourait son mari et son fils, au sens littéral, pendant que les micros à perche de NBC captaient les sanglots et les gémissements d'Earl.

Pendant ce temps-là, Steve Scott patientait pour pouvoir féliciter son adversaire. Tiger finit par lui serrer la main, vite fait, avant que Roger Maltbie, l'homme de terrain de NBC, ne vienne s'interposer entre eux. « Tiger, c'est l'histoire qui vient de s'écrire. Une rude bataille toute la journée », dit-il.

« Ah oui, effectivement. J'ai très mal joué ce matin, je n'y arrivais pas. Et je savais ce qu'il me restait à faire cet après-midi, parce que je m'étais déjà retrouvé dans cette situation. Il fallait juste que j'y aille, quoi. Je n'ai quasiment pas rentré de putts de la journée, sauf à la fin quand j'en avais vraiment besoin. C'est une bataille remportée de haute lutte au fil de la journée.»

Puis Maltbie interrogea Scott, qui félicita Tiger pour sa victoire. Mais Woods le regarda à peine, et jamais il ne sourit.

Lors de la cérémonie de remise des prix, il remercia les gens de Portland mais n'eut pas un seul mot pour Scott. C'était juste : moi, moi, moi. Peut-être que son esprit était ailleurs, après tout. C'était quand même la toute première fois qu'un golfeur remportait trois US Amateur à la suite.

Mais il n'était déjà plus question de savourer le moment. Maltbie, comme tout le monde, se projetait déjà vers le lendemain. «Tiger, je vais devoir vous poser la question : vous allez rester à Stanford ou passer professionnel ? »

«Je ne sais pas vraiment, là, répondit-il. Tout ce que je peux vous dire, c'est que je vais fêter ça comme il se doit.»

Tiger passa un coup de fil à Wally Goodman, qui se trouvait chez lui à Palo Alto. Il avait à peine dit bonjour que son coach lui coupa la parole : «Je sais pourquoi tu m'appelles, tu n'as pas besoin d'en dire plus.»

Et Tiger se tut. Leur non-dit était évident : il en avait fini avec Stanford.

«Bonne chance», dit Goodman.

«Merci coach, à bientôt», répondit Tiger. Mais dans la grande tradition de ses adieux soudains, il ne prit pas la peine d'appeler Eri Crum, le capitaine de l'équipe. «Voilà un truc que je n'aime pas chez lui, dit Crum. C'était comme une disparition. Même pas un petit "Hey les gars, j'ai adoré passer du temps avec vous, mais maintenant je fais mon truc. Bonne chance." Il est comme ça : quand c'est terminé, il passe totalement à autre chose.»

Crum aimait bien Tiger. Il disait de lui que c'était un bon coéquipier, mais aussi quelqu'un de distant : « On voulait tous être potes avec lui, parce qu'on admirait son jeu. Mais il n'y a finalement jamais eu d'amitié profonde entre lui et un autre membre de l'équipe. Il était difficile à cerner. Il n'aurait jamais été considéré comme un ami s'il n'avait pas été aussi bon en golf.»

Facile de savoir d'où vient son absence de sentimentalisme et d'intimité avec les autres. Sa mère a dit un jour : «Je suis une solitaire, et Tiger aussi. On ne perd pas de temps avec les gens qu'on n'aime pas. Je n'ai pas beaucoup d'amis proches, et je n'en ai jamais eu beaucoup d'ailleurs. Je suis indépendante, avec un gros caractère. C'est comme ça qu'on arrive à survivre.» C'est Kultida qui a réussi à amener cet état d'esprit sur le parcours. Elle lui disait «Tue-les» et «Arrache-leur le cœur» quand elle parlait de ses adversaires. Les come-backs incroyables de Tiger contre Ryan Armour, Trip Kuehne et Steve Scott semblent d'ailleurs avoir plombé leurs carrières professionnelles. Ils étaient tous trois talentueux, ont fait tout ce qu'ils pouvaient pour y arriver, mais aucun d'entre eux n'a réussi à s'installer sur le PGA Tour.

Steve Scott fut nommé trois fois All-American à son université de Floride. En 1999, il était même numéro un national au classement amateur. Il passa professionnel et épousa Kristi Hommel cette même année. Le mariage eut lieu sur le green du 18 au TPC Eagle Trace, un golf privé de Coral Springs (Floride), leur ville d'origine. Ils étaient tous les deux en larmes au moment d'échanger leurs vœux. Scott assure qu'épouser Kristi fut la décision la plus intelligente qu'il ait jamais prise.

Cinq ans plus tard, il prit une autre décision d'importance : arrêter de ramer sur le Canadian Tour et le Nationwide Tour[34] pour se consacrer à l'éducation de ses deux enfants. Il bascula dans l'enseignement et fut embauché comme head pro au Paramount Country Club, près de New York. Steve et Kristi ont fêté leurs dix-huit ans de mariage en 2017.

Leur relation a été renforcée par la bataille épique qui opposa Scott à Tiger. En 2016, pour fêter les vingt ans de l'US Amateur 1996, ils ont emmené leurs enfants à Pumpkin Ridge pour leur montrer où ils avaient connu leur petit moment de gloire. Les quatre membres de la famille ont fait un selfie sur le green du 10, là où Scott avait enquillé son fameux flop-shot.

La société Golf Films profita de leur visite pour tourner un reportage en hommage au match entre Woods et Scott. L'occasion pour Tiger d'admettre qu'il avait effectivement oublié de replacer son marque-balles, et de féliciter Scott pour sa sportivité : « C'était assez incroyable de sa part », affirme Tiger dans le film. Vingt ans après l'événement, les Scott se montrèrent reconnaissants de cet aveu. Mais ils avaient mis cet affront derrière eux pour passer à autre chose depuis bien longtemps.

---

34. Le Canadian Tour et le Nationwide Tour sont deux circuits annexes.

«C'est comme si on avait démarré la Team Scott au moment de l'US Amateur, jure Scott. Notre vie était géniale et elle a continué de l'être après ça. Et je suis la preuve vivante qu'on peut être un gagnant dans la vie sans gagner sur le parcours.»

Ryan Armour avait lui aussi pris l'habitude de ne pas gagner. Après sa défaite déchirante contre Woods lors de l'US Junior Amateur en 1993, il écuma plusieurs circuits professionnels pendant vingt ans, pour finalement décrocher sa première victoire sur le PGA Tour au Sanderson Farms Championship (Jackson, Mississippi) en octobre 2017.

Mais la défaite la plus marquante de toutes aura sans doute été celle subie par Trip Kuehne. Bien que préparé à la gloire depuis son plus jeune âge, il fit un gros travail sur lui-même pour se rendre compte qu'il n'était pas fait pour passer professionnel. Il adorait le golf, mais pas au point d'en faire sa vie à plein temps. Il choisit plutôt de décrocher son MBA à l'université d'Oklahoma State, tomba amoureux d'une fille originaire d'une petite ville du même État, l'épousa, eut un enfant avec elle, et développa son propre fonds d'investissement à Dallas. Il fut le tout premier All-American des vingt-cinq dernières années à ne pas tenter une carrière professionnelle après l'université. Il n'a jamais revu la vidéo de sa défaite contre Tiger.

Le Pumpkin Ridge Golf Club ressemblait maintenant à une ville fantôme. Le soleil s'était couché sur ce jour historique, la foule avait déserté les lieux. Seuls les équipes techniques étaient encore là à ranger leur matériel lorsque Tiger fit son entrée dans une salle du club-house, ses parents, Hughes Norton et Butch Harmon à sa suite. Phil Knight, le PDG de Nike, l'accueillit avec un grand sourire. Tiger ne reconnut pas la personne derrière lui, un quadra en jeans et polo avec une cassette VHS à la main.

«Voici Jim Riswold, il écrit des publicités pour moi», dit Knight.

Sans dire un mot, Riswold inséra la cassette dans un lecteur et appuya sur *play*. Tiger se vit alors sur l'écran de télévision, au ralenti, en train de marcher sur le parcours de Pumpkin Ridge, le driver à la main, la foule autour de lui. Les mots *Hello World* apparurent tandis qu'un chœur chantait, accompagné d'un rythme de batterie assez lent. Une expérience sensorielle puissante, à donner la chair de poule et une montée d'adrénaline. Suivit un montage de vieilles photos noir et blanc et de vidéos pleines de grain qui montraient Tiger aussi bien lors de son enfance que pendant sa carrière amateur. Il n'y avait aucune voix, juste un texte que Riswold avait écrit et qui se superposait aux images :

J'ai joué dans les 70 quand j'avais deux ans.
J'ai joué dans les 60 quand j'avais douze ans.
J'ai gagné l'US Junior Amateur quand j'avais quinze ans.
Salut, le monde[35].
J'ai joué le Nissan Open à seize ans.
Salut, le monde.
J'ai gagné l'US Amateur à dix-huit ans.
J'ai joué le Masters à dix-neuf ans.
Je suis le seul à avoir remporté trois US Amateur à la suite.
Salut, le monde.
Il existe des clubs aux États-Unis où je ne peux pas jouer, à cause de la couleur de ma peau.
Salut, le monde.
J'ai cru comprendre que je n'étais pas prêt pour vous.
Et vous ? Est-ce que vous êtes prêt pour moi ?

Juste avant le fondu au noir, le slogan de Nike «Just Do It» apparaissait à l'écran, ainsi que le logo à la virgule, en rouge. La publicité durait cinquante-sept secondes.

Sans dire un mot, Tiger avait les yeux rivés sur l'écran noir, pendant que tout le monde le regardait. Ça faisait beaucoup de trucs à digérer. Au lycée, on le trouvait ringard. Les joueurs de football ne le considéraient pas comme un véritable athlète. Les filles pensaient que le golf n'était même pas un sport. On le considérait comme une «lavette» parce qu'il y jouait. Ils en penseraient quoi, maintenant, tous ceux-là ? Il avait à peine vingt ans et s'apprêtait à rejoindre le club très exclusif des athlètes Nike qui avaient leur propre publicité : Michael Jordan, Charles Barkley, Bo Jackson et Andre Agassi. Mais sur le plan de la modernité et de la dramaturgie, il les enterrait tous.

«Putain, je peux la revoir ?» demanda-t-il.

Riswold poussa un grand soupir de soulagement, rembobina la cassette et la relança, tout fier de lui.

---

35. *Hello World* en V.O.

Après que Tiger l'eut vue une deuxième fois, Riswold expliqua qu'il devait encore éditer la musique pour la version définitive.

« C'est la meilleure putain de publicité de golf que j'ai jamais vue », affirma Harmon.

Remonté à bloc, Tiger était prêt pour ce qui l'attendait. Et le jet privé de Phil Knight était prêt à l'y emmener.

CHAPITRE 10
HELLO WORLD

Nike avait prévu de présenter sa publicité « Hello World » sur CBS et ESPN pendant le Greater Milwaukee Open, le premier tournoi disputé en tant que professionnel par Tiger Woods. Assis dans une chambre d'hôtel de la ville du Wisconsin, il était entouré par des cartons de produits Nike – tee-shirts, casquettes, chaussures, survêtements – et des papiers à signer. Le premier était un mandat de représentation rédigé par John Merchant, qui faisait de lui son avocat personnel et l'autorisait ainsi à agir en son nom. Le suivant, daté du 26 août 1996, confirmait son changement de domiciliation : Tiger n'habitait plus en Californie (un État qui taxait les revenus à hauteur de 9,3 %) mais en Floride (un État qui ne taxait rien du tout). Sa nouvelle adresse : 9724 Green Island Cove à Windermere, une villa avec deux chambres qui appartenait à IMG, désormais son agent officiel. Son PDG Mark McCormack avait lui-même appelé la PGA of America pour leur lire un rapide communiqué officialisant la décision. Tiger Woods était maintenant un joueur de golf professionnel.

Tout avait changé d'un simple claquement de doigts. Earl Woods n'avait plus besoin de gérer les budgets, les hôtels et les voyages. Tiger était entouré d'avocats, d'agents et de poids lourds du business qui s'occupaient de tout. Tous étaient de grands fans de golf et très impatients de le voir à l'œuvre. « Ce qu'il va faire pour son sport, c'est quelque chose d'inédit. Du jamais vu, assura Phil Knight. C'est de l'art à l'état brut. Je n'étais pas en vie au moment où Claude Monet peignait, mais je le suis à l'époque de Tiger Woods, et c'est génial. »

Tiger s'apprêtait à disputer son tout premier tour comme professionnel, mais les montants définitifs de ses contrats avec Nike et Titleist n'étaient toujours pas arrêtés. Il se trouvait dans sa chambre avec son père lorsque Hughes Norton finit par les rejoindre après une longue nuit de négociations. Il amenait la dernière offre de Nike avec lui : quarante millions de dollars sur cinq ans. La référence ultime à cette époque en matière de contrats, dans le monde du golf, c'était Greg Norman et ses 2,5 millions de dollars par an avec Reebok. Norton avait le vertige devant les sommes proposées par Nike.

« Plus de trois fois ce que touche Norman ! » s'exclama-t-il avec fierté.

Tiger et Earl le regardaient sans rien dire.

« Je ne sais pas si vous vous rendez compte : c'est le plus gros salaire versé par Nike, encore plus que ce qu'ils donnent à Jordan ! »

« Mmh-mmh », marmonna Tiger.

« Mmh-mmh ? Sérieusement ? »

Un silence qui s'étire...

« Bon, je vais le formuler autrement », reprit Norton.

Tiger écouta à nouveau Norton lui répéter les chiffres : Nike verserait 6,5 millions de dollars par an pendant cinq ans, plus une prime à la signature de 7,5 millions. En contrepartie, Tiger s'engageait à tourner des pubs télé, faire des shootings photo, participer à quelques journées sponsors et s'habiller en Nike des pieds à la tête. La marque à la virgule avait aussi prévu de créer une nouvelle gamme de vêtements à son nom.

« J'imagine que c'est assez énorme », fit Tiger.

Earl, lui, ne disait rien, mais il bouillait en son for intérieur. Peu importait les sommes évoquées : pour lui, ce n'était jamais assez.

Norton revint le lendemain avec l'offre définitive de Titleist : 20 millions de dollars pour cinq ans. Tiger devait pour cela jouer avec les clubs et les balles de la marque, porter leurs gants et avoir le logo Titleist bien en évidence sur son sac de golf. Ils proposaient eux aussi de créer un équipement à son nom. Et comme pour Nike, Tiger devait se rendre disponible pour des shootings, des tournages et des journées sponsors.

Merchant relut les contrats dans les moindres détails sous les yeux de Tiger. Qui, d'un seul coup, valait sur le papier 60 millions de dollars. « Je suis devenu riche, dit-il à Merchant, mais je n'ai même pas cinq centimes en poche, là. »

L'avocat appela son banquier dans le Connecticut et lui demanda d'envoyer dans les vingt-quatre heures une carte de crédit avec un plafond à 25 000 $.

Tiger voyait Merchant comme l'homme qui avait une solution pour tous ses problèmes, et l'avocat se délectait de la situation. Mais lui s'imaginait davantage comme celui qui évitait les problèmes avant qu'ils ne se manifestent. Il estimait qu'un bon avocat devait anticiper les soucis potentiels et les gérer en amont. Sa crainte, concernant Tiger, était que certains essaient de profiter de lui. Il lui conseilla donc d'éviter tout particulièrement de fréquenter deux athlètes : Greg Norman et Michael Jordan.

«Greg Norman, je ne le respecte pas plus que ça en tant qu'être humain. Il va se servir de toi pour qu'on parle encore de lui dans les journaux, fit-il remarquer. Il est sur la pente descendante, et toi c'est tout le contraire.»

Merchant se montra encore plus sévère avec Jordan. «Michael est sans doute le plus grand joueur de basket de tous les temps, mais c'est la seule chose qu'il est capable de faire correctement. La seule ! Ça fait longtemps qu'il est dans le circuit, et lui aussi va vouloir se servir de toi.»

Tiger écouta sans rien dire. Que Merchant ait raison ou non, il n'aurait aucun mal à maintenir Norman à l'écart. Mais c'était une autre affaire avec Michael Jordan. C'était son idole depuis l'adolescence, et il se retrouvait maintenant au même niveau que lui chez Nike. C'était déjà très excitant de partager son statut, et en plus, Phil Knight jugeait lui aussi que Tiger était son égal. Le boss de Nike répondit d'ailleurs sans hésiter quand on lui demanda si Tiger pouvait jouer dans la même cour que son aîné : «Ma main à couper !» Et peu de temps après la mise en garde de Merchant, Jordan déclara publiquement que son «seul héros sur cette planète s'appelait Tiger Woods». Un compliment qui pouvait monter à la tête d'un gamin de vingt ans.

Tiger n'était pas sûr de pouvoir éviter Jordan. Il n'était même pas sûr de le vouloir, d'ailleurs.

Son âge lui interdisait encore de boire un verre d'alcool et de conduire une voiture. Mais en deux coups de crayon, il avait réussi à gagner soixante millions de dollars sans même taper une balle en tant que professionnel. Aucun sportif américain n'avait jamais gagné une telle fortune aussi vite. Fidèle à la promesse qu'il avait faite à propos de son linge, il appela sa sœur Royce le jour même. Et il la rendit complètement hystérique avec ces simples mots : «Tu peux choisir ta maison.» Puis, vêtu d'un polo à rayures vertes, il prit place dans le centre de presse du Milwaukee Open. Il prit le temps de regarder la foule de reporters et fit un sourire. Son père s'assit juste derrière lui, dans un large fauteuil rembourré.

«Bon ben, salut, le monde», dit-il en souriant.

Les médias ne pouvaient pas encore saisir l'allusion à la campagne Nike, et Tiger ne fit rien pour les mettre au courant. Il avait préparé un texte qu'il lut en introduction et dans lequel il remerciait ses parents, en disant qu'il les aimait et qu'il leur était reconnaissant de tous les sacrifices qu'ils avaient faits pour qu'il puisse en arriver là. L'absence de Kultida n'échappa à personne, et c'est vers son père que Tiger se tourna pour lui prendre la main. Puis il répondit aux questions.

«Ce serait quoi un tournoi réussi pour vous?»

«La victoire.»

«Rien d'autre?»

«Je n'ai jamais, au cours de ma carrière, disputé une épreuve sans imaginer pouvoir la gagner. Je vous l'ai déjà dit plusieurs fois. C'est juste mon état d'esprit.»

Pendant vingt minutes, il expliqua aux reporters qu'il n'avait aucune crainte à propos de son passage professionnel, qu'il n'avait pas l'intention de dévoiler ses objectifs, et qu'il adorait se retrouver au milieu de la foule et au centre de l'attention.

«Tiger, vous êtes peu nombreux à débuter une carrière avec une conférence de presse comme celle-ci, dit un journaliste. Comment allez-vous réussir à garder la tête froide?»

«Comment je vais faire? répondit-il dans un sourire. Je vais jouer coup après coup. Et je vais me régaler.»

Quelques minutes après la fin de sa conférence, le double vainqueur de l'US Open Curtis Strange, qui travaillait cette semaine-là pour ABC, lui demanda ce qu'il attendait de ses débuts. Tiger lui répéta ce qu'il avait dit un peu plus tôt – qu'il jouait chaque tournoi pour le gagner.

«Tu as encore des choses à apprendre», lui dit Strange.

Tiger se contenta d'ignorer son scepticisme. Il savait très bien de quoi il était capable.

Le 29 août 1996, à 13 h 36, Tiger Woods frappa son premier coup de golf en tant que professionnel. Un drive de 307 mètres en plein milieu du fairway du Brown Deer Golf Course, et un début de carrière médiatisé comme jamais dans l'histoire du sport américain. Le légendaire reporter Leigh Montville établit une comparaison avec le premier concert des Beatles sur le sol américain, au Shea Stadium de New York. Une foule incroyable s'était déplacée dans l'espoir de le voir réussir quelque chose de magique.

Et les spectateurs en eurent pour leur argent. Lors du dernier tour, Tiger tapa un coup parfait sur le tee du 14, un par 3 de 172 mètres, qui rebondit deux fois sur le green avant de rentrer directement dans le trou. Un trou-en-un qui provoqua un véritable tremblement de terre, avec des hurlements qui résonnèrent tout autour du parcours et un Tiger rayonnant, la casquette à la main pour saluer les spectateurs. Puis il récupéra sa balle et la lança dans le public, pour une nouvelle explosion de joie qui semblait ne jamais vouloir s'arrêter. C'était tellement grisant d'être aussi bon.

Tiger termina à la soixantième place du tournoi pour seulement 2 544 dollars de gains, mais il fit l'essentiel des gros titres, bien aidé en cela par la campagne lancée par Nike. Comme Riswold l'avait espéré, l'allusion au racisme avait touché une corde sensible. Les joueurs professionnels comme les reporters présents estimaient que la publicité manquait à la fois de sincérité et de justesse. Est-ce qu'il y avait vraiment des parcours aux États-Unis qui interdisaient leur accès à Tiger Woods en raison de sa couleur de peau ? Un chroniqueur du *Washington Post* posa la question directement à Nike. Qui finit par reconnaître que non, ce genre d'endroits n'existait pas vraiment, et qu'il ne fallait pas prendre la publicité au sens littéral du terme. Cette réponse ne fit que relancer la polémique.

Tout ce pataquès laissait Nike totalement indifférent. Des études de marché avaient montré que le cœur de cible de la société – les clients âgés de dix-huit à vingt-neuf ans – avait trouvé la publicité «très efficace», et que l'expression *Hello World* était déjà rentrée dans le langage courant. Et la publicité fut même nominée pour recevoir un Emmy.

Reste que Tiger ne s'était pas préparé à de telles réactions. Certains joueurs professionnels n'hésitèrent pas à tirer à boulets rouges sur le clip, en dénonçant son sensationnalisme. Il y avait certes une part de jalousie dans ces critiques. Mais elles finirent par toucher Tiger, qui venait tout juste de rentrer dans ce cirque-là. Il tenta de défendre son sponsor dans une interview donnée à *Nightline*, une émission d'actualités de la chaîne ABC :

«C'est un message qu'on attendait depuis très longtemps parce que c'est la vérité, dit-il. Et comme je suis une personne, comment pourrait-on dire, qui n'est pas la bienvenue partout, j'ai pu me confronter à ce genre d'expériences. La campagne de Nike ne fait que dénoncer ce qu'il se passe.»

«Vous pensez que l'Amérique n'est pas prête pour quoi, exactement?» lui demanda-t-on ensuite.

«C'est pour ça que la pub est géniale, répondit-il. C'est à vous de voir. Les publicités Nike ne sont pas un prêt-à-penser. C'est à vous de vous faire votre propre idée et de réfléchir à tout ça.»

Le souci, c'est que Tiger, lui, n'avait pas vraiment eu le temps de penser à tout ça avant que la publicité ne commence à envahir les écrans. Tellement exalté à l'idée de se retrouver dans un clip aussi novateur, il n'avait pas songé aux conséquences et à la façon dont ce serait interprété. Il n'avait pas eu le temps de penser à quoi que ce soit, de toute façon. Toute la semaine avait été plus que confuse.

Et puis il y avait un autre problème. Ceux qui suivaient le golf depuis longtemps savaient qu'il avait déclaré un jour : «Je pense au racisme seulement quand la presse m'en parle.»

Et là, les télévisions nationales lui demandaient de se justifier pour une publicité qui évoquait spontanément les problèmes liés au racisme.

«C'est quoi, votre message?» lui demanda-t-on pendant *Nightline*.

«Je ne vous le dirai pas. C'est mon affaire», répondit-il.

Tiger n'était pas prêt non plus à encaisser l'avalanche de critiques déclenchée par les propos de son père. Earl lui avait appris à en dire le moins possible aux médias, mais lui-même agissait rarement en accord avec ses recommandations. Après que son fils eut géré sa première conférence de presse comme un chef, il traîna autour du centre de presse pour parler à tort et à travers et expliquer l'Évangile selon Earl.

«Personne ici n'a la moindre idée de l'influence que ce gamin aura dans les années à venir. Pas seulement sur le monde du golf, mais sur le monde tout court», dit-il. Puis il compara les «instincts de tueur» de son fils à ceux d'un «pistolero noir». «Il pourrait vous arracher le cœur en une seconde et ne rien ressentir», affirma-t-il. Des déclarations qui ne firent qu'alimenter la rancœur à l'égard de son fils, qui devait déjà faire face à un défi d'envergure : il n'avait que sept tournois à l'automne 1996 pour obtenir ses droits de jeu pour 1997 sur le PGA Tour. « Ça risque d'être compliqué pour lui de gagner 150 000 $[36], jugea Justin Leonard. La pression est juste énorme pour un gamin de vingt ans. »

La remarque du joueur américain, tout juste vainqueur de son premier tournoi sur le PGA Tour, était pleine de bienveillance. Mais certains journalistes s'exprimaient de façon beaucoup plus directe. Comme John Feinstein, par exemple, qui qualifia Earl Woods de « père autoritaire » en quête de « publicité et à l'affût du moindre dollar ». Invité à son tour sur *Nightline*, il établit un parallèle entre Earl et Stefano Capriati, le tristement célèbre et autoritariste père de la jeune tenniswoman Jennifer Capriati. « Tout comme Stefano, Earl n'a jamais travaillé depuis 1988, et s'est "sacrifié" pour rester aux côtés de son fils. Il dit aujourd'hui qu'il ne compte pas voyager en permanence à ses côtés. Ce ne serait franchement pas plus mal. »

Tiger était furieux d'entendre des choses pareilles. Il avait l'impression que les coups pleuvaient de partout. À ses yeux, critiquer ses parents était un péché impardonnable, un acte qui le touchait au plus profond de lui-même et qu'il ne pourrait jamais oublier. Cependant, le 16 septembre 1996, Tiger dit au revoir à son père qui prit l'avion pour Los Angeles. Les deux hommes venaient de passer trois semaines consécutives ensemble. Puis il embarqua à bord d'un vol privé pour Binghamton, New York, en compagnie de Hughes Norton et de son associé Clarke Jones. Tiger fila ensuite dans sa chambre du Regency. Le B.C. Open, disputé à Endicott, débutait trois jours plus tard. C'était la toute première fois qu'il voyageait sans son père.

Seul et un peu désorienté, il fut tout heureux de tomber sur Jaime Diaz, qui le suivait pour le compte de *Sports Illustrated*. À ses yeux, Diaz était comme un membre de la famille, davantage qu'un simple journaliste en tout cas. Ils discutaient tranquillement dans la chambre d'hôtel de Tiger quand Norton arriva. Il venait de raccrocher avec McCormack, et il avait une idée à laquelle Tiger devait réfléchir.

« Mark pense que tu devrais publier un livre, comme Jack et Arnie l'ont fait avant toi », dit-il.

Tiger était pris au dépourvu. *Un livre* ?

---

36. La somme nécessaire à l'époque pour se qualifier.

Il était professionnel depuis seulement trois semaines, il n'avait encore rien gagné et il essayait de se qualifier pour le circuit 1997. À quoi Norton pouvait-il bien penser?

«Tu pourrais écrire un livre sur la technique, ou alors une autobiographie», poursuivit-il.

Diaz ne dit rien, mais il lui semblait évident que Norton avait cette idée en tête depuis un bon bout de temps.

«Alors, tu en penses quoi?» insista Norton.

Tiger ne savait pas quoi penser, justement. Il était golfeur, pas écrivain. Et une autobiographie lui paraissait au-dessus de ses forces. Il n'aimait déjà pas dire aux médias ce qu'il avait pris au petit déjeuner, alors écrire des centaines de pages sur sa vie privée...

«Arnie l'a fait?» demanda Tiger.

Norton confirma.

«Et Jack aussi?»

Norton confirma à nouveau.

«Mais qui pourrait l'écrire?»

«Aucune idée, dit Norton en se tournant vers Diaz. Jaime?»

Diaz regarda les deux hommes. Il n'avait jamais écrit de livre, mais il fut immédiatement séduit à l'idée de travailler main dans la main avec Tiger.

Après quelques échanges supplémentaires, Tiger accepta à contrecœur. Mais il voulait bien s'y coller seulement si Diaz était de la partie. Norton demanda au journaliste de leur faire une proposition chiffrée.

D'un simple point de vue financier, l'idée de Norton semblait cohérente. Tiger était au sommet de la vague et c'était le bon moment pour lancer quelques lignes vers les maisons d'édition, souvent inconstantes dans leurs envies mais qui paraissaient très enthousiastes sur ce coup-là. L'idée de cet ouvrage déclencha d'ailleurs une véritable guerre dans l'industrie de l'édition new-yorkaise, qui se livra à plusieurs surenchères. Une bataille finalement remportée par Warner Books avec une offre à 2,2 millions de dollars pour deux ouvrages: un livre de technique à sortir au plus vite, et une autobiographie qui paraîtrait dans les années à venir. Et Tiger récupérait deux millions de plus dans l'histoire.

Mais Earl n'était pas content. Il avait déjà signé un contrat en son nom avec HarperCollins, et il fut contrarié d'apprendre qu'IMG avait négocié en direct avec son fils. Il allait sans dire que ce projet allait considérablement plomber le sien. Il jugeait de surcroît qu'on devait systématiquement passer par lui pour n'importe quelle idée de business. Et Norton venait d'enfreindre une règle capitale en parlant directement avec Tiger.

Le 25 septembre 1996, Tiger déclara soudainement forfait pour le Buick Challenge de Pine Moutain, Géorgie, la veille du tournoi. Raison invoquée : son épuisement. Un dîner était prévu en son honneur cette semaine-là, pour le récompenser d'avoir été le meilleur golfeur universitaire de l'année 1995-96. Mais il préféra rentrer chez lui plutôt que d'y assister. L'événement (le Fred Haskins Award) fut donc annulé, malgré la présence de deux cents invités déjà sur place. Une fois de plus, John Feinstein sauta sur l'occasion.

« Lorsque vous êtes le futur du golf et que vous savez qu'un tournoi s'est appuyé sur votre présence pour faire sa promotion, eh bien il faut venir, quoi qu'il advienne, écrivit-il. Et quand les sponsors d'un événement ont organisé leur dîner en fonction de votre emploi du temps, et que vous les avez assurés de votre présence, eh bien vous ne pouvez pas les zapper et juste rentrer chez vous. »

Tiger ne pouvait pas encadrer Feinstein et il se fichait bien de son avis. Mais il fut également critiqué par ses camarades de jeu, et il ne pouvait balayer ces attaques inattendues. Tom Kite affirma qu'il ne se souvenait pas avoir été fatigué quand il avait vingt ans. Peter Jacobsen dit qu'on ne pouvait plus le comparer à Palmer et Nicklaus, parce que ces deux-là ne laissaient jamais tomber les autres. Mais les mots qui le touchèrent le plus furent prononcés par Palmer lui-même : « Tiger aurait dû jouer le tournoi, dit-il à un reporter. Il aurait dû assister au dîner. La leçon de tout ça, c'est qu'il ne faut jamais s'engager si on n'est pas sûr de pouvoir répondre présent. Sauf si vous êtes sur votre lit de mort, bien sûr. »

Je pensais que tous ces gens étaient mes amis, pensa Tiger après ce feu nourri de critiques. Seul, l'impression d'avoir une cible dans le dos, il regretta soudain Stanford et son univers si protégé. Tout le monde lui crachait dessus pour avoir déclaré forfait à un tournoi et un dîner, mais personne ne savait ce qu'il devait affronter chez lui.

Ses parents avaient vécu ensemble dans leur maison de Cypress depuis sa naissance. Et ils allaient se séparer maintenant qu'il était parti. John Merchant avait été missionné pour trouver une maison à Kultida, assez grande pour qu'elle puisse recevoir ses proches et sa famille thaïlandaise lors de leurs visites. Il en avait repéré une de 420 m², avec cinq chambres et six salles de bains, dans une résidence sécurisée à Tustin (Californie). Elle coûtait 700 000 $, Tiger avait accepté de payer et la vente devait être finalisée début novembre. La situation entre ses parents était bien plus douloureuse que tout ce qu'il avait à affronter sur le circuit, mais il n'était pas prêt à l'admettre. Il préférait rester dans le déni, quitte à susciter une levée de boucliers parce qu'il s'était désisté à la dernière minute.

Le 6 octobre, une semaine après avoir renoncé au dîner en son honneur, Tiger remporta son premier tournoi du PGA Tour en battant Davis Love au Las Vegas Invitational. Une victoire stupéfiante : c'était seulement la cinquième épreuve qu'il disputait chez les professionnels.

«Vous aviez *vraiment* imaginé gagner aussi vite ?» lui demanda un journaliste.

«Oui, tout à fait», répondit-il d'un ton neutre.

Hughes Norton voyait dans cette victoire la preuve que Tiger avait bien fait de zapper le Buick Challenge. Mais ça ne changeait rien au fait qu'il avait laissé des centaines de personnes en plan, sans essayer d'apaiser les rancœurs à son encontre. Admettre ses erreurs et s'excuser : c'était souvent au-dessus de ses forces. Mais là, il devait faire quelque chose. Le journaliste de golf Pete McDaniel, qui travaillait déjà avec Earl sur son livre à paraître, fut chargé de rédiger lui-même les excuses de Woods.

Personne mieux que McDaniel ne connaissait l'histoire des golfeurs afro-américains. Tiger n'était certes pas le premier d'entre eux, mais il allait changer le jeu comme aucun autre ne l'avait fait avant lui, en fracassant toutes les limites. McDaniel en était bien conscient et il était plus qu'heureux d'aider Tiger à nager en eaux troubles. Il rédigea donc les excuses, qui furent publiées sous la signature de Tiger dans *Golf World* quelques jours après sa victoire à Las Vegas. «Je n'ai même pas pensé au dîner, pouvait-on lire. Je me rends compte seulement maintenant de ce qu'il s'est passé. Même si je sais que j'ai vraiment bien fait de déclarer forfait, je sais aussi que j'aurais dû rester pour assister au dîner avant de rentrer chez moi. Je le réalise seulement a posteriori.»

L'objectif fut atteint. Les responsables du Fred Haskins Award purent le reprogrammer début novembre, avec la présence de

Tiger et de son père. Tiger se montra humble et bienveillant dans son discours de remerciements. Mais les mots prononcés par Earl marquèrent l'assistance. Ayant du mal à retenir ses larmes, il dit :

Ayez la gentillesse de me pardonner, mais j'ai parfois du mal à contrôler mes émotions quand je parle de mon fils. Mon cœur se remplit… de joie… quand je vois à quel point ce jeune homme va pouvoir aider les autres. Il va transcender le jeu de golf et amener une touche d'humanisme qu'on n'a encore jamais vue dans ce monde. Il sera plus doux de vivre sur cette planète grâce à sa présence. Je ne mérite qu'une toute petite part de reconnaissance dans cette histoire, parce que c'est Dieu lui-même qui m'a choisi pour élever ce jeune homme et faire en sorte qu'il puisse apporter sa contribution à l'humanité. Il est mon trésor. Veuillez l'accepter et en faire un usage aussi sage que possible. Merci.

Toute l'assistance se leva pour applaudir et Tiger prit son père dans ses bras.

Il n'avait pas encore complètement digéré les conséquences de cette histoire de dîner lorsqu'il remporta sa deuxième victoire sur le PGA Tour, en battant Payne Stewart d'un coup au Walt Disney World/Oldsmobile Classic. Le prize money de 216 000 $ pour cette victoire portait son total pour l'année 1996 à 734 794 $, largement suffisant pour obtenir ses droits de jeu 1997 malgré une saison plus que réduite. Il avait remporté deux de ses sept premiers tournois, une performance exceptionnelle.

Il avait répondu aux questions pendant sa conférence de presse et n'avait aucune envie de poursuivre la conversation de façon informelle avec les journalistes. Plusieurs l'avaient suivi jusqu'au vestiaire, en espérant gratter quelques déclarations supplémentaires. Tiger demanda aux employés de la sécurité de ne pas les laisser entrer, et les reporters furent rapidement invités à quitter les lieux. Mais Wes Seeley, alors responsable des relations presse au sein du PGA Tour, demanda aux vigiles de bien vouloir libérer l'accès. « C'est le Tour qui édicte les règles, et pas ce jeune homme. Peu importe ce que lui et ses sbires peuvent penser, il n'est pas le cinquième Beatles », dit-il.

Peut-être bien, mais il était malgré tout devenu une vraie rock star. Sa célébrité bouleversait les codes du golf ainsi que les règles en cours sur les tournois. Le nombre de spectateurs sur ses sept premiers tournois avait doublé, voire triplé, par rapport aux assistances habituelles. Les fans n'hésitaient pas à piétiner les cordes pour se rapprocher de lui. Des femmes le demandaient en mariage. Plus d'une fois, il dut s'extraire des club-houses en toute discrétion pour échapper aux spectateurs trop enthousiastes. David Letterman et Jay Leno le réclamaient à corps et à cris. Bill Cosby voulait écrire un épisode du Cosby Show autour de sa personnalité, juste pour qu'il participe à la plus célèbre des séries télé. Le magazine *GQ* était prêt à payer pour l'avoir en couverture. Tout le monde voulait une part du gâteau, une part du Tiger. À tel point qu'il savait exactement ce qu'il se passait quand Norton venait lui parler : untel ou untel avait demandé à l'avoir en interview, une fois de plus.

« Dis-leur d'aller se faire foutre ! » répondait-il à Norton.

« Très bien. Et ensuite, je leur dis quoi ? » demandait son agent.

« Tu leur dis de retourner se faire foutre ! »

Fin octobre, au moment du Players Championship qui se disputait à Tulsa, Oklahoma, Tiger en avait plus qu'assez du harcèlement et des intrusions répétées de la presse. Si quelqu'un s'en rendait compte mieux qu'un autre, c'était bien Earl, qui voyageait avec lui. Le soir du premier tour, alors qu'il fumait une cigarette dans sa chambre d'hôtel, il reçut la visite de John McCormick, un journaliste expérimenté de *Newsweek*. Celui-ci lui expliqua qu'il voulait raconter leur histoire et les mettre tous les deux en couverture, mais il se heurta à un mur. Earl lui expliqua qu'il n'était pas intéressé, ce qui signifiait que Tiger ne donnerait pas suite lui non plus. Bien décidé à le faire changer d'avis, McCormick sortit alors son portefeuille.

« Écoutez, je vais vous montrer pourquoi je veux absolument écrire votre histoire. »

« Pour l'argent ? » demanda Earl.

« Non, pour ça, ajouta McCormick en sortant une photo de ses enfants qu'il tendit à Earl. Voilà pourquoi. »

Earl avait un faible pour les enfants. Tout en restant méfiant, il parla avec McCormick pendant trois heures, en lui livrant des tonnes d'anecdotes. Puis le journaliste quitta la chambre aux alentours de minuit. Deux heures plus tard, Tiger reçut un coup de fil de sa mère : son père venait d'être transporté en urgence à l'hôpital après avoir ressenti de fortes douleurs dans la poitrine.

Dix ans plus tôt, Earl Woods avait subi un quadruple pontage pour soigner une artériosclérose due à un excès de cholestérol. Connaissant le passif de son père, Tiger fila directement à l'hôpital. Les médecins venaient d'effectuer un électrocardiogramme, puis avaient donné des médicaments à son père pour stabiliser la situation.

« Ça va aller, dit Earl à son fils. Ne t'inquiète pas. Va jouer au golf. »

Tiger ne dit rien, mais il était bien trop inquiet pour se concentrer sur le golf. Son père avait soixante-quatre ans, maintenant. Il passa toute la nuit à l'hôpital et rendit une carte de 78 le lendemain, son pire score depuis son passage professionnel. « Je n'avais pas envie d'être là aujourd'hui, dit-il après coup, parce qu'il y a des choses bien plus importantes que le golf dans la vie. J'aime mon père plus que tout, et je n'aimerais pas qu'il lui arrive quelque chose. »

Il termina le tournoi à la vingt et unième place, avec un score total de +8. Il rendit visite à son père à Cypress quelques semaines plus tard. Celui-ci profita d'une virée en ville de son fils pour donner une autre interview à McCormick, lequel espérait cette fois pouvoir rencontrer Tiger. Dix minutes, pas plus, dit-il à Earl. Sans rien lui promettre, Earl passa un coup de fil à Tiger et tendit l'appareil à McCormick pour qu'il puisse lui demander en direct.

« Non », dit Tiger au journaliste.

« D'accord, mais juste pour être bien clair : mon article concerne ton père et la façon dont il t'a élevé. Je ne vais pas écrire une histoire sur toi. »

« Non », répéta Tiger.

McCormick était décontenancé. « C'était vraiment pas sympa, se rappelle-t-il. Juste *non*, et rien d'autre. »

Se retrouver une nouvelle fois en couverture d'un magazine national ? Tiger n'en avait rien à faire, mais ses sponsors aimaient bien l'idée. À contrecœur, il accepta donc de participer à un shooting avec son père. Quelques semaines plus tard, les deux hommes étaient en couverture de *Newsweek* avec le titre « Élever un Tiger : l'histoire de famille qui se cache derrière le prodige aux 60 M$. » Tiger était habillé en Nike, avec un club Titleist dans la main ; Earl portait une casquette Titleist. L'article courait sur neuf pages et décrivait Tiger comme un « jeune homme si aimable qu'il signe des autographes pendant une demi-heure après ses tours de golf» et qu'il donne des «clinics pour les jeunes défavorisés». On pouvait aussi lire, sans qu'aucune preuve ne vienne illustrer l'affirmation, qu'il avait subi des «actes racistes pendant des années sur les parcours». Le propos général du papier cherchait à répondre à cette question : «Comment les parents ont-ils pu réussir ce tour de force?»

En d'autres termes, comment Earl et Kultida s'y étaient-ils pris pour éduquer un «jeune homme aussi charmant»?

«Chacune de nos actions était étudiée pour faire de lui la meilleure personne possible, disait Earl au magazine. Chacun a ses priorités dans la vie. Mais la toute première, c'est le bien-être de vos enfants. Savoir qui il est et ce qui est bon pour lui passe avant l'objectif d'en faire un grand joueur.»

Des déclarations qui servaient d'abord ses propres intérêts. Mais d'un point de vue marketing, c'était tout bénéfice pour Nike et Titleist. Même le shooting photo avait été mis en scène pour à la fois donner une image idyllique de la famille et mettre en avant les produits des sponsors. Un cliché, notamment, montrait Earl et Kultida souriants l'un à côté de l'autre, enlacés comme en plein bonheur conjugal. Il avait été pris devant leur maison de Cypress, que Kultida avait désormais quittée.

Même si Tiger n'avait pas dit un mot à *Newsweek*, il se prêtait de bonne grâce aux désirs de ses sponsors. «Mais je n'en ferai pas davantage, dit-il à la même période. Je n'ai aucune envie de devenir un homme-sandwich.»

Mais IMG espérait bien le faire changer d'avis.

Tiger se rendait bien compte qu'il avait besoin de conseils sur la façon de gérer son argent. Tout comme il savait que la finance et les investissements stratégiques n'étaient pas les points forts de son père. Il se tourna une nouvelle fois vers John Merchant, qu'il sollicitait de plus en plus régulièrement. Son avocat appela tout de suite son vieil ami et confrère Giles Payne, un as de la gestion de patrimoine. C'est lui qui avait permis à Merchant d'intégrer le comité exécutif de l'USGA. L'homme de confiance de Tiger ne voyait personne de mieux placé que Payne et ses partenaires de Brody Wilkinson, un cabinet d'avocats basé à Southport, Connecticut, pour guider Tiger à travers les opportunités et les pièges générés par sa toute nouvelle richesse. Payne et ses partenaires Seth O. L. Brody et Fritz Ober – deux hommes exceptionnellement doués eux aussi – avaient débuté leur collaboration avec Tiger dès son passage professionnel. Le 19 novembre fut ainsi créée la Tiger Woods Inc., une société à but non lucratif basée dans le Connecticut. Tiger en était le PDG, et Earl le président du conseil d'administration.

Quelques semaines plus tard, Tiger convoqua sa nouvelle équipe d'avocats en Floride pour une rencontre avec ses partenaires Nike et Titleist. L'atmosphère était au triomphe lorsqu'ils arrivèrent au Bay Hill Club & Lodge à Orlando. L'association des deux sociétés portait ses fruits, et Nike venait tout juste de dévoiler une autre publicité qui commençait à marquer les esprits. Elle s'intitulait « I am Tiger Woods » et était elle aussi écrite par Riswold. On y voyait des enfants, tous issus des minorités, regarder l'objectif et répéter chacun leur tour « Je suis Tiger Woods ». Tout fonctionnait comme sur des roulettes. Tiger et son équipe prévoyaient de passer deux jours à élaborer les plans de financement de la nouvelle structure, ainsi qu'à réfléchir à la meilleure façon de s'en servir pour développer le golf auprès des jeunes des minorités.

Mais tous décidèrent de jouer dix-huit trous avant de se mettre au boulot. Tiger et Merchant étaient dans la même partie, placée sous le signe des blagues et du chambrage. Tiger était plus que satisfait de son travail depuis le début. Merchant avait géré chaque étape comme un chef et lui avait présenté une équipe de financiers en qui il avait toute confiance. Pour lui témoigner toute sa reconnaissance, il lui demanda de bien vouloir diriger la session de travail du soir. Merchant accepta avec joie. Après tout, c'est lui qui était à l'origine du recrutement de la moitié des personnes assises autour de la table.

Mais il prit d'abord un verre avec Earl. Les deux hommes étaient sur le toit du monde. Un verre en amena un second, puis un troisième. En très peu de temps, ils avaient déjà descendu cinq martinis. Et au moment de rentrer dans la salle de conférence sur le coup des 18 heures, ils étaient totalement bourrés.

Merchant prit place entre Wally Uihlein, le PDG d'Acushnet (la maison mère de Titleist) et Craig Bowen, le tout premier chef des ventes noir à travailler pour Titleist. C'est Merchant qui avait présenté Bowen à la famille Woods quand Tiger était encore lycéen, et cette relation était une des raisons qui avaient conduit le jeune golfeur à signer pour Titleist, également impliqué de près dans la rédaction des statuts de Tiger Woods Inc. Autour de la table, on retrouvait aussi Phil Knight, Fritz Ober, Giles Payne (que Merchant appelait affectueusement le « money man » de Tiger) et Earl.

Une fois tout le monde installé, Merchant ouvrit les débats en parlant de Nike et du million de dollars, sur les quarante prévus dans le contrat total, que la compagnie avait l'intention de verser à la fondation de Tiger. Mais, la langue déliée par l'alcool, il fit part de son objection à voir Earl Woods superviser la répartition de la donation pour les « efforts envers le golf chez les jeunes ». Confier un million de dollars à Earl Woods ? Ça revenait à lui offrir un permis de voler.

« Ça ne devrait pas se passer comme ça, dit-il avec fracas. Je m'en fous qu'Earl soit important ou non. Il ne peut pas gérer un truc comme ça tout seul. Juste parce que Nike lui donnerait de l'argent ? Il serait bien capable de le prendre et de le dépenser de son côté. »

Un silence assourdissant s'installa dans la pièce. Plutôt que d'expliquer clairement sa stratégie pour promouvoir la cause des minorités, Merchant avait provoqué une situation terriblement gênante. Une attitude qui mit fin à la réunion sur-le-champ. Sans dire un mot, Tiger se leva et sortit de la pièce. Avec Craig Bowen à sa suite, qui lui demanda : « Tiger, est-ce que tout va bien ? »

« Non, ça ne va pas du tout. Je connais mon père et je connais John. Ça ne va pas se passer comme ça. »

Merchant et Earl avaient beaucoup trop bu, c'était évident pour tout le monde. La meilleure chose à faire pour eux était d'aller se mettre au lit et de reprendre la conversation à tête reposée le lendemain. Mais il y avait deux choses à savoir chez Earl Woods : il ne disait jamais merci, et il ne pardonnait jamais une offense. Il avait un côté froid et sans pitié. Tiger avait un jour raconté que son père pouvait « vous trancher la gorge puis s'asseoir pour dîner en toute tranquillité ».

Le petit déjeuner était servi lorsque tout le monde se retrouva le lendemain matin. Remis sur pieds, Merchant posa son attaché-case sur sa chaise et s'apprêtait à se servir une tasse de café. Mais Earl lui demanda de sortir de la pièce avec lui. Puis il lui dit qu'il était viré.

Sous le choc, Merchant regardait son ami sans pouvoir dire un mot. Viré, après tout ce qu'ils avaient vécu ensemble ? Après tout ce qu'il avait fait pendant la carrière amateur de Tiger ? Après tout son travail bénévole et tous les problèmes qu'il avait dû affronter avec l'État du Connecticut? Après qu'il avait monté toute une équipe autour de son fils en lui présentant les avocats de Brody Wilkinson? C'était quoi ce bordel?

«C'est l'une des choses les plus difficiles que j'ai eu à faire de toute ma vie», lui dit Earl, en faisant semblant d'être touché.

«Mais pourquoi?» murmura Merchant.

Pas de réponse.

«C'est quoi le problème?» insista-t-il.

Toujours pas de réponse.

Merchant avait l'impression que la pièce tournait sur elle-même. Il n'avait plus aucun repère. Il n'était plus l'avocat de Tiger, avec effet immédiat.

Sans un mot, les deux hommes entrèrent à nouveau dans la salle de réunion. Earl s'assit et prit son petit déjeuner, alors que Merchant rassemblait ses affaires et prenait la porte. Une heure plus tard, il avait réglé sa note d'hôtel et se dirigeait vers l'aéroport.

La situation était embarrassante pour Fritz Ober et Giles Payne, ses amis de longue date. Mais ceux-ci acceptèrent de prendre en charge les affaires de Tiger. Ils se mirent tout de suite au boulot en gérant l'acte de transfert d'une propriété d'IMG vers Tiger, et en domiciliant sa société au 135 Rennell Drive, Southport, Connecticut. Ils créèrent également le Tiger Woods Revocable Trust, en désignant Earl et Tiger comme seuls administrateurs.

Embaucher Brody Wilkinson fut le meilleur conseil que Merchant ait jamais donné à Tiger. Sa société allait gérer les affaires de Woods pendant des années pour lui permettre de bâtir une vraie fortune et d'éviter les erreurs commises par tous ces athlètes qui avaient gagné des millions pendant leur carrière avant de se retrouver ruinés une fois à la retraite.

Deux semaines plus tard, Merchant reçut une enveloppe dans sa boîte aux lettres. C'était un courrier envoyé par Earl, avec un chèque qui correspondait à deux semaines d'indemnités de licenciement. Merchant le renvoya par la poste avec ce petit mot: «Torche-toi le cul avec!»

Il pensait qu'il ne connaîtrait jamais vraiment le fond de l'affaire. Mais quelques mois plus tard, il rencontra Kultida sur un tournoi. Ces deux-là s'étaient toujours bien entendus et elle avait l'air sincèrement touchée par sa situation. Elle lui dit ce qu'elle en pensait, à savoir que Tiger avait toujours écouté son père. Il avait passé sa vie entière à l'écouter, et là, d'un seul coup, il prenait conseil auprès de quelqu'un d'autre pour ses investissements. Earl ne supportait pas d'être mis en concurrence. «Et à la fin, ce sont toujours les parents qui gagnent», conclut-elle.

Merchant n'eut plus jamais l'occasion de rencontrer Tiger. Les derniers mots qu'il entendit de sa bouche remontaient à leur partie de golf, quand ils quittaient le green du 18 de Bay Hill. Tiger le regardait, en souriant, et il lui dit : «Je t'aime, mec.»

CHAPITRE 11
DE MAIN DE MAÎTRE

13 janvier 1997. Un lundi matin ensoleillé. Tiger se trouvait chez sa mère, dans sa nouvelle et luxueuse maison de Tustin, en Californie. Une Mercedes flambant neuve était garée au bord de la route. Il l'avait gagnée en même temps que les 216 000 dollars promis au vainqueur du Mercedes Championship, qu'il avait remporté la veille au La Costa Resort and Spa de Carlsbad. Il estimait que la voiture se marierait parfaitement avec la maison et l'offrit donc en cadeau à Kultida. Pourquoi pas, après tout ? Elle avait consacré toute sa vie à son fils, jouant un rôle essentiel dans son éducation pour l'amener vers les sommets. Deux semaines plus tôt, à l'occasion de son vingt et unième anniversaire, Tiger avait lui aussi reçu un sacré cadeau : *Sports Illustrated* l'avait choisi pour la couverture de son dernier numéro de 1996, celui qui, comme tous les ans, récompensait le sportif de l'année. Jamais un athlète aussi jeune n'avait reçu une telle récompense.

Il n'était pourtant pas le seul sportif de classe internationale à avoir fait ses débuts professionnels en 1996. Kobe Bryant avait rejoint les Lakers de Los Angeles à dix-huit ans. Idem pour Derek Jeter avec les New York Yankees, à vingt-deux ans. Et la jeune Serena Williams, âgée de quatorze ans, avait joué son premier tournoi professionnel à la fin de l'année 1995. Tous deviendraient des immenses stars en basket, en football américain et en tennis. Mais Tiger planait des kilomètres au-dessus ; on l'avait immédiatement identifié comme celui qui avait totalement changé le golf et comme le sportif le plus fascinant des États-Unis. Pour ses sept premiers tournois, il avait terminé soixantième, onzième, cinquième, troisième, premier, troisième et encore premier. Finir dans le top 5 cinq fois consécutivement n'arrivait jamais à un professionnel confirmé, alors un débutant... Il avait la meilleure moyenne de drive, avec 277 mètres.

C'est lui qui réussissait le plus de birdies par tour, et aussi d'eagles avec un tous les cinquante-sept trous. Il avait joué seulement sept tournois en 1996, et il s'était classé vingt-quatrième de la Money List.

Tiger avait modifié tous les codes du monde du golf. Du jour au lendemain, le nombre de spectateurs présents sur les tournois avait doublé ou triplé, grâce notamment à une présence accrue des minorités, quel que soit leur âge, et aussi des tonnes de jeunes de toutes les origines qui trouvaient que le golf était un truc cool, finalement. Les audiences télé des épreuves du PGA Tour montaient en flèche. Tiger avait à lui tout seul mis le golf en une des pages sports des quotidiens, reléguant le basket et le football américain en pages intérieures et poussant les éditorialistes à écrire : «Est-ce que tout ça est vraiment en train de se passer, ou est-ce qu'on rêve?» Tiger Woods était aussi devenu un nom familier pour des journaux et magazines tels *Time*, *Newsweek*, le *Washington Post* ou encore le *New York Times*. On avait l'impression qu'il écrivait l'histoire au quotidien. Même les golfeurs pros les plus expérimentés finirent par admettre publiquement qu'il était sans doute devenu le meilleur joueur au monde. Personne n'avait, de toute l'histoire du jeu, fait une entrée aussi fracassante pour ses débuts. Et Tiger avait commencé l'année 1997 comme il avait terminé la précédente : en remportant le premier tournoi de la saison. Et si Nike avait raison, après tout? Peut-être que le monde du golf n'était pas prêt pour lui...

Mais chez sa mère, ce matin-là, ce qui le préoccupait allait bien au-delà du cadre de son sport. Il avait remporté son troisième titre sur le Tour, ça d'accord, on s'y attendait. Mais le titre de sportif de l'année avait aussi son revers de la médaille : les attentes ne faisaient qu'augmenter. *Sports Illustrated* avait missionné le très expérimenté Gary Smith pour écrire l'histoire qui allait illustrer la fameuse couverture. Le journaliste n'avait aucun intérêt pour le golf en tant que tel. C'était la dimension humaine des sportifs qui l'intéressait, et il était réputé pour décrire l'homme qui se cachait derrière l'athlète dans ses papiers. Vers la fin de l'année 1996, il suivit Tiger pendant plus d'une semaine et put lui parler à plusieurs reprises. Mais sa vision du jeune homme devint plus nette une fois qu'il eut rencontré le père.

«Tiger fera plus que n'importe qui pour changer le cours de l'humanité», lui dit Earl.

Curieux, Smith posa ensuite une question assez logique : était-ce une référence aux autres grands sportifs noirs de l'histoire, tels Joe Louis, Jackie Robinson, Mohamed Ali ou Arthur Ashe ?

«Bien davantage que ceux-là, parce qu'il a plus de charisme, plus d'éducation, et qu'il est bien mieux préparé pour sa mission que n'importe qui», répondit Earl.

«N'importe qui ? demanda Smith. Et Nelson Mandela, Gandhi ou Buddha, alors ?»

«Oui, plus qu'eux, parce qu'il a une tribune bien plus large, ajouta Earl. Parce qu'il pratique un sport qui se joue dans le monde entier. Parce que son origine ethnique lui permet d'accomplir des miracles. Il est le pont entre l'Est et l'Ouest. Il n'y a pas de limite, parce que c'est son destin. Je ne sais pas encore exactement sous quelle forme ça se manifestera. Mais il est l'Élu. Il aura la capacité d'influencer les pays. Pas leurs habitants, mais les nations elles-mêmes. Le monde n'a eu jusqu'ici qu'un petit aperçu de ce qu'il pouvait faire.»

Le reportage de Smith, titré «L'Élu», est depuis rentré dans les annales du journalisme de sport. L'angle du portrait était à la fois précautionneux et tout à fait sincère. Il dépeignait Tiger comme l'un des «rares athlètes à s'installer sur-le-champ comme la personnalité dominante de sa discipline». Mais il posait aussi une question terrifiante : «Qui va gagner, au final ? La machine, ou le jeune homme qui vient juste de rentrer dans sa gueule ?»

Par «gueule», Smith entendait bien sûr la mâchoire ou la gorge d'un animal féroce. Et personne ne nourrissait cette bête mieux qu'Earl lui-même. L'article de *Sports Illustrated*, la publication la plus renommée dans le monde de la presse sportive, était surtout destiné à rendre hommage aux débuts historiques de son fils. Mais lui s'en était servi pour lui ajouter un fardeau impossible à porter, comme aucun autre parent ne l'avait fait auparavant. Earl ne pouvait se contenter de voir son fils dominer sa discipline. Il voulait que Tiger éclipse les leaders spirituels les plus éminents qui aient jamais vécu ici-bas.

Depuis son plus jeune âge, Tiger avait entendu ses parents lui dire à quel point il était différent, spécial ou génial. Et il avait toujours été traité en conséquence. À l'adolescence, il n'avait jamais travaillé sur autre chose que son jeu de golf. Il n'avait pas eu à tondre le gazon, livrer des journaux ou bosser dans une station-service. Il était exempté de tâches ménagères. On ne lui demandait pas de sortir les poubelles, de débarrasser la table ou de se faire à manger. Il était tellement couvé que jamais ses parents ne firent appel à une baby-sitter. Pas une seule fois. Parce qu'ils avaient toujours été persuadés qu'il allait faire des choses extraordinaires sur un parcours de golf, et qu'ils avaient agi en conséquence. Et une fois ces exploits accomplis, et une fois seulement, alors il serait capable de faire ce pour quoi son père l'avait missionné – changer le monde. Tiger avait gardé toute cette pression pour lui au fil des années. Mais Earl avait mis la barre encore plus haut avec ses déclarations grandiloquentes à *Sports Illustrated*.

Tiger se retrouvait souvent dans des situations gênantes à cause de son père. Mais là, les journalistes habitués à fréquenter la famille jugeaient que le vieil homme était allé trop loin et qu'il déraillait complètement. Certains ricanaient, d'autres se sentaient mal à l'aise pour Tiger. Butch Harmon n'en pouvait plus, affirmant qu'Earl était maintenant «totalement hors de contrôle». Mais Tiger ne changeait rien à sa façon de faire : il restait aux côtés de son père, en assumant ses propos et en intériorisant ce qu'il pensait vraiment. *Rien d'effrayant là-dedans*, se disait-il, *rien que je ne puisse gérer*. Il était programmé ainsi, pour ne jamais admettre la moindre faiblesse. Même quand son père lui avait fait vivre l'enfer en utilisant ses techniques martiales pour à la fois l'humilier et le rendre plus fort à grands coups d'insultes et de sarcasmes racistes, Tiger n'avait jamais prononcé le mot de passe, «assez». Et ce n'était pas maintenant qu'il allait le faire. Il préférait se raccrocher à ce qu'il savait déjà : «Je suis le golfeur le plus fort mentalement», dit-il à Smith.

Tel était son état d'esprit quand il partit de chez sa mère en ce matin de janvier, pour grimper à l'arrière d'une limousine où l'attendait Charles P. Pierce, un reporter de quarante-trois ans. Tout comme Gary Smith, ce dernier était un poids lourd du journalisme, réputé pour sa plume acérée et une vision des choses plutôt iconoclaste. Il avait rendez-vous avec Tiger pour écrire un long portrait pour *GQ*, qui prévoyait également de le mettre en couverture. Pierce fut surpris de le voir arriver seul, sans attaché de presse ni responsable d'IMG pour surveiller la conversation. Il était déjà persuadé que Tiger avait le swing le plus parfait de tous les temps, qu'il était le meilleur jeune golfeur de l'histoire et qu'il allait probablement remporter plus de Majeurs que Jack Nicklaus. En revanche, il n'achetait pas une seule seconde tout ce que son père avait pu raconter dans *Sports Illustrated*, notamment sur la volonté divine. Il le résumait ainsi : « Je ne pense pas qu'Earl Woods puisse trouver le chemin de la volonté divine, quand bien même Thomas d'Aquin et une meute de limiers lui ouvriraient la voie. »

Tiger ne savait pas grand-chose de Pierce. Mais quand celui-ci mentionna *Sports Illustrated* sur le chemin du studio de Long Beach où devait avoir lieu la séance photo, Tiger en minimisa l'importance : « L'article allait un petit peu trop loin. C'est votre truc à vous les reporters, vous essayez toujours de creuser là où il n'y a rien à trouver. »

Le studio avait bien fait les choses : quatre superbes jeunes femmes étaient aux petits soins pour Tiger et lui passaient les tenues qu'il devait porter pour la séance. Elles étaient un peu aguicheuses et il leur racontait des blagues pendant qu'un photographe de mode prenait des clichés. Par exemple celle-ci : « Les Chenapans[37] sont à l'école, et la maîtresse leur demande de faire une phrase en utilisant certains mots. Le premier mot est *aimer*, et Spanky dit "J'aime les chiens". Le deuxième mot est respect, et Alfalfa répond : "Je respecte le fait que Spanky aime les chiens". Le troisième mot est *dictate*. Un silence, puis Buckwheat lève le doigt et dit : *"Hey Darla, how my dick ta'te?"*[38] »

Les jeunes femmes éclatèrent de rire et le flirt se fit de plus en plus poussé tandis que Tiger continuait de raconter des blagues. Pierce prenait des notes, méticuleusement. Le shooting était presque terminé, mais Tiger en avait encore en réserve. « Savez-vous pourquoi les lesbiennes vont plus vite que les gays ? Parce qu'elles font toujours du 69 ! » D'autres éclats de rires ; d'autres notes dans le carnet de Pierce.

« Hey ! fit soudain Tiger en jetant un coup d'œil dans sa direction. Vous ne pouvez pas écrire ça, hein ? »

« Trop tard », répondit le reporter.

Une réponse qui fit elle aussi rire tout le monde. Sauf qu'il ne plaisantait pas.

Sur le chemin du retour, Tiger lui demanda ce qu'il avait pensé du shooting. Pierce ne livra pas le fond de sa pensée, à savoir que Tiger était le sportif le plus charismatique qu'il ait pu croiser et que le fait de se retrouver en couverture de *GQ* allait sans doute

---

37. *The Little Rascals* en V.O., film sorti en 1994 aux États-Unis.
38. Pour : *How my dick taste?*, c'est-à-dire : *Ma bite a quel goût ?* Jeu de mots intraduisible.

lui assurer de ne plus s'endormir seul pendant pas mal de temps, en tout cas chaque fois qu'il en aurait envie.

Il voulait plutôt savoir ce que Tiger en pensait lui-même.

« La clé, c'est de fixer un temps bien défini et de s'y tenir, dit-il. Si je leur dis "Vous avez une heure", eh bien je suis disponible pendant une heure, et je suis ponctuel. S'ils veulent davantage, je leur réponds "Vous rêvez, jamais de la vie !" Et je me casse. »

Pierce prit également bonne note de cette phrase-là. Il avait de toute façon noté tout ce que Woods lui avait dit. Mais cela n'inquiétait pas Tiger, qui avait des gens à rencontrer, des endroits à visiter et des primes à récupérer.

Même à minuit, Tiger attirait la foule. Lorsqu'il atterrit à Bangkok début février, accompagné de sa mère, l'aéroport était bondé de fans. Quatre des cinq chaînes nationales de télévision retransmettaient l'événement en direct. Nike avait pris en charge le voyage : la présence de Tiger sur l'Asian Tour représentait une mine d'or potentielle. Woods reçut 448 000 $ simplement pour sa participation au Honda Classic, et 48 000 $ de plus pour avoir remporté l'épreuve avec dix coups d'avance. Dans le pays natal de sa mère, il eut le privilège d'obtenir une audience privée avec le Premier ministre et de rencontrer des hommes d'affaires de premier plan. Il fut également invité à plusieurs réceptions privées avant de s'envoler pour Melbourne, où il perçut 300 000 $ pour sa participation à l'Australian Masters. Ces sommes étaient totalement extravagantes selon les standards du PGA Tour en 1997. Le voyage coûtait lui aussi une fortune, mais c'était le prix à payer pour bâtir une marque mondiale. La marque Woods.

Earl ne fit pas le voyage en Thaïlande. Il subit une angiographie après son alerte de Tulsa, qui permit d'identifier plusieurs artères bouchées et abîmées. Les docteurs lui conseillèrent de changer radicalement de mode de vie, en modifiant son alimentation et en arrêtant l'alcool et les cigarettes. Il dut également subir un triple pontage, une opération qui eut lieu au centre médical d'UCLA à la fin février. Tiger avait modifié son programme pour pouvoir y assister. Après quelques complications, Earl avait été admis en soins intensifs pour se retrouver sous traitement médical lourd. Tiger regardait un jour le moniteur de fréquence cardiaque quand celui-ci devint soudainement plat. Il raconta plus tard : « Mon père m'a dit qu'il avait ressenti comme une grosse montée de chaleur et qu'il avait l'impression de marcher vers une lumière. Et qu'il avait finalement décidé de ne pas aller jusqu'à la lumière.»

Pour la toute première fois, Tiger eut un aperçu de ce que pourrait être sa vie sans son père. Il ne dit rien quand Earl fut totalement remis, mais ce dernier savait bien ce qu'il ressentait. «Tiger ne se laisse pas dévorer par ses émotions, dit-il peu de temps après sa sortie de l'hôpital. Et moi non plus. On se touche, et tout est dit.»

Tiger fit son retour sur le PGA Tour en mars. Il s'apprêtait à jouer le deuxième tour du Bay Hill Invitational quand il tomba sur la couverture de *GQ*. La photo était parfaite – il portait un costume chic, une cravate et il souriait à pleines dents. Mais le titre n'annonçait rien de bon : «L'avènement de Tiger Woods, le prochain Messie du sport». Ça ne sent pas bon du tout, ça, pensa-t-il. Il ouvrit le magazine pour lire le titre du reportage : «L'Homme. Amen.» Juste en dessous, en gros caractères, était écrit : «Dans le Livre de saint Earl des Woods, passons maintenant au chapitre suivant, verset 1997, au cours duquel le supposé Messie – avec l'auréole, la virgule et tout le toutim – s'avère être, oups !, un gamin de vingt et un ans.»

Il ne se souvenait pas de tout ce qu'il avait bien pu raconter à Pierce – ça faisait deux mois maintenant, une éternité dans sa vie frénétique – et il décida de lire l'article. Qui commençait avec une blague irrévérencieuse, suivie d'une scène qui s'était déroulée dans la limousine qui le ramenait chez sa mère. Tiger avait engagé la conversation avec le chauffeur, avec cette remarque : «Ce que je n'arrive pas à comprendre, c'est pourquoi toutes ces jolies femmes traînent autour des joueurs de baseball et de basket. À ton avis, c'est parce que tout le monde dit que les noirs ont des grosses bites ?» *Non, ce n'est définitivement pas bon du tout.*

Tiger n'en revenait pas que Pierce ait pu écrire tout ça. Il avait parlé au chauffeur, pas au journaliste. Toutes ses blagues salaces étaient également écrites noir sur blanc, même si Pierce reconnaissait que toutes ses allusions aux noirs, aux gays et aux lesbiennes, ainsi que celle où Buckwheat demande à une fille quel goût peut bien avoir sa bite, étaient de celles que tous les jeunes de vingt et un ans se balançaient entre eux quand ils se retrouvaient pour vider une ou deux bières le samedi soir. Puis il lut cette phrase à son propos : «Ses blagues vont prendre une autre dimension une fois imprimées dans ce magazine, justement parce qu'il n'est pas un gamin de vingt et un ans comme les autres.»

Il avait l'impression d'avoir reçu un coup bas et il s'en voulait vraiment. *Comment est-ce que j'ai pu être aussi stupide ?* se demandait-il.

IMG publia un communiqué de presse dans les vingt-quatre heures. «Tout le monde sait que j'ai seulement vingt et un ans et que j'ai l'âge de me faire avoir par certains journalistes un peu trop ambitieux, affirmait Woods. Cet article le montre bien, et personne n'a besoin de payer trois dollars pour s'en rendre compte. C'est plutôt facile d'en rire et de trouver ça puéril et mesquin, sauf en ce qui concerne les propos au sujet de mon père. Je ne comprends pas toutes ces attaques mesquines dont il est l'objet.»

Pierce avait souligné ce qu'il considérait comme les inepties du scénario qu'Earl avait bâti pour son fils. Tiger se sentait meurtri. Déjà très méfiant à l'égard des médias, il voyait dans l'article de *GQ* la preuve ultime que les journalistes n'étaient pas dignes de confiance. Plutôt que de remettre en cause son attitude ou celle d'IMG, qui avait organisé le rendez-vous en le laissant livré à lui-même avec Pierce, Tiger fut résolu à s'isoler davantage encore. Cette expérience venait renforcer le conseil que lui avait donné Earl à propos des reporters – tu réponds à la question, tu ne dis pas un mot de plus. À l'avenir, il respecterait cette ligne de conduite à la lettre. Il n'y aurait plus de blagues et il ne laisserait personne armé d'un stylo ou d'un micro en savoir trop sur ses sentiments ou ses pensées profondes.

Nul doute que Charlie Pierce venait de rejoindre John Feinstein tout en haut de la liste noire de reporters qui, selon Tiger, ne cherchaient qu'à lui nuire. Pour Pierce, ce n'était pas bien grave, il ne couvrait pas le golf. Mais pour tous les suiveurs du PGA Tour, le papier de *GQ* marquerait un tournant spectaculaire. Toute cette histoire venait confirmer le mépris qu'Earl et Kultida avaient toujours nourri à l'égard de ceux qui osaient critiquer leur fils. Jaime Diaz en avait parfaitement conscience. «Ses parents détestaient lire quoi que ce soit de négatif à son sujet, raconta-t-il. Ils avaient l'impression que la presse était leur ennemi. Earl avait développé cet état d'esprit et Kultida l'avait suivi. Il n'y avait pas de demi-mesure : soit vous étiez avec elle, soit vous étiez contre elle. Elle m'avait dit un jour : "Si tu me trahis, c'est fini." La guillotine était toujours prête à tomber chez les Woods.»

La nouvelle maison de Tiger, dans la communauté d'Isleworth à Windermere (Floride), était un véritable havre de paix. Il y trouvait certes la tranquillité dont il avait besoin, mais mieux encore : une relation privilégiée avec Mark O'Meara. Lui et les siens – sa femme Alicia, sa fille Michelle (dix ans) et son fils Shaun (neuf ans) – habitaient à quelques pas de chez Tiger, qui était subitement devenu le cinquième membre de la famille. Il passait plus de temps avec eux que seul chez lui.

Père de famille, professionnel accompli, Mark O'Meara avait une influence certaine sur Tiger. Il l'avait pris sous son aile tout comme Payne Stewart l'avait fait avec lui lors de ses débuts professionnels. Ils formaient cependant un drôle de couple, avec tout le respect qui leur est dû. À quarante ans, blanc et chauve, O'Meara aurait presque pu être le père de Tiger. Sa définition du bonheur ? Trouver un bon endroit pour une bonne partie de pêche. Mais Tiger l'accompagnait dans tout ce qu'il faisait – regarder le sport à la télé, aller au cinéma, et même à la pêche. Surtout, ils jouaient sans arrêt au golf ensemble sur le parcours de l'Isleworth Golf & Country Club, où Tiger lui prouvait chaque jour à quel point il pouvait se montrer compétitif, même pour une simple partie d'entraînement. O'Meara n'avait pas grand-chose à lui apprendre du strict point de vue sportif. Mais Tiger l'observait dans sa vie de tous les jours, et il voyait bien à quel point le rôle joué par sa famille était essentiel. Alicia et les enfants étaient partie prenante de sa belle carrière sur le PGA Tour.

Tiger savait que Mark O'Meara était un excellent golfeur – il avait remporté des tournois dans le monde entier – mais il savait aussi qu'il n'avait jamais réussi à gagner de Majeur. Il lui demanda pourquoi. Il voulait absolument connaître les raisons qui l'avaient empêché de battre les tout meilleurs quand ça comptait vraiment. O'Meara ne savait pas trop quoi lui répondre, mais le fait de jouer avec son jeune compatriote avait ravivé la flamme en lui. Il voulait maintenant ressembler à Tiger – avoir l'instinct du tueur, et une confiance suffisante pour mettre la main sur un tournoi et ne plus le lâcher.

Et de son côté, Tiger voulait ce que O'Meara possédait : une épouse magnifique, deux enfants, une Porsche, et une immense maison si luxueuse qu'elle faisait passer la sienne pour une simple bicoque. De son point de vue, son aîné avait tout ce dont on pouvait rêver en dehors du parcours. Il avait fait le bon choix en épousant Alicia. Elle était non seulement l'une des femmes de joueur les plus séduisantes du circuit, mais elle avait aussi créé un environnement idéal à la maison, et Tiger en faisait désormais partie. Même quand Mark n'était pas chez lui, il se pointait à la porte et criait « On mange quoi ce soir ? » Il y avait toujours une place à table pour lui. L'ambiance à la maison était plus décontractée que celle qu'il avait connue tout au long de son enfance. Alicia et les enfants se baladaient en maillots de bains et plongeaient régulièrement dans la piscine. Ils commandaient des pizzas chez Domino's, allaient au cinéma tous ensemble. On était bien loin de l'ambiance ultra-rigide de la famille Woods. Tout le monde s'amusait et personne n'attendait rien de lui. Là-bas, il pouvait enfin être lui-même.

Woods et O'Meara disputèrent une partie d'entraînement à Isleworth le vendredi qui précédait le Masters 1997. Ou plutôt un match amical, avec pari à la clé. Tiger joua les neuf premiers trous en -10 et n'arrêtait pas de chambrer son adversaire au fur et à mesure qu'il lui vidait le portefeuille. Lors du retour, après que Tiger eut tapé un nouveau drive plein milieu de fairway, un nuage de fumée blanche apparut au loin. O'Meara avait reconnu la navette Columbia, en route vers l'espace. Mais Tiger n'avait jamais assisté à un tel décollage. Un frisson le parcourut alors qu'il voyait les boosters de la fusée se détacher. Il avait toujours été fasciné par les aventures spatiales depuis sa plus tendre enfance et avait même lu des récits des missions de la NASA. Émerveillé, il regardait le ciel et la navette, et songea aux scientifiques responsables du lancement. *Quel exploit !* pensait-il. *Je suis ici en train de jouer au golf, et pendant ce temps-là, sept astronautes prennent le chemin des étoiles.* Il se sentait tout petit.

O'Meara était lui aussi émerveillé – à chaque fois qu'il observait Tiger. Il n'avait que vingt et un ans, s'apprêtait à disputer son premier Majeur en tant que professionnel, et tous les journalistes spécialisés s'attendaient à le voir gagner. Qui plus est, qu'il le veuille ou non, une terrible pression sociale l'accompagnait sur la route du Masters, dont l'un des cofondateurs avait déclaré un jour : « Moi vivant, ici, les joueurs seront blancs et les caddies noirs. » Le premier joueur noir à disputer le tournoi, Lee Elder, ne put le faire qu'en 1975. Il eut à subir des sarcasmes atrocement désobligeants de la part des spectateurs, dont certains scandaient

«Il ne devrait pas être ici». Et ce n'est qu'en 1990, soit seulement sept ans plus tôt, que l'Augusta National Golf Club s'était résolu à admettre son premier membre noir. La frénésie Tiger Woods qui déferlait depuis quelques mois était elle aussi une première dans l'Histoire. Et lui, Tiger, était là à regarder le ciel, fasciné par une fusée, à se demander comment on pouvait bien mettre un satellite en orbite autour de la Terre. Euphorique, il joua six trous parfaits pour finir son parcours avec une carte de 59, la meilleure de toute sa vie. O'Meara eut la sensation qu'il venait d'assister à ce qui n'était qu'une entrée en matière avant les choses sérieuses.

Deux jours plus tard, les deux hommes prirent un vol pour la Géorgie, au cours duquel Tiger demanda à son aîné : «Tu crois que c'est possible de réussir le Grand Chelem ?»

O'Meara n'était pas sûr de voir sur quel terrain Tiger voulait l'emmener, et il ne savait pas trop quoi répondre. Le Grand Chelem était le saint Graal du golf. Personne ne s'en était jamais approché, pas même Hogan ou Nicklaus. Alors remporter le Masters, l'US Open, le British et l'USPGA dans la même saison ? «Une utopie», finit par dire O'Meara.

Tiger n'en dit pas davantage sur le sujet. Utopie ou pas, ça ne l'intéressait guère. C'était la quête de l'impossible qui avait toujours guidé ses pas. Il voulait le saint Graal, et il était persuadé de pouvoir le conquérir.

Earl Woods avait subi son triple pontage voilà seulement six semaines, et les ordres étaient stricts : il n'avait pas le droit de voyager. Mais il avait bien l'intention d'assister à ce qui pouvait devenir la plus grande performance jamais réalisée par son fils, et il décida donc de se rendre à Augusta. Il était épuisé et mal en point à son arrivée, mais il était là, en compagnie de Tiger, son ex-femme et des amis de son fils dans la maison qu'ils avaient louée. Il passa l'essentiel de son temps allongé, avant le premier tour disputé le jeudi.

Tiger se faisait davantage de souci pour son père que pour lui-même. Il prit trois balles et son putter pour se rendre dans sa chambre. Puis il se mit à l'adresse, club en mains, et demanda à Earl s'il remarquait quelque chose.

«Tes mains sont trop basses, lui répondit-il. Remonte-les un peu, pour créer ce petit arceau avec les bras, comme tu l'as toujours fait.»

Tiger n'avait plus vraiment besoin des conseils de son père, il était maintenant le golfeur le plus talentueux de la planète. Mais il voulait réinitialiser la connexion qu'ils avaient si patiemment construite au fil des ans au Navy Golf Course, tout près de chez eux. Il n'avait rien oublié de ces moments-là : les arbres, les soirées tranquilles passées tous les deux là-bas, et tout le reste.

Le matin suivant, celui du 10 avril 1997, Tiger se dirigeait vers le tee de départ, et tout le monde avait déjà compris que le jeu de golf ne serait plus jamais le même. Il était accompagné de son caddie, Mike « Fluff » Cowan, avec ses longs cheveux gris et sa grosse moustache blanche qui lui donnaient des airs de Wilford Brimley[39].

Les deux hommes formaient une paire plus qu'improbable. Tiger écoutait du rap et du R&B, portait des vêtements impeccables et vivait dans un resort protégé. Fluff vénérait le Grateful Dead, s'habillait avec des fringues mal fagotées, et tout le monde savait qu'il avait vécu pas mal de temps comme un vagabond à dormir dans sa voiture.

Ils avaient débuté leur collaboration juste après la troisième victoire de Tiger à l'US Amateur. Tiger devait absolument trouver un caddie pour ses débuts professionnels au Greater Milwaukee Open, et il passa un coup de fil à Fluff. Bien qu'assez peu connu sur le Tour, ce dernier avait quand même de sérieuses références. Il avait fait partie de l'équipe universitaire du William Penn College dans l'Iowa, avant de retourner chez lui à Auburn (Maine) pour travailler comme assistant pro dans un country club avant de finalement trouver sa voie comme caddie sur le PGA Tour à partir de 1976. C'est là qu'il fit la rencontre de Peter Jacobsen, un joueur charismatique qui avait remporté six tournois sur le PGA Tour en vingt ans de carrière, avec à chaque fois Cowan qui portait le sac. Les deux hommes étaient très proches, mais Jacobsen s'était blessé au dos au début de l'été pour se retrouver sur le flanc. Tiger expliqua à Cowan qu'il venait de passer professionnel et lui demandait s'il voulait bien le caddeyer pour les sept derniers tournois de l'année 1996.

Fluff accepta, mais seulement jusqu'à ce que Jacobsen soit remis sur pieds. Séduit par sa loyauté, Tiger accepta le deal. Mais pendant

---

39. Acteur américain connu principalement pour des seconds rôles.

le tournoi de Milwaukee, le caddie était sous le choc à chaque fois qu'il voyait Woods taper un coup depuis le tee de départ. Il avait l'impression d'assister au lancement d'une fusée. Avant même que Tiger ne décroche ses deux premières victoires, il prit conscience que le jeune joueur allait sans doute réécrire l'Histoire et qu'il était aux premières loges pour y assister. Il passa un coup de fil à Jacobsen pour le remercier chaleureusement de l'avoir traité comme un roi pendant vingt ans, puis dit à Tiger qu'il pouvait bosser à plein temps pour son compte. Une décision qui allait le propulser sur le devant de la scène et en faire un des caddies les plus populaires du Tour – tout en le mettant lui aussi au centre de l'histoire. Un jeune golfeur noir et un caddie blanc bien plus âgé sur le tee de départ à Augusta ? Une inversion totale des rôles, la preuve que tout était en train de changer ici-bas.

Tiger était dans un tel état d'excitation qu'il envoya son premier coup de départ sur la gauche, dans les arbres. Il débuta son Masters par un bogey, puis les choses allèrent de mal en pis. Il fit à nouveau bogey sur les trous 4 et 5. Il était furieux, sans comprendre ce qu'il lui arrivait, et commit un autre bogey sur le trou 9 pour se retrouver à +4 total après neuf trous. Alors qu'il quittait le green, il se sentait à la fois fou de rage et totalement perdu. Il savait bien, au fond de lui, que tous ceux qui émettaient encore des réserves à son égard pensaient que le tournoi était déjà terminé pour lui. Le pire score jamais ramené sur les neuf premiers trous par un futur vainqueur était de 38, soit +2. Il n'était clairement pas bien.

« C'est bon, on a juste fait neuf trous », lui dit Cowan. Il avait encore tout le temps de renverser la vapeur.

Une des choses que Tiger appréciait le plus chez son caddie, c'était son lâcher prise. Il savait toujours ce qu'il fallait dire, et surtout ce qu'il ne fallait pas dire. Et à ce moment-là, la dernière chose dont il avait besoin, c'était d'un coup de pression supplémentaire.

Il se rendit sur le tee du départ du 10, silencieux alors que la foule hurlait son nom pendant qu'il marchait. Il cherchait à comprendre ce qui ne fonctionnait pas, et il replongea son esprit dans les exercices et les techniques de prisonniers de guerre que son père lui avait fait subir quand il avait douze ans. C'était un truc de fou à l'époque, mais Earl lui avait répété encore et encore que s'il voulait devenir le grand espoir noir du golf, il devait absolument apprendre à gérer ses émotions et à bloquer tout sentiment d'insécurité. En passe de s'effondrer à mi-chemin de son premier tour, il parvint à se reconcentrer sur la tâche à accomplir.

Il sortit son fer 2 sur le tee du 10, un choix de club qui plut beaucoup à son caddie. Il frappa un coup foudroyant qui termina sa course plein milieu de fairway. *Voilà !* C'était ça. Exactement les mêmes sensations que lors de son 59 à Isleworth. Il marcha jusqu'à sa balle d'un pas nettement plus décidé, pour ensuite poser son coup de fer 8 à cinq mètres du drapeau et enquiller le putt pour birdie. *Très bien, c'est ça,* se dit-il. Ça va aller maintenant.

Son approche psychologique du tournoi avait totalement changé. Il scora -6 sur le retour, pour finir le premier tour à la quatrième place, à trois coups du leader.

« La formation psychologique que mon père m'avait dispensée plus jeune a fait ses preuves lors de cette petite marche entre le green du 9 et le tee du 10 », dira-t-il plus tard, « et elle a été totalement validée par la façon dont j'ai joué les neuf trous suivants. »

Il fila s'entraîner au practice sitôt son premier tour achevé. Il tenait à ancrer en lui les sensations de ses neuf derniers trous. Fluff Cowan et Butch Harmon le virent taper des coups parfaits les uns à la suite des autres. Ils ne dirent pas un mot, car ce n'était pas nécessaire. Il restait encore trois tours à disputer, mais le soixante et unième Masters de l'histoire était déjà terminé. Tiger Woods venait de le remporter au cours de sa petite marche entre le green du 9 et le tee du 10, dès le jeudi. À partir de ce moment-là, il s'envola et plus personne ne put suivre le rythme.

Il prit seul la tête du tournoi dès le deuxième jour, grâce à un eagle sur le 13 qui provoqua des rugissements incontrôlés. Il joua 66 ce jour-là (-6). Puis 65 lors du troisième tour du samedi, grâce à un jeu parfait : il prit treize fairways en régulation sur quatorze, et dix-sept greens sur dix-huit pour prendre neuf coups d'avance sur son second, soit le plus grand écart de l'histoire du tournoi après cinquante-quatre trous. C'était comme s'il affrontait des vieillards. Sur le parcours, des hordes de jeunes gens qui n'avaient jamais entendu parler de Bobby Jones, Ben Hogan ou Byron Nelson hurlaient son nom. Il prit bien garde à ne regarder absolument personne dans les yeux, tout en saluant la foule avec sa casquette. Les rangées de spectateurs ressemblaient à un nuage géant composé de milliers de visages flous. Il n'aurait jamais pensé que ça puisse être aussi magique.

La veille au soir du dernier tour, Tiger passa un long moment à réfléchir à ce qui l'attendait. *Neuf coups d'avance avant les dix-huit derniers trous*, se dit-il. *Ce serait un cauchemar de gâcher une telle avance.* C'est ce qui était arrivé un an plus tôt à Greg Norman : l'Australien possédait six coups d'avance sur Nick Faldo le dimanche matin, avant de s'effondrer pour perdre de cinq coups. Si Tiger perdait ce tournoi malgré ses neuf coups d'avance, cet échec le suivrait jusqu'à la fin de sa carrière. Il ne pouvait pas se le permettre.

Une fois tout le monde au lit dans la maison, il se rendit dans la chambre de son père afin de veiller sur lui. Earl était épuisé, mais Tiger savait qu'il ne dormait pas. Les deux hommes avaient toujours discuté juste avant le dernier tour d'un tournoi, et ce depuis que Tiger était enfant. Et il avait plus que jamais besoin d'écouter ce que son père avait à lui dire. Ces dix-huit trous-là, lui dit Earl, seront les plus difficiles que tu aies jamais joués jusqu'ici. Le message était sans équivoque : ne sois pas apathique. En d'autres termes : ne sois surtout pas trop prudent et attentiste.

Le dimanche, Earl était bien trop faible pour quitter la maison. Tiger savait qu'il suivrait sa partie à la télé, et il voulait les rendre fiers, lui et sa mère. Pour cela, il avait besoin de créer une distance émotionnelle. *Comme un assassin de sang-froid*, se dit-il.

L'événement prit encore plus d'ampleur quand il arriva au club. Il allait devenir le plus jeune vainqueur du Masters. *Est-ce que tout cela est réel ?* se demanda-t-il. C'était une question incroyablement excitante et qui s'était emparée du pays tout entier. Quarante-quatre millions d'Américains allaient regarder le dernier tour sur leurs télés ce jour-là. Un record : les audiences étaient en hausse de 65 % par rapport à l'année précédente.

Tiger était habillé d'une chemisette rouge, avec la virgule du logo Nike en blanc. Il se dirigea vers le tee de départ un peu après 15 heures et entra dans sa bulle. Il n'en sortit pas pendant neuf trous, jusqu'à ce qu'il récupère sa balle sur le green du 9 et se dirige vers le tee du 10. Une marche bien différente de celle qu'il avait eu à effectuer trois jours plus tôt. Il venait de jouer soixante-trois trous, il lui en restait neuf, et il ne pouvait plus rien lui arriver tellement son avance était considérable. Il eut alors une pensée pour son père, qu'il imagina alité devant la télé. Pour sa mère, également, qu'il savait tout près de lui, à marcher le parcours comme elle l'avait fait pour chaque tournoi qu'il avait disputé depuis l'enfance. Ils avaient tous les trois regardé la victoire de Jack Nicklaus au Masters 1986, dans le salon familial, quand Tiger n'avait que dix ans et qu'il rêvait d'en faire autant. Onze ans plus tard, c'était son tour, et Nicklaus lui-même jouait des coudes au milieu de la foule pour tenter de l'apercevoir. Il avait accompli son rêve. Il ne restait qu'une question en suspens : serait-il capable de ramener le score le plus bas de l'histoire du tournoi ?

Earl Woods n'avait pas l'intention de passer à côté d'un tel moment, même s'il était très faible. Il quitta son lit, s'habilla et demanda à un ami de Tiger de l'emmener jusqu'au parcours pour voir la fin du tournoi. Il attendait son fils près du green du 18, lorsqu'il l'aperçut sur un écran de contrôle en train de remonter le fairway.

Il était à peine majeur, et là, il marchait vers le tout dernier green entouré par des milliers de fans. Il allait mettre le point final à un chapitre historique de quatre jours et c'était totalement enivrant. Son dernier coup – un putt pour le par de 1,5 m – plongea la foule en plein délire tandis qu'il boxait l'air de son poing droit, comme un uppercut dans le vide, pour montrer sa joie. Il prit son caddie dans ses bras, puis fila comme une flèche vers son père pour le serrer contre lui de toutes ses forces. Kultida était resplendissante de fierté en regardant les deux hommes de sa vie s'embrasser.

« On l'a fait, sanglotait Earl. On l'a fait. On l'a fait. »

Tiger ne voulait plus le lâcher.

« Je t'aime, mon fils, murmura Earl, et je suis tellement fier de toi. »

Ces mots étaient si rares et si précieux que Tiger s'effondra en larmes dans les bras de son père. Kultida finit elle aussi par les rejoindre. Les trois Woods étaient unis et se témoignaient de l'amour, en tout cas de la tendresse. Tiger Woods n'avait peut-être jamais été aussi heureux.

CHAPITRE 12
LA FOLIE

Ce que Tiger réussit à Augusta prit une place immédiate au Panthéon du sport, toutes disciplines confondues. C'était du même niveau que Cassius Clay lorsqu'il domina Sonny Liston pour le titre de champion du monde des poids lourds ; que Bob Beamon et son saut à 8,90 m aux jeux Olympiques de Mexico, en 1968, record du monde pulvérisé de presque soixante centimètres ; ou que le pur-sang Secretariat et sa victoire à la Triple Couronne avec trente et une longueurs d'avance. Les records que Tiger avait battus ou égalés donnaient le tournis.

- Plus jeune vainqueur du tournoi à vingt et un ans, trois mois et quatorze jours (précédent record : Seve Ballesteros, en 1980, à 23 ans et 4 jours)
- Score le plus bas sur soixante-douze trous avec une carte de 270, soit -18 (précédent record : 271, par Jack Nicklaus en 1965 et Raymond Floyd en 1976)
- Plus grosse avance sur le deuxième, avec douze coups (record précédent : neuf coups, par Jack Nicklaus en 1965)
- Score le plus bas sur les cinquante-quatre derniers trous avec 200 (record précédent : 202, par Johnny Miller en 1975)
- Score le plus bas sur les cinquante-quatre premiers trous avec 201 (à égalité avec Raymond Floyd en 1976)
- Score cumulé le plus bas sur les deuxième et troisième tours, 36 trous en 131 (record précédent : 132, par Nick Price en 1986)
- Score le plus bas sur les neuf trous du retour en -16 (record précédent : -12, par Arnold Palmer en 1962)
- Avance la plus large après trois tours avec neuf coups (record précédent : huit coups, par Raymond Floyd en 1976)

Mais il y avait bien plus important que tous ces chiffres : Tiger était devenu le premier golfeur afro-américain à remporter un tournoi du Grand Chelem. Cet exploit, plus que tout le reste, allait changer sa vie de façon telle qu'il ne put l'anticiper. Et ce dès sa sortie du parcours d'Augusta. Juste après avoir signé sa carte de score, il tomba sur Lee Elder. Désormais âgé de soixante-deux ans, Elder avait été le premier noir à jouer le Masters, l'année même où Tiger était né (en 1975). Il s'arrêta pour le saluer et lui murmura à l'oreille : « Merci d'avoir rendu ce moment possible. » Elder était en larmes alors que Tiger se rendait vers la Butler Cabine, la petite pièce où avait lieu la cérémonie retransmise à la télévision. Tiger était tout sourire au moment où Nick Faldo, le vainqueur de l'année précédente, lui passa la veste verte sur le dos. Une scène qui aurait à nouveau lieu quelques minutes plus tard, cette fois sur le green d'entraînement juste derrière le premier tee de départ, pour la cérémonie officielle. Tiger remarqua une chose : le public était majoritairement composé de noirs, à savoir les employés du club qui avaient quitté leur poste de travail pour assister à la remise de la veste, tout près du green mais également sur la terrasse du club-house. C'est là qu'il prit vraiment conscience de ce qu'il venait de faire : casser la barrière raciale dans le monde du golf. Submergé par les émotions, il prit le micro et balaya la foule du regard.

« J'ai toujours rêvé de remporter le Masters et de mener le tournoi au moment de remonter le fairway du 18, comme c'est arrivé tout à l'heure, dit-il. En revanche, je n'avais jamais anticipé la remise des prix. »

Tout le monde éclata de rire, et Tiger souriait à pleines dents.

« Je parlais avec papa hier soir, poursuivit-il. Il m'a dit : "Fils, ce seront sans doute les dix-huit trous les plus difficiles que tu auras eu à jouer jusqu'ici. Mais si tu te contentes d'être toi-même, alors ce sera le parcours le plus gratifiant de ton existence." Et il avait raison. »

Les gardes du corps l'accompagnèrent ensuite jusqu'au centre de presse, où de nombreux reporters l'attendaient. Sur le chemin, il apprit que le président Clinton avait essayé de le joindre, et qu'il patientait toujours au téléphone. C'était devenu sa vie — le président cherchait à le joindre. Tiger s'isola dans une petite pièce pour écouter Bill Clinton le féliciter. Le président l'invita également au Shea Stadium le mardi soir. Il y avait une cérémonie de prévue pendant le match Dodgers-Mets pour marquer le cinquantième anniversaire du jour où Jackie Robinson avait brisé la barrière raciale en baseball, au niveau national. Rachel Robinson, sa veuve, serait présente. Ce serait vraiment un moment à part, selon le président Clinton, si le jeune golfeur qui venait d'en faire de même à Augusta voulait bien rendre hommage à celui qui était considéré comme l'un des plus grands athlètes afro-américains de l'histoire. Il était même prêt à lui affréter un avion spécial pour venir le chercher à Augusta.

Tiger arriva tranquillement dans la salle d'interview, sa veste verte sur le dos, puis se changea rapidement pour assister au dîner des vainqueurs au club-house. Son père était rentré se reposer à la maison, et Kultida et son agent Hughes Norton l'accompagnèrent. Au moment où il entra dans la salle à manger, Jack Nicklaus et Arnold Palmer lui firent une standing ovation, ainsi que tous les anciens vainqueurs de l'épreuve et leurs épouses. Au fond de la salle, tous les employés noirs – cuisiniers, serveurs et commis – posèrent leurs plateaux pour applaudir encore plus fort que les hôtes. Tiger était comme un pont entre deux mondes. Il marqua une pause, remercia le personnel et prit place à table tout près d'un portrait du président Eisenhower.

Une fois le dîner terminé, Augusta ressemblait à une ville fantôme. Les dizaines de milliers de spectateurs étaient tous partis, et rien n'indiquait que l'un des plus grands événements sportifs de l'histoire avait pris place tout près d'ici quelques heures auparavant. Tiger grimpa avec sa mère et ses potes dans la Cadillac mise à sa disposition, mit un CD du groupe de rap Quad City DJ's, poussa le volume à fond sur *C'mon N' Ride It (The Train)* et descendit Magnolia Lane les vitres baissées.

Aucun vainqueur du Masters n'avait jamais quitté le club de cette façon.

Tiger se réveilla avec un bon mal de crâne le lendemain matin et mit tout de suite le cap sur la Caroline du Sud, où il devait inaugurer un Official All-Star Café à Myrtle Beach. Une obligation prévue de longue date due à un nouveau contrat de sponsoring avec Planet Hollywood, les propriétaires de la franchise. Il fut pris d'assaut par les fans et finit par rejoindre Hughes Norton, qui était lui inondé de coups de fil depuis la veille au soir. Il recevait des tonnes de propositions de contrats – des chaînes de fast-food, des marques de boissons, de céréales ou d'autres produits de consommation, des groupes bancaires, des constructeurs de voitures. La liste n'arrêtait pas de s'allonger. IMG recommanda fortement à Tiger d'élargir la liste de ses partenaires. Un peu à contrecœur, il donna son accord à Norton pour un deal avec American Express, et lui demanda de lui en trouver d'autres avec une marque de montres, une de voitures et aussi une société de jeux vidéo. Et rien d'autre : pas de fast-food ni de boissons sucrées.

Les autres demandes concernaient les médias. David Letterman et Jay Leno le voulaient, mais Tiger déclina. Des tas de magazines et de quotidiens souhaitaient l'avoir en interview, mais il dit non là aussi. Mais le gros sujet de discussion concernait l'invitation du président Clinton à New York pour le lendemain soir. Ce n'était pas tous les jours que le leader du monde libre proposait d'envoyer son avion privé pour venir vous récupérer. Mais Tiger avait prévu d'aller à Cancun (Mexique) pour une pause plus que nécessaire. Retarder son départ d'une journée semblait assez facile à organiser, mais il avait pris comme une offense personnelle le fait de ne pas avoir été invité plus tôt, comme le président l'avait fait avec plusieurs athlètes noirs. Selon une source proche de Tiger, son attitude fut alors très simple : que Clinton aille se faire foutre. Il n'allait pas changer ses plans, même pour le président. Norton lui dit qu'il allait régler ça, et Tiger prit son avion pour le Mexique où il traîna quatre jours en bord de plage à boire et s'amuser avec deux amis de ses années de lycée et d'université.

Personne ne savait où il était, mais sa notoriété se propageait tout autour de la planète. Sa victoire au Masters était saluée en Europe, en Asie et en Australie. Mais dans le même temps, sa décision de zapper la cérémonie en hommage à Jackie Robinson faisait grand bruit aux États-Unis. Norton recevait des appels outrés de journalistes, comme par exemple cet échange avec John Feinstein.

« C'est une blague, c'est ça ? » demanda Feinstein.

« Il est fatigué », répondit Norton.

« Il est toujours fatigué. C'est le président des États-Unis et la veuve de Jackie Robinson. Il doit y aller. »

« Il ne le voit pas de cette façon, mais plutôt comme une invitation de dernière minute. Et il avait prévu autre chose. »

« De dernière minute ? Il a remporté le Masters dimanche. Il aurait fallu que tout le monde le devine avant ? »

Personne ne cherchait à savoir ce qui se cachait derrière Tiger Woods plus que Feinstein. Ses critiques d'Earl Woods dans ses chroniques et sur *Nightline* avaient irrité Tiger au plus haut point, bien davantage que tout ce qu'il avait pu lire d'autre à son sujet. Et Earl était si furieux qu'il devait se retenir d'aller régler ça en direct, physiquement, avec Feinstein.

Norton avait lui tenté une autre forme d'intimidation. Juste avant le Masters, il avait appelé Feinstein pour lui proposer une rencontre en direct. Le rendez-vous eut lieu à Augusta, lors d'un petit déjeuner où étaient également présents George Peper et Mike Purley, respectivement directeur et rédacteur en chef de *Golf Magazine*. Norton était lui accompagné de Clarke Jones, son collègue chez IMG, qui lança les débats de façon plutôt maladroite en demandant à Feinstein de leur révéler ses sources.

«Clarke, si j'avais voulu que ça se sache, je les aurais mentionnées dans mes papiers», esquiva Feinstein.

«Et moi, je veux les connaître maintenant!» insista Jones.

«On ne peut pas toujours avoir ce qu'on veut dans la vie, Clarke», rétorqua Feinstein.

Puis Norton voulut s'en mêler, en soulignant que Tiger pourrait choisir *Golf Digest* plutôt que *Golf Magazine* si Feinstein ne se montrait pas plus coopératif. À l'époque, les deux mensuels négociaient avec Tiger pour lui faire signer un contrat de «*playing editor*», quelque chose comme «joueur consultant exclusif».

La menace pas très maligne de Norton mit fin de façon brutale au petit déjeuner. Feinstein se leva de table et dit à ses supérieurs: «Si vous voulez rester avec ces deux trous du cul, pas de problème. Mais j'ai autre chose à faire que d'écouter leurs conneries.»

Une semaine plus tard, Feinstein fracassa Tiger pour avoir manqué la cérémonie du Shea Stadium. Il était évident que s'il voulait voir le journaliste revenir à de meilleures intentions, Tiger devait se charger lui-même de l'affaire. Il avait ainsi demandé à un attaché de presse du PGA Tour de faire passer le message à Feinstein: il voulait bien le rencontrer en tête-à-tête. Mais avec tout ce qu'il s'était passé dans sa vie depuis quelques jours, il avait dû reporter la confrontation.

Tiger quitta Cancun pour filer directement à Beaverton, en banlieue de Portland (Oregon), au siège de Nike. Sa décision de snober l'invitation du président avait déserté les pages sports pour occuper les unes de tous les journaux. Maureen Dowd, une journaliste politique du *New York Times* qui avait la réputation de bousculer sévèrement les présidents et les députés, écrivit une chronique titrée «Le double bogey de Tiger». Elle estimait que le récent vainqueur du Masters était plus intéressé par l'argent que par un hommage à Robinson. «Il est étonnant de voir qu'un jeune homme avec "toute la vie devant lui", comme l'a précisé son agent, ne se soit pas montré capable de faire une petite pause de deux jours dans sa chasse aux dollars.»

Tiger finit par admettre qu'il avait fait une erreur. Mais il attendrait des années avant d'écrire une lettre d'excuses à Rachel Robinson. Il avait vingt et un ans et encore beaucoup à apprendre.

Au lendemain de la chronique de Dowd, Tiger eut vent d'une rumeur : le golfeur Fuzzy Zoeller[40] avait fait des remarques déplacées et racistes à son encontre pendant le dernier tour du Masters. Un reporter de CNN l'avait interviewé pendant la chevauchée triomphale de Tiger sur les neuf derniers trous. Tout le monde avait compris que le tournoi était déjà plié, et le reporter demanda à Zoeller ce qu'il en pensait. «Il se débrouille bien, c'est vraiment impressionnant, répondit-il. C'est encore un petit garçon, mais il drive bien, il putte bien, il fait tout ce qu'il faut pour gagner. Et vous savez quoi faire quand il arrivera ici, n'est-ce pas ? Vous lui tapez dans le dos, vous lui dites bien joué, et vous lui demandez de ne pas servir de poulet grillé l'an prochain *(au menu du dîner des champions, choisi par le tenant du titre)*. Vous l'avez ?» Zoeller fit une pause, claqua des doigts, fit mine de partir avant de se tourner vers la caméra et d'ajouter : «Ou du chou. Ou tout ce qu'ils peuvent bien manger.»

Ces propos furent diffusés sur CNN une semaine après le triomphe de Tiger et suscitèrent une comparaison immédiate avec ceux d'Al Campanis, un dirigeant des Los Angeles Dodgers. En 1987, dans une interview tristement célèbre donnée à Ted Koppel, il avait estimé que «les noirs n'avaient sans doute pas les capacités pour, disons, gérer le quotidien d'une équipe ou devenir manager général.» Campanis était à la fois un ancien coéquipier de Jackie Robinson et le manager général de l'équipe de baseball californienne quand il fit ces déclarations, qui finirent par lui coûter son poste. Celles de Zoeller remettaient ces vieux stéréotypes au centre de l'actualité, tout en soumettant Tiger à une nouvelle décision capitale : comment devait-il réagir ?

---

40. Vainqueur du Masters en 1979 et de l'US Open en 1984.

Tiger connaissait bien Zoeller et sa propension à faire des blagues sur tout et n'importe quoi. *Il ne voulait rien dire d'aussi moche*, pensa-t-il d'abord. Mais dans le même temps, il se demandait bien comment Zoeller avait pu dire un truc pareil alors qu'il était en train de réaliser une performance historique. *Ses mots avaient des relents de racisme*, finit-il par penser. *Et quand bien même c'était dit sur le ton de la blague, elle n'était vraiment pas drôle.*

À la fois perplexe et en colère, il choisit d'abord de ne rien dire. Et quand Zoeller lui laissa un message sur son téléphone, il ne voulut pas le rappeler. Zoeller présenta ensuite des excuses publiques à travers un communiqué où il expliquait que ses remarques n'avaient aucune connotation raciste : «Je trouve vraiment dommage qu'une simple boutade soit détournée de son sens premier. Je ne voulais rien dire dans ce sens-là, et je suis désolé si j'ai pu offenser qui que ce soit. Si Tiger se sent offusqué, alors je lui présente mes excuses à lui aussi.»

Alors que tous les organes de presse publiaient le communiqué, Tiger était dans un avion pour Chicago. Il devait donner une interview à Oprah Winfrey, qui ne devait la diffuser que plus tard dans la semaine. Earl se joignit à lui sur le plateau. Tiger s'attendait à des questions sur toute cette histoire, mais il fut surpris d'entendre Oprah lire à haute voix une lettre que son père venait de lui écrire.

Cher Tiger. Tu es mon petit gars. Tu es ce que j'ai de plus précieux. Dieu t'a amené à moi pour que je prenne soin de toi, que je t'éduque et que je t'aide à grandir. Tu es toujours passé avant tout le reste, et il en sera toujours ainsi. En fait, tu as plus d'importance pour moi que la vie elle-même. Je me souviens du jour où je t'ai dit que tu avais le droit de pleurer. Les hommes ont le droit de pleurer. Ce n'est pas un signe de faiblesse, mais de force, bien au contraire... Je te transmets tout ce que je sais sur l'éducation et le partage. Je vois bien que tu es capable de les utiliser mille fois mieux que n'importe qui ici-bas, et de rendre cette philosophie éternelle dans le monde d'aujourd'hui. Je sais que je t'ai transmis les lignes directrices et l'amour pour que tu puisses mener ta mission à bien. Je ne sais pas ce que Dieu te réserve. Ça ne me concerne pas. Mon boulot, c'était de te préparer à ça. J'espère avoir fait le meilleur travail possible. Je sais que tu feras de ton mieux et que tu seras toujours mon petit gars. Je t'aime. Papa.

Tiger essuya ses yeux alors que les larmes coulaient le long de ses joues. Il essayait toujours de masquer ses émotions, mais c'était la deuxième fois en une semaine qu'il pleurait sur une chaîne nationale. Une expérience inhabituelle et insurmontable, sans aucun doute. Earl exprimait rarement ses sentiments et son amour entre quatre murs, et là, il le faisait devant des millions de spectateurs, pendant l'une des émissions les plus populaires du pays.

Oprah évoqua également ses origines, en lui demandant si ça l'ennuyait qu'on le considère comme afro-américain. « Oui, tout à fait, répondit-il. Avec les années, j'ai appris à me définir comme *Cablinasian*[41]. » Une expression que ses amis et lui avaient inventée quand il était à Stanford. « Peu importe qui vous semblez voir en face de vous, je suis juste moi-même », dit-il encore.

Tiger ne voulait ni manquer de respect aux noirs, ni se mettre quiconque à dos. Mais ses commentaires étaient bien la preuve qu'il naviguait toujours entre deux eaux sur l'épineux sujet des races aux États-Unis. Ses opinions sur les grands problèmes sociaux du pays n'étaient pas aussi affûtées que ses clubs. Il avait subi l'influence de son père pendant des années et n'avait pas eu le temps de penser par lui-même. Et se retrouver sous les feux de la rampe ne lui accordait aucun droit à l'erreur. Deux jours plus tard, l'interview n'avait pas encore été diffusée, mais l'agence de presse Associated Press à Chicago en publia un extrait sous le titre : « Tiger ne veut pas être considéré comme afro-américain ». Le même jour, la chaîne de grands magasins K-Mart annonçait avoir mis fin à son partenariat avec Fuzzy Zoeller suite à ses remarques à connotation raciste.

Alors qu'il semblait tout juste sorti de son fiasco autour de la cérémonie d'hommage à Jackie Robinson, Tiger fut à nouveau plongé malgré lui dans un débat encore plus polémique au sujet de la question raciale. La radio nationale NPR se rendit à Harlem pour une émission spéciale autour du slogan « Je suis Tiger Woods ». Au même moment, le Congrès annonça l'organisation d'auditions sur la prise en compte par le gouvernement fédéral des critères de race et d'ethnicité en vue du prochain recensement, et certains législateurs préconisèrent la création d'une nouvelle catégorie nommée « race mixte ». Le magazine *Time* publia un article de cinq pages intitulé « Je suis juste moi-même », selon l'expression

---

41. Pour *Caucasian*, *Black*, *Indian* et *Asian*.

utilisée par Tiger Woods, avec une grande photo du jeune golfeur et de ses parents. Tout ceci était bien plus ardu à maîtriser qu'un simple tournoi de golf.

À contrecœur, Tiger se résolut à publier un communiqué où il jugeait l'humour de Fuzzy Zoeller « hors limites ». Mais lui-même ne s'était jamais excusé pour ses blagues également hors limites à propos des Afro-Américains publiées dans *GQ*. Une contradiction que le chroniqueur du *New York Times* Dave Anderson souligna dans un éditorial intitulé « Tiger Woods doit lui aussi s'excuser pour ses blagues de mauvais goût ». Tiger avait l'impression de se retrouver en pleine piñata, à se faire frapper dans tous les sens, peu importe ce qu'il pouvait dire. Puis un reporter de *USA Today* souleva à nouveau la question de la cérémonie du Shea Stadium, en lui demandant les raisons de son absence en dépit de l'invitation du président Clinton. Tiger vida son sac.

« Eh bien déjà, j'avais prévu de partir en vacances, dit-il. Et deuxièmement : pourquoi M. Clinton ne m'a-t-il pas invité avant le Masters ? S'il avait vraiment voulu que je vienne, il aurait mieux fait de me le demander plus tôt. »

Malgré ce déferlement de critiques, la popularité de Tiger Woods continuait de grimper en flèche. Un sondage publié par le *Wall Street Journal* et NBC News quelques semaines après le Masters l'avait désigné comme le sportif le plus populaire du pays, devant Michael Jordan. Seules 2 % des personnes interrogées avaient exprimé une opinion négative à son encontre, et il était plus populaire que Norman Schwarzkopf et Colin Powell la semaine qui avait suivi la fin de la guerre du Golfe. On lui comptait même 74 % d'opinions favorables parmi la population blanche du sud des États-Unis. « Seuls Robert E. Lee[42] fut un jour plus populaire que lui parmi les habitants du sud des États-Unis », affirmait le sondage.

Ces résultats venaient confirmer une vérité indéniable : aux yeux des fans, les victoires et la splendeur d'un athlète occultaient les failles et les faiblesses de sa personnalité. Toutes ces histoires autour de ses blagues vaseuses, la façon qu'il avait eu de snober le président de son pays, de zapper la cérémonie d'hommage à Robinson et de renier ses racines africaines, ce n'était que du vent. Les gens n'en avaient rien à faire de ce qu'il pouvait penser des problèmes sociaux, ou s'il se considérait comme Africain,

---

42. Héros sudiste de la guerre de Sécession.

Asiatique ou Cablinasian. La domination qu'il exerçait sur son sport était aussi fascinante que celle de Babe Ruth sur le baseball des années 1920. Les foules étaient captivées dès qu'il prenait un club entre ses mains. Elles espéraient qu'un truc magique allait se produire, et c'est ce qui arrivait la plupart du temps. Il n'y avait que ça qui comptait.

CHAPITRE 13
LES GRANDS CHANGEMENTS

L'existence de Tiger Woods était en mouvement perpétuel et il avait toujours cette sensation de vivre sur un fil. Il était du genre introverti, et ça l'agaçait de plus en plus de voir sa vie passée au crible. Qu'il aille dans des centres commerciaux, au restaurant ou au cinéma, c'était toujours la même histoire : de petites émeutes se formaient autour de lui. On lui demandait des autographes, on voulait le prendre en photo, on l'interrompait à tout bout de champ, et il trouvait ça épuisant. Il n'avait plus le choix, il lui fallait désormais entrer et sortir de n'importe quel endroit de façon aussi discrète que possible. Il décida de prendre un mois off, loin du golf, pour remettre sa tête à l'endroit. Mais il n'y avait que sur le parcours qu'il se sentait à l'aise et qu'il maîtrisait totalement les événements. Il décida donc de s'aligner au Byron Nelson Classic à Dallas, à la mi-mai, pour son grand retour sur le circuit. La ferveur était telle que le tournoi réussit à écouler cent mille billets quotidiens, plus cinquante mille pass pour les quatre jours de compétition. Un succès qui obligea les organisateurs à arrêter les ventes et déclarer l'épreuve sold-out.

Confiant, déterminé, Tiger prit un excellent départ. Mais il sentait que quelque chose ne fonctionnait pas dans son swing. Il jouait certes mieux que les autres, mais c'était surtout son petit jeu et son putting qui lui permettaient de faire la différence. Il y avait un truc qui clochait au niveau de sa frappe de balle, surtout sur les coups de départ. Plutôt inquiet à la fin du troisième tour, il appela Butch Harmon, qui se rendit sur-le-champ à Houston pour procéder à quelques ajustements avant le dimanche.

Le dernier tour se disputait en même temps que le match décisif entre les New York Knicks et le Miami Heat, et pourtant : les audiences télé du Byron Nelson Classic furent en hausse de 158 % par rapport à l'année précédente. Quatre-vingt cinq mille spectateurs s'étaient massés autour du parcours du Four Seasons Resort pour voir Tiger. Nourri par cette énergie, il termina la journée exactement où il l'avait commencée – avec deux coups d'avance sur le deuxième. Il quittait le dernier green avec une victoire de plus dans sa besace lorsqu'il reçut une accolade de la duchesse d'York, Sarah « Fergie » Ferguson, qui avait fait le voyage d'Angleterre pour marcher les dix-huit trous du dimanche en compagnie de Kultida. Tiger prit la tête de la Money List grâce à cette victoire, avec presque 1,3 millions de dollars de gains en seulement huit tournois joués. Il était le plus jeune joueur de l'histoire à avoir empoché plus d'un million de dollars sur une saison, et nous n'étions qu'en mai. Et personne n'avait jamais atteint le seuil des deux millions de dollars de gains en aussi peu de tournois. Il était passé professionnel voilà seulement un an, et c'était déjà comme si tous les autres joueurs n'avaient plus qu'à se battre pour la deuxième place. Tout comme Jack Nicklaus, il *s'attendait* à gagner. Le grand Jack était maintenant au crépuscule de sa carrière, et Tiger était devenu le big boss.

Mais il s'inquiétait à propos de son swing. Il décida de se rendre dans les bureaux de Golf Channel, à Orlando, pour visionner les bandes de sa victoire à Augusta. Il y avait au moins une douzaine de points qu'il voulait modifier. La position de son club au sommet du backswing – sur le plan esthétique, il y avait moyen de faire mieux. Ses coups avec les fers courts – ça ne lui plaisait pas. Sa position au finish – elle était plutôt jolie, mais le club était dirigé bien trop à droite de la cible. Et puis sa face de club était trop fermée. Plus il se regardait et plus il trouvait des défauts. *Dieu Tout-Puissant !* se dit-il.

Harmon, de son côté, ne nourrissait aucune inquiétude en regardant les vidéos du Masters. Il trouvait certes que son club était effectivement un peu fermé au sommet du backswing, et ses mains un peu trop ouvertes après l'impact. Mais il avait gagné à Augusta, à Dallas, et déjà un peu partout sur le circuit. Il avait le meilleur swing du PGA Tour. Pourquoi tout foutre en l'air ?

« Je veux modifier ça, et je veux le faire maintenant », annonça Tiger.

Harmon avait bien senti la détermination dans sa voix, qui n'appelait pas vraiment au débat. Alors il suggéra une approche un peu plus douce : « Et si on le faisait petit à petit ? »

« Non, on remet tout à plat maintenant », insista Tiger.

Harmon était sous le choc. Jack Nicklaus lui-même venait de décrire le triomphe de Tiger au Masters comme la possible plus grande performance de l'histoire du jeu. Et pourtant, Woods voulait rebâtir son swing de fond en comble. Pas faire quelques petits ajustements, non, mais le casser entièrement pour le reconstruire. Un constat un peu flippant, qui soulevait aussi cette interrogation : qu'est-ce qui fait courir Tiger Woods ?

On trouvait des éléments de réponse dans la description que Kultida avait faite un jour de son mari. « Il est incapable de se détendre, disait-elle à son propos. Il faut toujours qu'il cherche, qu'il cherche. Il n'est jamais satisfait. » L'insatisfaction permanente chez Earl Woods – jamais assez d'une femme ou d'un verre, jamais assez d'argent – le poussa à adopter des comportements compulsifs, qui eurent des conséquences certaines sur sa femme et son fils. Tiger avait hérité, jusqu'à un certain degré, de l'agitation de son père. Mais à vingt et un ans, son insatisfaction chronique se portait exclusivement sur son jeu. Gagner des tournois, battre tout le monde, ça ne pouvait pas lui suffire. Idem pour la place de numéro un mondial. Pour lui, le golf était bien davantage qu'un jeu.

« Il fallait que je trouve la réponse à cette question : jusqu'à quel point je peux être bon ? expliqua-t-il des années plus tard. J'imagine que je recherchais la perfection, même si je savais déjà qu'on ne pouvait pas l'atteindre en dehors de toutes petites périodes. Mais je voulais le contrôle de mon swing, et donc de la balle. »

Cette quête de contrôle absolu le conduisit lui aussi à des habitudes compulsives, mais différentes de celles de son père. Au printemps 1997, Tiger était accro à l'entraînement et au travail physique. Son programme pour une journée « normale » : taper six cents balles au practice, s'entraîner au petit jeu et au putting, jouer dix-huit trous, puis filer à la salle de gym pendant deux ou trois heures. « C'était la vie que je voulais mener », affirmait-il.

Dans son ouvrage *Just Can't Stop : An Investigation of Compulsion*[43], la journaliste spécialisée en sciences du comportement Sharon Begley se base sur des preuves scientifiques, de plus en plus nombreuses, pour affirmer que les pulsions sont une conséquence de l'anxiété. « Les pulsions viennent d'un besoin si désespéré, brûlant et torturé qu'il nous donne l'impression d'être un navire

---

43. « Impossible de s'arrêter : enquête sur les pulsions ».

rempli de vapeur. Nous sommes dans un état d'urgence qui exige un soulagement, une libération, écrit-elle. Ces comportements compulsifs sont une soupape de sortie, une conséquence de l'anxiété aussi inévitable que l'explosion des tuyaux est une conséquence du gel de l'eau dans la plomberie d'un bâtiment.» Begley cite en exemple plusieurs génies, notamment Ernest Hemingway, qui avait besoin d'écrire absolument tous les jours au point d'avoir déclaré : «Je me sens comme une merde quand je n'écris pas.» Son cerveau était peut-être coincé dans un endroit sombre et torturé mais, comme le souligne Begley, il l'a conduit à «l'immortalité littéraire».

Woods avait lui pris des habitudes qui l'avaient installé sur la route de l'immortalité golfique. On pouvait dire, sans risque de se tromper, qu'il se sentait lui aussi comme un moins que rien quand il ne s'entraînait pas. La joie qui découlait de ses victoires était toujours éphémère. Fracasser les records à Augusta ? Même ça, ça n'était pas assez.

«Les douze coups d'avance, je m'en moquais complètement, admit-il plus tard. Je savais ce que j'avais à faire, Butch le savait lui aussi, et par-dessus tout, je voulais le faire. Je trouvais ça épanouissant de travailler sur mon swing. C'était comme une drogue de rester des heures et des heures au practice.»

Changer un swing que presque toute la planète vous enviait ? C'était une évolution à la fois bizarre et risquée. Harmon fut très clair à ce sujet : ses performances allaient s'en ressentir jusqu'à ce qu'il commence à maîtriser son nouveau geste. Il pourrait ne plus gagner de tournoi pendant un bon moment. Sa volonté de tout vouloir modifier laissait Butch Harmon sans voix. C'est une chose assez commune pour un grand champion de vouloir évoluer pour devenir encore plus fort et maintenir sa domination. Mais qu'un athlète au sommet de son art décide de tout reprendre à zéro pendant une longue période pour espérer devenir encore meilleur, ça n'était jamais arrivé. Tiger était tellement plus mûr que son âge quand il s'agissait de golf. Et il aimait prendre des risques. Laisser tomber le swing qui lui avait permis de gagner Augusta allait non seulement le soumettre à la critique, mais aussi l'obliger à subir ce qu'il n'avait jamais vécu jusqu'ici : perdre, encore et encore.

Mais sa démarche pouvait aussi le rendre immortel. Il pouvait gagner à Augusta, tout le monde l'avait bien vu, mais le parcours géorgien convenait parfaitement à ses points forts. S'il voulait aussi s'imposer à l'US Open, au British Open et à l'USPGA, il savait qu'il avait besoin de mieux contrôler ses coups de départ. Parce que les fairways de ces épreuves-là sanctionnaient les erreurs bien plus sévèrement. «Je dois rendre mon swing plus solide si je veux gagner ces tournois, dit-il. J'ai besoin d'avoir une confiance absolue en lui.»

Et il voulait décrocher le saint Graal.

À la veille du Western Open qui débuta le 2 juillet 1997, Tiger invita Mark O'Meara au restaurant puis au cinéma – pour voir *Men In Black*. Lequel se demandait bien ce qu'il pouvait se passer, puisque Tiger ne payait jamais quoi que ce soit. Ils pouvaient faire n'importe quoi ensemble, c'était toujours O'Meara qui réglait l'addition. Mais Tiger se trouvait dans un état euphorique. Il était numéro un mondial et il s'apprêtait à débuter une nouvelle aventure qui risquait de bien le secouer. Mais d'abord, il voulait jouer un tout dernier tournoi avec le swing qui l'avait propulsé au sommet.

Le Western Open se jouait sur le Cog Hill Golf & Country Club, près de Chicago, et les organisateurs durent fermer l'accès au parcours le premier jour après que soixante mille fans furent déjà entrés dans la place. Chicago était la ville de Michael Jordan, mais c'était devenu celle de Tiger pendant quatre jours. Il se sentait enfin reposé, une première depuis des semaines. Ça ne faisait aucun doute dans son esprit : il allait gagner. Et ses camarades de jeu s'étaient eux aussi rendus à la même conclusion au soir du troisième tour. Tiger était en tête, certes à égalité, mais il avait déjà la réputation de ne pas lâcher un tournoi quand il le tenait entre ses griffes. Il le prouva une nouvelle fois ce dimanche-là, la victoire ne pouvant plus lui échapper après quinze trous.

Ils étaient environ cinquante-cinq mille autour du fairway du 18 pour assister à son triomphe. À peine Tiger avait-il frappé son deuxième coup vers le green que des milliers de spectateurs, pour la plupart des adolescents, franchirent les cordes de protection dans une manifestation de joie spontanée. «Ils ne peuvent pas nous arrêter», hurla l'un d'entre eux. À la fois imperturbable et tout sourire, Tiger marcha tranquillement vers sa balle, la foule à sa suite, dans une scène digne d'un film de Frank Capra. Puis, après avoir rentré son dernier putt, il lança sa balle vers la foule.

C'était sa quatrième victoire sur le PGA Tour en 1997. Il admit après coup n'avoir pas joué son meilleur golf, mais s'être appuyé sur son plus grand point fort : «mon esprit créatif». C'était une façon assez subtile de dire à tout le monde : quand je m'implique, je gagne. Son père fut encore plus clair : «Quand Tiger joue son meilleur golf, je me fiche bien de ce que peuvent faire les autres. Il est imbattable, c'est aussi simple que cela.»

Earl avait raison, mais il ne savait pas lui-même ce que Tiger avait déjà décidé. Il allait laisser son swing derrière lui, celui-là même qui l'avait emmené au sommet du golf mondial. Il n'allait plus gagner de tournoi jusqu'en mai 1998. Il aurait besoin de vingt-deux mois pour se sentir parfaitement à l'aise avec son nouveau geste. Son mot préféré parmi tous était *compétition*, mais il allait devoir se confronter à une vraie barrière mentale. Une épreuve qui allait tester sa détermination à ne pas changer d'avis en cours de route, et à croire jusqu'au bout qu'il faisait le bon choix pour sa carrière à long terme.

CHAPITRE 14
LA POULE AUX ŒUFS D'OR

Tiger avait été très clair lors de son passage professionnel : il remplirait ses obligations avec Nike et Titleist, mais il ne voulait pas d'autres impératifs publicitaires. Sauf que l'appât du gain était bien trop tentant, surtout pour IMG. Tiger était la «marchandise» la plus prisée de l'agence, et Norton se démenait pour négocier un maximum de contrats, plus les commissions qui allaient avec. Earl trouvait ça parfait, et Tiger finit par se rallier à son avis. Il y eut d'abord le deal avec Planet Hollywood et sa chaîne de All-Star Cafés, ainsi que d'autres opportunités suite à sa victoire au Masters. Le 19 mai 1997, juste après sa victoire au Byron Nelson, Tiger prit un avion pour New York et officialisa son contrat avec American Express.

Le géant de la finance avait tout misé sur lui. Treize millions de dollars sur cinq ans, dont cinq à la signature, plus un million pour sa fondation afin d'aider le développement du golf parmi les minorités. Un conseiller spécial de la marque rejoignit son équipe rapprochée. On lui donna également une carte de crédit Centurion Black Titanium, un privilège réservé à ceux dont les dépenses excédaient les 450 000 dollars par an. Il était sans doute le plus jeune au monde à avoir droit à ce type de carte, et il était bien évidemment exempté de la cotisation annuelle de cinq mille dollars. American Express était convaincu d'avoir trouvé le porte-parole idéal pour développer ses affaires en Asie et en Amérique du Sud, là où le golf et les cartes de crédit connaissaient une croissance sans précédent. «Tiger Woods est une personnalité qui parle à tout le monde, affirma Kenneth I. Chenault, le président de la société. C'est difficile d'imaginer une seule personne qui ne serait pas sensible à son pouvoir d'attraction.»

Une semaine plus tard, Rolex entra à son tour dans la danse en annonçant un partenariat estimé à sept millions de dollars sur cinq ans. La marque suisse comptait renouveler sa collection

Tudor pour la rendre plus attrayante aux yeux des jeunes générations. Les nouvelles montres s'appuieraient sur son nom et bénéficieraient d'une large campagne publicitaire, aussi bien télévisée que dans les journaux.

Dans le même temps, Earl tirait lui aussi profit du succès de son fils. Son livre *Training a Tiger: A Father's Guide to Raising a Winner in Both Golf and Life*[44] fut publié par HarperCollins au début du mois d'avril 1997. Le premier tirage fut de 70 000 exemplaires, mais l'éditeur lança une réimpression de 20 000 copies supplémentaires après la victoire de Tiger au Masters. Puis Earl fut invité au *Oprah Winfrey Show*, ainsi qu'à bien d'autres émissions où il mettait continuellement en avant son rôle dans la carrière de Tiger.

«Il a toujours eu quelqu'un avec qui parler et une épaule sur laquelle s'appuyer, raconta-t-il à Charlie Rose. Vous l'avez bien vu sur le green du 18 à Augusta, quand il était dans mes bras. C'est sa zone de confort, sa maison.»

«Et sa mère?» demanda Rose.

«Oui, sa mère aussi, dit Earl. Une mère reste une mère, quoi qu'il arrive. Mais dans notre famille, c'est d'abord le père.»

Earl vendit 233 000 exemplaires de son livre en première édition, puis près de 60 000 en livre de poche. Un succès tel qu'il signa un contrat pour un deuxième ouvrage intitulé *Playing Through: Straight Talk on Hard Work, Big Dreams and Adventures with Tiger*, sorti au printemps 1998.

IMG était satisfait, Earl aussi, mais Tiger se sentait stressé. Il se fichait bien de tout l'argent qu'il pouvait amasser. Il avait gagné 13,1 millions de dollars en une demi-saison en 1996, et avait déjà empoché 21,8 millions en 1997 – dont 19,5 rien qu'en contrats. Mais tout le monde essayait de lui arracher quelque chose. En plus de tous ses engagements avec ses partenaires, Warner Books lui mettait la pression pour qu'il écrive son livre de technique. La maison d'édition lui avait déjà versé une avance confortable, et elle était plus qu'impatiente de profiter de cette dynamique pour mettre le livre en rayons.

«Je n'ai absolument pas le temps de m'occuper de cette merde!» dit Tiger d'un ton sec à Jaime Diaz, censé en assurer la rédaction et qui était venu aux nouvelles.

---

44. *Tiger Woods, La griffe d'un champion* pour sa version française.

La simple idée de devoir écrire un livre pareil avait tendance à l'énerver, avec tout ce qu'il se passait dans sa vie. Et il n'avait aucune envie de se lancer dans une autobiographie. Et puis Earl était toujours en colère contre Norton parce qu'il ne lui avait pas parlé de cette idée en premier.

Le monde de l'édition dans son ensemble commençait à l'agacer sérieusement. Il avait l'impression que tout le monde essayait de se faire de l'argent sur son dos. Tim Rosaforte, le journaliste de *Sports Illustrated*, avait écrit *Tiger Woods: The Making of a Champion* avant même sa victoire au Masters. Puis ce fut au tour de John Strege, après Augusta, avec *Tiger: A Biography of Tiger Woods*. Une publication qui le rendit fou de rage. À ses yeux, tous ceux qui étaient proches de lui essayaient de profiter de sa célébrité.

« Ils cherchent à m'exploiter plutôt que d'être simplement de bons amis », dit-il à cette période-là.

Strege ne le voyait pas du même œil. Il avait commencé à suivre sa carrière pour le *Orange County Register* alors qu'il n'était qu'un pré-adolescent. Au vu de ses bonnes relations avec la famille, il avait pris contact avec Earl en septembre 1996 pour lui dire qu'il comptait écrire quelque chose sur Tiger. Earl lui avait donné sa bénédiction, et Kultida lui avait même donné accès à son livre de souvenirs qu'elle avait compilés au fil des ans. Strege écrivit ses 238 pages en moins de trois mois, mais il reçut un accueil glacial à sa sortie. Il envoya un exemplaire à Earl et Kultida, qui ne prirent pas la peine de lui répondre. Hughes Norton cessa lui aussi de répondre à ses coups de téléphone. La secrétaire de Norton finit par lui dire que la famille Woods ne souhaitait plus lui parler. Strege écrivit même une chronique plutôt flatteuse dans *Golf Digest*, mais quand un des photographes du magazine s'approcha de Tiger pour essayer de renouer les liens, ça ne se passa pas bien du tout.

« John Strege a écrit une chronique plutôt sympa sur toi. Tu l'as lue ? » demanda-t-il.

« J'emmerde John Strege ! » lui répondit Tiger.

Après des années d'une relation sans histoire et même intime, au cours de laquelle la famille Woods fit souvent appel à lui pour publier des papiers qui allaient dans leur intérêt, Strege se retrouvait mis à l'écart et n'eut plus jamais de contacts avec eux. Des trois Woods, c'était Tiger le plus virulent à son encontre. « C'est là que j'ai compris que pour être ami avec Tiger Woods, il fallait se plier à ses seules conditions », en conclut-il.

Entre deux tours à Augusta, en avril 1997, Tiger aimait bien jouer à *Mortal Kombat*, un jeu vidéo de combat connu pour sa violence extrême. Son sens du détail particulièrement cru − notamment pour les coups considérés comme «mortels» − fut à l'origine de la création d'un système de classement pour les jeux vidéo. *Mortal Kombat* était l'un des rares jeux sur lesquels Tiger pouvait passer des heures d'affilée, à la fois chez lui et pendant les tournois. Il lui arriva même de passer une semaine entière couché dans sa maison d'Isleworth sans rien faire d'autre que jouer. De tous les contrats à sa disposition, celui avec un fabricant de jeux vidéo était le seul qu'il désirait sincèrement signer. Mais c'était là aussi devenu une source de frustration.

À l'été 1997, une petite équipe d'EA Sports rencontra Tiger et son agent à Isleworth. À cette époque, EA était un géant du jeu vidéo, avec son accroche un peu arrogante «*If it's in the game, it's in the game*»[45]. Ils connaissaient un grand succès avec leurs jeux de football américain (Madden NFL) et de soccer (FIFA). Les ados et post-ados représentaient leur cœur de cible, ceux qu'ils appelaient «la confrérie du canapé», là où tous les étudiants sont égaux entre eux, quel que soit leur physique ou le succès qu'ils ont auprès des filles.

EA disposait de la licence PGA Tour depuis longtemps, mais le jeu ne décollait pas, scotché à la quatrième place loin derrière le football, le soccer et le hockey sur glace. Les mentalités très conservatrices du golf et sa population de pratiquants (princi-palement des adultes de plus de quarante ans) ne se mariaient pas avec les codes du jeu vidéo.

Mais l'avènement de Tiger Woods avait changé la donne. Il ressemblait au chevalier blanc qui allait moderniser le jeu et attirer enfin un jeune public. Pourtant, les dirigeants d'EA n'étaient pas forcément convaincus qu'il était un authentique joueur. Et ils ne voulaient pas manquer de respect à leurs clients, qui eux vivaient et respiraient jeux vidéo à longueur de journées. Ils voulaient donc le rencontrer avant de signer quoi que ce soit, pour juger de sa bonne foi et de son niveau de pratique. La réunion eut lieu au club-house du golf tout près de chez lui.

---

45. Littéralement «si c'est dans le jeu, alors c'est dans le jeu», pour laisser entendre que tout ce qui existe dans la vraie vie se retrouve également dans le jeu vidéo.

Ils ne furent pas déçus par ce qu'ils virent et entendirent. Tiger fut très précis quand ils lui demandèrent à quel genre de jeu il jouait : « Je n'en joue pas tant que ça, leur dit-il. J'aime bien ceux de vitesse et les jeux de tir. *Need For Speed. Halo. Mortal Kombat.* »

Puis Tiger évoqua le design de chacun d'entre eux, et ils se rendirent à l'évidence : si ce gars-là signait avec eux, il allait s'impliquer dans la conception et les détails du nouveau jeu. Il voulait clairement que ce soit authentique.

Tiger avait dit aux dirigeants d'EA exactement ce qu'ils voulaient entendre et ils étaient prêts à signer. Mais il y avait encore un obstacle sur leur route. IMG et Nike étaient en désaccord sur un tout petit alinéa du contrat de Tiger qui concernait les « droits interactifs ». Nike en avait l'exploitation et comptait bien les vendre à EA Sports pour amortir un peu les dizaines de millions que la marque à la virgule dépensait pour Tiger.

Mike Shapiro, le gestionnaire de marque pour Tiger chez Nike, expliqua à Norton qu'il avait oublié ce point de détail. Norton et IMG avaient finalisé un nombre impressionnant de contrats ces derniers mois, tous plus compliqués les uns que les autres. Mais celui avec Nike avait été le plus féroce à négocier. Il s'étalait sur des centaines de pages, et Norton et son équipe avaient semble-t-il manqué de rigueur sur ce point-là.

Norton voulait voir Shapiro au plus vite, et celui-ci accepta de se rendre à Cleveland. Il lui laissa à peine le temps de s'asseoir pour entrer dans le vif du sujet. « Il semble clair que c'est nous, IMG, qui possédons ces droits », lui dit-il.

« Relis le contrat », répondit Shapiro.

« Je l'ai déjà lu, et je te dis que c'est nous qui avons les droits. »

« Voilà une interprétation subjective, relança Shapiro, très catégorique. Il est écrit ici que nous, Nike, possédons les droits des jeux vidéo. »

La réunion était plus que tendue, et elle prit fin dans une sale ambiance.

Norton était un petit bonhomme doté d'un énorme égo. Il aimait bien les combats rapprochés, à propos d'un tout petit détail dans sa procédure de divorce avec son ex-femme comme dans l'interprétation d'un alinéa dans le contrat de ses clients. À bien des égards, sa personnalité se mariait à merveille avec sa volonté de vouloir maximiser les profits de ses clients superstars. Mais là, il se retrouvait dans une impasse avec le plus gros partenaire de Tiger. Les avocats de Nike ne voulaient rien lâcher, et Shapiro n'était pas intimidé du tout par la tactique de son adversaire. Avant de rejoindre Nike, il avait été vice-président de Turner Sports, où il avait appris à négocier les droits de retransmission du football américain, du basket, du golf et du baseball. Et il avait également occupé le poste de directeur des affaires juridiques chez les Giants de San Francisco. Il connaissait ce monde comme sa poche. Pour lui, un contrat était un contrat, et il n'y aurait pas de deal entre Tiger et EA sans l'accord de Nike.

Les tensions entre Norton et Shapiro rendaient Tiger fou de rage.

«Il se passe quoi là ? demanda-t-il à Shapiro. Vous ne pouvez pas régler ce putain de problème ?»

«Eh bien disons que Hughes et moi avons des opinions divergentes à ce sujet», répondit Shapiro.

«Et moi je n'en ai rien à foutre, dit Tiger. Vous n'arrêtez pas de vous pourrir l'un l'autre. Faites en sorte que ça marche.»

Norton finit par perdre cette bataille, mais il se vengea en jouant les tyrans avec l'emploi du temps de Tiger. Le contrat avec EA stipulait que le fabricant avait droit à deux ou trois jours avec Tiger pour travailler sur le marketing et le design, avec la dernière journée réservée aux photos : des douzaines de prises de vue sur le parcours, et aussi des images de son swing avec un écran vert en fond. Selon la version de Shapiro, Norton fit tout son possible pour mettre des bâtons dans les roues d'EA. Et quand il finit par trouver des dates disponibles, les journées se déroulèrent au pas de course et avec une efficacité toute militaire de l'aube au crépuscule. EA disposait de trois heures pour tourner une vidéo publicitaire dans laquelle Tiger avait trois phrases à prononcer ? Peut-être, mais le tournage prenait fin dès que Tiger s'estimait satisfait. Woods mit également son véto aux désirs de l'équipe marketing d'EA, qui voulait voir des drives voler jusqu'à quatre cent cinquante mètres. «Je drive à trois cent dix mètres avec le vent dans le dos, dit Tiger. Pas à quatre cent cinquante.»

Le jeu *Tiger Woods 99 PGA Tour Golf* fut commercialisé en 1998. Il rencontra un succès phénoménal.

Nike avait de grands projets pour Tiger. La marque comptait sur son athlète vedette pour renforcer sa présence sur le lucratif marché asiatique et organisa à cet effet le Tiger Woods Invitational, qui se disputa à Tokyo début novembre 1997. Le tournoi comptait

Nick Price, Mark O'Meara et Shigeki Maruyama parmi ses invités. C'était la toute première fois que Tiger se rendait au Japon. Une foule incroyable s'était déplacée rien que pour lui. Mais une fois sur place, il se montra à la fois las et distant. Il avait bouclé son année sur le PGA Tour une semaine plus tôt en terminant douzième du Tour Championship. Et il avait gâché son Las Vegas Invitational la semaine précédente à cause d'un troisième tour totalement raté. Ses résultats en Grand Chelem après sa victoire au Masters ? Dix-neuvième de l'US Open, vingt-quatrième du British Open et vingt-neuvième de l'USPGA. Certains journalistes commençaient à penser qu'il subissait une sévère baisse de régime, et ils étaient quelques-uns sur le PGA Tour à murmurer qu'après tout, il était humain lui aussi. On trouvait même des joueurs presque contents de la tournure des événements. « Il montre qu'il est comme tout le monde, railla Greg Norman à la fin de l'année 1997. Il a connu des débuts exceptionnels, mais le voilà maintenant de retour à la réalité. C'est juste un golfeur parmi d'autres. »

La rumeur d'un changement de swing commençait à courir ; mais fidèle à ses habitudes, il n'avait rien laissé transpirer sur le sujet. Personne n'avait remarqué qu'il avait tout repris à zéro. Et même des joueurs comme Greg Norman ne se rendaient pas compte que les exigences liées à son statut allaient bien au-delà du golf.

Tiger n'avait qu'une envie : disparaître. Il accepta pourtant, à contrecœur, une interview face caméra d'une demi-heure avec la chaîne Fox Sports, qui avait acheté les droits du tournoi de Tokyo. Il traînait tellement les pieds qu'il fallut un mois de négociations pour fixer le lieu et la date de l'interview, finalement prévue le vendredi soir dans sa chambre d'hôtel. Cet après-midi-là, il était dans un hélicoptère tout près du parcours, attendant qu'on veuille bien le déposer à Tokyo pour l'entretien. Une femme monta à bord mais, le regard perdu au loin, il ne lui prêta aucune attention.

« Salut Tiger, dit-elle, je suis Deb Gelman et je travaille pour Nike. »

Tiger finit par la regarder et lui répondit : « Salut, je suis Jose Cuervo[46]. » Puis il regarda à nouveau par la fenêtre et ne prononça plus le moindre mot pendant le trajet.

---

46. Une marque de tequila.

Deb Gelman était productrice pour Nike Sports and Entertainment, un service tout nouvellement créé. L'une de ses missions consistait à s'assurer que Tiger se rendrait bien sur les lieux de l'interview. Elle l'accompagna jusqu'à sa suite où il prit place aux côtés de Roy Hamilton, un joueur de basket drafté au premier tour par les Detroit Pistons et qui devint par la suite l'un des Afro-Américains les plus célèbres des programmes sportifs du pays.

Tiger n'avait aucune envie de perdre son temps à débiter des banalités. Le chronomètre se déclencha dès son entrée dans la pièce, et une demi-heure plus tard très précisément, il se leva et enleva le micro de sa chemise. La Fox avait disposé quelques souvenirs sur une table – des drapeaux, des posters et autres objets du même genre. Hamilton demanda à Tiger s'il voulait bien en signer quelques-uns. Il ne répondit pas, passa devant la table sans s'arrêter et sortit de la pièce.

Son attitude fut jugée hautaine par tous ceux qui étaient présents dans la pièce ce jour-là. Mais à sa décharge, on lui demandait sans cesse de signer tout et n'importe quoi. Les fans sur les tournois devenaient parfois si agressifs qu'il avait été coupé juste en dessous de l'œil à deux reprises par des stylos qu'on lui agitait sous le nez. Dès qu'il apparaissait en public, où que ce soit, il y avait toujours des gens pour lui réclamer des photos ou des autographes. Il décida alors de fixer des limites pour éviter des cohues systématiques. Il essayait bien de faire plaisir aux enfants sur les tournois, mais là aussi il devait se méfier : certains chasseurs de souvenirs se servaient des plus jeunes pour qu'ils récupèrent des objets signés qu'ils se chargeraient ensuite de revendre eux-mêmes, un joli pactole à la clé. Tiger acceptait de signer tout ce qu'on voulait lors d'événements organisés par ses propres sponsors. Il passait même plus de temps avec les invités que la plupart des autres sportifs. Mais la table remplie de souvenirs à Tokyo ne rentrait pas dans cette catégorie. Son deal avec Fox disait « interview », et pas signature de balles, de drapeaux et de programmes officiels. Et donc, il ne signa rien.

Le lendemain matin, il devait animer un clinic juste avant le départ du dernier tour. Mais il ne vint pas, au grand désespoir de centaines d'enfants présents sur place. Il arriva sur le parcours juste avant son départ. Il avait semble-t-il pas mal bu la veille et tenait une bonne gueule de bois. Il demanda à un ami s'il n'avait pas des pastilles à la menthe ou des chewing-gums.

«Moi j'en ai», répondit Gelman.

«Alors je veux que tu sois là sur chaque tee de départ et sur chaque green», lui dit-il.

C'était la première fois qu'il lui adressait la parole depuis leur rencontre dans l'hélicoptère. Mais d'un coup d'un seul, elle était devenue sa meilleure amie pendant dix-huit trous. À la fin, Tiger disparut sans un merci ni un au revoir.

«J'ai été frappée de voir à quel point il avait l'air malheureux, raconta-t-elle en 2015. Tout le monde voulait quelque chose de lui. Il était tellement méfiant. Il était évident qu'il ne faisait confiance à personne d'autre que ses proches.»

Tiger se trouvait à San Diego le lundi 5 janvier 1998, pour préparer le Mercedes Championship. Un moment idéal selon lui pour reprendre ce qu'il avait délaissé au printemps : rencontrer John Feinstein, présent en Californie afin de mener des interviews pour son livre *The Majors: In Pursuit of Golf's Holy Grail*. Tiger lui proposa un rendez-vous le soir-même, dans un restaurant de bord de mer. Il s'assit à une table à l'écart avant que Feinstein n'arrive.

Leur entente était tout sauf cordiale.

«Tu étais à ce point impatient de me voir ?» lui demanda Feinstein en arrivant, pour détendre l'atmosphère sur le ton de la plaisanterie.

«Non, j'ai juste faim», répondit sèchement Tiger, en ignorant volontairement le trait d'humour. Mais au cours d'un long dîner, ils tentèrent de surmonter leurs différends, notamment sur la comparaison entre Earl Woods et Stefano Capriati qu'avait évoquée Feinstein quelques mois plus tôt.

«Je pense qu'Earl n'a rien à envier aux autres pères autoritaires et obnubilés par l'argent, lui dit Feinstein. Sauf une chose : tu es son fils. Il a sans doute dû jouer un rôle au niveau des gènes, et toi tu es assez costaud et intelligent pour avoir su composer avec tout ça et devenir malgré tout un grand joueur. La plupart des enfants dans ton genre n'y arrivent pas. Car je pense que tu as réussi malgré ton père, et non pas grâce à lui.»

Tiger ne montra aucune émotion et continua de défendre son père. Y compris quand Feinstein reprocha à Earl d'avoir écrit un livre pour expliquer à quel point Tiger était sa création.

«Il l'a fait parce que des tonnes de gens lui demandaient : "Comment vous avez réussi ?" justifia Tiger. Il a pensé que c'était plus simple d'écrire un livre plutôt que de répondre dix mille fois à la même question.»

«Vraiment? rétorqua Feinstein. Alors pourquoi il en a écrit un deuxième juste après?»

Tiger regarda son interlocuteur, finit par rire et concéda : «OK, un point pour toi.»

On aurait dit une partie d'échecs, où Tiger cherchait le point faible de son adversaire sans vraiment le trouver. Il évoqua le fameux petit déjeuner d'Augusta, lorsque Feinstein quitta avec fracas la table où étaient installés les deux agents d'IMG, Norton et Jones. «Je dois admettre que tu les as un peu surpris sur ce coup-là, dit Tiger. Ils pensaient que tu allais te calmer avec tes supérieurs à côté de toi.»

Feinstein lui expliqua qu'il n'avait pas vraiment de lien hiérarchique avec eux : ses revenus provenaient surtout de ses livres, et pas des papiers qu'il écrivait pour *Golf Magazine*.

Tiger se détendit un peu sur sa chaise : «Alors tu n'as pas vraiment besoin d'un job?»

«Non, pas vraiment», répondit Feinstein.

«Du coup, c'est pas si simple de t'intimider?»

En fin de soirée, Feinstein remercia Tiger pour s'être montré si disponible. Puis il ajouta : «Tu n'as pas besoin de moi, et tu n'as pas besoin non plus que je t'aime bien ou que j'écrive des choses sympa sur toi. Tu es Tiger Woods, putain! Ce que tu as fait ce soir, c'est tout à ton honneur. Et j'ai appris quelque chose sur toi. Pas sur nos points de désaccords, mais sur qui tu es vraiment.»

Tiger hocha la tête et demanda : «Et donc, tu as appris quoi?»

«Que tu es bien plus intelligent que ce que j'imaginais.»

Juste avant de s'en aller, Feinstein précisa qu'il allait sortir un petit livre sur lui dans les prochaines semaines. «Je te ferai parvenir un exemplaire dès que possible, mais ne sois pas surpris, ça reprend peu ou prou la discussion qu'on a eue ce soir à propos de ton père.»

«Je ne devrais peut-être pas le lire, du coup», dit Woods.

«Peut-être pas, non. Mais je ne veux pas que ça ressemble à une attaque par surprise. Je le poserai dans ton casier dès qu'il sera imprimé.»

Toutes les rancœurs semblaient avoir été apaisées, en tout cas du point de vue de Feinstein. Désormais, les deux hommes se saluaient à la cool quand ils se croisaient sur les tournois. Tiger finit même par accepter un entretien en tête-à-tête pour le *Majors* à venir de Feinstein. Il proposa de faire ça pendant le Tour Championship à Atlanta, en fin d'année.

Mais il était exactement comme ses parents en ce qui concernait les ressentiments. *Pardonner* et *oublier*, voilà deux mots qui ne faisaient pas partie de son vocabulaire. Earl ne pardonnait jamais le moindre affront, et c'était pareil pour Kultida. Tiger avait lui aussi du mal à lâcher prise. Deux mois après leur dîner à San Diego, Feinstein fit parvenir un exemplaire de son livre à Tiger. Comme il l'avait indiqué, l'ouvrage reprenait la théorie qu'il défendait dans ses articles, à savoir le parallèle entre Earl Woods et Stefano Capriati. «Cette comparaison est légitime, écrivit-il. Ces deux-là espéraient que leurs enfants se transforment en planches à billets bien avant leur passage professionnel... Le seul boulot qu'Earl Woods ait jamais occupé depuis 1988, c'est celui que Hughes Norton lui avait déniché chez IMG.»

Ce passage était un nouveau coup porté à la dignité de son père, et rien n'énervait plus Tiger que les critiques publiques portées à son encontre. Il y avait autre chose qu'il ne supportait pas : que des gens essaient de tirer profit de lui, en particulier les journalistes. Et à ses yeux, Feinstein rentrait dans les deux catégories.

CHAPITRE 15
À L'INSTINCT

Tiger fit à nouveau la couverture de *Sports Illustrated* la semaine du Masters 1998. Il n'était pas seul cette fois : il posait avec un tigre blanc du Bengale de trois cents kilos nommé Samson. La bête avait fait le voyage par avion jusqu'à Isleworth, en compagnie d'un autre tigre appelé Dimitri, pour un shooting qui s'était tenu dans un élégant salon du country club. Le magazine avait expliqué toute la scène à Hughes Norton, qui avait exprimé de sérieuses réserves : si quelque chose tournait mal, les conséquences pouvaient être désastreuses. De fait, tout ne se passa pas comme prévu. Juste avant l'arrivée de Tiger, Samson perdit son équilibre sur le tapis installé comme décor et prit peur. Il se mit à déambuler dans la pièce, à la grande frayeur du directeur artistique de *Sports Illustrated* qui se précipita vers la porte de sortie. Une scène qui amusa moyennement Norton : le tigre était toujours en train de gronder quand Woods entra dans le salon. Tiger se dirigea spontanément vers l'animal, qui se calma sur-le-champ. David McMillan, le dresseur, n'en revenait pas.

« Ce jeune homme irradiait de confiance en lui. Je n'avais jamais vu ça chez personne avant lui, raconta-t-il au magazine. On ne peut pas tromper un animal sauvage. Samson n'avait ressenti aucune peur ni faiblesse chez Tiger, juste de la puissance et une grande paix intérieure. »

Voilà un incident qui en disait long sur la capacité de Tiger à masquer ses émotions. Il avait passé sa vie à faire semblant avec ses amis, ses adversaires et les médias. Même un animal qui ne se basait que sur son instinct n'avait pas réussi à le déchiffrer. La vérité, c'est qu'en avril 1998, sa vie ne baignait pas dans un océan de calme. Il devait faire face à des menaces de mort, un sale effet secondaire de la célébrité. Jamais il ne les mentionna en public, pas plus qu'il ne porta plainte. Mais il finit par en parler à Mark et Alicia O'Meara, juste avant le Masters 1998.

Ils lui proposèrent alors d'habiter avec eux pendant Augusta. Il pourrait se faire oublier, et personne ne saurait le localiser. Ça faisait vingt ans que Mark O'Meara habitait la même maison pendant le tournoi. Celle de Peggy Lewis, une institutrice qui, comme beaucoup d'autres dans la région, mettait du beurre dans les épinards en louant sa demeure pour une semaine. Et il y avait une chambre de libre. Tiger accepta la proposition.

Il mesurait désormais 1,85 m pour 77 kilos, soit neuf de plus que lors du Masters 1997. Neuf kilos de muscles : il avait passé un temps fou en salle de gym à soulever des poids. Il envoyait la balle plus loin que n'importe qui sur le circuit, mais il disait avoir besoin de plus d'explosivité sur le tee de départ. Il avait fait ses petites recherches personnelles, pour en conclure qu'il devait développer ses muscles à rotation rapide en soulevant des poids, le tout à un rythme élevé et en ajoutant des séances de fractionné à son entraînement. Il développa aussi ses fibres musculaires lentes en faisant de longues courses d'endurance et en alternant des levées de poids toniques avec d'autres plus lentes. La plupart du temps, il effectuait deux séances par jour. Il pouvait soulever cent kilos allongé sur le banc, et près de cent quarante en squat. Il avait un physique unique sur le PGA Tour. Il commençait à ressembler davantage à un joueur de football américain qu'à un golfeur.

Sauf qu'il était épuisé. Il avait passé toute la semaine précédant le Masters chez lui, à Isleworth, sans rien faire. Une initiative qui l'avait un peu aidé à jouer de façon convenable à Augusta, avec des scores de 71, 72, 72 et 70. Rien à voir avec sa performance hallucinante de l'année précédente, mais pas si mal pour un gars en plein apprentissage d'un nouveau swing. Il fut assez près de la tête toute la semaine, pour finalement terminer huitième.

De son côté, O'Meara joua le meilleur golf de sa vie pour décrocher son premier Majeur. L'histoire était magnifique et même pleine de poésie lorsque Tiger, privilège du tenant du titre, passa la veste verte sur les épaules de son ami. Ils avaient joué ensemble un nombre incalculable de fois ces derniers dix-huit mois, et O'Meara s'était inspiré de Tiger pour amener son jeu à un autre niveau. Il dit même qu'il y avait un peu de Woods en lui lorsqu'il fit birdie sur trois de ses quatre derniers trous pour l'emporter.

L'ambiance était à l'euphorie dans la maison de location. Alicia n'avait pas imaginé une seule seconde que son mari puisse gagner et n'avait pas pris de tenue de soirée avec elle. Elle fit appel à Peggy Lewis, qui se démena pour lui trouver des chaussures et une robe. Elle se dépêcha de les lui apporter à la maison, afin qu'elle soit prête pour le dîner des champions. Mark et Tiger étaient en train de se préparer, et les deux femmes filèrent dans la maison voisine pour repasser la robe et boire un verre de vin. Tiger fit son apparition quelques minutes plus tard, pour venir chercher Alicia. *Oh mon Dieu!* pensa Lewis. Elle savait que Tiger dormait chez elle cette semaine-là, mais elle n'avait pas eu l'occasion de le rencontrer. Elle se leva, toute excitée, et lui tendit la main.

«Bonsoir Tiger, je suis Peggy Lewis, vous avez passé la semaine dans ma maison, juste à côté», dit-elle. Tiger l'ignora complètement, sans lui serrer la main ni lui dire un mot. Il demanda à Alicia si elle était bientôt prête. Chacun s'arrêta de parler et regarda la pauvre Peggy retirer sa main, toute penaude.

Alicia répondit à Tiger qu'elle n'en avait plus que pour quelques minutes. Peggy Lewis s'assit, humiliée, pendant que Tiger sortait de la maison, sans jamais l'avoir calculée.

Tiger était heureux pour son ami, qui remporterait également le British Open trois mois plus tard. Et dans le même temps, son jeu montrait de nets signes de progrès. En février, il avait rattrapé un retard de huit coups lors du dernier tour pour s'imposer au Johnnie Walker Classic en Thaïlande. Il n'avait peut-être pas gagné le Masters 1998, mais il était un joueur bien plus complet que l'année précédente. Il drivait toujours aussi loin – il était classé deuxième en distance de drive – mais surtout beaucoup plus droit. Et il se classait également deuxième à la moyenne de score. Mais ça faisait neuf mois qu'il n'avait pas gagné de tournoi, et il en avait marre d'entendre toujours la même question : «Qu'est-ce qui ne va pas chez Tiger?»

Harmon n'arrêtait pas de lui répéter que la seule question qui comptait était celle-ci : «Est-ce que tu penses être sur le bon chemin?» Et du point de vue de son coach, la réponse était oui. Impossible de prétendre que Tiger était sur le déclin. Certains pouvaient le penser après un début de carrière aussi éblouissant. Mais il était seulement victime de son propre succès. Il avait placé la barre si haut que tout autre résultat qu'une victoire était considéré comme un échec. Il travaillait dans l'ombre pour passer d'une stratégie un peu primaire façon «je prends le club et je tape aussi fort que possible » à un swing davantage sous contrôle, pour essayer d'obtenir une trajectoire de balle plus basse. Il abandonna également le shaft en acier de son driver pour un modèle en graphite, toujours dans le même but. Sa posture était différente, elle aussi. Personne n'avait vraiment remarqué toutes ces modifications, mais Harmon commençait à en voir les premiers effets. La refonte de son swing suivait son cours pour des résultats impressionnants. Il fallait qu'il se le rappelle sans arrêt à lui-même : *Bon sang, ce gamin n'a que vingt-deux ans !*

Tiger remporta le BellSouth Classic en mai 1998, sa première victoire depuis dix mois. Un résultat qui venait confirmer ce qu'il savait déjà : il était sur la bonne voie.

Cependant, ce n'était pas la même histoire en dehors des cordes. Sa confiance en lui n'était pas aussi élevée. Ses parents avaient tout contrôlé pendant des années et là, il devait apprendre les choses par lui-même. En dehors de son coach Butch Harmon, Tiger n'écoutait que les conseils de Mark O'Meara, qui le pressait de s'ouvrir davantage aux autres. Il y avait tellement de gens émerveillés à la simple idée de pouvoir dire « Hey, Tiger m'a dit salut ! » ou « Hey ! Tiger m'a regardé dans les yeux », lui expliquait-il.

Sauf que Tiger avait un mal fou à être proche des inconnus. Il avait déjà assez de mal à nouer des liens avec les autres joueurs sur le PGA Tour. Du coup, il passait énormément de temps tout seul. Un journaliste lui demanda de but en blanc, lors d'une conférence de presse en 1998 : « Est-ce que vous vous sentez seul ? »

« Non, répondit-il brusquement. J'ai beaucoup d'amis ici, croyez-moi. »

Certes, il avait une vie sociale. Il jouait au golf avec Kevin Costner, Glenn Frey et Ken Griffey Jr. Des tonnes de célébrités et de vedettes de la télé voulaient traîner avec lui. Mais ses relations avec les acteurs, les rock stars et autres représentants de l'élite n'étaient que la conséquence de son statut : celui du mâle alpha dans une communauté de gens célèbres. Mais s'il cherchait quelqu'un à qui parler, capable de lui donner un avis authentique sur la vie et les défis qu'il avait à relever, il ne pouvait compter que sur les O'Meara. Eux seuls étaient susceptibles de lui dire ce qu'il avait besoin d'entendre, et non pas ce qu'il avait envie d'entendre. Mais il y allait à reculons, y compris avec Mark. Il aimait bien parler sports, golf et pêche avec lui, et même lui demander des conseils sur le business. Mais pour ce qui était de la vie en général et des affaires de cœur en particulier, Tiger n'était à l'aise avec personne – pas même Mark O'Meara.

Il lui arrivait cependant de baisser la garde avec Alicia. Elle ne lui disait jamais comment vivre sa vie, elle ne lui parlait jamais de golf, et elle se fichait complètement de son statut de superstar. Elle se rendait bien compte qu'il avait besoin de voir des gens, mais qu'il n'avait personne en dehors d'elle et son mari. Trouver une fille à qui faire confiance, avec sa notoriété ? C'était pratiquement mission impossible. Un soir, Tiger accompagna les O'Meara chez Todd Woodbridge, le joueur de tennis australien qui vivait lui aussi à Isleworth. Il se retrouva seul avec Alicia près du bol à punch.

« Comment tu sais quand tu peux faire confiance à quelqu'un ? » lui demanda-t-il à voix basse.

« Tu ne peux jamais savoir », lui dit Alicia. Une réponse qui l'intrigua. « Tu dois juste faire confiance à ton instinct, poursuivit-elle. C'est compliqué, parce que tu vis dans une bulle. Il va falloir que tu apprennes à en sortir. Tu ne vas pas pouvoir passer ta vie sans avoir de relations avec les autres. »

Ces mots restèrent ancrés en lui. Cet été-là, il finit par se rendre à une fête à l'université de Californie à Santa Barbara, pour accompagner une jeune fille de vingt ans nommée Joanna Jagoda. Elle était née en Pologne mais avait grandi dans la vallée de San Fernando. Elle était diplômée de sciences politiques et voulait suivre une fac de droit. Blonde, ancienne pom-pom girl, elle passa de plus en plus de temps sur les tournois du PGA Tour. Et bien que soudainement exposée aux feux de la rampe qui éclairaient Tiger en permanence, elle sut rester discrète et parvint à éviter la presse. Lors du deuxième semestre 1998, elle voyagea régulièrement avec Tiger, pour finalement s'installer chez lui à Isleworth.

Mark et Alicia adoraient Joanna, qui eut rapidement une influence déterminante dans la vie de Tiger. Ainsi, peu de temps après l'avoir rencontrée, il décida de prendre ses affaires en mains. Depuis le tout début, la relation triangulaire entre son père, Hughes Norton et lui-même lui avait été imposée. À l'été 1998, les trois hommes firent la couverture de *Golf Digest* sous le titre « Le père, le fils et le Saint-Esprit ». L'égo de Norton était déjà démesuré aux prémices de leur collaboration, et il ne fit qu'enfler avec la célébrité de Tiger. En moins de deux ans, il avait ramené près de 120 millions de dollars de contrats pour son joueur, une réussite sans précédent. Il avait signé avec Nike, Titleist, Planet Hollywood, American Express, Rolex, EA Sports, Asahi, Cobra, *Golf Digest*, Unilever et Wheaties. La liste n'arrêtait pas de s'allonger, et ça commençait à poser problème. Tiger n'avait qu'un jour off, le lundi. Le reste du temps, IMG lui collait des journées sponsors, avec de juteuses commissions à la clé pour l'agence.

En octobre 1998, deux mois après que Norton eut été élevé au rang de divinité par *Golf Digest*, Tiger décida qu'il ne voulait plus de lui comme agent. Il le vira, deux ans tout juste après son passage professionnel. Le *Los Angeles Times* publia le scoop, assorti d'une punchline impitoyable : «Cette semaine, Norton est passé de Saint-Esprit à rien du tout.»[47]

Ce fut un choc pour Norton et son égo, bien obligé d'admettre qu'il n'avait pas vu le coup venir. «Je n'arrive pas à comprendre sa décision, dit-il. Je lui ai ramené plus de contrats que n'importe quel sportif dans le monde, y compris Michael Jordan.»

Norton était fier de son travail. Mais il ne voyait les choses qu'à travers le prisme de l'argent, ce qui n'était pas le cas de Tiger. Plus important encore : Mark O'Meara avait changé d'avis sur Norton. «C'était un dur à cuire, un gars qui vous sautait à la gorge, expliqua-t-il. Mais moi, je préférais un agent qui soit plus professionnel et moins dans le conflit permanent.» Et O'Meara avait une influence décisive sur Tiger. Il avait viré son agent ? Alors ce n'était qu'une question de temps avant que Tiger n'en fasse autant. De toute façon, les deux hommes n'avaient jamais vraiment accroché. C'est Earl qui avait choisi Norton, pas Tiger. Qui avait en outre l'impression que son agent travaillait plus pour son père que pour lui. La décision de le virer était partie intégrante du processus qui voyait Tiger prendre le contrôle de sa vie.

Earl essaya d'abord de sauver la peau de Norton.

«Il a été bon pour nous, dit-il à Kultida. Donnons-lui une autre chance.»

«Non, répondit-elle. Tiger ne l'aime pas. Il ne veut pas de lui. Moi non plus, je ne l'aime pas. Il doit s'en aller.»

Dès que le limogeage de Norton fut officiel, Earl tenta de s'en attribuer le mérite, en assurant à la presse que l'agent avait «pris trop d'engagements» au nom de Tiger. La vérité, c'est qu'Earl

---

47. Jeu de mots intraduisible : «Il est passé de *Holy Ghost* à *plain ghost*», littéralement «fantôme tout court».

était derrière chaque contrat signé par son fils, à l'exception du livre avec Warner Books.

Comme d'habitude, il était hors de question que Tiger reconnaisse publiquement les erreurs de son père. Plus personne ne pouvait lui dire comment mener sa vie désormais, pas même Earl, mais il tenait à préserver la réputation de celui-ci. Lorsque son père osa des commentaires désobligeants envers le public écossais à l'approche du British Open, Tiger assura qu'il n'avait jamais prononcé ces paroles − quand bien même un reporter les avait enregistrées. Il ajouta même : «Mon père n'a jamais voulu manquer de respect à qui que ce soit. Si toutefois il a vraiment dit ça, et je ne pense pas qu'il l'ait dit.» De la même façon qu'il n'arrivait pas à s'imaginer à la même table que John Feinstein pour une interview, quand bien même il en avait pris l'engagement. Quelques jours avant l'USPGA 1998 qui se disputait sur le parcours du Sahalee Country Club (Washington State), Tiger se trouvait sur le putting green et demanda à un employé d'IMG de lui amener Feinstein. Lequel arriva quelques minutes plus tard : «Il paraît que tu veux me parler», dit-il.

Tiger confirma d'un signe de tête : «Écoute, ça m'ennuie un peu de te dire non après avoir accepté, mais ça ne va pas être possible de faire cette interview à Atlanta.»

«OK. Une raison particulière ?»

«Oui. Je n'arrive pas à passer outre ce que tu as écrit à propos de mon père.»

Feinstein ne comprenait pas. Son livre était paru voilà plus de cinq mois, et ils avaient déjà évoqué le sujet ensemble.

«Je pensais qu'on avait clarifié la situation à San Diego», dit-il.

«Oui, moi aussi. Mais je n'arrive pas à passer outre.»

Tiger était également prêt à quitter IMG à la suite du renvoi de Norton. Mais le PDG Mark McCormack prit l'affaire en mains et lui proposa de rencontrer deux agents jeunes et prometteurs. Dont un qui, contrairement à tous ceux qu'il avait croisés jusqu'ici, n'était pas né avec une cuillère en argent dans la bouche.

Mark Steinberg avait grandi à Peoria, Illinois. Il fit partie de l'équipe de basket-ball de l'université de l'Illinois qui se qualifia pour le Final Four en 1989, même s'il n'y fit que de la figuration. Après sa fac de droit, il fut pris en stage chez IMG avant d'être embauché en CDI. Sa tâche principale consistait à trouver des perles rares dans le monde du golf féminin. Son premier coup d'éclat eut lieu en 1993, quand il recruta Michelle McGann et Karrie Webb. Puis il accomplit un véritable exploit l'année suivante, l'équivalent d'un trou-en-un, quand il réussit à attirer Annika Sörenstam. La joueuse suédoise remporta l'US Open un an plus tard, mettant ainsi son nom – et celui de son agent – sur la carte du marketing sportif.

Tiger rencontra Steinberg, qui expliqua par la suite sa vision de la gestion du temps : « Il y a une limite à ce que les joueurs peuvent faire, et il y a une limite de temps dans une seule journée. Le défi, ici, c'est d'arriver à concevoir un emploi du temps aussi rationnel que possible pour Tiger. »

Tiger avait trouvé celui qu'il cherchait – un gars dans la trentaine, qui avait pratiqué un sport à haut niveau à l'université, et qui voulait devenir son agent mais aussi son ami.

Les présences conjointes de Mark Steinberg et de Joanna Jagoda étaient un signe fort : Tiger voulait se délester de son passé et créer un nouveau cercle d'intimes autour de lui. Joanna amenait de l'équilibre et du calme dans une vie frénétique. Ils sortaient assez peu, et Tiger faisait tout son possible pour préserver son intimité. « C'est son arme secrète, et il ne va pas la jeter dans la gueule des loups qui traînent sur le circuit », assura une source proche du PGA Tour.

Steinberg avait beaucoup d'expérience dans le golf féminin, mais ça ne l'avait en rien préparé à la folie qui entourait la vie de son nouveau client. L'une de ses toutes premières missions fut de l'accompagner en Angleterre. Alors que les deux hommes sortaient d'un restaurant, les paparazzis débarquèrent d'un seul coup, les pressant de questions et les mitraillant avec leurs appareils photo. Sous le choc, Steinberg bondit devant Tiger pour agiter les bras devant son visage et le protéger des clichés. On aurait dit qu'il dansait sur des charbons ardents. Dans le même temps, Tiger marcha tranquillement au milieu de la cohue pour finalement se poser à l'arrière de sa voiture. Steinberg s'empressa de le rejoindre en rentrant par la portière opposée.

Tiger se tourna vers lui, lui passa un bras autour de l'épaule et dit : « Laisse-moi t'expliquer. Ma vie est juste dingue. Alors bienvenue dans mon monde, mais il va falloir que tu te détendes un peu. »

CHAPITRE 16
ÇA Y EST, JE L'AI !

Tiger Woods n'avait jamais eu besoin d'un surcroît de motivation venu de l'extérieur quand il avait un objectif en tête, mais David Duval remplissait pourtant ce rôle à merveille. Le jeune Américain de vingt-six ans avait remporté quatre tournois en 1998, pour finir l'année à la première place des classements de la moyenne de score et des gains en tournois. Tiger, toujours en mode reconstruction de swing, avait lui terminé numéro deux au scoring et numéro quatre de la Money List. Il était certes toujours numéro un mondial, mais avait vu Duval grimper jusqu'au troisième rang. Pour plusieurs journalistes et analystes, la situation était claire : David Duval allait prendre sa place au sommet du golf mondial.

Jamais Tiger ne l'aurait admis publiquement, mais Duval était rentré dans sa tête. Lors de ses conférences de presse, il était capable de décomposer le jeu de son adversaire pour le décrire avec une précision stupéfiante. Les journalistes de golf espéraient l'émergence d'une rivalité au sommet, et Duval semblait le mieux placé pour mettre à mal la domination de Tiger. Surtout en ce début d'année 1999, après sa victoire au Mercedes Championship, suivie deux semaines plus tard par une autre au Bob Hope Chrysler Classic, où il scora 59 lors du dernier tour. Deux trophées qui lui permirent de dépasser Tiger au nombre total de victoires sur le PGA Tour (neuf contre sept) et aussi au classement global des statistiques.

Qui était vraiment le meilleur golfeur au monde ? Ce débat de plus en plus enflammé s'imposait au moment même où Tiger imaginait d'autres changements dans son équipe. Il demanda ainsi à son vieil ami Bryon Bell de venir le caddeyer sur le Buick Invitational qui se disputait à Torrey Pines. Les deux hommes étaient restés très proches depuis le collège. C'est d'ailleurs Bell qui lui avait présenté Joanna Jagoda.

Tiger ne joua pas bien lors des deux premiers tours et franchit le cut de justesse. Mais Bryon Bell sut exactement quoi lui dire : «Tu es si fort que quand tu joues bien, absolument personne ne peut te battre. Alors maintenant vas-y et ramène une super carte.»

Le samedi, Tiger scora 62 sur le très exigeant parcours du South Course, sa meilleure carte depuis son passage professionnel. Un score qui lui permit de dépasser les quarante et un joueurs qui le précédaient au classement pour s'installer seul au sommet du leaderboard, avec un coup d'avance sur le deuxième. Il continua sur sa lancée le dimanche pour boucler le tournoi avec un eagle sur le tout dernier trou. Il n'avait plus gagné sur le PGA Tour depuis neuf mois. Mais plutôt que de serrer le poing et boxer l'air façon uppercut, sa marque de fabrique sur chaque putt important, il se contenta de lever les bras, comme un marathonien qui en termine enfin avec une course épuisante. Il prit ensuite son caddie dans ses bras, lui remit son putter, et souleva le trophée vers la foule enthousiaste.

Puis Rick Schloss, le responsable médias du tournoi, lui indiqua la marche à suivre. «C'est bon pour toi si on file au Century Club Pavilion pour faire quelques photos avec les VIP, et qu'ensuite on se rend au centre de presse pour les interviews ?»

«Bien sûr, pas de problème», répondit Tiger.

«Laisse-moi prendre le trophée», ajouta alors Schloss en posant les mains dessus.

«Pas question, refusa Tiger. Je viens juste de battre cent cinquante-cinq autres joueurs là, donc je le garde avec moi.»

C'était plutôt inhabituel de voir un golfeur porter la coupe au moment de remplir ses obligations d'après-victoire. Mais Tiger ne voulait simplement pas la lâcher. Cette intransigeance sonnait comme le révélateur de ce qui le motivait vraiment. L'argent, la célébrité, il s'en moquait complètement. Ce qu'il voulait, c'était des trophées, et il en avait toujours été ainsi. Il avait disputé sa toute première compétition à l'âge de trois ans – un concours de drive, pitch et putting réservé aux moins de dix ans. Il avait terminé deuxième et, comme récompense, il avait eu le choix entre un jouet, un club de golf ou une coupe. Sans un regard pour les jouets, il opta pour une coupe : la plus grande de toutes, qui lui arrivait jusqu'à l'épaule. Il en remporta tellement dans sa jeunesse que la maison familiale en était remplie, et ses parents étaient plus que fiers de les montrer à quiconque leur rendait visite. De la même façon, Tiger aimait bien mettre ses trophées en évidence dans sa maison d'Isleworth pour que les visiteurs puissent les admirer. Il avait toujours préféré remporter des titres que se faire des amis. Surtout, les trophées symbolisaient les victoires, et les victoires soulignaient sa domination.

Il s'apprêtait à quitter Torrey Pines et monta à l'arrière d'une voiture mise à disposition par le tournoi. Il avait toujours la coupe avec lui.

Tom Wilson, le directeur du tournoi, demanda à Schloss : « Mais où est passé le trophée ? »

« C'est Tiger qui l'a. »

Wilson leva les sourcils, surpris. Le vainqueur n'était pas censé l'embarquer avec lui. Il devait rester au club.

« Là, dans cette voiture », précisa Schloss.

Wilson s'approcha du véhicule et ouvrit la porte arrière, côté passager.

« Hey Tiger ! dit-il avec un grand sourire. On doit le récupérer. »

Woods le regarda avec une expression qui voulait dire « mais qu'est-ce que tu me chantes, là ? »

Et Wilson lui expliqua qu'il tenait la coupe historique entre ses mains, celle qui ne devait jamais quitter le club, quoi qu'il arrive : « On te fera parvenir une réplique avec les coupures de presse et un livre souvenir dans quelques semaines », précisa-t-il.

Tiger resta silencieux tandis que Wilson attendait. Il finit par s'exécuter, à contrecœur. Ce trophée revêtait une importance toute particulière à ses yeux. Il symbolisait ce qui lui avait le plus manqué depuis neuf mois : la victoire. Et il voulait garder cette sensation en lui aussi longtemps que possible.

Fluff Cowan fit son retour la semaine suivante lors du Nissan Open à Los Angeles, mais Tiger consultait son propre carnet de parcours et lisait ses lignes de putt tout seul. Même s'il continuait de prétendre qu'il n'y avait aucun problème entre lui et son caddie : « Les gens jugent la situation de façon disproportionnée », écrivit-il sur son site web officiel.

Mais ça n'allait plus du tout avec Cowan. Il était devenu une sorte d'attraction sur le circuit, une célébrité que l'on reconnaissait plus souvent que 90 % des joueurs, ce qui n'amusait pas du tout Tiger. Et puis il avait quitté sa femme pour sortir avec une fille deux fois plus jeune que lui, et il jouait aux vedettes dans les publicités à hurler de rire de la chaîne ESPN pour l'émission *This Is Sports Center*. Tiger disait de lui que c'était « un idiot avec un carnet de parcours à la main ».

Mais sa plus grande erreur n'avait au final rien à voir avec ses fréquentations féminines ou son quart d'heure de gloire à la télé. Deux fois au cours de l'année 1998, le journaliste de *Golf Digest* Pete McDaniel avait réuni quatre des meilleurs caddies du circuit pour des interviews débridées. Et Cowan avait à cette occasion enfreint une règle fondamentale en révélant ses conditions financières : Tiger lui donnait mille dollars de fixe par semaine, plus 10 % de ses gains en cas de victoire. Plutôt surpris de le voir transgresser cette loi non écrite, les autres caddies lui mirent un coup de pression pour qu'il ravale ses paroles. « Mais non, c'est bon », leur répondit-il de façon nonchalante. Sauf que ce n'était pas bon du tout.

Golf Digest publia un article avec les révélations de Cowan pendant le Nissan Open, et Tiger grimpa au plafond. Il passa tout près de la victoire, en terminant deuxième ex aequo à deux coups du vainqueur Ernie Els. Mais dès la fin du tournoi, il demanda à son coach de lui suggérer des noms de caddies pour remplacer Cowan. Butch Harmon ne voyait que deux options possibles : Tony Navarro et Steve Williams.

Le premier n'était pas disponible. Il travaillait pour Greg Norman et fit savoir à Butch que le joueur australien avait été trop généreux avec lui au fil des ans pour qu'il le laisse tomber comme ça. Restait donc Williams, un Néo-Zélandais de trente-quatre ans au physique imposant et qui n'avait pas l'habitude de mâcher ses mots. Il avait commencé à travailler comme caddie dès l'âge de six ans. Puis le joueur australien Peter Thomson, quintuple vainqueur du British Open, le prit à plein temps avec lui alors qu'il n'avait que quinze ans. Williams caddeya ensuite pour Greg Norman, et il était maintenant avec Raymond Floyd. Sur le circuit, il n'avait aucun rival en ce qui concernait les choix de club, les distances, et plus important encore, sa capacité à faire changer son joueur d'avis.

Séduit par ce qu'on lui disait de Williams, Tiger demanda à son coach de voir ce qu'il était possible de faire. Harmon prit contact avec Floyd lors du Doral-Ryder Open, qui se disputait en Floride. Le joueur américain avait remporté vingt-six tournois avec Williams comme porte-sac, mais il avait maintenant cinquante-six ans et jouait essentiellement sur le Senior Tour.

«Écoute, laisse-moi un peu de temps pour y penser», demanda Floyd à Harmon.

Mais Tiger n'avait pas envie d'attendre. Le lendemain matin, il prit son téléphone et appela Steve Williams dans sa chambre d'hôtel.

«Salut, c'est Tiger», dit-il.

Persuadé qu'on lui jouait un canular, Williams raccrocha sans dire un mot.

Nouvel appel de Tiger, et Williams qui lui raccroche encore au nez.

À sa troisième tentative, Tiger se précipita pour lui dire : «Non, s'il te plaît, c'est vraiment Tiger là!» Et cette fois, Williams resta en ligne.

«Je me sépare de mon caddie, poursuivit-il. Et j'aimerais savoir si le job pouvait t'intéresser.»

La décision était loin d'être anodine pour Woods, qui se trouvait à bien des égards à la croisée des chemins. Sa nouvelle petite amie lui apportait une stabilité inédite en dehors du parcours. Son nouvel agent avait mis la main sur son emploi du temps pour très vite se retrouver affublé du surnom de «Dr No» pour sa propension à surprotéger son client. Et il était sur le point de finaliser la restructuration de son swing avec Butch Harmon. Il ne lui manquait qu'une seule chose : un caddie haut de gamme, assez lucide pour comprendre tout ce qu'il se passait sur un parcours et assez courageux pour donner son opinion sur le choix de clubs, surtout quand la pression était à son comble.

Williams se rendit directement chez Tiger après le Doral. Il se souvenait parfaitement de la toute première fois où il l'avait croisé, pendant une partie d'entraînement au Masters 1996. Tiger y participait en tant que vainqueur de l'US Amateur, et il jouait quelques trous avec Raymond Floyd, Greg Norman et Fred Couples. Williams caddeyait pour Floyd en cette matinée plutôt fraîche du mois d'avril lorsqu'il vit Tiger envoyer son drive du trou numéro 2 bien après le bunker de fairway situé sur la droite. Sidérés, Norman, Floyd et Couples regardaient voler sa balle, sans dire un mot, comme si elle ne devait jamais retomber. Williams en fut si impressionné que pour la première fois de sa vie, il demanda un autographe à un joueur. Tiger lui signa une carte de score en fin de partie, et là, trois ans plus tard, Williams sonnait à sa porte.

«Rentre, je t'en prie, mais ça t'ennuie d'attendre une minute? J'ai un truc à finir», lui dit Tiger. Qui l'accompagna jusqu'à un immense écran de télévision, avant de s'effondrer sur son fauteuil devant un jeu vidéo et terminer sa partie dans un état second.

Puis les deux hommes firent connaissance. Tiger l'interrogea sur sa conception du métier de caddie, et Williams lui en mit plein les oreilles. Il avait caddeyé sur tous les continents, dans près de cent pays, et pour lui son métier ne se résumait pas à porter un sac et annoncer les distances. Il se voyait également comme un tacticien, un psychologue, un mathématicien, et aussi comme une encyclopédie vivante de chaque parcours et des pièges qu'il pouvait recéler.

Il était l'exact contraire de Cowan. Joueur de rugby accompli en Nouvelle-Zélande, Williams était le seul caddie du circuit plus costaud que Tiger. Les deux hommes étaient accros à la salle de gym, et Williams ferait un partenaire d'entraînement idéal. Il y avait aussi de l'arrogance en lui, et il était évident qu'il n'aurait jamais peur de se frotter à ceux qui voudraient faire passer un sale quart d'heure à son boss. Et Williams savait comment composer avec les médias – rester dans l'ombre, point.

Tiger l'embaucha comme caddie sur-le-champ. Le lendemain, Mark Steinberg publia le communiqué suivant, en citant Tiger: «Je tiens à remercier Fluff pour son soutien et je sais très bien ce que je lui dois dans ma réussite professionnelle. Mais il est temps de passer à autre chose, et je suis convaincu que nous resterons amis.»

Le 13 mai 1999, Tiger ramena une carte de 61 lors du premier tour du Byron Nelson Classic. Il téléphona à son coach juste après et lui annonça d'emblée: «Ça y est, je l'ai!»

Harmon savait très bien de quoi il voulait parler. Il pouvait entendre l'enthousiasme dans sa voix alors qu'il était assis dans le bureau de sa toute nouvelle académie à Henderson, Nevada. Il avait accroché au mur une photo de Tiger portant la veste verte, sur laquelle son joueur lui avait écrit: «Pour Butch. Merci pour tout le travail et ta grande patience, mais plus que tout, merci de me permettre de réaliser mes rêves.» Vingt-cinq longs mois s'étaient écoulés depuis. Plus de deux ans pendant lesquels le numéro un mondial était devenu un joueur totalement différent. Il avait eu beaucoup de mal au début, mais maintenant les mécanismes de son swing étaient devenus parfaitement fluides. Son geste était aussi élégant que puissant, avec une esthétique presque parfaite.

«Ça commence à devenir totalement naturel», dit-il.

Harmon avait du mal à trouver les mots tellement il était heureux. Tiger était resté numéro un mondial pendant quarante et une semaines consécutives, mais il avait perdu sa place quelques semaines plus tôt au profit de David Duval, chaud bouillant depuis le début de l'année avec ses quatre victoires. Mais il n'avait pas dévié de ses ambitions à long terme, persuadé qu'il allait bientôt réaliser des choses autrement plus impressionnantes que gagner le Masters.

Tiger termina finalement à la septième place du tournoi. Puis il loua le jet privé des Orlando Magic pour s'envoler jusqu'en Allemagne avec treize membres de sa garde rapprochée, afin de disputer le Deutsche Bank-SAP Open, à Heidelberg. Une épreuve qui ne comptait pas pour le circuit américain, mais qui lui donnait l'occasion d'affronter cinq des meilleurs joueurs mondiaux. Et le milliardaire allemand Dietmar Hopp, le co-fondateur de la société de logiciels SAP, lui avait promis une prime de participation estimée à un million de dollars.

À son arrivée en Allemagne, Tiger avait encore perdu une place au classement mondial : Davis Love III était maintenant deuxième derrière David Duval. Mais ça n'allait pas durer. Il mena le tournoi du début à la fin, comme dans une exhibition, pour scorer -15 et finir trois coups devant Retief Goosen.

Deux semaines plus tard, il fracassa le parcours de Muirfield Village, cher à Jack Nicklaus, pour remporter le tournoi en -15 avec une dernière carte de 69. Il tapa plus loin et plus fort que tout le monde, mais ce furent surtout son jeu de fer tout en maîtrise et son putting qui impressionnèrent le plus. C'était un message clair envoyé aux sceptiques et à ses détracteurs.

Voilà deux ans qu'il expliquait aux reporters qu'il travaillait sur son swing et que ça risquait de prendre du temps. Il savait ce que certains pensaient – *Il se cherche des excuses.* Les papiers à répétition sur sa mauvaise passe avaient finalement laissé place à des reportages sur l'avènement de David Duval. Mais ses deux victoires consécutives venaient confirmer ce qu'il avait dit à son coach. Il se sentait désormais invincible. Toutefois, il avait bien l'intention de continuer à cacher son jeu, et à garder pour lui ce profond sentiment d'euphorie.

Il rejoignit Jack Nicklaus en conférence de presse juste après la remise des prix. «La vraie bonne nouvelle, c'est que mon jeu commence à se mettre en place, dit-il. Je commence à mieux comprendre comment il faut jouer au golf. Un petit peu mieux qu'avant en tout cas.»

Commencer à comprendre comment il faut jouer ? Voilà qui ressemblait à une mise en garde inquiétante pour tous ses camarades de jeu.

«Je n'avais jamais vu quelqu'un jouer de la sorte», déclara Jack Nicklaus en se tournant vers Tiger. «Tu as vingt-trois ans, c'est ça ?»

«Hmm-hmm», confirma-t-il.

«La plupart des joueurs de vingt-trois ans n'ont pas cette imagination, reprit Jack Nicklaus. Vu sa longueur de balle, il n'aurait même pas besoin de s'entraîner au petit jeu. Mais il l'a fait, et c'est pour ça qu'il gagne autant.»

«Imaginons qu'aujourd'hui, vous ayez son âge et son physique. Vous joueriez de la même façon que lui ?» demanda un reporter.

«Je ne sais pas si qui que ce soit est capable de jouer comme lui, répondit Nicklaus. Il a le potentiel pour réaliser des choses absolument uniques.»

Il y avait quand même un truc qui chiffonnait Mark Steinberg : l'image de Tiger Woods. Quand ils étaient tous les deux, Tiger se montrait drôle et aimable ; un vrai bon camarade. Mais aux yeux du public, il était inaccessible, comme une île à lui tout seul. «C'est sûr, en golf, tu es un extraterrestre, lui disait Steinberg. Mais les gens aimeraient bien connaître le jeune homme de vingt-trois ans qui se cache en toi.»

Au printemps 1999, Nike tenta de modifier cet aspect des choses à travers une nouvelle publicité plutôt enjouée. On y voyait Tiger arriver sur un practice rempli de golfeurs du dimanche, qui se mettaient soudain à envoyer des drives à deux cent soixante-dix mètres par la seule grâce de sa présence. Puis, une fois que Tiger quittait les lieux, ils recommençaient à taper des slices, des hooks et des grattes. C'était la campagne la plus drôle que Nike avait bâtie avec lui.

Lors d'une pause sur le tournage, Tiger se mit à jongler avec une balle, sandwedge en mains, sous les yeux de Doug Liman, le réalisateur que Nike avait embauché et qui tournera ensuite des films comme *The Bourne Identity*[48] et *Edge of Tomorrow*. Impressionné par ses prouesses, Liman prit sa caméra et lui demanda de bien vouloir jongler ainsi pendant vingt-huit secondes, la durée exacte prévue pour la pub. Tiger échoua lors de ses trois premiers essais face caméra. Le réalisateur le chambra gentiment en lui disant qu'il ne supportait pas la pression, mais Tiger le fusilla du regard. Il se mit alors en mode showman : il fit rebondir la balle des deux côtés de sa face de club, fit passer son sandwedge d'une main à l'autre, tout en jonglant avec la balle entre ses jambes, le tout sans interruption. Puis il fit rebondir la balle plus haut, marqua une pause et la smasha comme s'il avait eu une batte de baseball entre les mains. Une démonstration magistrale comme lui seul en était capable. Liman contrôla la qualité de l'enregistrement et vit alors que le chronomètre affichait vingt-huit secondes, exactement.

La scène était si impressionnante que Nike décida de la diffuser telle quelle à la télé. Elle fut retransmise une toute première fois pendant les finales de NBA et devint immédiatement l'un des spots les plus emblématiques de la marque à la virgule.

IMG voulait aussi que son client vedette devienne une star des programmes télé de grande écoute. Barry Frank, un de ses dirigeants les plus expérimentés, fut chargé de trouver une idée. Il avait par le passé négocié des droits de retransmission à coups de millions de dollars et il était l'agent des présentateurs sportifs les plus influents. Il avait toujours eu carte blanche pour imaginer et vendre de nouveaux types d'émissions destinés à bouleverser les habitudes de fin de semaine. Il s'occupait de programmes tels *Superstars*, *World's Strongest Man*, *Survival of the Fittest* ainsi que *The Skin Games*. Toujours à la recherche d'un nouveau concept, ce qu'il appelait le « *Next Big Thing* », Frank regardait Tiger jouer en 1999 lorsqu'il eut soudain l'idée qui tue, la meilleure de toute sa vie : *Monday Night Golf*.

La formule était on ne peut plus simple : un match-play un soir de semaine, auquel participerait la star la plus charismatique du golf. Et comme IMG avait également sous contrat David Duval, que Tiger venait tout juste de dépasser pour récupérer la première place mondiale, le scénario était idéal : les faire s'affronter pendant trois heures, et le tour était joué.

---

48. *La mémoire dans la peau* en V.F.

Pour que l'événement se termine aux alentours de 23 heures sur la côte est, il fallait que Frank trouve un parcours sur la côte ouest, où il serait alors 20 heures. Le Sherwood Golf and Country Club de Thousand Oaks (Californie) proposa un million de dollars en guise de dotation. Motorola fut choisi comme sponsor principal pour la somme de 2,4 millions. La chaîne ABC, propriété du groupe Disney, réussit à vendre pour plus de 2 millions de spots publicitaires. Des revenus largement suffisants pour installer des éclairages sur les trois derniers trous du parcours, verser un million à Tiger comme prime de participation et fixer la dotation totale à 1,5 millions. L'émission fut baptisée « *Showdown at Sherwood* », « Duel à Sherwood ».

La rivalité entre Tiger Woods et David Duval semblait parfaite pour gonfler les audiences, mais le fait est que les deux hommes étaient devenus amis. Un peu plus tôt pendant l'été, ils s'étaient entraînés ensemble à Las Vegas et ils avaient pris le même vol privé (accompagnés de leurs petites amies) pour aller disputer un tournoi à Maui (Hawaï). Ils se rendirent également ensemble en Irlande, juste avant le British Open, où leur amitié devint encore plus profonde. Tiger aimait vraiment bien Duval et ne le voyait absolument pas comme une menace. C'était lui le numéro un, et l'autre n'était que numéro deux. Et tout le monde, y compris le très décontracté David Duval, s'accordait à reconnaître que le fossé était immense en termes de talent entre les deux hommes.

L'enjeu était considérable pour Tiger. Les épreuves du PGA Tour étaient toujours diffusées de jour et le week-end. Et là, il avait l'occasion de tester la popularité de sa discipline sur un créneau en semaine, face à des sitcoms, des films et des émissions d'actualités. Les fans de golf seraient également ravis d'assister à un tel face-à-face. Et comme toujours, dans l'esprit de Tiger, c'était bien plus qu'un simple show. Dans sa vision du monde, les matchs amicaux n'existaient pas, que ce soit pour les jeux vidéo, le basket, et a fortiori le golf.

Le 2 août 1999, il battit David Duval en tête-à-tête, afin que le monde entier soit bien conscient qu'il était le meilleur golfeur de la planète. L'événement fit 6,9 points d'audience, la deuxième de l'année en golf, derrière le Masters mais devant l'US Open et le British. Ce fut également la deuxième audience du lundi soir, seulement devancé par les séries de CBS *Everybody Loves Raymond* et *48 Hours*. Un succès tel qu'IMG et CBS décidèrent d'en faire un rendez-vous annuel.

Juste après sa victoire sur David Duval, Tiger partit disputer l'USPGA, qui se déroulait au Medinah Country Club (Illinois). C'était le dernier Majeur du millénaire, auquel participaient quatre-vingt quatorze des cent meilleurs joueurs mondiaux. C'était aussi le parcours le plus long de l'histoire des tournois du Grand Chelem.

Sergio Garcia, un jeune Espagnol de dix-neuf ans qui venait tout juste de passer professionnel, s'installa en tête du tournoi grâce à son 66 du premier tour. Tiger prit ensuite deux coups d'avance sur lui au soir du deuxième tour (67 contre 73), mais les deux hommes jouèrent chacun 68 lors du troisième tour, ce qui promettait un duel enflammé le dimanche. À cette époque-là, tout le monde considérait Garcia comme un sale gosse capricieux, qui avait beaucoup de talent mais qui pouvait très vite péter les plombs. Kultida avait pris l'habitude de l'appeler « Crybaby », « la pleureuse ». On l'entendait parfois demander : « Alors, elle a scoré combien la pleureuse aujourd'hui ? » Ce dimanche-là, Tiger possédait cinq coups d'avance alors qu'il restait sept trous à jouer. Et c'est le moment que choisit Garcia pour lancer sa charge. Il rentra un long putt pour birdie sur le green du 13, pour revenir à trois coups de Tiger. Et il lui jeta un regard de défi juste après, alors que Tiger attendait sur le tee de départ que le green se libère, comme pour lui dire : *Je viens te chercher.*

« Non mais t'as vu ça ? » demanda Steve Williams.

« Oui, j'ai vu », répondit Tiger, avant de faire double bogey sur ce même trou 13.

Trois trous plus tard, Garcia galopait sur le fairway du 16 après un recovery miraculeux : sa balle reposait au pied d'un arbre, et il tapa un coup gauche-droite à haut risque en se permettant de fermer les yeux au moment de l'impact. Il courut derrière sa balle pour la voir arriver en bord de green. Alors il s'arrêta, ferma de nouveau les yeux, secoua la tête et mit la main sur son cœur, comme s'il avait frôlé une attaque. Le public avait adoré. Et Woods n'avait plus qu'un seul coup d'avance.

Tiger était épuisé. En arrivant sur le tee de départ du 17, il se dit qu'il allait devoir puiser dans ses réserves et jouer deux trous parfaits s'il voulait battre Garcia. Ce qu'il fit, en rentrant un putt de deux mètres assez compliqué sur le trou 17, et en enchaînant drive et coup de fer parfaits sur le 18 pour prendre deux putts et gagner d'un petit coup. Lorsque sa balle tomba dans le trou pour valider sa victoire et que la foule se mit à hurler, il prit une grande respiration, expira longuement et s'affaissa, les épaules vers l'avant, au bord de s'écrouler. Il grimaçait, fixant le green, presque en état de choc. Il avait remporté son premier Majeur voilà huit cent cinquante quatre jours. Désormais, il en comptait deux à son palmarès. Il était de nouveau au sommet de la montagne.

À sa sortie du green, il tomba sur Sergio Garcia, qui l'attendait pour le féliciter.

«Sergio, bien joué mec», lui dit Tiger alors qu'ils se congratulaient. «Super bien joué, vraiment.»

C'était un nouveau Tiger Woods sur le parcours. Quand il avait remporté le Masters en 1997, il balançait ses drives presque systématiquement à 290 mètres. Avec son nouveau swing, sa moyenne s'établissait plutôt autour des 270 mètres. Il avait un peu perdu en longueur pour devenir beaucoup plus précis. Avant, son swing était gavé de puissance, mais on ne savait jamais ce que ça pouvait donner sous pression. Là, il avait vaincu Garcia avec un swing simplement parfait, qui n'avait rien de spécial au premier coup d'œil.

Il fut presque intouchable sur la fin de saison, en remportant successivement le NEC Invitational, le National Car Rental Golf Classic, le Tour Championship et le WGC-American Express Championship. À seulement vingt-trois ans, il avait plus de coups dans son sac que quiconque sur le circuit. Et quand il ressentait le besoin de jouer des muscles, il était toujours capable d'envoyer des bombes sur un parcours, plus que n'importe qui là aussi. Il en fit une démonstration évidente lors du dernier tournoi de la saison, le WGC-American Express Championship qui se disputait sur le légendaire parcours de Valderrama, en Espagne. Lors du premier trou de play-off, il balança un drive monstrueux à 315 mètres. Miguel Angel Jimenez, son adversaire, semblait sous le choc en regardant la balle atterrir sur le fairway, comme si elle était propulsée par un moteur turbo.

Tiger boucla sa saison avec huit victoires. Seuls dix joueurs en avaient fait autant dans l'histoire du golf, le dernier en date étant Johnny Miller en 1974. Ses quatre victoires consécutives pour terminer l'année égalèrent le record de Ben Hogan en 1953.

Il avait aussi remporté une épreuve du circuit européen, et terminé dans le top 10 de seize de ses vingt et un tournois disputés sur le PGA Tour. Et depuis le fameux coup de fil qu'il avait passé à Butch Harmon au début de l'été, il avait gagné huit des onze tournois auxquels il avait participé.

Son année 1999 était comparable aux trois plus grandes saisons de l'histoire, celles qu'on surnommait la Sainte Trinité : les dix-huit victoires de Byron Nelson en 1945, le Grand Chelem de l'amateur Bobby Jones en 1930, et les trois Majeurs remportés par Ben Hogan en 1953. Mais toutes dataient d'une autre époque, où la concurrence était moins affûtée. Le mieux à même de replacer l'exploit de Tiger dans son contexte est Jack Nicklaus lui-même, qui estima que sa saison 1999 était meilleure que n'importe laquelle des siennes. Il était indéniable que Woods avait réussi la meilleure année de golf depuis quarante ans.

Les changements étaient spectaculaires dans son jeu, mais également dans sa vie privée. Il délaissait désormais les fast-foods, alors qu'il adorait ça, au profit d'une nourriture plus équilibrée, à base de fruits et de yaourts. Il avait troqué ses jeans Levi's pour des vêtements Armani. Son mot favori n'était plus *compétition*, mais équilibre. Il souriait davantage, son visage était nettement moins fermé, et il arrivait même à bien s'entendre avec les médias. Il prit aussi le temps d'écrire une lettre d'excuses à Rachel, la veuve de Jackie Robinson. « Quoi que vous puissiez penser de moi, disait-il, j'admire ce qu'a fait votre mari, et je sais que chez lui, l'être humain était encore meilleur que le sportif. Il restera l'un de mes héros, pour toujours. »

Cette nouvelle attitude était en partie due à toutes les heures passées avec les O'Meara, mais aussi aux changements dans son entourage immédiat. Steve Williams le soutenait quoi qu'il advienne. Joanna Jagoda avait obtenu son diplôme en milieu d'année et passait davantage de temps avec lui, à la fois sur et en dehors des tournois. Elle s'était installée à Isleworth et l'aidait à garder les pieds sur terre en toute décontraction. Et Mark Steinberg, que Tiger avait surnommé « Steiny », avait joué un rôle essentiel pour l'aider à reprendre le contrôle de sa vie hors compétition.

Au contraire de son prédécesseur, Steinberg tenait absolument à laisser Tiger le plus tranquille possible en dehors des tournois. Des tonnes de prétendants voulaient absolument en faire leur nouveau porte-parole, mais il se contenta d'un nouveau contrat avec General Motors, qui avait accepté de payer 25 millions de dollars sur cinq ans pour que Tiger fasse la promotion de Buick. C'était son premier nouveau deal depuis deux ans. Steinberg négocia aussi une prolongation du contrat avec Asahi, qui avait signé Tiger pour promouvoir ses boissons à base de café. Mais il dit non à tout le reste. Tiger avait l'impression que, pour la toute première fois, un agent travaillait exclusivement à son service.

«Tout le monde l'adore, il est plus qu'intelligent, et il est tellement séduisant qu'on pourrait sans doute signer cinq ou dix contrats de plus là, tout de suite, disait Steinberg à cette époque. Mais il n'en a pas envie.»

Dans le même temps, Earl perdait de plus en plus d'influence. Il était toujours proche de Tiger, mais il n'y avait plus besoin de passer par lui pour obtenir quelque chose. Steinberg était le nouveau gardien du temple, et Butch Harmon avait supplanté son père dans le rôle de gourou technique. Earl assista à très peu de tournois en 1999, et il resta dans l'ombre à chaque fois. L'USPGA en fut d'ailleurs une illustration éloquente. Lorsque Tiger quitta le green du 18 une fois la victoire acquise, il prit d'abord son caddie dans ses bras, puis sa mère, de façon assez furtive. L'accolade la plus longue et la plus chargée en émotions fut celle qu'il donna à Butch Harmon, en bord de green. Puis il reçut un baiser chaleureux de Joanna Jagoda, qui ensuite se tourna vers Steinberg pour une étreinte amicale alors que Tiger partait signer sa carte de score.

Earl, lui, était introuvable.

Tiger fêta son vingt-quatrième anniversaire le 30 décembre 1999 dans un hôtel de Scottsdale, Arizona, entouré de sa famille et de quelques amis. Puis il partit se coucher de bonne heure. Cette soirée toute tranquille tombait à pic : elle allait lui permettre de se poser un peu et de réfléchir à son année supersonique, une année qui l'avait profondément transformé. Il s'était toujours senti comme un marginal, finalement. À Cypress, il était le seul noir de tout le voisinage. Le seul, aussi, issu de la classe moyenne quand tous les gamins qu'il affrontait avaient appris à jouer dans les country clubs. Au lycée, on le prenait pour un ringard qui pratiquait un faux sport. Sur le PGA Tour, il était à la fois le plus jeune, le plus puissant, et également celui qui avait décroché les contrats les plus stratosphériques. Il avait toujours eu du mal à s'adapter à son environnement. Sa couleur de peau y était certes pour beaucoup, mais sa drôle de personnalité et son swing considéré comme «surnaturel» depuis qu'il avait deux ans avaient aussi joué un rôle. Mais en cette fin d'année 1999, Tiger n'avait plus rien d'un marginal : il était désormais au centre de tout. Il avait pris à Jack Nicklaus la couronne de meilleur golfeur au monde, et à Michael Jordan celle d'athlète le plus célèbre de la planète.

Il avait commencé à s'en rendre compte un peu plus tôt en décembre, à l'occasion de la prestigieuse soirée *Sports Illustrated* 20th Century Sports Awards au Madison Square Garden, autoproclamée «plus grand rassemblement de stars du sport de l'histoire». Dans le public, on retrouvait des personnalités comme Al Pacino, Billy Crystal, Whitney Houston et Donald Trump. Tiger se retrouva sur la scène avec Mohamed Ali, Michael Jordan, Bill Russell, Jim Brown, Pelé, Joe Montana, Wayne Gretzky, Billie Jean King, Jack Nicklaus, Kareem Abdul-Jabbar et bien d'autres encore.

Ce fut pour lui un moment intense, où il prit conscience de participer à une page de l'histoire du sport. Et pourtant, il ne se sentait pas totalement à l'aise. Il était le plus jeune de tous et ne pouvait s'empêcher de penser qu'il n'avait pas encore accompli assez d'exploits pour mériter de se retrouver ici. Mais il avait toujours été en avance sur sa génération, et il commença ce soir-là à croire qu'il avait sa place au milieu des légendes qu'il avait idolâtrées pendant sa jeunesse.

Une nouvelle année s'annonçait, et il ne pouvait s'empêcher de viser encore plus haut. Il avait l'immortalité en ligne de mire, et il savait ce que ça signifiait en golf : remporter les quatre Majeurs la même année – le Grand Chelem – ce que jamais personne n'avait réussi à accomplir dans l'ère moderne. Une détermination encore renforcée par le tragique accident dont avait été victime Payne Stewart, deux mois plus tôt, le 25 octobre 1999. Vainqueur cette année-là de l'US Open, Stewart se rendait au Tour Championship à Houston quand son jet privé fut victime d'une dépressurisation pour finalement s'écraser dans le Dakota du Sud.

Tiger n'arriva pas à trouver le sommeil cette nuit-là. Les deux hommes étaient voisins à Isleworth, et ils étaient récemment partis en Europe avec Mark O'Meara pour une virée pêche entre copains. L'annonce de son accident jeta un voile de tristesse sur tout le PGA Tour, mais Tiger eut encore plus de mal à l'admettre que les autres. *J'étais encore avec lui l'autre jour*, se dit-il. *Je n'arrive pas à croire qu'il ne soit plus parmi nous.*

Beaucoup de joueurs étaient en larmes, mais Tiger décida de faire son deuil autrement. Plutôt que de rester bloqué sur la perte d'un ami cher, il préféra garder en mémoire les bons souvenirs de celui qui était aussi connu pour porter des knickers. Il se dit que Payne Stewart était maintenant dans un monde meilleur, un monde où il n'y avait pas besoin de se battre, où il avait trouvé la paix et le bonheur. *Peut-être qu'il est notre ange gardien maintenant*, pensa-t-il.

Tiger remporta le Tour Championship, souleva le trophée et eut du mal à retenir ses larmes en regardant vers le ciel pour rendre hommage à son ami disparu. Il décida de faire ce qu'il maîtrisait le mieux au monde : se concentrer sur son jeu, et essayer de l'améliorer. Il se demandait jusqu'où il était capable d'aller. Plus rien ne lui semblait impossible.

CHAPITRE 17
DES QUESTIONS ?

En ce début d'année 2000, Tiger s'entraînait avec Butch Harmon du côté de Carlsbad, en Californie du Sud, sur le practice du La Costa Resort and Spa. Tous les compartiments de son jeu étaient en place comme jamais : la position de ses bras au début du backswing, le plan de son swing, l'angle de sa face de club, sa descente de club, sa traversée de balle. Il n'y avait absolument rien qui clochait. Le soleil était en train de se coucher, la séance avait été très longue, et Harmon sentait que son joueur commençait à perdre un peu de sa concentration. Il lui fit son petit coup habituel, comme à chaque fois.

« J'ai un truc pour toi, je suis sûr que tu ne peux pas le faire », lui dit-il.

Des mots magiques pour éveiller l'attention de son élève. Tiger détestait perdre, peu importe le domaine.

Harmon avait repéré une petite porte sur la droite tout au bout du practice, à deux cent vingt mètres de là. Elle était juste assez large pour laisser passer une voiturette de golf.

« Je te parie cent dollars que tu n'es pas capable d'envoyer une balle par cette porte, lui dit-il. Je te donne trois chances. »

Sans dire un mot, Tiger prit un club et mit sa balle sur le tee. Puis il exécuta un coup parfait, qui prit la direction de la cible pour passer en plein milieu de la porte ouverte. Il se tourna vers son coach, sourire aux lèvres, pour lui balancer : « C'est bien de cette cible-là dont tu parlais Butchie, n'est-ce pas ? »

Harmon lui donna un billet de cent dollars.

Aucun golfeur n'avait jamais eu un tel potentiel de concentration et une telle capacité à réaliser des coups difficiles – pas même Jack Nicklaus ou Ben Hogan. Butch Harmon en avait conscience mieux que personne. Ils travaillaient ensemble depuis que Woods avait dix-sept ans, pour rebâtir son swing à deux reprises. La première fois, il avait fallu apprendre à maîtriser la puissance de ses coups de départ et mettre de nouveaux coups dans son sac. Ce qui lui avait permis de remporter trois US Amateur consécutivement et le Masters 1997 de la plus extraordinaire des manières. La deuxième refonte avait été encore plus radicale : ils avaient tout remis à plat pour fabriquer un swing qui s'adaptait mieux à son corps.

Woods était l'un des rares sportifs au monde à aimer l'entraînement autant que la compétition. Sa recherche de perfection et sa capacité à n'avoir peur de rien lui donnaient un grand avantage psychologique sur ses adversaires : le fameux facteur intimidation. Butch Harmon avait le pressentiment qu'il allait se passer des choses totalement inédites en cette année 2000.

Le Mercedes-Benz Championship, tout premier tournoi de l'année, se disputait à Maui (Hawaï). Tiger le remporta en rentrant un putt de douze mètres sur le premier trou de play-off face à Ernie Els. Sa cinquième victoire consécutive, après les quatre de la fin 1999, soit la meilleure série sur le PGA Tour depuis quarante-deux ans. Puis il s'imposa au AT&T Pebble Beach Pro-Am, de la plus inattendue des manières : il avait sept coups de retard sur Matt Gogel et Vijay Singh avec seulement neuf trous à jouer, mais il finit par les devancer de deux coups. Il réalisait des choses proprement impensables.

Avec six victoires consécutives, Tiger se rapprochait du record de Byron Nelson, qui avait remporté onze tournois à la suite en 1945. Mais avec tout le respect dû à Nelson, les deux séries n'étaient pas vraiment comparables. L'Amérique était en guerre en 1945, et le golf professionnel n'en était qu'à ses balbutiements. Les dotations étaient dérisoires – Nelson avait empoché 30 250 dollars pour ses onze trophées – et l'intérêt public pour le golf était plutôt restreint. Sans compter que Tiger devait affronter une concurrence autrement plus féroce qu'à l'époque. Ce qui ne l'empêcha pas d'être furieux après avoir terminé deuxième derrière Phil Mickelson lors du Buick Invitational à la mi-février. Il savait qu'il était meilleur que son vainqueur du jour, et ça le rendait fou de voir que c'était lui, plus que tout autre, qui venait de le priver de toute chance de battre le record de Byron Nelson. Mais sa plus grosse déception de l'année eut lieu à Augusta, au mois d'avril. Il tenait plus que tout à remporter les quatre Majeurs la même année, mais il connut un sale premier tour en 75 (+3) pour finalement terminer cinquième du Masters, six coups derrière le vainqueur Vijay Singh. « Les dieux du golf n'étaient pas avec moi cette semaine », dit-il après coup.

Pour n'importe quel autre professionnel ou presque, une déception de ce niveau aurait plombé le reste de leur saison. Mais pas pour lui. Il réussit à se nourrir de l'adrénaline provoquée par cet échec, et il avait au fond de lui cette soif insatiable de faire ce qui n'avait jamais été fait avant. À ses yeux, un parcours de golf était une toile, et ses outils de travail – essentiellement ses clubs et sa balle – les pinceaux pour créer une œuvre artistique. Et il avait comme autre obsession de chercher sans cesse à les améliorer eux aussi.

Ce fut par exemple le cas lors du Byron Nelson Classic disputé au Four Seasons Resort à Irving, Texas. Le 14 mai 2000, Tiger ramena une carte exceptionnelle de 63 lors du dernier tour, pour finalement terminer à un petit coup d'un trio de joueurs (dont le vainqueur Jesper Parnevik, qui battit Phil Mickelson et Davis Love en play-off). Seul dans sa chambre, il avait le cerveau en ébullition, parce qu'il estimait qu'il aurait dû gagner ce jour-là. Juste avant 19 heures, il reçut un SMS de Kel Devlin, le directeur du marketing de Nike : « Hey, super carte aujourd'hui ! »

Kel était le fils de Bruce Devlin, un Australien vainqueur à de multiples reprises sur le PGA Tour. Il était lui-même joueur scratch et avait travaillé main dans la main avec Tiger sur un projet de nouvelle balle de golf appelée Tour Accuracy. Nike l'avait développée avec Bridgestone, un fabricant installé au Japon, et Tiger la testait depuis plusieurs mois. En 2000, comme n'importe quel autre joueur du Tour, il jouait des balles dont la surface était faite en balata, une substance naturelle issue des arbres à caoutchouc en Amérique du Sud et en Amérique centrale ; leur noyau liquide était recouvert de plusieurs couches de caoutchouc. Nike développait de son côté une balle composée d'un noyau solide et moulé avec des composés synthétiques, dont du polyuréthane. Un produit qui pouvait changer la donne sur le circuit, en allant potentiellement plus loin que ses concurrentes, et en subissant beaucoup moins les effets de la pluie et du vent.

Tiger jouait une balle Titleist depuis ses débuts pros en 1996, mais plus il essayait la Nike, et plus il était tenté par un changement. Les derniers tests avaient eu lieu en mars, et il estimait avoir encore besoin d'une nouvelle session avant de se décider. Session qui devrait probablement attendre la fin de l'été, après l'USPGA. Devlin avait bien conscience qu'il ne se passerait rien de nouveau dans ce domaine d'ici-là.

Mais Tiger décida d'accélérer le processus après avoir perdu d'un coup au Texas. Il devait jouer le Deutsche Bank-SAP Open en Allemagne quatre jours plus tard. Pourquoi ne pas en profiter pour effectuer un dernier test là-bas ?

Il passa un coup de fil à Devlin quelques minutes après avoir reçu son SMS. Il était 17 heures sur la côte ouest. Le dirigeant de Nike venait de se mettre à table pour dîner avec les siens. Il posa son verre de vin quand il vit l'appel de Tiger.

« On peut se voir en Allemagne mardi matin ? » demanda le numéro un mondial.

« Je pense, oui. Pourquoi ? »

« Je veux jouer avec la balle Nike. »

Devlin crut à une mauvaise blague. « C'est ça, fous-toi de ma gueule », dit-il.

« Non, sérieusement, reprit Tiger. Si j'avais joué avec ma balle, j'aurais gagné avec six coups d'avance ce week-end. »

Ma balle. Les paroles les plus douces que Devlin aurait pu entendre à ce moment-là.

« Putain, t'es vraiment sérieux là ? »

Avant de raccrocher, Tiger lui demanda de faire livrer une soixantaine de balles en Allemagne.

Devlin reçut un autre coup de fil quelques minutes plus tard, de Mark Steinberg cette fois. Qui alla droit au but : « C'est vraiment vrai cette histoire ? »

Devlin se posait la même question. La demande de Tiger avait déclenché un véritable cauchemar logistique. Devlin se trouvait en Oregon, et il devait partir dans la minute s'il voulait avoir une chance d'arriver en Allemagne le mardi matin en enchaînant les correspondances après un vol de nuit. C'était encore plus compliqué pour les balles, qui se trouvaient à ce moment-là au Japon, dans les usines Bridgestone. On était lundi matin au pays du soleil levant, et il n'y avait aucune chance de pouvoir les livrer à Portland, chez Nike : il fallait qu'une personne se rende directement du Japon en Allemagne pour les remettre en mains propres à Tiger. Devlin ne prit même pas la peine d'expliquer tout ça à Steinberg. Tiger voulait des résultats, pas des excuses.

Devlin appela immédiatement Bob Wood, le président de Nike Golf, pour lui annoncer que Tiger reprenait les tests plus tôt que prévu. Wood était un drôle de personnage : un chef charismatique, un excellent guitariste avec sa Fender, aussi, et qui rappelait souvent que « *fuck* » était le mot le plus sous-estimé de la langue anglaise. Il était aux anges.

« Putain ! dit-il. Putain, c'est pas vrai ! »

« Sérieusement. Tiger veut nous voir à Hambourg. Maintenant ! »

Wood tenait lui aussi à ce que Devlin fasse le déplacement, mais il savait qu'il n'y avait qu'une solution pour recevoir les balles à temps.

« Appelle Rock », ordonna-t-il.

Rock Ishii était chercheur et ingénieur chez Bridgestone. Il avait hérité du doux surnom de « Maharishi Rock Ishii[49] », et c'était lui l'homme-clé du projet Tour Accuracy.

Il dormait à poings fermés lorsqu'il fut réveillé par le coup de fil de Devlin, qui lui demanda : « Tu peux aller à Hambourg avec la Tour Accuracy ? »

« De quoi tu me parles là ? »

« Tiger veut tester la balle pendant le tournoi. Il veut que tu lui en apportes cinq douzaines. »

Un quart d'heure plus tard, Ishii fonçait jusqu'à l'usine pour récupérer les balles. Il appela Devlin pour le rassurer : « Il y a un vol qui part de Narita[50] ce matin, je serai dedans », dit-il.

Tiger était lui à Dallas, sur la passerelle de son avion, sur le point de décoller vers Orlando quand il reçut à son tour un coup de fil du directeur marketing. « C'est bon, les balles sont en route. On se retrouve où ? »

« Rejoins-moi sur le tee de départ du 1 mardi 9 heures. Steiny s'occupe de tout. »

Tiger avait envisagé de tester les balles Nike suite au grabuge qu'avaient provoqué les deux publicités de son sponsor diffusées pendant l'été – celle où les golfeurs du dimanche se mettaient à taper loin et droit, et celle où il jonglait avec son sandwedge. Les deux clips avaient agacé Titleist au point qu'Acushnet, la maison mère, avait attaqué Nike en justice à la cour de district

---

49. Référence au Maharishi Mahesh Yogi, un maître spirituel indien.
50. Aéroport international de Tokyo.

des États-Unis à Boston au motif de «publicité mensongère».
Acushnet accusait Nike d'avoir indûment incité Tiger à apparaître
dans une publicité télévisée avec des balles et des équipements de
golf de sa propre fabrication, violant ainsi le contrat d'exclusivité
qui liait Tiger à Titleist pour les balles et les clubs. Pourtant, Woods
avait utilisé des clubs et des balles Titleist pour le tournage, mais
vu que les deux pubs se terminaient avec le logo Nike en plein
écran, Titleist avait demandé l'arrêt de leur diffusion. Selon eux,
des «dizaines de millions de personnes» allaient en déduire que
Tiger avait désormais décidé de jouer avec du matériel Nike.

Le cas fut finalement réglé à l'amiable, et Steinberg renégocia
son contrat pour lui permettre de pouvoir jouer avec la balle
Nike s'il en avait envie. Mais ce procès marqua le début de la fin
entre Titleist et Tiger. Juste avant de s'envoler pour l'Allemagne,
il appela lui-même le PDG de Titleist, Wally Uihlein, pour lui
dire qu'il allait utiliser la balle Nike pour la première fois pendant
le Deutsche Bank SAP-Open.

Il pleuvait et le vent s'était levé quand Steve Williams arriva sur
le tee du 1 le mardi matin, peu avant 9 heures, au Gut Kaden Golf
Club d'Alveshole, tout près de Hambourg. Vu la météo, il imaginait
que Tiger allait annuler ses trous d'entraînement et resterait sur
le practice, auquel rien ni personne ne le ferait jamais renoncer.
Williams avait mis le sac de Tiger à l'abri quand il vit débarquer
Devlin et Ishii. Le premier portait un parapluie, le deuxième
des boîtes de balles.

Le caddie était plutôt surpris de les voir.

«On est là pour le nouvel essai de balle avec Tiger», expliqua
Devlin.

«À mon avis, c'est pas le meilleur jour pour ça», répondit
Williams, toujours pas convaincu que la balle Nike était meilleure
que la Titleist.

Woods arriva trente secondes plus tard, tout sourire. Pour lui,
les conditions étaient idéales pour un test: du vent, de la pluie, tout
ce qu'il fallait pour tester le comportement de la Tour Accuracy
– en vitesse, vol et prise d'effets.

Sous une pluie battante, Tiger mit une Titleist sur le tee de
départ et visa la partie gauche du fairway. Le vent poussa la
balle jusque dans le rough de droite. Puis il en fit de même avec
la Nike, et c'est comme si le vent et la pluie s'étaient arrêtés.

La balle dévia d'à peine trois mètres sur la droite, pour finir plein centre du fairway. Williams fut très impressionné, et Tiger renouvela la manœuvre sur les neuf premiers trous.

Il ne lui en fallut pas plus pour être convaincu d'avoir fait le bon choix : il allait utiliser la Nike dès le lendemain, pendant le pro-am. Même Williams, plutôt sceptique, finit par reconnaître les performances de la Tour Accuracy.

« Bon, j'imagine qu'on change de balle », lui dit-il.

Tiger utilisa à nouveau la balle Nike à son retour d'Allemagne lors du Memorial Tournament disputé à Muirfield Village, Ohio. Il remporta l'épreuve avec six coups d'avance. C'était son dix-neuvième titre sur le PGA Tour, remporté avec tellement de panache (-19 total) que Jack Nicklaus, l'hôte du tournoi, reconnut : « Il transforme les parcours en chair à pâté. »

Il retrouva Steinberg juste après sa victoire. L'US Open avait lieu deux semaines plus tard, et sa décision était prise : il allait jouer la balle Nike à plein temps. Mais il voulait l'annoncer lui-même au PDG de Nike et à ses équipes de vente. Nike avait tout misé sur Tiger et ses nouveaux produits golf, et il voulait leur donner un vrai coup de pouce. Son agent lui dit qu'il allait arranger ça.

La convention semestrielle de Nike se tenait le 1er juin 2000 au Sunriver Resort, dans l'Oregon. Près de deux cents salariés venus des États-Unis, du Canada et d'Europe étaient réunis dans la salle de conférence ce soir-là.

Bob Wood, le président du département golf, se trouvait sur scène pour expliquer la stratégie de la marque et ses objectifs de vente pour les six prochains mois. Juste derrière lui, des écrans géants diffusaient en boucle des images des produits Nike. Personne, même pas Wood, ne savait que Tiger se trouvait alors dans les coulisses en compagnie de Steinberg, Devlin et Phil Knight.

Il apparut soudainement aux yeux de tous, en sortant d'un rideau qui se trouvait sur le côté de la scène. Il portait une grande photo encadrée de la remise des prix pour sa victoire au Memorial Tournament, ainsi qu'un gant signé de sa main et une balle Tour Accuracy, celle qu'il avait utilisée pour sa victoire. Il se dirigeait vers Wood, et les participants commençaient à le montrer du doigt et à murmurer de plus en plus fort. Wood savait comment capter l'attention d'un auditoire et n'avait toujours pas remarqué sa présence. Il se demandait bien ce qui pouvait distraire ainsi ses équipes. Jusqu'à ce que Tiger arrive à ses côtés.

« Putain, mais qu'est-ce que tu fous ici ? » lui demanda-t-il.

Le public explosa.

Tout sourire, Tiger remit la photo encadrée à Wood. Puis il prit le micro et dit : « Avant qu'on ne commence, je voulais juste vous dire que j'ai décidé de jouer tous mes tournois avec la balle Tour Accuracy. »

Les employés de Nike devinrent comme fous, électrisés par cette seule phrase. Tous se levèrent, à sauter de joie et à hurler. Ils firent une bringue d'enfer jusqu'au bout de la nuit.

Le centième US Open se disputait à Pebble Beach, Californie, et la chaîne NBC avait prévu quarante-sept caméras – soit deux fois plus que d'habitude – pour ne rien manquer des faits et gestes de Tiger. Des caméras au sol, sur le parcours, dans les airs et d'autres qui filmaient aussi depuis l'océan. Le 14 juin, veille du début du tournoi, Woods avait prévu de jouer quelques trous dès 7 heures du matin. Mais une cérémonie en hommage à Payne Stewart, vainqueur de l'édition 1999, était prévue exactement à la même heure sur le green du 18. Dans une référence appuyée aux vingt et un coups de canon qui scandent l'hommage militaire ultime, près de quarante golfeurs étaient alignés pour envoyer leur drive vers l'océan Pacifique aux ordres de « Prêts, en joue, feu ». Tracey, l'épouse de Payne Stewart, tentait de retenir ses larmes alors que des milliers de spectateurs assistaient à la commémoration. Tiger, lui, choisit de ne pas s'y rendre. Une décision plutôt facile à prendre : il avait déjà présenté ses condoléances en privé à Tracey Stewart. Pour lui, cette cérémonie n'était que de la poudre au yeux et ça ne lui disait rien d'en faire partie. Et puis cela aurait porté préjudice à sa préparation pour le tournoi.

Pendant que certains de ses camarades de jeu se recueillaient en hommage à leur ami disparu, Tiger disputait une partie d'entraînement avec Mark O'Meara. Puis il passa près de deux heures et demie sur le putting green à travailler sur sa posture et son relâchement. Il fila ensuite au practice, histoire de procéder à d'ultimes ajustements sur son swing. Quelques célébrités présentes essayèrent de nouer le contact avec lui – un sportif très connu, une star de la télé, un journaliste vedette – mais il n'avait aucune envie de faire la conversation.

Rien ne pouvait le distraire quand il passait en mode tournoi — pas même les questions des médias sur son absence à la cérémonie du matin. Surtout qu'il n'était pas le seul à avoir fait ce choix-là. Jack Nicklaus n'était pas venu lui non plus, et personne ne lui demandait quoi que ce soit. O'Meara, qui était très proche de Stewart, avait lui aussi zappé l'événement pour jouer en sa compagnie. Tiger n'avait certainement pas l'intention de se justifier.

Onze heures ou presque après son départ matinal, il en termina avec sa journée. Butch Harmon avait l'habitude de le voir travailler autant. Quand il le vit quitter le putting green, il se dit : *Personne n'a la moindre chance demain.*

Tiger était du même avis. Ce soir-là, seul dans l'obscurité de sa chambre, il prit son carnet de parcours et ferma les yeux pour visualiser chacun des coups qu'il aurait à jouer le lendemain. Il finit par s'endormir, et joua 65 le jeudi. Il restait encore trois tours à disputer, mais tout le monde avait déjà compris : ils allaient devoir se battre pour la deuxième place. Le vendredi, des vents très forts balayèrent le parcours et causèrent des ravages sur les cartes de score. Tiger en profita pour augmenter son avance, en jouant comme si sa balle était insensible aux conditions de jeu, en envoyant des drives parfaits et en enchaînant les birdies. Mais en raison des retards de jeu et d'un départ tardif dans l'après-midi, il fut interrompu par l'obscurité après douze trous.

Il reprit sa marche en avant le samedi matin. Il était environ 8 heures sur la côte ouest lorsqu'il arriva au départ du 18 avec une avance de huit coups. Mais il envoya un grand hook, et sa balle finit dans la Carmel Bay.

«Putain de connard de merde !» lâcha-t-il.

Les micros de CBS avaient bien évidemment capté son coup de colère.

«Wahou !» fit Johnny Miller, consultant sur NBC.

«Sans commentaires», ajouta l'analyste Mark Rolfing.

Tiger avait un langage fleuri et un caractère à fleur de peau, ce n'était un secret pour personne dans le monde du golf. Mais il était plutôt choquant de le voir se lâcher ainsi sur une télé nationale. NBC avait déprogrammé ses habituels dessins animés ce samedi matin pour retransmettre l'US Open à la place. Des téléspectateurs en colère se mirent à appeler NBC et l'USGA.

Le journaliste Jimmy Roberts couvrait son tout premier événement pour la chaîne NBC ce week-end-là. Parmi ses missions :

interviewer Tiger Woods à la fin de chacun de ses tours. Il l'avait déjà fait par le passé, notamment en 1996, juste avant l'US Amateur, pour l'émission *SportsCenter* sur ESPN. Les deux hommes s'entendaient plutôt bien. Pendant cet US Amateur, Roberts avait prévenu Woods qu'il ne pourrait pas rester toute la semaine : il devait partir au plus vite pour New York, où sa femme enceinte de leur premier enfant devait subir quelques examens médicaux.

« Ah bon ? Vous n'êtes pas censés rester jusqu'à la fin du tournoi, vous autres journalistes ? » lui demanda Tiger en le chambrant gentiment. Ce qui fit bien marrer Roberts.

Woods avait fait ses débuts professionnels la semaine suivante, au Greater Milwaukee Open, et Roberts était également présent pour le suivre. Tiger était cerné par les fans et les reporters, mais lorsqu'il vit Roberts, il fit un détour pour lui demander : « Alors, comment va ton épouse ? »

Roberts en fut très touché. Il existait depuis une affection réciproque entre les deux hommes.

Le journaliste de CBS avait l'intention de lui poser une question sur son écart de langage du trou numéro 18, mais il ne voulait pas le prendre au dépourvu devant des millions de téléspectateurs. Plutôt que de l'attendre comme à son habitude, il décida d'aller le voir dès sa sortie du green pour le prévenir de ses intentions.

Tiger avait huit coups d'avance avant les deux derniers tours, il était tout sourire au bras de Joanna Jagoda. Il vit Roberts venir vers lui et le salua.

« Écoute, lui dit Roberts, je vais devoir te poser une question sur ce qu'il s'est passé au départ du 18. »

Tiger perdit son sourire d'un seul coup. Il venait de jouer comme un dieu, il s'apprêtait à battre tous les records de l'US Open, et on voulait lui poser une question sur un ou deux mots prononcés dans le feu de l'action ? Sérieusement ? Tout le monde parlait comme ça sur le circuit, les pros comme les journalistes qui les suivaient. Sauf que les autres n'avaient pas de micros pour, comme le disait Harmon, « leur coller au cul à longueur de journée ».

Agacé par la situation, Tiger ne répondit rien mais jeta un regard noir à son interlocuteur.

Roberts ne comprenait pas pourquoi il le prenait comme ça. À ses yeux, c'était une occasion en or de présenter ses excuses aux téléspectateurs, et de reconnaître qu'il avait tellement envie de gagner que, parfois, les mots dépassaient sa pensée.

« Il a raison, intervint Joanna. Vas-y et réponds à ses questions. » De plus en plus irrité, il se décida à suivre Roberts.

« Votre toute fin de parcours n'était pas celle dont vous rêviez, lui demanda-t-il en direct. Et vous aviez l'air plutôt énervé sur le tee du 18. »

« Oui, ça m'a agacé, répondit Tiger. Je me suis laissé prendre par les émotions. J'ai tapé un mauvais coup. Je voulais envoyer un drive tout droit, et il est parti en pull-hook[51]. Et oui, ça m'a un peu embêté. Je suis désolé de m'être emporté, mais je pense que n'importe qui dans la même situation aurait réagi comme moi. Malheureusement, les mots sont sortis tout seuls de ma bouche. Mais j'ai réussi à me calmer et à taper un deuxième coup nickel. J'aurais bien aimé taper mon premier coup de départ comme je l'ai fait avec le deuxième. »

Woods était furieux qu'on lui pose une telle question, mais il n'avait pas l'intention de le montrer à qui que ce soit. Contrairement à sa grande gueule de père, il évitait toujours le conflit. « J'ai toujours laissé parler mes clubs, comme me le conseillait ma mère, disait-il. Elle m'a appris à être fort, et aussi que plus je l'ouvrirais, plus les choses auraient de chances de se dégrader. Et si je voulais laisser parler mes clubs, alors il fallait que je batte les autres aussi nettement que possible. Pas seulement les battre : les écraser. Je voulais gagner, pas de doute là-dessus, mais de la façon la plus nette possible. Ma mère voulait que je "piétine" mes adversaires, que je leur "marche dessus", pour reprendre ses mots. » C'est ce qu'il avait l'air de ressentir pour Roberts.

Tiger était en tête à -8 après trois tours, avec dix coups d'avance sur le deuxième. Jamais personne n'avait creusé un tel écart avant le dernier tour d'un US Open, mais il n'était pas totalement satisfait. Il voulait battre le record du parcours et avait la ferme intention de ne pas commettre le moindre bogey le dimanche. Ce qu'il fit. Au moment d'aborder le dernier trou, il était calme, en paix avec lui-même. Il fut un peu gêné et amusé à la fois de voir tout le monde s'incliner devant lui sur le fairway du 18, comme s'ils saluaient un membre de la famille royale. Il ramena une

---

51. Trajectoire qui tourne à gauche très rapidement.

dernière carte de 67 (–4) pour finir à –12 total, avec quinze coups d'avance sur ses seconds (Ernie Els et Miguel Angel Jimenez).

Il était en route vers la remise du trophée, qui devait avoir lieu tout près du dernier green. NBC en profitait pour passer des spots publicitaires. Jimmy Roberts se trouvait juste là. C'est lui qui présentait la cérémonie, son plus grand moment de télé en direct, devant des millions de téléspectateurs.

Juste avant qu'il ne prenne l'antenne, Butch Harmon l'attrapa par le bras. «Qu'est-ce que tu cherches à prouver? lui demanda-t-il. C'est quoi ces putains de questions?» Il n'avait toujours pas digéré l'interview de la veille à propos des injures de son joueur. «Tu fais vraiment de la merde, reprit-il. On pensait que tu étais notre ami.»

Roberts était secoué. *La vache! se dit-il, mais qu'est-ce qui leur prend?*

Il venait sans doute de faire son entrée sur la liste noire des «journalistes ennemis».

Mais Tiger ne montra rien de son ressenti quand il entra dans la pièce, le trophée à la main, pour répondre à ses questions. Il reconnut avoir été très bon sur certains «longs putts pour sauver ses pars», et qualifia son tournoi de «bonne petite semaine, bien solide», avec un grand sourire aux lèvres. Roberts lui demanda si sa victoire record renforçait encore son statut de roi du golf.

«Les records, c'est bien, mais ça n'a pas grande importance au final, dit-il. Et puis on ne peut pas vraiment réaliser dans l'instant. Je savourerai sans doute cette victoire comme elle le mérite un peu plus tard. Ça vient tout juste de se passer, là... La seule chose que je sais, c'est que le trophée est là, juste à côté de moi.»

CHAPITRE 18
TRANSCENDANCE

Les journalistes, historiens ou joueurs du circuit étaient unanimes : l'US Open 2000 venait d'offrir la performance la plus aboutie de l'histoire du golf. Jamais personne n'avait dominé ses adversaires avec un tel écart au cours des trois cent soixante-dix Majeurs précédents. Une prouesse qui avait éclipsé toutes les autres cette semaine-là : Kobe Bryant et Shaquille O'Neal avaient remporté la finale NBA avec les Lakers de Los Angeles, mais c'est bien Tiger qui avait fait les gros titres et qui se retrouvait une nouvelle fois en couverture de *Sports Illustrated*.

Quelques jours plus tard, Tiger prit la direction de Las Vegas pour continuer le travail sur son swing avec Butch Harmon. Ils décidèrent d'aller fêter sa victoire en toute tranquillité au restaurant The Palm, situé au Caesars Palace. Ils privatisèrent une petite pièce à l'arrière pour éviter les bains de foule. Mais quand Tiger se leva pour partir, quelques clients remarquèrent sa présence et se levèrent à leur tour spontanément pour l'applaudir. Le tapage attira l'attention des autres clients et soudain, tout le monde se mit debout dans le restaurant pour l'applaudir. Touché, un peu gêné par l'ovation, Tiger marqua une pause. Il avait l'habitude de recevoir ce genre d'accueil sur le parcours, et c'était bien plus facile à gérer. Il pouvait se contenter de lever sa casquette ou de jeter une balle dans le public pour faire plaisir aux gens. Mais là, il ne pouvait pas s'en remettre à son matériel ou ses vêtements. Alors il se contenta de sourire et de hocher la tête, pour déclencher une ovation encore plus forte. Il pouvait aller n'importe où, c'était toujours lui le héros.

Il avait remporté trois des quatre Majeurs, et la possibilité de réaliser le Grand Chelem en carrière[52] dès le mois de juillet était

---

52. Remporter les quatre Majeurs, peu importe l'année.

maintenant sur toutes les lèvres. Le British Open se disputait à Saint Andrews, en Écosse, là où le golf avait été inventé. 230 000 fans avaient fait le déplacement en espérant voir l'histoire s'écrire sous leurs yeux.

Tiger joua de façon si parfaite que c'en fut presque injuste. « C'est un extraterrestre. Il a placé la barre à un niveau que lui seul est capable d'atteindre », affirma Tom Watson pendant l'épreuve, qu'il avait remportée cinq fois au cours de sa carrière. Cette semaine-là, il fut le seul joueur du champ à ne pas envoyer sa balle une seule fois dans l'un des cent douze bunkers que comptait le parcours du Old Course. David Duval partageait sa partie le dimanche pour le dernier tour, et le numéro deux mondial termina douze coups derrière Tiger. Qui établit un nouveau record en remportant un tournoi du Grand Chelem avec le score total de -19.

Il n'y avait pas eu de suspense. Tout le monde avait vite compris qu'il allait devenir le cinquième joueur de l'histoire à gagner les quatre tournois du Grand Chelem de l'ère dite moderne[53], après Gene Sarazen, Ben Hogan, Gary Player et Jack Nicklaus. Un club ultra sélect qu'il rejoignait à vingt-quatre ans seulement, une performance que personne n'avait jamais accomplie avant lui.

Conscients de vivre un moment historique, les fans surexcités présents autour du 18 enjambèrent le cordon de sécurité et envahirent le fairway, sous le regard impuissant des marshals. Un sauve-qui-peut général qui donnait malgré tout l'impression que la foule portait Tiger jusqu'au dernier green. Hommage des Britanniques au génie ultime du golf, fruit d'une vie passée en solitaire à travailler son swing pour en faire une machine de guerre.

Pendant que la foule massée autour du dernier trou saluait Tiger à la hauteur de son talent, Kultida pleurait de joie. Son rôle dans l'avènement de son fils avait toujours été occulté par celui joué par Earl. C'était lui qui avait écrit deux livres pour se mettre en avant, qui tenait des grands discours devant la presse et qui faisait le malin devant les caméras. Pour utiliser un langage informatique : c'est peut-être Earl qui avait relié les circuits de Tiger entre eux, mais c'est bien elle, Kultida, qui avait encodé tout le disque dur. C'est elle qui était à l'origine de sa force mentale et de son instinct de tueur. Elle savait mieux que quiconque ce qu'il avait dû endurer pour en arriver là. C'est elle qui l'avait

---

53. Le Masters ne débuta qu'en 1934.

accompagné sur tous les parcours du monde depuis qu'il était tout gamin. Et après avoir marché les soixante-douze trous du Old Course avec lui, elle était totalement bouleversée de voir le public le fêter ainsi. *Oui, tous ces efforts en valaient la peine*, se dit-elle à ce moment-là.

Tiger ne s'attendait pas à voir sa mère pleurer ainsi. C'était la première fois qu'il la voyait dans cet état. Après avoir reçu le trophée, rempli ses obligations et parlé à la presse, il la rejoignit juste devant son hôtel. Elle rentrait aux États-Unis par ses propres moyens.

Ils se serrèrent fort dans les bras l'un de l'autre.

« On se voit quand je rentre », lui dit-il. Puis il grimpa à l'arrière d'une voiture qui l'emmena sur la base voisine de la Royal Air Force, où un jet privé l'attendait pour le ramener à Isleworth. Là où il venait d'acheter une toute nouvelle maison de 750 m^2 pour la somme de 2,475 millions de dollars.

Tiger était professionnel depuis environ deux ans quand Alicia O'Meara le présenta à Herb Sugden, un moniteur de plongée sous-marine. Il avait la réputation d'être rigoureux et exigeant, et Tiger le prit comme professeur particulier pour ses premières leçons dans sa piscine d'Isleworth. « C'était un élève exceptionnel, se souvient Sugden. Il travaillait dur et n'essayait jamais de prendre des raccourcis. Quand je lui donnais des indications, il disait "oui" et il les appliquait immédiatement. Il devint très vite très bon. »

Sugden comprit rapidement que Tiger était prêt pour quitter sa piscine et passer au Divemaster – un terme qui désignait les plongeurs dont le niveau était proche de celui des moniteurs. En moins d'un an, Tiger obtint un niveau suffisant pour pouvoir accompagner d'autres plongeurs confirmés en mer. L'océan devint très vite sa nouvelle passion. Personne ne le reconnaissait là-bas, et personne n'essayait de lui gratter quelque chose. Il dit un jour à un ami qu'il avait l'impression d'être en paix comme nulle part ailleurs quand il était seul avec les poissons.

À son retour du British Open, il prit l'avion pour les Bahamas pour se réfugier sous l'eau. Pour aller observer les récifs de corail, certes, mais il en profita également pour travailler sur le contrôle de ses nerfs. S'il tombait sur un poisson gigantesque, il s'efforçait de maîtriser le rythme de son cœur et de ne pas le laisser s'emballer. Une technique qui l'aida ensuite à contrôler son rythme cardiaque lorsqu'il avait besoin d'enquiller un putt important.

Il recherchait la tranquillité à tout prix, mais la Tigermania était encore plus folle qu'à l'époque de sa victoire au Masters 1997. Il fit la couverture de *Time* à la mi-août, et le *New Yorker* lui consacra un reportage de douze pages intitulé «L'Élu». American Express lança une publicité – «Tiger Woods à Manhattan» – où on le voyait jouer au golf à Central Park, sur le pont de Brooklyn et sur Wall Street. Tous ceux qui faisaient le PGA Tour – joueurs, caddies, coachs – étaient unanimes : il était devenu le meilleur dans chaque compartiment du jeu. Driving, frappe de balle, petit jeu, putting, capacité à scorer : il n'avait aucune faiblesse. L'USPGA, le tout dernier Majeur de la saison, se disputait fin août au Valhalla Golf Club de Louisville. À ce moment-là, la plupart des caddies le jugeaient si fort qu'ils trouvaient que c'en était devenu injuste. Sa domination psychologique était telle que tout le monde était intimidé face à lui. Même les pros les plus expérimentés en perdaient leur golf, surtout lors du dernier tour.

Woods était bien évidemment en tête après trois tours, avec le score de -13. Mais ce dimanche-là, il partageait sa partie avec un golfeur qui n'était absolument pas impressionné : Bob May, un nom inconnu du grand public mais dont Tiger se souvenait parfaitement. Il avait été le meilleur junior de Californie du Sud dans les années 1980. Woods avait sept ans de moins que lui, mais à cette époque-là, il consultait les classements et statistiques des golfeurs juniors comme d'autres apprenaient par cœur les stats de baseball. May n'avait peut-être jamais remporté de tournoi sur le PGA Tour, mais à trente et un ans, il était classé quarante-huitième joueur mondial et possédait un jeu de fer exceptionnel. Il en avait fait la démonstration lors des trois premiers tours pour se retrouver à -12, juste un coup derrière Tiger.

Juste avant le début de leur partie, Tiger se tourna vers Steve Williams et lui murmura : «Lui, il ne va pas s'écrouler.»

May n'avait pas fermé l'œil de la nuit, se répétant encore et encore : *Tu joues contre le parcours, et pas contre lui. Tu ne peux pas contrôler ce qu'il fait. Il tape la balle plus loin que n'importe qui dans le monde. Il ne va pas jouer le même parcours que toi. Concentre-toi sur ton parcours, c'est la seule chose que tu puisses faire.*

Tout se passait bien dans sa tête jusqu'à ce que Woods tape son drive sur le premier trou, un dogleg gauche surnommé «Cut The Corner». Un vrai coup de fusil qui passa au-dessus des arbres comme si c'étaient de simples buissons. Lorsque sa balle s'arrêta enfin de rouler, elle se trouvait près de cinquante mètres devant celle de Bob May. L'évidence s'imposait aux yeux de tous : ce serait une balade pour Tiger Woods, et Bob May allait exploser sous la pression.

Au lieu de quoi, on assista à l'une des plus belles confrontations de l'histoire des Majeurs.

Les deux hommes étaient à égalité après soixante-douze trous, à -18 total, le score le plus bas de l'histoire de l'USPGA. Ils avaient tous les deux ramené une carte de 31 sur les neuf derniers trous, alternant coups sublimes et putts incroyables. Sur le tout dernier trou, Woods devait assurer un putt de 1,80 m particulièrement traître, avec une petite pente gauche-droite, pour arracher le play-off. Il le rentra bord gauche, sans l'ombre d'une hésitation. Puis il se tourna vers son caddie et lui dit : «Stevie, même ma mère l'aurait enquillé celui-là. Je suis Tiger Woods et je suis censé les rentrer, ceux-là. Il n'y a pas de quoi en faire un fromage.»

Bob May pensait tout pareil : rien d'exceptionnel pour Tiger Woods. Au vu du contexte, il venait de jouer le meilleur tour de sa vie avec une carte de 66 (-6) et il avait encore une chance de s'imposer.

Le play-off se disputait sur trois trous, et Woods prit tout de suite un coup d'avance grâce à un birdie sur le 16. L'image a fait le tour du monde depuis : on le voit courir derrière sa balle, le doigt pointé vers le trou, avant qu'elle ne tombe dedans à la toute dernière seconde alors qu'elle semblait s'être arrêtée. Mais il était en difficulté sur le 17, après avoir envoyé son drive derrière une rangée d'arbres.

N'importe quel golfeur sur le circuit aurait joué la prudence à ce moment-là, à savoir un petit chip sur le côté pour se recentrer et ramener un probable bogey. Mais lui imagina une stratégie bien différente : puncher son fer 8 sous les arbres, pour que la balle rebondisse sur le petit chemin en ciment réservé aux voiturettes et roule ensuite jusqu'à l'arrière du green.

Sur le chemin ? Bob May en était tellement surpris qu'il se demandait si Woods l'avait vraiment fait exprès.

C'était bien le cas. Il eut encore une grosse frayeur au départ du dernier trou, quand son drive disparut pendant quelques secondes derrière des arbres, sur la gauche, avant de revenir miraculeusement près du fairway. Suffisant pour faire le par et battre son adversaire d'un petit coup. Il devint ainsi le premier joueur à décrocher trois Majeurs dans la même saison depuis Ben Hogan en 1953. Ses neuf dernières semaines étaient simplement irréelles : il avait réussi à remporter l'US Open en juin, le British Open en juillet et l'USPGA en août. Les journalistes de golf étaient unanimes : ils venaient de vivre l'été le plus exceptionnel de toute l'histoire du sport.

Tout aussi exceptionnel ou presque était le fait qu'Earl Woods n'avait assisté à aucune de ces trois victoires en direct. Lui qui ne manquait jamais un Majeur avait été invisible ces semaines-là. Mais il avait tout de même réussi à attirer l'attention avec ses commentaires sur les sœurs Williams dans *Sports Illustrated*. Deux semaines avant la victoire de Tiger au British Open, Venus Williams avait elle aussi marqué l'histoire en remportant, à l'âge de vingt ans, le tournoi de Wimbledon. Elle était la première Afro-Américaine à réussir un tel exploit depuis Althea Gibson en 1957 et 1958. Folle de joie, portée par l'exubérance de sa jeunesse, elle se mit à sauter comme un cabri juste après la balle de match ; puis elle fila directement en tribunes, en escaladant des rangées de spectateurs, pour aller embrasser Serena, sa sœur cadette âgée de dix-huit ans, ainsi que son père, Richard Williams, qui leur avait enseigné le jeu.

Il était facile d'établir des parallèles entre l'avènement des sœurs Williams et celui de Tiger Woods. Au-delà de leurs origines communes, il y avait l'influence d'un père loin de faire l'unanimité et aux méthodes plutôt inhabituelles dans ces milieux-là, ce qui provoquait parfois des moments un peu bizarres voire franchement très gênants. Tiger Woods et Venus Williams avaient écrit une page d'histoire presque en même temps, et on demanda à Earl s'il avait déjà rencontré Richard Williams.

« Je ne l'ai jamais rencontré et je ne le veux surtout pas, répondit-il. Je ne suis pas très fan de la façon dont il s'occupe de ses filles. Il les empêche d'atteindre leur plein potentiel. Il ne leur permet pas de travailler avec des professeurs compétents et reconnus. Les regarder jouer, c'est comme regarder Tiger s'il n'avait jamais eu la chance de travailler avec Butch Harmon. J'ai entendu Venus dire après sa victoire à Wimbledon : "Je vais pouvoir m'acheter une montre, maintenant." Je me suis dit, mais Dieu que c'est triste. À vingt ans, elle peut enfin s'acheter une montre ? Il suffit de les regarder : elles raisonnent et se conduisent comme des petites filles.

Elles ne sont pas sur la voie de la maturité. Elles vivent dans un autre espace-temps. Je me sens désolé pour elles.»

Des propos tenus à un moment où il semblait ne plus faire partie du premier cercle de Tiger. Son absence lors des trois derniers Majeurs laissait à penser qu'il y avait eu une embrouille entre les deux hommes.

«Je l'ai éduqué pour qu'il devienne indépendant et qu'il n'ait plus besoin de moi, dit Earl en 2000, tout en ajoutant : Nous n'avons pas besoin de parler pour maintenir une bonne relation.»

Earl avait réponse à tout, systématiquement. Mais celle-ci n'était pas spécialement convaincante, surtout qu'il avait dit autre chose à un reporter au cours de l'été : «Je ne vais plus sur les tournois, il y a des tonnes de gens autour de moi et je ne peux rien voir.»

La raison officieuse de ses absences répétées n'était malheureusement pas aussi simple. Tiger avait passé toute sa vie à chercher l'approbation de son père, dans tout ce qu'il faisait, et il avait toujours accepté de partager le haut de l'affiche avec lui. Mais il faisait maintenant ce qu'il voulait de sa vie. Il était aussi un peu las des simagrées de son père, et il n'avait plus envie de laisser qui que ce soit lui voler un peu de sa gloire.

Dans le même temps, Earl Woods ne masquait plus rien de son drôle de mode de vie. Il n'avait pas l'intention de réduire sa consommation d'alcool et de cigarettes, malgré ses problèmes de cœur et les recommandations des médecins. Une attitude qui perturbait son fils depuis toujours. Deux ans plus tôt, lors d'un dîner en famille, Tiger avait pris la cigarette que son père s'apprêtait à allumer pour l'écraser entre ses doigts et la jeter dans un cendrier. Puis il se pencha vers lui pour murmurer à son oreille : «Arrête avec ça papa. J'ai besoin de toi.»

Mais il y avait pire encore. Kultida avait déménagé quatre ans plus tôt, et Earl avait comblé ce vide en employant une armée de femmes à son service – blondes ou brunes, mais toutes assez jeunes pour être les sœurs de Tiger. En tant que président de ETW Corp., il avait droit à un adjoint – ou une adjointe. Et il avait recruté également une assistante personnelle, une assistante pour ses voyages, une autre pour la fondation, une cuisinière, une coach, une jeune femme chargée de s'occuper des chiens, une masseuse, une femme de ménage et aussi une pédicure. Selon le témoignage de l'une d'entre elles, certaines de ces femmes étaient rémunérées par la société de Tiger ; mais d'autres ne l'étaient pas et recevaient leur salaire en espèces, leur travail consistant surtout à faire tout ce qu'Earl Woods voulait bien leur demander.

Tiger avait quant à lui compris depuis longtemps à quel point son père s'était montré infidèle au fil des années. Il n'était pas le seul dans ce cas-là : des tas de gens sur le circuit en avaient également conscience. Dès 1998, Earl Woods avait oublié toute forme de discrétion dans son attirance pour les femmes. Cette même année, il assista à la Presidents Cup en Australie au bras d'une jeune fille.

Au début des années 2000, il avait quasiment arrêté de se rendre sur les tournois du PGA Tour, et la situation à son domicile avait totalement dégénéré. Des femmes allaient et venaient en permanence. Des films porno passaient sans discontinuer à la télévision. Des sex-toys étaient planqués dans les tiroirs, et certaines femmes n'étaient là que pour assouvir ses demandes sexuelles. « C'était la maison des horreurs », selon une ancienne employée. « Il y en avait dans chaque tiroir, dans chaque armoire. »

Tiger avait l'habitude de prévenir avant de passer, et les jeunes femmes avaient pour mission de tout ranger. Son opinion sur son père était devenue bien plus complexe, mais jamais il ne laissa quiconque deviner ce qu'il ressentait vraiment. Comme s'il avait des cicatrices qu'il voulait dissimuler au reste du monde – y compris à son père, qu'il désignait si souvent comme son « meilleur ami ».

Il ne craignait plus désormais de dire qu'il était occupé quand il essayait de le joindre. Quand il changeait de portable, ce qui lui arrivait souvent, Earl n'était plus le premier à connaître son nouveau numéro. Une attitude qui le chagrinait. « On ne parle plus tant que ça tous les deux, reconnut Tiger durant l'été. Il a sa vie, et j'ai la mienne. »

Il passait beaucoup de temps avec sa mère et sa petite amie, mais il rendit malgré tout visite à son père juste après son triomphe à l'US Open. Sa chambre d'enfant était restée telle quelle : le poster d'Obi-Wan Kenobi était toujours scotché contre sa porte, tout comme la liste des exploits de Jack Nicklaus sur le mur. Les autres pièces avaient en revanche un peu changé de décor. On ne trouvait plus trace du passage de Kultida dans cette maison, sinon les emballages de nourriture et de fruits déjà épluchés qu'elle lui préparait deux fois par semaine.

Earl avait soixante-huit ans maintenant. Il était devenu presque obèse et passait l'essentiel de son temps dans son fauteuil.

Tiger l'emmena en balade jusqu'au Big Canyon Country Club à Newport Beach, où il était membre honoraire. Ils auraient pu évoquer des tas de sujets personnels ce jour-là. Par exemple la façon dont un homme doit se comporter avec sa femme. Mais a-t-on vraiment envie de parler de cela avec son père?

Earl lui posa une toute autre question: «Dis-moi, tu veux que je vienne plus souvent sur les tournois?»

«Je m'en sors très bien comme ça, papa», lui répondit-il.

Earl comprit parfaitement le message.

CHAPITRE 19
COUP DE FROID

Le WGC-NEC Invitational avait lieu la semaine suivant l'USPGA sur le célèbre parcours du Firestone Country Club à Akron, Ohio. Nous étions le dimanche, Tiger se trouvait sur le fairway du 18 et avait mis la main sur le tournoi depuis un bon moment. Restait une question : serait-il capable d'envoyer sa balle sur le tout dernier green pour en terminer avec l'épreuve ?

Des orages avaient frappé un peu plus tôt dans la journée, provoquant une interruption de jeu d'environ trois heures. Il était tard, l'obscurité et le brouillard avaient envahi le parcours et Tiger avait bien du mal à distinguer le drapeau à 153 mètres de là. La visibilité était si faible qu'il dut s'accroupir pour juger le lie de sa balle. Il voulait faire birdie sur le tout dernier trou pour finir à –21 et pour cela, il allait littéralement devoir taper un coup dans le noir.

Plus jeune, avec son père, il avait souvent joué les deux ou trois derniers trous de sa partie dans la pénombre. Mais là, il était à Firestone, et pas sur le Navy Course. La scène offrait une parfaite métaphore de sa situation actuelle : il ne devait plus se battre contre ses pairs, mais seulement contre les dieux du golf, contre Mère Nature elle-même. C'étaient ces moments-là qu'il aimait le plus, ceux où il pouvait montrer toute l'étendue de sa palette. Les grillons chantonnaient, le public essayait d'amener un peu de lumière à l'aide de briquets, et Tiger frappa un coup de fer 8 directement vers le drapeau. Une rafale de flashes autour du green généra un effet stroboscopique alors que sa balle tombait du ciel noir pour se poser à cinquante centimètres du trou et déclencher des hurlements déchaînés. « Alors, t'en dis quoi ? » demanda Tiger tout sourire en tapant dans la main de son caddie. Il marcha jusqu'au green putter en l'air, comme un roi brandissant son sceptre.

La scène était tellement dingue qu'on aurait pu penser à des images truquées. Même les commentateurs de CBS n'en croyaient pas leurs yeux.

« C'est pas possible ! Personne ne peut faire un truc pareil ! » hurla le consultant Lanny Wadkins.

« Je n'arrive pas à le croire », ajouta Jim Nantz.

Une minute plus tard, Tiger poussa sa balle dans le trou pour un nouveau birdie. Son score total était de -21, le plus bas de l'histoire du tournoi. Il avait fini avec onze coups d'avance sur le deuxième. C'était sa huitième victoire de l'année sur le PGA Tour.

Même scénario ou presque deux semaines plus tard, lors du Canadian Open de Glen Abbey, près de Toronto. La lumière était très faible sur le soixante-douzième et dernier trou, sauf que Tiger devait cette fois s'accrocher à son petit coup d'avance sur le deuxième. Il envoya son drive dans un bunker de fairway sur la droite, pour se laisser 195 mètres jusqu'au drapeau. Un coup à hauts risques, avec une immense pièce d'eau devant le green. Pour faire une double référence à Shakespeare, si son coup de fer 8 à Firestone était *Hamlet*, alors ce qu'il fit au Canada – un coup de fer 6 monstrueux, qui rebondit deux mètres après le drapeau pour s'arrêter en fond de green, à moins de cinq mètres du trou – était l'équivalent de *Macbeth* : un autre morceau de bravoure.

Ces deux coups étaient si spectaculaires qu'ils en occultaient presque l'élément le plus important de sa personnalité, celui qui lui avait permis d'en arriver là aujourd'hui : son mental. Durant sa chevauchée fantastique de l'été 1999 jusqu'à la fin de l'année 2000, il fit preuve d'une capacité de concentration pratiquement impossible à traduire avec des mots. La plus éloquente des illustrations eut lieu au Canadian Open 2000, quelques minutes avant son merveilleux coup de fer 6. Il se trouvait sur le tee de départ du trou 18. Le silence était total lorsqu'il débuta son swing, mais quelqu'un hurla « Tiger ! » en plein milieu de sa descente de club. Il était alors en vitesse maximale, à près de 200 km/h, mais il parvint à bloquer son club juste avant l'impact ; personne au monde n'était capable d'arrêter ainsi sa tête de club à quelques centimètres de la balle. Lui, si. Son contrôle mental sur ses capacités physiques était sans égal.

Peu importe, au final, qu'il ait encore remporté un titre de plus cette année-là. Le plus fou, c'est qu'une nouvelle face de son génie apparaissait presque chaque semaine. Ce qu'il avait réussi en 2000 allait encore plus loin que son année 1999, déjà exceptionnelle. Les choses étaient claires pour tout le monde : s'il jouait à son meilleur, personne n'avait aucune chance contre lui. Plus important encore : *il savait que les autres le savaient.* Mark Steinberg le dit à cette époque-là : « C'est un sportif qui possède une transcendance unique, qui est maintenant reconnu comme le plus grand de tous, et il a encore vingt ou quarante ans devant lui. »

Il comptait bien en profiter pour revoir ses contrats à la hausse. Les revenus de Tiger liés au seul sponsoring s'élevaient à environ 54 millions de dollars en 2000. À titre de comparaison, Michael Jordan en avait lui amassé 45 millions au cours de son année la plus faste. Mais Steinberg était persuadé que Tiger valait bien plus – beaucoup, beaucoup plus même, surtout auprès de Nike.

Woods était désormais le sportif – peut-être même l'homme – le plus photographié au monde. Et Nike était la seule marque visible sur toutes les photos. Il portait des vêtements Nike même quand il tournait des pubs pour ses autres partenaires. Sa casquette, son tee-shirt, ses chaussures : il était un panneau publicitaire ambulant pour son sponsor principal. Dans l'esprit de Steinberg, cette exposition était mal rémunérée par la marque à la virgule. Et il avait également bien conscience que Nike bénéficiait de ce que ses cadres appelaient « l'effet halo » – à savoir l'énorme impact que Tiger pouvait avoir sur les ventes des autres produits Nike, en dehors du golf.

Les deux parties négociaient un nouveau contrat depuis près de dix-huit mois et parvinrent à un accord à la mi-septembre 2000, qui assurait un revenu de cent millions de dollars à Tiger Woods pour les cinq prochaines années. Jamais aucun partenariat n'avait atteint une telle somme, dans aucune discipline.

« Ils sont nombreux ceux qui veulent à tout prix établir un parallèle entre Tiger et Michael Jordan, rappela Bob Wood, le président de Nike Golf. Mais il y a une différence fondamentale entre eux : la carrière d'un golfeur professionnel est bien plus longue que celle d'un basketteur. Son potentiel de gains est donc lui aussi plus grand. Nous comptons bien rester associés avec Tiger tout au long de sa carrière, qui pourrait facilement durer encore vingt-cinq ans, peut-être même plus. »

Nike partageait le point de vue de Steinberg et avait choisi de tout miser sur Tiger, en comptant sur son influence pour faire un coup de force sur le marché ultra-compétitif du matériel de golf. Bob Wood savait bien que les joueurs à bas index, ceux qui en général arrivaient les premiers sur le parcours le samedi matin et qui étaient écoutés dans leurs clubs, ne parlaient pas de chaussures ou de vêtements sur le tee de départ. Tout ce qui les intéressait, c'était leurs drivers et leurs balles. Le fait que Tiger joue désormais la Tour Accuracy venait de donner une crédibilité immédiate à Nike parmi les cinq millions de joueurs aux États-Unis – et les dizaines de millions d'autres à travers le monde – qui jouaient avec des balles à noyau dur. Et les dizaines de milliers de pro shops et de magasins de détail qui avaient d'abord snobé Nike portaient maintenant un regard différent sur les produits golf de la marque.

Jusqu'en 1998, le département golf de Nike perdait près de 30 millions de dollars par an, pour un chiffre d'affaires d'environ 130 millions. Le golf n'était pas leur cœur de métier, et on estimait que seuls quinze golfeurs pros sur un total de cent cinquante-six[54] utilisaient des balles dures. Mais après ce qu'ils avaient vu à Pebble Beach, tous voulaient désormais essayer la Tour Accuracy. Woods venait à lui tout seul de briser la mainmise historique de Titleist. Du jour au lendemain, Nike pouvait envisager des parts de marché de 10 ou 12 %, peut-être même de 15 %.

Dans le même temps, les autres partenaires de Tiger – General Motors, American Express, General Mills – étaient eux aussi prêts à se plier à toutes ses exigences. Même la Walt Disney Company, qui ne signait presque jamais de contrats avec des stars, préparait une offre estimée à 22,5 millions de dollars pour la totale : publicités pour les parcs d'attraction, produits dérivés et apparitions sur les chaînes ABC et ESPN, propriétés du groupe.

Le PGA Tour bénéficiait lui aussi du fameux « effet halo » généré par Tiger et se trouvait en position de force pour renégocier à la hausse les droits télé et les accords avec ses partenaires. Les dotations totales du circuit, qui s'élevaient à 68 millions de dollars en 1996 au moment du passage professionnel de Woods, grimpèrent à 175 millions en 2001, puis 225 millions en 2003.

Tiger fracassait toutes les audiences télé, et le *Monday Night Golf* mis en place par IMG et ABC en offrait une preuve supplémentaire. La deuxième édition était prévue à la fin de l'année 2000, sur le très luxueux Bighorn Golf Club à Palm Desert (Californie).

---

54. Nombre de joueurs alignés au départ d'un tournoi classique.

Vendue sous le titre accrocheur de « La Bataille de Bighorn »[55], elle opposait Tiger à Sergio Garcia. Les chiffres furent excellents : près de 7,6 % de part de marché pour un total d'environ huit millions de téléspectateurs, une audience remarquable pour un lundi soir de la fin du mois d'août. Mais Garcia s'imposa d'un petit coup devant Tiger Woods pour remporter la dotation d'un million de dollars, ce qui mit Tiger en colère et l'événement en danger.

Ce n'était pas tant la perte du million qui le gênait – il en avait obtenu autant au titre de sa prime de participation. C'est juste qu'il ne supportait pas que son statut soit contesté. La dernière chose qu'il voulait, c'était que Garcia puisse penser qu'il avait la moindre chance contre lui quand ça comptait vraiment, le dimanche d'un Majeur par exemple. Il prévint donc Barry Frank, le créateur du show et salarié d'IMG, qu'il devrait désormais faire sans lui. Il arrêtait tout.

Frank était un expert en négociations. Il savait quand son interlocuteur bluffait et là, ce n'était pas du bluff. Tiger était le seul atout valable de ce show. *Monday Night Golf* ne pouvait pas continuer sans lui.

Il savait aussi comment gérer une négociation, repérer quand les choses devenaient vraiment complexes et garder une carte ou deux dans sa manche. Il décida justement de les présenter à Tiger : qu'est-ce qu'il dirait d'un changement de formule ? Un quatre-balles en mixte plutôt qu'un tête-à-tête, par exemple ? « Comme ça, lui dit-il, si tu perds, ce ne sera pas de ta faute. »

Tiger donna finalement son accord pour une formule où ses rivaux n'auraient aucune chance de le vaincre en duel. L'année suivante, il fit équipe avec Annika Sörenstam pour battre David Duval et Karrie Webb après dix-neuf trous. Puis il fut associé à Jack Nicklaus en 2002, pour une victoire 3&2 contre Sergio Garcia et Lee Trevino. Tout marchait comme sur des roulettes : IMG et ABC gagnaient de l'argent, et lui aussi. Frank estimait que Tiger avait au bas mot ramassé dix millions de dollars en sept éditions, à la fois sur le parcours et en primes de participation.

Barry Frank n'espérait rien de particulier de sa relation avec Tiger, sinon que le joueur l'aime bien, ou qu'au moins il le respecte. Lors de l'interview qu'il nous a donnée dans sa maison du Connecticut, à l'été 2015, il a bien insisté sur deux points : Tiger ne s'est jamais

---

55. Référence à la bataille historique de Little Bighorn, Montana, en 1876.

montré impoli ou désobligeant, et ne lui devait rien. Mais il nous a également précisé qu'il n'avait jamais rien partagé avec lui, aucun moment sympa tel qu'un déjeuner ou un apéritif pour fêter la réussite de l'événement. Woods n'a jamais eu le moindre mot aimable pour lui, par exemple pour le remercier de sa collaboration. On lui a demandé s'il avait eu le sentiment d'être respecté par Tiger. Assis sur la rambarde de son immense ranch, à quatre-vingt trois ans, il prit le temps de réfléchir longuement avant de lâcher : « Non, je crois que pour lui, je n'étais qu'un juif de plus qui faisait son boulot. Il devait penser que je lui étais davantage redevable que l'inverse.»

Tiger Woods décrocha bien évidemment toutes les récompenses possibles et imaginables en cette fin d'année 2000. Il fut désigné sportif de l'année par *Sports Illustrated* pour la deuxième fois en cinq ans. Le portrait était cette fois écrit par Frank Deford, considéré comme une légende du journalisme de sport et premier reporter de ce genre à avoir reçu un prix de la National Humanities Medal[56]. Un de ses confrères l'avait un jour ainsi qualifié : « Frank Deford avec un stylo, c'est comme Michael Jordan avec un ballon ou Tiger Woods avec un driver.»

Il écrivit ceci à propos du numéro un mondial : «Tiger est un champion si extraordinaire et si universellement admiré que nous lui avons accordé une sorte d'amnistie spirituelle. Ses exploits masquent sa vraie personnalité ; sa jeunesse justifie ses erreurs de jugement. Mais bientôt, son succès total finira par nous ennuyer, et nous commencerons à chercher ce qui se cache derrière ce sourire céleste et ces yeux d'acier. N'est-ce pas ?»

À cette époque, seule Joanna Jagoda savait ce qu'il se passait derrière ce regard-là. La rumeur avait couru un peu plus tôt dans l'année : ils s'étaient fiancés. Une rumeur vite balayée par Tiger : « Je vous le dis clairement : ce n'est pas vrai. Alors laissez tomber toutes ces conneries.»

Joanna était à ses côtés lors de ses trois victoires en Majeurs cet été-là. Mais elle décida de suivre les cours de la fac de droit de Pepperdine à l'automne et sortit petit à petit de sa vie. Quelques mois plus tard, leur rupture n'était plus qu'un secret de polichinelle.

---

56. Médaille nationale des sciences humaines, une association américaine.

Elle travailla ensuite pour Bear Stearns avant d'être embauchée par le cabinet JPMorgan Chase, où elle finit par obtenir un poste de vice-présidente et de conseillère juridique.

Elle ne s'est jamais exprimée publiquement sur leur histoire d'amour, ni sur les raisons qui ont conduit à leur séparation. Mais de toute évidence, tous ceux qui étaient proches de Tiger l'adoraient – Mark et Alicia O'Meara, Butch Harmon, Mark Steinberg et les autres. Son caractère se mariait parfaitement à celui de Tiger. Elle était toujours gracieuse en public, aimable avec les officiels du Tour, les autres golfeurs professionnels ou les partenaires commerciaux de Tiger. Elle s'habillait de façon très classique, avait toujours le sourire et un petit mot pour chacun. Elle ne refusait pas le contact avec les spectateurs. En revanche, elle tenait à rester dans l'ombre et refusait poliment toutes les demandes d'interview.

Quand Tiger dépassait les bornes, elle le lui faisait remarquer, sans crainte. Tout comme elle n'hésitait pas à lui demander de faire certaines choses qu'il préférait éviter, comme parler à ses fans ou se montrer moins distant avec les journalistes.

«Elle convenait parfaitement à Tiger, dit Alicia O'Meara. Quand elle n'était pas d'accord, elle lui disait simplement : "Moi, je vois plutôt les choses de cette façon." Lui était entouré depuis des années par une armée de béni-oui-oui. Quand vous êtes connu, les gens vous disent ce que vous avez envie d'entendre. Mais elle n'était pas comme ça.»

Elle avait un peu le même profil que Dina Gravell, le premier amour de Tiger. Les deux femmes étaient vraiment amoureuses de lui, sans montrer d'attirance particulière pour son mode de vie. Tout comme avec Dina, Tiger n'hésita pas à se livrer avec davantage de sincérité auprès de Joanna. Mais il gardait certaines parties de sa vie très secrètes, notamment le fait que de plus en plus de femmes le trouvaient séduisant. Une situation qui renforçait sa confiance en lui et qui l'amenait à s'interroger sur celle qui allait partager sa vie.

Et une fois leur relation terminée, jamais plus il ne regarda en arrière.

La fin de son histoire avec Joanna Jagoda coïncida avec deux faits notables : il ne remporta aucun des six premiers tournois qu'il disputa en 2001, et il devint de plus en plus hargneux avec la presse. Ce fut par exemple le cas juste avant le Bay Hill Invitational à la mi-mars, au motif qu'il en avait plus qu'assez qu'on lui pose des questions sur sa supposée «mauvaise passe». La plupart des journalistes évoquaient le mot du bout des lèvres, mais il savait très bien ce que tout le monde pensait et il n'arrêtait pas de leur rappeler que sa moyenne de score sur 2001 était *meilleure* que celle de la fin de l'année 2000, quand il gagnait tout ou presque. Parler d'une mauvaise passe, selon lui, était proprement stupide[57].

«Ça vous énerve qu'on fasse des gros titres du genre "Mon Dieu, il vient de jouer six tournois sans en remporter un seul, mais qu'est-ce qu'il lui arrive?"» demanda un journaliste.

«Le plus ennuyeux, c'est que si vous pensez une chose pareille, ça veut dire que vous ne connaissez rien au golf», répondit-il.

À ses yeux, le pire de tous dans ce registre-là était Jimmy Roberts, l'un de ses anciens amis, inscrit sur liste noire depuis sa question à propos de ses injures lors de l'US Open de Pebble Beach, en 2000. Roberts avait écrit un sujet pour NBC la semaine avant le Bay Hill où il défendait Tiger Woods, notamment par le biais d'une référence artistique : sa «mauvaise passe», c'était comme si les Beatles passaient quelques mois sans atteindre le sommet des charts. Pour Tiger, peu importe que le sujet en question fût largement positif : il ne supportait pas qu'on emploie l'expression «mauvaise passe», quel que soit le contexte.

Lors du Bay Hill, Roberts lui demanda s'il estimait être victime de son propre succès. Tiger lui répondit là encore dans l'esprit «de toute façon, tu ne comprends rien au golf». Sauf que cette fois, il ne s'agissait pas d'une boutade jetée à la face d'un journaliste dans le huis clos d'un centre de presse, mais bien en direct à la télévision devant des millions de téléspectateurs.

Pour le dire tout en douceur : Roberts apprécia moyennement le coup de poignard. *Tu n'écoutes même pas ce que je te dis*, pensa-t-il. *Tu ne vois pas où je veux en venir.*

Tiger finit par remporter le tournoi, mais son ressentiment envers les médias demeura très fort – surtout vis-à-vis de Roberts. La semaine suivante, au Players Championship, les deux hommes eurent à nouveau un échange tendu après son premier tour. John

---

57. Woods avait d'ailleurs systématiquement terminé dans le top 15 de chacune des six épreuves de 2001.

Hawkins, chroniqueur pour *Golf World*, se tenait tout près et assista à la scène. «T'inquiète pas pour ça mec, dit-il à Roberts après coup. Continue à poser tes excellentes questions.»

Roberts lui expliqua alors clairement ce qu'il pensait de l'attitude de la presse écrite envers le numéro un mondial : une bande de flagorneurs, qui traitaient Tiger comme s'il portait la mention «à manier avec précaution, fragile».

«Laisse-moi te demander un truc, lui dit-il : quand est-ce que *vous*, vous allez commencer à lui poser ces putains de bonnes questions?»

Hawkins marqua une pause, le regard baissé, et finit par répondre : «Tu n'as pas tort, oui. Parce qu'on lui lèche le cul depuis des années, et il ne nous donne rien en retour.»

Le tournoi se termina le lundi en raison des pluies qui avaient perturbé son bon déroulement. Tiger s'imposa pour la deuxième semaine consécutive, huit jours après sa victoire au Bay Hill. Roberts l'attendait à nouveau, micro en mains, sur le green du 18. Il le félicita et lui posa une question ouverte, basique.

«Une mauvaise passe», lui répondit Tiger, ignorant complètement sa question.

Roberts tenta à nouveau sa chance, mais Tiger lui coupa la parole : «Je pense que la mauvaise passe est terminée.» Puis, alors que Roberts lui posait une autre question, il partit en plein milieu de sa phrase pour le laisser seul avec son micro face à la caméra.

Quelques semaines plus tard, Roberts tenta une nouvelle approche, en privé, pour avoir au moins une chance de s'expliquer. Mais Woods l'envoya paître. Il ne voulait plus rien avoir à faire avec lui.

«J'ai eu le temps de beaucoup penser à lui au fil des ans, parce que notre relation, c'était vraiment les montagnes russes, raconta-t-il en 2016. J'ai entendu plus de "*fuck you*" dans sa bouche que dans celle de tous les autres sportifs auxquels j'ai été confronté. C'était une relation à sens unique à cette époque-là. Il exigeait le respect mais ne se sentait pas obligé d'en donner en retour. Il était plein de haine contre ceux qui n'étaient pas de son côté ou qui avaient, à ses yeux, commis un faux pas.»

Tiger avait mis fin au débat sur sa «mauvaise passe», de façon certes pas très élégante. Et la discussion bascula sur un terrain qu'il affectionnait davantage : le Masters. Serait-il capable de remporter les quatre Majeurs à la suite? Et si oui, pourrait-on parler de

Grand Chelem, alors que ses quatre victoires s'étaleraient à cheval sur deux saisons ? Woods fut très clair sur le sujet : s'il détenait les quatre Majeurs en même temps, alors les médias pourraient bien appeler ça comme ça leur chante – le Grand Chelem, le Tiger Chelem, ou même le N'importe quoi Chelem.

On dit toujours que le Masters se joue le dimanche, sur les neuf derniers trous. Woods s'y était montré assez solide pour contenir les assauts de David Duval, déchaîné au point de réaliser sept birdies sur les dix premiers trous. Il avait un coup d'avance sur son compatriote au départ du 18, tandis que Phil Mickelson n'avait pu tenir la cadence. Il tapa deux coups parfaits pour arriver sur le green, à quatre mètres du trou. Deux putts lui étaient suffisants pour gagner, mais il enquilla le premier pour un nouveau birdie. Puis il enfouit son visage dans ses mains.

« C'est seulement là que j'ai réalisé que je n'avais plus de coup à jouer, dit-il juste après. Du genre, ça y est, c'est fini, j'ai gagné le Masters. C'était un sentiment un peu étrange, parce que j'étais tellement concentré sur chaque coup que j'avais fini par en oublier tout le reste. Et quand j'ai enfin réalisé ce que je venais de faire, je me suis fait rattraper par l'émotion. »

Il était désormais tenant du titre des quatre Majeurs en même temps, un fait unique dans l'histoire du jeu. Les quatre trophées trônaient fièrement sur sa cheminée, chez lui à Isleworth. Mais il était déjà de retour à l'entraînement avec Mark O'Meara, quelques jours après avoir remporté sa deuxième veste verte. Et il lui ressortit sa complainte favorite : son impossibilité à pouvoir vivre tranquillement, dans l'anonymat.

« Tu n'arrêtes pas de te plaindre de ça. Tu n'as qu'à tout laisser tomber », lui dit O'Meara.

Tiger fit celui qui n'avait rien entendu, mais son aîné ne comptait pas le lâcher comme ça.

« Tu es l'une des personnes les plus célèbres de la planète. Et les gens ont l'impression qu'une partie de toi leur appartient. C'est le prix à payer », poursuivit-il.

Toujours pas de réponse chez Tiger…

« Mais je connais un truc qui pourrait t'aider », ajouta O'Meara.

« Ah oui, vraiment ? »

« Tu arrêtes tout ce cirque. Tout simplement. Tu prends ton pognon et tu te casses. »

Abandonner ? Woods savait ce que ça voulait dire : abandonner aussi tout ce qui donnait un sens à sa vie, à savoir sa quête de trophées. À vingt-cinq ans, il avait déjà remporté six Majeurs. Nicklaus avait dû attendre un an de plus pour en faire de même. Et Woods ne voulait pas non plus renoncer aux avantages de sa notoriété. Il avait beau détester être un personnage public, il aimait bien ce qui allait avec : les publicités innovantes de Nike, la carte de crédit Centurion Black d'American Express, la Rolex à son poignet, sa maison luxueuse en Floride, son appartement à Newport Beach. Et puis tout le reste aussi : les avions privés, les limousines, les gardes du corps, son visage sur les paquets de céréales, les panneaux publicitaires, les couvertures de magazines dans le monde entier. Être adulé ainsi, c'était comme une drogue, au final.

Et pourtant il était seul, désespérément seul.

Il invita O'Meara à passer chez lui après leur partie d'entraînement pour lui montrer les quatre trophées posés sur sa cheminée. Tiger les aligna du mieux possible et les prit en photo. C'étaient ses meilleurs amis, d'une certaine façon, ceux pour lesquels il s'était battu toute sa vie.

Joanna Jagoda les avait chéris presque autant que lui, mais elle n'était plus là, et il n'avait plus personne avec qui partager son succès.

Mais c'était sur le point de changer.

CHAPITRE 20
DANS SA BULLE

Le jet privé de Tiger s'apprêtait à atterrir à Las Vegas. Il faisait nuit et il pouvait apercevoir par le hublot les imposants complexes hôteliers construits récemment : le Mirage, le Bellagio, le Luxor, le Mandalay Bay et le Venetian, dont les lumières scintillantes semblaient lui adresser des clins d'œil.

Las Vegas était devenue comme une deuxième maison pour lui. Il y venait assez souvent, pour voir Butch Harmon qui avait installé sa nouvelle académie à Henderson, au sud-est de la ville. Son coach physique Keith Kleven, qu'il connaissait depuis Stanford, vivait ici lui aussi. Mais à l'été 2001, la raison principale de ses virées dans le désert du Nevada, c'était l'évasion. Il adorait venir au MGM Grand, auquel il pouvait accéder sans que personne ne le remarque.

Il s'engouffrait dans une limousine dès sa descente d'avion pour filer à la Mansion, une enclave de vingt-neuf villas au style italien planquées juste derrière le MGM. Il y entrait par une petite route isolée, pour grimper dans un ascenseur qui l'amenait directement dans ses luxueux appartements privés. Il pouvait rester des jours là-bas sans que personne ne sache où il se trouvait. Un concierge était à son service exclusif, prêt à lui trouver tout ce qu'il voulait – des repas gastronomiques, une table de jeu, des boissons gratuites à volonté, des femmes exotiques et surtout une discrétion à toute épreuve. Voilà pourquoi Las Vegas était aussi attirante. C'était son terrain de jeu à lui, où il pouvait se faire plaisir à l'abri des regards, sans crainte de se faire repérer. C'est ce que les gens du coin appelaient « la bulle ».

La Mansion avait ouvert au printemps 1999. Elle se présentait comme un paradis pour flambeurs avec la promesse d'un service inégalable et d'une discrétion totale : tout ce dont Tiger avait besoin. Accéder à un tel sanctuaire ne lui posait évidemment aucun problème. Les propriétaires ne proposaient pas leurs villas à n'importe qui : elles étaient réservées aux « baleines », le nom de code dans le milieu des casinos pour désigner les « flambeurs » dont les lignes de crédit étaient supérieures ou égales à cent mille dollars.

Tiger devint vite l'un d'entre eux. Il avait toujours adoré les chiffres et il se mit à jouer à la fin des années 1990 avec des mains à cent dollars au blackjack, pour ensuite mettre en place un montant plafond de 25 000 dollars qui ne fit qu'augmenter avec le temps. Quelques années plus tard, il jouait régulièrement des mains à 20 000 dollars, en gérant plusieurs parties en même temps. Sa ligne de crédit chez MGM avait atteint un million de dollars ; seuls une centaine de parieurs dans le pays jouaient des sommes aussi élevées.

Son approche des jeux de casino était identique à celle qu'il avait au golf, au contraire des autres stars qui allaient à Vegas d'abord pour faire la fête. Il était là pour gagner, ce qui arrivait souvent. Ceux qui le côtoyaient le qualifiaient de joueur « affûté », à savoir quelqu'un qui pariait de manière intelligente et rationnelle pour gagner plus souvent qu'il ne perdait. Il se foutait de ramasser 500 000 dollars de gains, et il n'essayait pas de se refaire à tout prix s'il essuyait de lourdes pertes.

Il avait mis les pieds pour la toute première fois à Las Vegas quand il était encore lycéen et qu'il envisageait sérieusement de s'inscrire à l'université du Nevada. Mais ce n'était qu'un geek à l'époque, absolument pas prêt à comprendre tout ce qui se passait dans la cité des plaisirs. Il avait fêté son vingt et unième anniversaire au MGM quelques années plus tard, une période où il en savait bien davantage sur la marche du monde. Mais c'est seulement après avoir rencontré Charles Barkley et Michael Jordan qu'il a vraiment ouvert les yeux sur ce que la Ville du Péché pouvait lui offrir.

Il avait rencontré Charles Barkley à Orlando en 1996 lors d'une partie de golf. Le basketteur avait douze ans de plus que lui et ils devinrent très vite amis, à traîner ensemble dans les casinos. Barkley lui apprit à se détendre un peu et à mieux apprécier les avantages de la célébrité.

« Je lui disais toujours : c'est quoi l'intérêt de s'appeler Woods si tu n'apprécies pas la putain de vie qui va avec ? Tu dois savourer le fait d'être Tiger Woods », raconta Barkley.

Tiger en avait déjà plus ou moins conscience, mais il ne savait pas comment s'y prendre parce qu'il n'avait aucune aptitude sociale. Il était déjà très introverti de nature, et il avait en plus grandi dans le cadre ultra-protecteur bâti par ses parents. Ils l'avaient tellement surveillé à l'adolescence qu'il ne connaissait presque rien de la vie en dehors de l'école et des parcours de golf. Et à chaque fois qu'il avait osé enfreindre les règles, il l'avait payé au prix fort. «Ma mère me donnait des fessées plutôt musclées, j'en porte encore les traces», confia-t-il un jour à un reporter.

«Ce que ses parents attendaient de lui et la pression qu'ils lui mettaient, c'était tellement intense que je me sentais désolé pour lui», raconta un jour un de ses meilleurs amis de l'époque.

Du coup, il ne désobéissait quasiment jamais. Et il tenait plus que tout à ne rien faire qui puisse salir l'image impeccable que ses parents avaient mis si longtemps à construire. Son père avait tellement mis sa prétendue personnalité en avant au fil des années que Tiger ne voulait pas se retrouver dans une situation compromettante. Et puis une bonne douzaine de ses partenaires avaient bâti leurs campagnes de pub sur sa réputation immaculée. Sa rencontre avec Charles Barkley en 1996, c'est comme s'il avait retrouvé un grand frère perdu de vue depuis trop longtemps et qui allait lui faire découvrir une autre facette de la vie.

Sir Charles était un exemple à bien des égards : il était adulé partout où il allait, particulièrement à Las Vegas. Parieur compulsif, il savait mettre les serveurs, les caddies, les valets et les portiers dans sa poche grâce aux généreux pourboires qu'il leur donnait. Et il leur parlait comme s'ils étaient ses potes.

Le tableau était totalement différent chez Michael Jordan. Tiger l'avait croisé plusieurs fois en coup de vent juste après être devenu pro, et ce n'est qu'en 1997 qu'ils passèrent leur première soirée ensemble. Tiger était allé voir un match des Chicago Bulls, puis s'était engouffré dans la Porsche de Jordan pour ensuite filer sur un bateau-casino de grand luxe situé sur le lac Michigan. Le tout début d'une relation qui allait se renforcer avec le temps, notamment grâce à leurs deux passions communes : le jeu et le golf. Malgré les avertissements on ne peut plus clairs de John Merchant, son avocat de l'époque, Tiger commença à appeler Jordan environ deux fois par semaine pour lui demander quelques conseils. «Je pense qu'il me considérait comme une sorte de grand frère, dit Jordan à la fin des années 90. Il devait gérer des tas de trucs. Il avait seulement vingt-deux ans, mais la plupart des gens le considéraient comme quelqu'un de plus âgé. Juste parce qu'il envoyait la balle à des kilomètres et qu'il avait remporté le Masters avec douze coups d'avance, il aurait dû avoir réponse à tout? Non. On attendait de lui qu'il soit parfait, et ce n'était pas juste.»

Jordan permit notamment à Tiger de sortir de sa solitude. «Son premier réflexe était de vivre comme un ermite, raconta-t-il. Et ce n'était pas une bonne chose. Je le sais, croyez-moi. Ce n'est juste pas possible de passer une journée sur un parcours puis de s'enfermer dans sa chambre d'hôtel. Je suis passé par là, et c'est un enfer. On ne peut pas juste regarder la télé toute la soirée, ce n'est pas une vie.»

Sans doute les deux hommes étaient-ils destinés à vivre des choses ensemble, comme s'ils étaient les deux seuls membres de leur club ultra-exclusif. Jordan était le seul sportif vivant à connaître un niveau de notoriété aussi élevé que celui de Tiger. Et il eut une influence plus que significative sur son attitude vis-à-vis de la célébrité, du pouvoir et des femmes.

«On se considère comme frères. Michael est l'aîné, et moi le cadet, expliqua Tiger. C'est à lui que je veux parler, parce qu'il est le seul à connaître ce que je connais, et il s'en est plutôt bien sorti. Et en plus, c'est un super mec.»

Un point de vue loin d'être partagé par la plupart de ceux qui travaillaient à Las Vegas. À leurs yeux, Jordan était un gars distant et arrogant qui se permettait absolument tout. Il n'était pas nécessaire de gratter bien longtemps pour apprendre des tonnes d'anecdotes à son sujet: il laissait des pourboires ridicules aux serveurs et refusait parfois de payer ses caddies. Il roulait même en plein milieu des fairways du parcours de Shadow Creek, la musique à fond dans sa voiturette de golf bleue tunée aux couleurs de la Caroline du Nord, à gueuler sur les parties de quatre qui se trouvaient devant lui: «Magnez-vous le cul putain! C'est pas possible d'être aussi lents!»

Il était, selon l'expression d'un employé de la ville, «un putain de trou du cul».

Mais ce qu'il se passe à Vegas reste à Vegas, et les comportements pour le moins grossiers de Jordan n'ont jamais fuité, comme nous l'a confirmé une source bien informée sur place: «Les gens le protégeaient parce qu'il était le plus grand joueur de tous les temps. Personne ne parlait dans son dos, et personne ne lui disait jamais rien. Tout le monde avait peur de Michael. Tiger a beaucoup appris de lui.»

Tiger apprit d'autant plus facilement que son comportement vis-à-vis des gens qu'il croisait ou côtoyait et son rapport à l'argent étaient déjà solidement ancrés en lui depuis bien longtemps. Même si un repas lui était offert – ce qui était pratiquement toujours le cas –, il ne laissait jamais de pourboire digne de ce nom. Alors en donner aux portiers, aux réceptionnistes et aux valets ? Sa radinerie était telle que bien souvent, des officiels du PGA Tour passaient derrière lui pour remettre une enveloppe aux préposés aux vestiaires avec cent dollars dedans. En son nom, mais à leur initiative, pour éviter qu'ils n'aillent tout balancer aux journalistes. Même les comportements sociaux les plus basiques – simplement dire salut ou merci – lui étaient étrangers. Un signe de tête ? Il ne fallait pas rêver, non plus. Une attitude dont Jordan n'était pas le seul, ni même le principal responsable. Cette façon de se croire tout permis, c'est à son père qu'il la devait surtout. Sa relation avec Jordan n'avait fait que la renforcer.

«La célébrité a eu une très mauvaise influence sur Tiger», selon un ancien propriétaire de boîte de nuit.

Tiger n'avait pas pour habitude de se retourner sur toutes les jolies femmes qu'il croisait, notamment sur les parcours. Un journaliste lui avait un jour demandé comment il arrivait à gérer la présence exceptionnellement élevée de «bimbos du golf» sur chacune de ses parties. Il répondit qu'il ne les avait jamais remarquées parce qu'il ne s'occupait que de sa balle. Même quand une belle blonde qui travaillait comme strip-teaseuse se précipita sur lui, pratiquement nue, pour l'embrasser sur le green du 18 lors du British Open 2000, il resta si calme que l'officier de police chargé d'emmener la jeune femme en garde à vue déclara : « Il n'a pratiquement pas bougé une oreille. Sa capacité de concentration est stupéfiante.»

Changement de décor lors du British Open suivant, cependant, lorsqu'il remarqua une superbe jeune femme blonde de vingt et un ans. Elle voyageait comme nounou avec la famille Parnevik (Jesper, le joueur pro, sa femme Mia et leurs enfants). Jusqu'ici, Amy Mickelson, l'épouse de Phil, était considérée comme la plus belle femme de joueur sur le circuit. Elle avait été pom-pom girl pour les Suns de Phoenix et avait posé pour le numéro spécial maillots de bains de *Sports Illustrated*. Mais la nounou des

Parnevik l'avait clairement reléguée au second rang. Tiger lui dit bonjour lors d'une très brève rencontre, où elle lui répondit juste qu'elle s'appelait Elin. Sous le charme, il avait hâte d'en apprendre davantage sur elle.

Elin Maria Pernilla Nordegren était née le 1er janvier 1980 à Stockholm, suivie quelques minutes plus tard par sa jumelle Josefin. Les deux sœurs grandirent en bord de mer à Vaxholm, tout près de la capitale suédoise. Son père Thomas était l'un des journalistes les plus réputés de son pays. Sa mère, Barbro Holmberg, travaillait dans le domaine social. Ses parents divorcèrent alors qu'Elin était âgée de six ans. Son père partit comme correspondant à la Maison Blanche pour la radio nationale suédoise, et sa mère fut embauchée au ministère de l'Immigration en tant que membre du cabinet.

À dix-neuf ans, Elin fut contactée par Bingo Rimer, un célèbre photographe de mode qui travaillait pour l'édition suédoise de *Playboy*. Il était tombé par hasard sur une de ses photos. Il trouvait qu'elle avait le potentiel pour devenir top model et il lui proposa un shooting. Un de ses clichés en bikini fit la couverture du magazine *Café Sports*. Mais cette carrière-là ne l'intéressait pas du tout. Elle s'inscrivit en fac de psycho à l'université de Lund, l'une des meilleures du pays.

Elle trouva ensuite un job d'été comme vendeuse dans une boutique de Stockholm, où elle fit la connaissance de Mia Parnevik, l'épouse de Jesper. Le couple avait quatre enfants, et Mia fut tout de suite très impressionnée par l'aisance naturelle qu'Elin montrait avec les tout-petits. La jeune fille quitta son travail pour s'installer chez les Parnevik et devenir leur nounou à plein temps. Et le British Open 2001 fut le tout premier tournoi où elle les accompagnait en déplacement.

Elle avait l'habitude des rencontres fortuites qui changeaient le cours de sa vie mais n'avait rien ressenti de particulier quand elle croisa Tiger en Écosse. Lui tenta bien de prendre contact avec elle peu de temps après, par un intermédiaire, mais elle trouva sa démarche un peu bizarre et plutôt rebutante. Elle avait de surcroît un petit ami en Suède et n'avait aucune envie de connaître une aventure avec un sportif célèbre, ni de devenir un trophée supplémentaire pour qui que ce soit. Elle ne donna pas suite.

Rares étaient celles et ceux qui osaient dire non à Tiger en ce temps-là. Qu'Elin se permette de le faire, cela voulait dire beaucoup aux yeux du numéro un mondial. « Je lui ai dit non pendant très longtemps. Je n'étais pas facile à avoir », dit-elle un jour.

Mais Tiger ne lâcha pas l'affaire et lui envoya régulièrement des textos. Il appelait parfois au domicile des Parnevik et il était plutôt nerveux quand Jesper décrochait. Mais il savait se montrer charmant une fois qu'il l'avait en ligne. Il la faisait rire, elle passait de bons moments avec lui et elle se sentait en sécurité. Il finit par vaincre ses réticences et ils commencèrent à se voir à l'automne. Des rencontres top secrètes : il ne voulait pas que ça se sache, du moins pas pour le moment. « Leur accord tacite était clair : elle ne devait rien dire de leur histoire à qui que ce soit. Elle était soudain devenue une sorte de Greta Garbo », raconta une source du PGA Tour.

L'éditeur Larry Kirshbaum commençait quant à lui à se faire du souci. Warner Books avait signé un contrat à deux millions de dollars avec Tiger en 1997 pour la publication de deux livres : un sur la technique, plus un autre sur sa vie. Après quatre ans à attendre qu'il se passe quelque chose, Kirshbaum invita Mark Steinberg à son bureau avec l'intention de lui dire que la plaisanterie avait assez duré, et qu'il voulait publier le premier ouvrage pour Noël 2001. C'était la première fois que l'agent de Tiger rencontrait l'éditeur, l'un des plus puissants de la place. Il remarqua tout de suite les insignes aux couleurs de l'université du Michigan en entrant dans son bureau.

« Ne me dites pas que vous êtes un Wolverine[58] », dit-il.

« Et vous, vous venez d'où ? Slippery Rock College ? » répliqua Kirshbaum.

« Je suis un Fighting Illini », répondit fièrement Steinberg.

Sans dire un mot, Kirshbaum commença à triturer les boutons de sa stéréo, derrière son bureau. Une attitude qui dérouta un peu Steinberg, mais l'éditeur avait un plan. Il savait parfaitement que son hôte du jour avait joué dans l'équipe de l'université de l'Illinois qui avait perdu 83-81 contre celle du Michigan, lors du Final Four universitaire de l'année 1989. Il finit par lancer *The Victors*, la chanson emblème du Michigan avant les matchs importants. Steinberg voulut se boucher les oreilles, mais Kirshbaum monta

---

58. Un glouton, la mascotte de l'université du Michigan.

le volume à fond. Pour un ennemi des Wolverines, c'était encore pire que des ongles qui crissent sur un tableau noir.

«Je ne supporterai pas ça plus longtemps. C'est bon, je m'en vais», dit Steinberg.

Puis les deux hommes explosèrent de rire, et Kirshbaum finit par obtenir ce qu'il voulait : un engagement ferme et définitif de l'agent d'IMG à livrer le premier des deux ouvrages. Steinberg proposa de reprendre tout ou partie des chroniques de Tiger parues dans *Golf Digest*, avec l'aide des éditeurs du magazine pour rendre le texte plus consistant.

Steinberg tint sa promesse et à l'été 2001, Warner Books avait de quoi publier *How I Play Golf*, ce livre de technique qu'elle avait si longtemps attendu. Le livre était censé paraître à l'automne, mais Kirshbaum devait faire face à un dilemme après les attaques terroristes du 11 septembre : devait-il oui ou non retarder sa publication ? Il craignait qu'un livre sur la technique de golf ne soit pas la meilleure des idées alors que le pays était plongé en plein deuil. Il décida finalement de ne rien changer, et le livre de Tiger fut mis en vente le 9 octobre 2001 pour un succès immédiat, avec près d'un million d'exemplaires vendus en première édition. Woods était plus populaire que jamais, et tout ce qu'il touchait se transformait en or. «On lui avait donné 2 millions de dollars pour deux livres, une somme énorme, mais au final un accord très avantageux pour nous au vu du succès phénoménal de *How I Play Golf*», avoua Kirshbaum. Et il restait encore une autobiographie dans les tiroirs...

Elin Nordegren rentra en Suède pour les vacances de Noël 2001. Elle en profita pour rendre visite à Bingo Rimer et lui annoncer sa liaison avec Tiger Woods. Il était devenu un confident, et elle ajouta qu'elle aurait sans doute besoin de lui pour fournir quelques photos aux médias. Mais seulement celles qu'elle aurait choisies elle-même.

Dans le même temps, Tiger se rendit à Las Vegas pour la grande soirée d'inauguration du Light, une boîte de nuit très haut de gamme située à l'intérieur du Bellagio. Son assistant personnel à la Mansion s'était occupé de tout pour lui préparer un séjour *all-inclusive*.

Il traîna d'abord avec Barkley et Jordan dans divers endroits, tels le Drink et le bar du P.F. Chang. Mais le Light promettait d'être le nouveau lieu tendance, celui qui proposait littéralement «tous les péchés dans la Ville du Péché». De quoi satisfaire les caprices d'une foule jeune, branchée, avec des billets plein les poches. Pour trois cents dollars, la boîte proposait même un accueil préférentiel et une chance de faire la fête avec des célébrités inaccessibles en temps normal. D'un simple petit signe de tête, et avec quelques billets en plus, un VIP pouvait faire monter une escort de la piste de danse jusqu'à sa table. Le succès immédiat du Light donna ensuite naissance à d'autres boîtes du même genre, telles le Pure, le Tao et le Jet, chacune essayant de proposer des prestations encore plus haut de gamme que ses concurrentes. Mais le Light marqua le début d'une toute nouvelle pratique dans le business des casinos : c'était la première fois que cette industrie-là visait aussi ouvertement une clientèle riche et célèbre. Tiger en fit très vite son repaire favori. « C'était juste dingue là-bas, complètement hors de contrôle », assura un des habitués de Vegas qui avait l'habitude de fréquenter les lieux à ses côtés.

Peu de temps après l'inauguration, Tiger et un autre sportif de réputation mondiale étaient installés à leur table VIP, juste à côté de la piste de danse. Ils remarquèrent deux superbes jeunes femmes à une table tout près d'eux. Un responsable de la boîte chargé de l'accueil des VIP s'approcha alors des demoiselles avec ces mots magiques : «Tiger Woods aimerait bien vous avoir à sa table.» La petite brunette et sa copine blonde se levèrent d'un bond d'un seul pour le rejoindre. Un peu plus tard, elles accompagnèrent Tiger et son copain dans une suite du Bellagio où tous les quatre se déshabillèrent et plongèrent dans un jacuzzi. Puis Tiger prit la brunette par la main pour l'amener directement dans un dressing et s'occuper d'elle, sans même la porter jusque dans une chambre. La jeune fille fut plutôt choquée par sa brutalité. Elle quitta la suite en se demandant bien pourquoi il n'avait pas eu l'élégance d'au moins l'emmener jusque dans un lit.

Comme chaque année depuis 1998, Tiger passait la semaine du Masters avec les O'Meara dans la maison de Peggy Lewis, tout près d'Augusta. Cela lui convenait bien, pour plusieurs raisons. Déjà, la maison était loin du brouhaha et lui permettait de préserver son intimité ; et puis Mark O'Meara payait toujours la location. Et quand il loupait le cut, il quittait la Géorgie dès le vendredi soir pour laisser Tiger seul pendant le week-end.

Elin Nordegren l'accompagnait à Augusta en ce printemps 2002. Elle avait fait sa première apparition publique à ses côtés deux semaines plus tôt, en assistant au Bay Hill Invitational à Orlando, pour sa première victoire de l'année. Mais Tiger voulait en révéler le moins possible à ce sujet, et la maison de Lewis lui offrait les meilleures garanties. O'Meara manqua le cut cette semaine-là et partit le vendredi soir, permettant ainsi à Tiger et Elin de rester seuls en toute discrétion.

Tiger se réveilla à 4h30 le samedi matin, avec une seule obsession : rattraper les quatre coups de retard qu'il avait sur Vijay Singh, le leader. Il ramena une carte de 66 (-6) ce jour-là, pour prendre seul la tête du tournoi avec un coup d'avance sur le Sud-Africain Retief Goosen. Le dimanche, il repoussa sans trop de peine les timides assauts de tous ses rivaux – Singh, Garcia, Els et Mickelson – pour remporter son deuxième Masters consécutif, le troisième en six ans. Les autres joueurs refusaient de l'admettre publiquement, mais ils étaient clairement intimidés par Tiger et sa façon de les éliminer les uns après les autres.

Il avait maintenant vingt-six ans et avait remporté sept Majeurs plus vite que n'importe qui au cours de l'histoire. Autre fait marquant : il n'avait jamais terminé deuxième d'un tournoi du Grand Chelem. Ce qui voulait dire qu'il gagnait toujours quand il était à la lutte pour la victoire. Au contraire de Jack Nicklaus, par exemple, qui avait déjà terminé six fois deuxième à l'âge de vingt-six ans.

Mais ce triomphe-là n'avait pas grand-chose à voir avec la charge émotionnelle de 1997 ou le choc historique de 2001. C'était presque devenu une routine, comme si un tel exploit faisait partie de son quotidien, comme si c'était une victoire comme une autre. Les fist-pumps bourrés d'énergie avaient laissé place à de longs regards fixes, dénués d'émotions apparentes.

En conférence de presse, un reporter l'interrogea : « Comment comptez-vous fêter cette nouvelle veste verte, et avec qui ? »

Mais Tiger n'avait pas l'intention de révéler quoi que ce soit. « Là, tout de suite, je dois d'abord me rendre au dîner des champions. Puis je vais rentrer à la maison, préparer mes affaires et filer prendre mon vol. Et ensuite je fêterai ça. Je ne vous dirai pas comment, mais je vais le fêter, oui. »

Ce qui fut sans doute le cas, puisque Peggy Lewis retrouva sa maison dans un état effroyable le lendemain. Les murs de la chambre et de la salle de bains étaient enduits de mousse à raser. Des assiettes pleines de nourriture avaient été glissées sous le lit. La cuisine ? On aurait dit qu'elle avait accueilli une fête étudiante. Peggy Lewis décida de passer la nuit à l'hôtel en attendant qu'une société de nettoyage rende sa maison à nouveau habitable. Quelques semaines plus tard, elle reçut sa facture de téléphone pour s'apercevoir que des appels longue distance avaient été passés de chez elle vers la Suède et l'Angleterre. Il y en avait pour plus de cent dollars. Plus qu'agacée, elle fit ce qu'elle n'avait jamais osé jusqu'ici : passer un coup de fil au bureau de Tiger.

C'était déjà bien assez pénible qu'il ne paie pas pour la location et qu'il ne laisse jamais le moindre pourboire, mais là, elle en avait plus qu'assez de son manque de respect et de reconnaissance. Chaque année, elle retrouvait sa maison dans un état pas possible, et jamais il ne s'en était excusé ou n'avait proposé de régler les frais de remise en ordre. Elle vida son sac auprès de l'assistante de Tiger.

« Hors de question qu'il remette les pieds dans ma maison l'an prochain », lui dit-elle, en énumérant la liste de ses reproches. Certains étaient relativement bénins (elle retrouva une année une couette toute blanche, la plus jolie de toutes, couverte de traces de sang et roulée en boule dans un coin de la chambre), mais d'autres lui avaient coûté une petite fortune : en 2001, elle dut ainsi remplacer une table de salon après que quelqu'un – Earl, selon elle – eut laissé ses cigarettes en brûler le plateau. Quand les O'Meara furent informés pour la table, ils lui en offrirent une neuve. La seule année où tout se passa de façon convenable, c'était en 2000, quand Joanna Jagoda accompagnait Tiger. La seule année aussi où Peggy Lewis reçut une lettre de remerciements, qui disait : « Merci d'avoir bien voulu nous louer votre charmante maison. J'espère pouvoir vous croiser quand je reviendrai. Joanna. » Mais pas un mot de Tiger...

« Je lui ai demandé un jour s'il fallait qu'on envoie des fleurs », tenta l'assistante de Tiger.

C'était un peu tard, maintenant.

Peggy Lewis dut également passer la nuit du dimanche à l'hôtel à plusieurs reprises car Tiger dormait encore à la maison, ce qui n'était pas prévu dans le contrat de location. Ça l'avait agacée qu'il ne propose même pas de prendre la note à son compte.

Mais les appels vers la Suède furent la goutte d'eau qui fit déborder le vase. Tiger Woods était le sportif le plus riche du monde.

C'était si compliqué pour lui de laisser quelques billets sur la table en expliquant qu'il avait utilisé son téléphone ?

« Faites une copie de la facture et envoyez-la moi », lui dit son assistante.

Quelques jours après cette discussion, Peggy Lewis reçut un bouquet de fleurs du bureau de Tiger. Puis un courrier, quelques semaines plus tard, avec la photocopie de sa facture de téléphone et un chèque. Les appels passés par Elin avaient été surlignés en jaune. Et le chèque correspondait au montant précis, sans un centime de plus.

Tiger était incapable de manifester de la gratitude, de la reconnaissance ou tout simplement de s'excuser. Une attitude qui trouvait son origine dans une éducation que l'on peut qualifier de pervertie.

Sa mère l'avait choyé comme un prince, et son père connaissait à peine le sens des mots *merci* et *je suis désolé*. Tiger apprit très vite que seules ses exigences comptaient. Son comportement sans vergogne et auto-centré était sans doute essentiel pour la réussite de sa carrière, mais il avait aussi un impact terrible sur la façon dont il était perçu. Il semblait hélas s'en moquer éperdument. Une personne telle que Peggy Lewis l'aurait sans doute adoré pour le restant de ses jours s'il avait simplement pris la peine de la remercier et de lui montrer un peu de reconnaissance. Mais ça n'avait aucune importance à ses yeux.

Elin se tenait juste derrière Tiger, assis à une table de jeu du Mandalay Bay Resort & Casino avec une paire de dés en mains et une pile de jetons aux couleurs vives devant lui. Une nuée de curieux surexcités se pressait contre la muraille que formaient les gardes du corps. Seul sur sa planète, Tiger lança les dés, totalement hermétique au tohu-bohu. Il était près de minuit en ce vendredi 19 avril 2002, et il faisait découvrir un peu de son Las Vegas à sa petite amie juste avant son événement annuel : le Tiger Jam, une immense fête réunissant acteurs, musiciens et sportifs afin de collecter des fonds pour sa fondation.

Puis Charles Barkley arriva et déclencha un raz-de-marée de sourires et de hochements de tête approbateurs en disant : « J'ai joué avec Phil et tous ces gars-là, et Tiger sait faire des choses que les autres sont incapables de reproduire. Ils sont intimidés. Ils se chient dessus devant le Jésus Noir. »

Elin dut composer avec la prose de Barkley. L'ambiance était très éloignée de celle qu'elle avait connue à la fac de psychologie, mais elle était amoureuse.

Peu de temps après, plusieurs de ses photos assez osées commencèrent à circuler sur internet. Elles provenaient de son shooting avec Bingo Rimer. L'une d'elles, notamment, était assez torride : on la voyait poser nue en se compressant la poitrine. Les tabloïds en profitèrent pour sortir des gros titres un peu grivois sur la « Suédoise sexy ». Le *New York Post* la décrivit comme « un croisement alléchant entre Pamela Anderson et Cindy Margolis[59] ». Les tabloïds suédois perdirent eux tout sens de la déontologie en publiant des photos d'elle nue, des faux grossiers mais qu'ils juraient authentiques. Tiger dut publier un communiqué précisant qu'Elin n'avait jamais posé nue et qu'elle ne comptait pas le faire à l'avenir.

« L'une des raisons pour lesquelles elle n'avait pas cédé rapidement à ses avances, c'était qu'elle ne voulait pas qu'on la prenne pour une simple petite amie de star, raconta Rimer. Elin n'est pas comme ça. C'est une fille intelligente, très bien éduquée par une famille cultivée, avec ses propres rêves. Elle ne voulait pas qu'on la voie comme une décoration accrochée au bras de Tiger. »

Sauf qu'elle se trouvait désormais bel et bien au bras de Tiger.

---

59. Modèle du magazine *Playboy*.

CHAPITRE 21
ENCORE DES CHANGEMENTS

L'ambiance de l'US Open 2002 disputé au Bethpage Black à Long Island, New York, ressemblait plus à un match des Giants au stade Meadowlands qu'à un tournoi de golf. Toute la semaine, les fans new-yorkais hurlèrent, chantèrent et encouragèrent les joueurs dans un tintamarre incroyable. Woods n'avait jamais entendu ça nulle part. Mais les ovations les plus passionnelles n'étaient pas pour lui – elles étaient réservées à Phil Mickelson, le numéro deux mondial. Tiger ne l'avait jamais vraiment aimé et ne ratait pas une occasion de baver sur lui, en l'appelant régulièrement «Phony Phil»[60]. C'était sa façon préférée d'avoir le contrôle sur ses concurrents, tout en mettant un maximum de distance entre eux et lui. Mickelson n'avait certes toujours pas remporté de Majeur à trente-deux ans, mais Tiger sentait bien qu'il était devenu l'un de ses rivaux les plus sérieux.

Son mépris pour lui allait bien au-delà du golf, cependant. Mickelson était le joueur préféré des fans avec son image proprette de Monsieur Tout le Monde, alors que Woods, tout comme nombre de ses camarades de jeu, le trouvait totalement artificiel. Il avait une femme superbe, deux enfants en bas âge tout mignons, et sa petite famille l'accompagnait régulièrement sur le circuit. Sur le tee du 15, lors du dernier tour, il dut même reprendre sa routine à zéro tellement les fans hurlaient «*Let's go Mick-el-son*». Il fêtait ses trente-deux ans ce jour-là, et les spectateurs présents autour du tee de départ du 17 se mirent tous à chanter «*Happy Birthday*».

Mais telle une machine parfaitement huilée, Tiger occupa seul la tête du tournoi du premier au dernier jour. Jamais il ne laissa Mickelson – finalement deuxième à trois coups – se rapprocher trop près de lui pour espérer. Ils étaient sans doute nombreux

---

60. «Phil l'hypocrite».

à vouloir le voir gagner, mais Woods n'était pas aussi ouvert et sympa que Phil avec les gens. Il avait même l'air de mauvaise humeur avec sa mine renfrognée, comme à chaque fois qu'il s'apprêtait à remporter un nouveau titre en Majeur – son huitième. Son attitude austère incita Michael Silver, le reporter expérimenté de *Sports Illustrated*, à se demander : «A-t-on déjà vu un golfeur – et même un sportif, tout simplement – à l'allure aussi lugubre pendant qu'il fait son job ? »

Peut-être aussi qu'il s'ennuyait, finalement. Il avait remporté huit des vingt-deux Majeurs qu'il avait disputés. À titre de comparaison, il en avait fallu trente-cinq à Nicklaus pour arriver au même résultat. Woods venait quant à lui d'empocher sept des onze derniers qu'il avait joués. Personne n'était vraiment en mesure de lui poser de problèmes. Sa seule véritable motivation, c'était l'obsession de devenir meilleur, encore et encore. Une attitude qui l'éloignait lentement mais sûrement de Butch Harmon. Ils s'entendaient toujours bien, mais Tiger n'adhérait plus à sa philosophie. Harmon pensait que le swing de son élève était parfait, et qu'il avait juste besoin de l'entretenir en y apportant quelques petites retouches de temps à autre – une opinion renforcée par le fait que Woods était en passe de rester numéro un mondial pendant 264 semaines consécutives.

Mais s'il y avait bien un mot que celui-ci détestait, c'était *entretien*. Parce qu'il était en permanence à la recherche de quelque chose qui n'existait pas. C'était tout sauf facile de vivre à ses côtés, et encore moins d'apprécier sa compagnie, y compris pour ses amis. «Il était tellement dévoré par le fait de devenir le meilleur de tous les temps... Il n'était pas très sociable, selon Charles Barkley. Le golf n'est qu'un jeu, mais quand votre vie toute entière tourne autour, votre vision des choses n'est pas la bonne. Elle devient un peu négative, plutôt que de se dire simplement "bon, je me débrouille quand même bien".»

Harmon était du même avis, sauf que lui devait travailler avec Tiger. Et ceux qui bossaient avec lui au quotidien devaient composer avec sa recherche constante de perfection. Woods attendait d'eux qu'ils soient aussi impliqués que lui. Il pouvait se montrer froid et impitoyable quand ce n'était pas le cas. C'est ce qui arriva à quelques jours de l'USPGA 2002, disputé à Hazeltine. Woods téléphona à Harmon de but en blanc pour lui annoncer qu'il mettait fin à leur collaboration. «Je veux juste m'occuper de mon swing moi-même, lui dit-il. Merci pour tout ce que tu as fait pour moi, mais je vais me débrouiller seul, maintenant.»

Harmon était outré qu'il ait osé lui annoncer la nouvelle par téléphone. «C'est l'enfoiré le plus impitoyable que j'aie pu voir sur un parcours, dit-il en 2017. Mais regarder les gens dans les yeux pour leur dire quelque chose, ça, il ne sait pas faire.»

Tiger était au practice de l'USPGA deux jours plus tard quand Harmon arriva, mais il l'ignora totalement pour poursuivre sa routine d'entraînement. Vexé, le coach fit demi-tour. Neuf ans de travail commun et hop, tout se terminait comme ça.

Le départ de Harmon coïncida avec un passage à vide jusqu'ici inédit chez Tiger. Il termina deuxième du tournoi, à un coup du vainqueur Rich Beem. Et il allait devoir attendre trente-quatre mois avant de remporter un autre Majeur. Les blessures eurent leur importance dans cette mauvaise passe. À la fin de l'année 2002, Tiger se rendit dans une clinique de l'Utah, à Park City, pour y subir une arthroscopie afin d'enlever des kystes et du liquide dans son genou. Mais au cours de l'examen, les docteurs Thomas Rosenberg et Vern Cooley se rendirent compte que son ligament croisé antérieur était dans un sale état. Seuls 20 % du ligament étaient encore en état de marche. La question posée par Tiger fut très simple : «Combien de temps ça peut tenir ?» La réponse était en revanche plus complexe. Le ligament allait lâcher à coup sûr, ce n'était qu'une question de temps. Et quand ça arriverait, il aurait alors besoin d'une opération bien plus lourde. Et il allait devoir changer sa façon de swinguer assez rapidement.

Mark O'Meara possédait un appartement à Park City et avait accompagné Tiger jusqu'à la clinique. Les deux hommes avaient ensuite rejoint Hank Haney, le coach de O'Meara, qui avait lui aussi un pied-à-terre là-bas. La conversation tournait autour du ligament de Tiger et des options qui s'offraient à lui. «Il va falloir que je change mon swing», dit-il à Haney.

Il manqua les cinq premiers tournois de l'année, mais mit les bouchées doubles dans les séances de rééducation pour revenir à la compétition mi-février, lors du Buick Invitational à San Diego. Il remporta le tournoi malgré la douleur. Puis il prit la cinquième place du Nissan Open, avant de s'imposer à nouveau au WGC-Accenture Match Play Championship et au Bay Hill Invitational. Il semblait plus que jamais prêt à remporter une troisième veste consécutive à Augusta. Mais il allait devoir composer avec la douleur, et surtout le risque d'une blessure bien plus grave. Surtout qu'à la même époque, il avait encore augmenté ses charges de travail en salle de muscu : deux séances par jour, une le matin et une le soir, de quatre-vingt dix minutes chacune. Le haut de son corps – surtout les épaules et les pectoraux – continuait à gonfler, ce qui altérait son swing, qu'il gérait seul en l'absence de Butch Harmon. Il commença également à se comporter différemment avec son caddie, auquel il lui arrivait certains jours de ne pas adresser la parole sur le parcours. Il n'était qu'à quatre coups de la tête au matin du dernier tour, puis trois après son birdie du trou numéro 2. Steve Williams lui conseilla d'opter pour le driver sur le tee du 3, mais Tiger préféra jouer un coup de fer qui partit très à droite, dans les arbres, pour un double bogey. Conséquence : il ne dit plus un mot lors des trous suivants, jusqu'à ce que Williams brise la glace sur le fairway du 9.

« Sors-toi la tête du cul et comporte-toi comme un adulte, lui dit-il. Si je t'avais conseillé le mauvais club et que tu finisses par faire double bogey, alors pas de problème. Mais ne tape pas un coup de merde pour ensuite venir me dire qu'il aurait fallu faire autrement. »

Pas de réponse de Tiger.

« Alors ressaisis-toi et arrête de te comporter comme un gosse. »

Tiger termina quinzième, à neuf coups du vainqueur Mike Weir, après un dernier tour en 75.

Il finit par arrondir les angles avec son caddie, mais sa rupture avec Harmon donnait une indication assez claire de ce qui était en train de se passer : Tiger se débarrassait de ceux qui devenaient trop proches de lui. Retour au tout début de l'année 1997. Il venait de passer professionnel, et Nike lui avait adjoint les services de Greg Nared pour que celui-ci fasse la liaison entre Woods et la maison-mère. Son statut officiel le présentait comme « *business affairs manager* », mais il servait plutôt de super concierge personnel à Tiger. Seuls deux autres sportifs bénéficiaient du même traitement de faveur chez Nike : Michael Jordan et Ken Griffey Jr. En tant qu'« homme de Tiger », il avait la responsabilité de lui transmettre toutes les questions liées aux vêtements, chaussures et équipements pour ensuite gérer la coordination avec les équipes de Nike. Il devait aussi superviser toutes les apparitions publiques de Tiger, s'assurer qu'il ait bien son emploi du temps en tête et, le moment venu, mettre fin à une interview ou un shooting photo si le temps prescrit était dépassé.

«Greg était incontournable pour Tiger», raconta Chris Mike, l'ancien directeur du marketing chez Nike Golf. «Je ne pouvais même pas prendre mon téléphone et appeler Mark Steinberg. Il fallait passer par Greg.»

Grand, beau gosse et Afro-Américain, Nared avait joué comme meneur dans l'équipe de basket du Maryland avant de rejoindre Nike. Il avait le caractère idéal pour ce type de boulot. Il faisait partie du tout premier cercle d'intimes de Tiger, qui en avait fait sa cible favorite avec son sens de l'humour mordant. Il n'arrêtait pas de harceler Nared, qui acceptait tout sans sourciller et parvenait malgré tout à jouer son rôle. Tiger pouvait, sans surprise, se montrer très exigeant dans plusieurs domaines. Comme par exemple celui des tenues de pluie, qui devaient parfaitement lui aller sans toutefois perturber son swing. Et quand les retours n'étaient pas bons, c'est Nared qui en faisait les frais. Chez Nike, les sportifs de la trempe de Tiger n'avaient jamais tort.

Nared encaissait toutes les tempêtes et considérait Tiger comme un frère. Mais finalement, le lien de fraternité qui semblait les unir s'effilocha peu à peu, surtout après que Woods eut perdu patience face aux retours de Nike, qu'il estimait trop longs. Il jugea que sa relation avec Nared avait assez duré et chargea Kel Devlin de le prévenir. «C'était un cauchemar de devoir lui dire qu'il n'allait plus être son aide de camp, et aussi que Tiger ne le fasse pas lui-même. C'était une partie de mon boulot pas très réjouissante», raconta Devlin.

Il y avait toujours eu un côté glacial chez Woods depuis ses années Stanford : il ne laissait personne devenir trop proche de lui. Butch Harmon et Greg Nared le connaissaient mieux que personne. Seuls Mark O'Meara et Mark Steinberg avaient peut-être passé davantage de temps en tête-à-tête avec lui entre 1996 et 2003. Les virer de son équipe revenait finalement à enlever les glissières de sécurité sur une autoroute.

Tiger remporta cinq tournois en 2003, mais seulement deux après le mois de mars. Il n'eut pratiquement jamais sa chance dans les Majeurs, en dehors d'une quatrième place au British Open, à deux coups du vainqueur Ben Curtis. Son swing ne fonctionnait plus et il le savait. O'Meara en avait lui aussi bien conscience, mais il attendait le meilleur moment pour lui en parler. Les deux hommes voyagèrent ensemble dans le jet privé de Tiger en mars 2004 pour se rendre à Dubaï et y disputer le Desert Classic. O'Meara s'imposa à la surprise générale, pour sa première victoire depuis cinq ans. Tiger l'attendait à la sortie du green du 18 : «Je suis content pour toi, autant que tu peux l'être toi-même», lui dit-il.

Venant de Tiger, c'était une déclaration qui en disait long, et O'Meara l'avait bien senti : il montrait rarement des signes d'intérêt envers les autres. Mis en confiance, O'Meara se décida enfin à lui parler : «Tiger, lui dit-il pendant le vol retour, tu dois trouver quelqu'un qui puisse t'aider avec ton jeu.»

Woods avait presque l'air soulagé qu'il lui dise un truc pareil : «Qui, à ton avis ?» demanda-t-il.

O'Meara suggéra Billy Harmon, le frère de Butch, mais Tiger écarta tout de suite cette possibilité. Les complications familiales allaient être ingérables pour tous s'il embauchait le frère de son coach précédent.

Les deux hommes évoquèrent ensuite d'autres noms, mais aucun qui ne séduise Tiger. O'Meara finit par en arriver là où il le voulait : «Tiger, je sais que Hank est mon ami et qu'on travaille ensemble depuis des années, mais c'est le meilleur professeur au monde», lâcha-t-il.

«Oui, je sais. Je vais l'appeler demain.»

Hank Haney avait rencontré Tiger et Earl Woods pour la première fois en 1993, lors du Byron Nelson Classic. Tiger, alors âgé de dix-sept ans et toujours amateur, avait été invité à disputer l'épreuve. Haney était lui le professeur particulier de Trip Kuehne, ainsi que de son frère et de sa sœur. Leur père avait amené les Woods jusqu'à l'académie de Haney, située au nord de Dallas. Une première rencontre glaciale. Haney félicita Tiger pour ses exploits tout en lui tendant la main, que le jeune homme serra mollement sans rien dire, tandis qu'Earl manifesta encore moins d'intérêt.

Trois ans plus tard, Hank Haney et Tiger Woods se croisaient régulièrement au practice d'Isleworth, où le néo-professionnel venait d'emménager. Haney travaillait avec O'Meara et les trois hommes se retrouvaient assez souvent pour dîner. Haney voyait également Woods sur les tournois, où il jouait la plupart de ses parties de reconnaissance avec O'Meara. Mais jamais il n'avait imaginé devenir un jour le professeur de celui qu'il considérait comme le plus grand joueur de tous les temps.

À leur retour de Dubaï, O'Meara demanda à son agent, Peter Malik, d'appeler son coach pour lui dire qu'il allait recevoir un coup de fil. Le lendemain, le 8 mars 2004, Hank Haney dînait avec son père à Plano (Texas) lorsque son téléphone sonna. Il sortit de la maison pour répondre.

« Salut Hank, c'est Tiger. »

« Salut mon pote. »

Fidèle à son habitude, Tiger alla droit au but : « Hank, je voudrais savoir : tu pourrais m'aider avec mon swing ? »

« Bien sûr Tiger, pas de problème », répondit-il en essayant de masquer son enthousiasme.

Tiger lui donna rendez-vous le lundi matin suivant à Isleworth. Leur conversation n'avait même pas duré trois minutes. Ça se bousculait entre ses oreilles : *J'ai gagné au loto. Je vais changer de statut. Je vais devenir célèbre. Je vais pouvoir tester mes théories sur l'élève le plus parfait qui soit, et il va montrer à tout le monde que j'ai raison.*

Il était de retour à table quelques minutes plus tard et raconta ce qu'il venait de lui arriver.

Grand fan de Jack Nicklaus, le père de Hank était fier comme un paon. « Mais tu sais, lui dit-il très vite, ça risque d'être un boulot plus que difficile. Tu es sûr que tu veux vraiment le faire ? »

Un mois plus tôt, Tiger avait créé une société aux îles Caïmans dans le seul but d'acquérir un yacht de quarante-sept mètres de long ; société qu'il baptisa Privacy Ltd, le nom qu'il avait aussi choisi de donner à son bateau. Selon ses statuts juridiques, *Privacy* avait pour but « d'offrir une plage de repos à la famille Woods afin de les soustraire aux inconvénients de la notoriété ». La famille, à ce moment-là, c'était uniquement Elin et lui. Ils vivaient ensemble à Isleworth. Ils étaient fiancés, mais pas mariés. Un secret d'État pour Tiger : seuls sa famille et ses amis les plus proches étaient au courant, et ils avaient juré de ne rien révéler à qui que ce soit.

Elin vivait avec Tiger depuis suffisamment longtemps pour que l'obsession de son compagnon pour la protection de sa vie privée ait déteint sur elle. Elle qui était naturellement encline à accorder sa confiance se tenait désormais sur ses gardes et se montrait bien plus réservée. Elle respectait les choix de Tiger et était estomaquée par son éthique de travail. En plus des tournois, il devait gérer des événements avec ses sponsors, des apparitions télé et des tournages publicitaires. Il avait gagné près de 200 millions de dollars en contrats depuis trois ans qu'ils se connaissaient, mais les contraintes qui allaient avec lui prenaient un temps énorme. Elin ne voulut pas remettre en question ses envies d'évasion. À ses yeux, il méritait d'avoir son *Privacy*.

Ils n'étaient pas nombreux à être invités sur son yacht, mais Herb Sugden, son professeur de plongée, faisait partie des heureux élus. Il était là pour apprendre la plongée sous-marine à Elin et proposa à Tiger de lui enseigner les rudiments de la pêche au harpon. Mais il se rendit tout de suite compte que la coordination œil-bras de Tiger était si exceptionnelle qu'il n'avait qu'une chose à faire : lui donner le fusil et le laisser se débrouiller. « Je n'avais rien à lui apprendre, dit Sugden. Je lui ai montré une seule fois, et il a tout de suite été meilleur que moi. Un vrai phénomène. »

Tiger aimait bien son moniteur de plongée et il se montrait exceptionnellement généreux avec lui. Et quand il aspira à des aventures un peu plus extrêmes, il lui demanda de bien vouloir lui enseigner la plongée spéléologique, une activité autrement plus dangereuse que la simple plongée sous-marine, qui consistait à se rendre dans des grottes souterraines remplies d'eau. Sugden avait un peu peur de l'initier : « Il était au sommet de sa carrière à ce moment-là, il gagnait tout. La plongée spéléologique peut se montrer dangereuse. On est à la fois sous la terre et dans l'eau. On n'a qu'une seule option pour respirer : l'air qui se trouve dans nos bouteilles. Et la seule façon de sortir d'une grotte, c'est de reprendre exactement le même chemin qu'à l'aller. On peut se perdre. C'est un exercice périlleux. »

Mais Tiger n'avait peur de rien. Et tout comme avec la plongée de base, il devint un plongeur spéléo de très haut niveau. Il pouvait notamment s'appuyer sur sa capacité hors norme à retenir sa respiration. Sauf que sa compagnie d'assurance appréciait moyennement qu'il s'adonne à une telle activité. Pour les rassurer, Tiger leur amena Sugden en personne. « J'ai dû leur expliquer à quel point cette pratique était sans danger », raconta-t-il.

Le lundi 15 mars 2005 au matin, Tiger était devant chez lui, un club de golf à la main, à faire des swings à vide. Sa voiturette de golf customisée était garée juste à côté, avec ses clubs rangés à l'arrière. Il attendait Hank Haney pour leur toute première séance de travail. Dès qu'il eut garé sa voiture de location, Tiger se dirigea vers lui pour le saluer.

« J'ai hâte de travailler avec toi », dit le coach.

Tiger lui expliqua très vite comment ça allait se passer. Il l'avait vu plein de fois à l'œuvre avec O'Meara et lui dit clairement qu'il y avait des choses dans sa méthode avec lesquelles il n'était pas d'accord. C'était une façon assez frontale de lui faire comprendre qu'il allait devoir gagner sa confiance.

Les deux hommes montèrent dans la voiturette pour aller s'isoler à une extrémité du practice, à l'abri des regards. «Je veux devenir plus consistant à chaque étape de mon swing, lui dit Tiger sur le chemin. Ce qui me permettra d'avoir une chance le dimanche sur tous les Majeurs. Je ne veux pas me mêler à la bagarre seulement quand je sens super bien la balle. Je veux que ce soit le cas tout le temps.»

Haney savait qu'il travaillait désormais avec quelqu'un qui était bien davantage qu'un golfeur connu dans le monde entier. Il trouvait son expertise dans tous les domaines du jeu – y compris à propos du matériel qu'il utilisait – plus qu'impressionnante. Kel Devlin raconta qu'un jour Nike lui avait envoyé six prototypes de drivers en titane afin qu'il puisse les essayer. Tiger essaya chacun d'eux et dit à Devlin qu'il aimait bien celui qui était plus lourd que les autres. Le cadre de chez Nike l'informa qu'ils étaient en fait tous identiques, au gramme près. Un argument que Tiger refusa d'entendre, insistant sur le fait qu'un des six drivers était plus lourd que les autres. Afin de lui prouver qu'il avait tort, Devlin renvoya les clubs à Fort Worth, là où Nike effectuait ses tests, pour les faire peser. Résultat : cinq avaient exactement le même poids, mais le dernier pesait deux grammes de plus. Quand ils démontèrent le club, les ingénieurs se rendirent compte qu'il y avait une couche supplémentaire d'une matière gluante à l'intérieur, qui avait été ajoutée pour mieux absorber les particules de titane qui se baladaient. Un poids dérisoire, l'équivalent de deux billets d'un dollar. Mais Tiger l'avait perçu en prenant le club entre ses mains.

Hank Haney connaissait cette histoire-là, ainsi que quelques autres. Il savait qu'il ne serait pas vraiment malin de considérer Tiger simplement comme son élève. Il savait aussi que Woods le testait, et il ne comptait pas gâcher le début de leur collaboration en cherchant le conflit. Tiger commença par taper quelques balles, et ils parlèrent du fait qu'il n'était pas toujours capable de faire tourner le haut de son corps assez rapidement lors de sa descente de club. Ils travaillèrent aussi sur cet autre point : l'obliger à garder ses yeux au même niveau pendant tout le swing. L'intensité qu'il mettait dans une séance d'entraînement allait bien au-delà de ce que Haney avait pu imaginer. Mais il ne voulait pas trop en faire pour un premier contact.

Les deux hommes trouvèrent rapidement un accord : Tiger lui verserait 50 000 dollars par an, plus 25 000 de bonus pour chaque victoire en Majeur. Exactement ce qu'il avait l'habitude de donner à Butch Harmon.

Cette même semaine, il disputa le Bay Hill Invitational. Après un solide premier tour en 67, il joua plutôt mal pour ramener des cartes de 74, 74 et 73 et finir à la quarante-sixième place. Lors de sa conférence de presse d'après-tournoi, il assura qu'il était très enthousiaste à propos de ses axes de travail et que 90 % de son jeu était en place. Des déclarations publiques très éloignées de ce qu'il ressentait vraiment.

Lorsque Hank Haney le retrouva le lendemain pour leur deuxième séance de travail, Tiger était déjà sur le practice en train de taper des balles. Il ne leva pas les yeux à son arrivée, pas plus qu'il ne lui répondit lorsqu'il lui fit quelques remarques sur son swing au Bay Hill. Haney tenta bien quelques compliments, mais rien qui puisse le dérider. Ne rien dire, c'était sa façon d'envoyer un message. Sa méthode pour jauger les faiblesses de l'autre, aussi.

«Je ne sais pas trop où tu veux en venir, lui dit finalement Haney. Tu essaies peut-être de me faire changer d'avis. Mais je sais ce que tu dois faire pour devenir meilleur, je sais aussi à quoi doit ressembler ton plan de swing. Alors tu peux toujours essayer, mais ça n'arrivera pas.»

Tiger ne réagit toujours pas, mais lorsque son coach lui suggéra quelques exercices, il s'y colla de façon aussi passionnée que pointilleuse. Ce fut à l'arrivée une belle séance de travail, et celle du lendemain fut encore meilleure. Mais pas une seule fois l'élève n'adressa la parole au professeur, qui comprenait maintenant ce que Butch Harmon avait voulu lui dire lorsqu'ils s'étaient croisés juste après sa nomination : «Bonne chance, Hank. C'est dur de faire partie de cette équipe, et le travail est bien plus difficile qu'il n'en a l'air.»

La situation restait malgré tout très positive à l'approche du Masters 2004. Tiger était toujours numéro un mondial, et ses concurrents directs ne lui mettaient pas trop de pression. Les blessures avaient stoppé la progression de David Duval. Sergio «Crybaby»

Garcia avait cédé sous le poids des attentes, avec seulement deux victoires en soixante-dix huit tournois sur le circuit américain. Ernie Els semblait quant à lui avoir fait son temps. Vijay Singh jouait bien, mais il faisait figure d'intrus au sommet du classement. Le seul que Tiger considérait finalement comme un challenger sérieux était Phil Mickelson, qui avait lui aussi été affublé d'un surnom par Kultida : « Le Grassouillet »[61]. Malgré ses vingt et une victoires sur le PGA Tour, il avait hérité de la pire étiquette qui soit en golf : le meilleur joueur à n'avoir jamais remporté de Majeur. Mais Tiger sentait bien que s'il venait à en gagner un seul, ce pourrait être le début d'une longue série.

Woods avait été le premier à balancer des petits mots vachards sur Mickelson au cours des années précédentes. Mais en 2004, le gaucher américain s'était mis au niveau dans ce domaine-là. Il avait ainsi donné une interview déroutante au magazine *Golf World* en 2003, dans laquelle il s'étonnait de voir Woods jouer aussi bien alors qu'il utilisait « un matériel de qualité inférieure » à celui des autres golfeurs – un coup bas porté aux clubs et aux balles fabriqués par Nike. Tiger balaya la polémique en disant simplement que « Phil a essayé d'être drôle » et « Phil, c'est Phil, on le connaît ».

Mickelson était désireux d'en découdre avec Woods en arrivant à Augusta en avril 2004. On put le constater le dimanche, où il réussit cinq birdies sur ses sept derniers trous (dont le 18) pour s'imposer d'un coup devant Ernie Els et remporter son tout premier Majeur.

« Mes sensations n'étaient pas les mêmes cette semaine, raconta-t-il après coup. Je n'avais pas la crainte de voir le tournoi m'échapper, et je ne passais pas non plus mon temps à gamberger en pensant à mes adversaires. Je me disais juste : "Allez, je tape coup après coup et on verra bien ce qui arrive." »

Tiger fut incapable d'en faire autant et termina vingt-deuxième, à onze coups du vainqueur. Plutôt que de rester sur place pour féliciter son rival, il décida de partir directement avec son père pour se rendre là où Earl avait été affecté en tant que Béret vert – Fort Bragg, Caroline du Nord. Grâce aux contacts de son père dans l'armée, Tiger put suivre la formation des troupes d'intervention pendant quelques jours. Il portait un uniforme à son nom, participa

---

61. « Fat Boy » en V.O.

à des courses de plusieurs kilomètres chaussé de bottes militaires, à des exercices de combat au corps à corps et dans les tunnels aérodynamiques. Des choix très risqués au vu de l'état du ligament de son genou, mais ça n'avait à ce moment-là aucune importance pour lui. En 1998, les médecins avaient découvert un cancer de la prostate chez son père, d'abord vaincu grâce à des séances de chimiothérapie. Mais la maladie l'avait de nouveau frappé en 2004, et le cancer touchait cette fois l'ensemble de son corps. Earl avait également de gros soucis de diabète. Tiger sentait bien que ses jours étaient comptés et il voulait se rapprocher de lui. L'un des moments forts du séjour fut son saut en parachute en tandem, où il eut l'air fou de joie pendant sa chute libre. Son père, sous assistance respiratoire, l'attendait au sol et l'accueillit avec une grande fierté.

«Tu sais maintenant dans quel environnement j'ai pu vivre», lui dit-il.

Avant de quitter la base, les deux hommes passèrent un peu de temps avec d'anciens collègues d'Earl. C'était la première fois que Tiger pouvait entendre des histoires sur l'attitude de son père pendant la guerre et l'héroïsme dont il avait fait preuve. Et plus il en entendait, plus il avait envie de répondre à ses attentes.

Les journalistes de golf n'hésitaient plus à évoquer une nouvelle «mauvaise passe» pour Tiger à l'aube de l'US Open 2004 disputé à Shinnecock Hills. Il avait remporté seulement deux de ses dix-huit derniers tournois, et même Butch Harmon se permit de le critiquer publiquement : «Il ne joue pas bien», dit-il à la télévision pendant l'épreuve. «Il ne travaille pas comme il le faudrait sur son swing. Même si, de toute évidence, il semble persuadé du contraire.»

Tiger détestait qu'on remette en cause son travail aussi ouvertement. Mais que ça vienne de son ancien professeur, c'était comme un coup de poignard dans le dos. Il se montra d'une humeur massacrante toute la semaine, mit à peine les pieds au vestiaire, ne parla à personne ou presque, et jeta son regard noir aux responsables du circuit à chaque fois qu'ils lui demandaient quelque chose. Ce fameux regard noir qui voulait dire : *Mais pourquoi vous venez encore me faire chier, là ?* Son caddie Steve Williams joua lui son rôle de bouclier humain. Sur le tout premier trou du tournoi, il tapa sur l'appareil d'un photographe. Puis, lors du dernier tour, il en arracha un des mains d'un spectateur qui n'était pas autorisé à l'utiliser – un policier hors service, comme on l'apprit plus tard. Le joueur comme son porte-sac semblaient ne plus savoir quoi faire. Tiger termina dix-septième à +10. C'était son huitième Majeur consécutif sans victoire, la série la plus longue de sa carrière.

Il était au volant de sa voiture de location le dimanche soir, avec son caddie assis à ses côtés, quand il se gara subitement sur le bord de la route pour lui dire : «Stevie, je crois que j'en ai assez du golf. Je vais essayer d'intégrer les Navy SEALs.»

C'était comme s'il venait de lui donner un grand coup de fer 9 en plein ventre. Williams était sous le choc et réfléchissait à une réponse appropriée. Mais la seule chose qui lui venait à l'esprit, c'était : «Tu ne crois pas que tu es un peu trop vieux pour ça ?»

Tiger était vraiment sérieux. Il avait regardé en boucle un DVD des SEALs qui décrivait en détails une formation de six mois appelée *Basic Underwater Demolition*. Il avait mémorisé chacun des exercices et reprenait souvent à son compte certaines devises typiquement militaires qu'il y avait entendues.

Steve Williams n'était pas le seul à s'inquiéter. Hank Haney avait passé pas mal de temps chez Tiger et il avait bien remarqué son obsession pour un jeu vidéo appelé *SOCOM: U.S. Navy SEALs*. Un jeu où il fallait mettre un casque et exécuter les ordres donnés par un capitaine sur le terrain. «Tiger était à fond dedans, raconta Haney. Il y jouait assis sur son canapé, concentré et impliqué comme s'il disputait un Majeur.»

Cet intérêt aussi fort que soudain pour les Navy SEALs coïncidait avec des charges de travail encore accrues, notamment pour les exercices cardio-vasculaires. Avec comme conséquence un nouveau renforcement musculaire du haut de son corps, et la nécessité d'adapter son swing à sa nouvelle morphologie.

Les commentaires de Butch Harmon sur le travail de son ancien élève eurent une conséquence immédiate : Tiger s'impliqua davantage encore dans la reconstruction de son swing. Parce que ces critiques-là visaient aussi directement Hank Haney, de façon intentionnelle ou non. Les deux hommes tenaient plus que tout à montrer à Harmon qu'il avait tort, et ils devinrent plus proches l'un de l'autre. Juste après l'US Open 2004, Tiger s'en remit entièrement aux conceptions techniques de son coach pour une refonte complète de son geste.

Au début de l'été 2004, le Boys & Girls Clubs[62] décerna un prix à Denzel Washington pour l'ensemble de sa carrière, au cours d'un dîner de gala à l'hôtel Waldorf Astoria de New York. La liste des invités comprenait des personnalités prestigieuses d'Hollywood et de l'industrie du sport. Tiger décida cependant de zapper le dîner pour se rendre directement à la fête prévue dans la suite de Denzel Washington. Deux jours plus tard, alors qu'il était au club-house d'Isleworth avec Elin, il tomba sur une de ses voisines qui avait assisté au dîner en question. Elle savait qu'il avait été invité et lui demanda pourquoi il n'était pas venu. Tiger lui répondit qu'il s'était contenté d'assister à la petite fête donnée juste après. Mais Elin ne voyait pas de quoi ils parlaient. Elle finit par se tourner vers Tiger pour lui demander : «Attends, mais tu étais à *New York*?»

Il y avait beaucoup de choses que Tiger ne racontait pas à Elin, surtout à propos de ses allées et venues et des femmes qu'il pouvait croiser à l'occasion. Sa vie cachée à Las Vegas et les tentations permanentes l'incitaient à se poser cette question : à quoi bon se marier?

La réponse se trouvait sans doute dans la vie de conte de fées qu'il rêvait d'avoir – une épouse belle à tomber et des enfants adorables qui vivraient avec lui dans la gigantesque demeure qu'il avait achetée quatre ans plus tôt à Deacon Circle. C'était la vie que semblaient mener les O'Meara, en tout cas à ses yeux. Et Elin était pour lui la pièce essentielle de ce puzzle – une femme blonde, superbe et aimante. Ils vivraient ici heureux pour toujours, juste à côté des O'Meara.

Il y avait aussi un autre facteur d'importance : Elin était la toute première femme à se montrer à la hauteur des attentes de Earl *et* Kultida. Tiger avait été amoureux par le passé, et il avait été très proche de certaines femmes qui auraient sans doute pu l'écarter de ses vices et le garder dans le droit chemin. Mais il était désormais clair qu'il voulait connaître les deux faces de cette existence-là : le mariage parfait en apparence et sa vie de débauche. Il était exactement comme son père, avec cependant une grande différence : lui ne connaissait aucune limite.

Le 5 octobre 2004, Tiger et Elin échangèrent leurs vœux de mariage à la Barbade, dans le resort ultra-exclusif de Sandy

---

62. Association américaine dont le but est de venir en aide aux jeunes.

Lane. Tiger le loua en intégralité pendant une semaine pour une somme estimée à 1,5 millions de dollars, afin de s'assurer une confidentialité maximale. Il put s'adonner à de nombreuses activités, comme la pêche, le bateau en haute mer, le golf et la plongée en apnée. Un extraordinaire feu d'artifice fut tiré le soir du mariage. Seuls la famille et les amis les plus proches furent invités. Tiger passa quelques nuits aux côtés de son père, de Michael Jordan et de Charles Barkley, qui fumèrent des cigares et évoquèrent le bon vieux temps. Kultida semblait heureuse comme jamais. À vingt-huit ans, son fils était devenu un homme accompli. Et elle espérait devenir bientôt grand-mère.

Tiger et Elin connurent leur toute première escapade de jeunes mariés juste avant Noël 2004, pour une semaine de ski en Utah avec les couples O'Meara et Haney. Voilà des années que Tiger voulait s'y mettre, et il était maintenant marié à une skieuse hors pair qui n'arrêtait pas de le vanner sur le fait qu'elle était meilleure que lui dans au moins une discipline. Il tenait absolument à lui montrer qu'il était bien plus facile de skier que de jouer au golf. Il n'avait qu'une seule exigence pour ce séjour : on ne devait en aucun cas le voir avec un moniteur de ski.

O'Meara s'occupa de tout et prit contact avec son ami Karl Lund, l'un des moniteurs les plus réputés de l'Utah. Il avait appris à skier aux deux enfants de Mark et il connaissait du monde au luxueux resort de Deer Valley. Il fit en sorte que Tiger puisse bénéficier de leçons sans passer par le circuit officiel. Il n'y aurait ni réservation, ni paiement : Lund et Tiger se retrouveraient directement sur les pentes et passeraient la journée ensemble.

Le simple fait que Tiger parte au ski avec son coach montrait bien à quel point les choses avaient changé. À l'époque où ils travaillaient ensemble, Butch Harmon lui interdisait même d'effectuer des tirs en suspension de peur qu'il se blesse à un doigt. Et là, O'Meara et Haney allaient skier avec lui. Son nouveau coach faisait désormais partie de ses amis, et ce sentiment était réciproque.

Lorsque Tiger arriva le lendemain matin, il portait une énorme genouillère. Son opération au genou remontait à deux ans, mais son entraînement façon Navy SEALs et ses séances répétées de musculation avaient fragilisé son articulation. Et ce n'était pas ça qui allait le freiner sur les pistes.

Il refusa d'abord le moindre conseil. «Ne vous inquiétez pas, tout va bien se passer», dit-il aux autres.

Il se lança sur les pentes plus douces réservées aux tout-petits. Puis, encouragé par son épouse, il décida de s'attaquer aux pistes vertes. Et après une courte pause déjeuner, il voulut passer directement à l'étape supérieure. Hank Haney prenait peur au fur et à mesure que son élève s'enhardissait. Lund et O'Meara se trouvaient eux à mi-pente quand Woods arriva à leur niveau. Il allait sans doute à plus de 60 km/h et semblait avoir perdu tout contrôle. «Putain de merde!» lâcha Lund, qui décida de foncer à sa suite.

Tiger parvenait tout juste à garder son équilibre, sans réduire sa vitesse, et sa vie était clairement en danger alors qu'il se dirigeait vers une rangée de peupliers trembles. «Tourne! Tourne!» lui criait-on.

Soudain, à la toute dernière seconde, il parvint à éviter les arbres pour s'étaler sur le dos. Mort de trouille, Lund finit par le rejoindre.

Tiger avait le souffle coupé, mais il était plié de rire en le regardant.

«Hey, lui dit Lund, ça te va si je te file deux ou trois conseils?»

«Ce serait bien, oui», répondit Tiger.

Le moniteur l'aida à se relever et balaya la neige accrochée à ses vêtements. Puis il lui enseigna quelques mouvements basiques, comme les virages. «C'est assez simple finalement, le ski, lui dit-il. Il suffit de tourner à gauche et à droite. Gauche, droite; gauche, droite.» Il encouragea Tiger à l'imiter: «Voilà, comme ça. En appui sur tes orteils. Tu l'as, la sensation?»

«Mais pourquoi ces putains de skis ne tournent pas?» gueula Tiger, en répétant: «Ces putains de ski ne tournent pas!»

«Détends-toi et reste positif», lui dit Lund.

Après une vingtaine de virages, Tiger en avait plus qu'assez. Il se foutait de la technique: ce qu'il voulait, c'était aller vite.

Mais son moniteur ne comptait pas le lâcher comme ça. «Penche-toi en avant, mets tes tibias en appui sur le haut de tes chaussures», lui intima-t-il.

Tiger lui jeta un regard noir. Elin le regardait, et ça le rendait fou.

«Tu sais quoi? finit par lui dire Lund. Peut-être qu'un bon gros FUCK YOU te ferait le plus grand bien, non?»

«FUCK YOU!» hurla Tiger.

«C'est bon, tu te sens mieux?»

« Ouais ! » répondit-il dans un sourire.

Lund sourit lui aussi. « Et maintenant, penche-toi en avant, mets tes tibias en appui sur le haut de tes chaussures. »

Tiger s'y colla à nouveau pendant dix minutes, avant de perdre encore patience. Il était Tiger Woods, merde ! Il n'avait besoin de personne pour apprendre quoi que ce soit. Il savait ce qu'il fallait faire. « Fuck you », dit-il encore à son prof.

Lund ne voulait surtout pas que Tiger se blesse pendant qu'il travaillait avec lui. Il insista encore : hors de question qu'il retourne sur les pistes plus pentues sans avoir appris à tourner correctement.

Tiger avait un réflexe assez naturel en ski : chaque fois qu'il essayait de tourner, ses skis se retrouvaient en forme de V et il devait ramener sa jambe pour assurer le virage et éviter de croiser. Mais Tiger accrochait systématiquement l'arrière de son ski intérieur, ce qui lui faisait mal au genou. Lund savait qu'il avait subi une opération et ne voulait pas le laisser s'abîmer davantage à cause d'une technique inappropriée.

Mais plus ils essayaient, plus Tiger se montrait râleur et contrarié. Il tomba sur O'Meara juste après une dernière tentative. Sans dire merci ni au revoir, il décida de le rejoindre pour filer à l'hôtel.

« À plus tard », lui dit Lund.

« Fuck you », répondit Tiger.

Lund n'arrivait pas à le croire. Il était le moniteur le plus expérimenté du coin, et il venait de passer son après-midi à bosser gratuitement pour Tiger Woods. Qui terminait l'année la plus frustrante de sa carrière de façon finalement assez symbolique. Il n'avait remporté qu'un seul des dix-neuf tournois qu'il avait disputés. Phil Mickelson avait gagné le Masters et n'avait plus peur de lui. Et Vijay Singh lui avait chipé la première place mondiale en septembre. Il n'avait plus décroché de Majeur depuis juin 2002, et il se murmurait de plus en plus que sa domination était en train de prendre fin. C'est aussi ce qu'il devait probablement se dire au moment où, frustré et souffrant, il enlevait sa genouillère.

Le 23 janvier 2005, Tiger remporta le Buick Invitational disputé à Torrey Pines, sa première victoire sur le circuit américain depuis qu'il avait commencé à travailler avec Hank Haney dix mois plus tôt. Une période pendant laquelle il avait encore modifié son swing avec des aménagements très différents de ce qu'il avait construit avec Harmon, comme son grip par exemple. C'était la troisième fois qu'il remettait tout à plat, mais lui et son coach avaient encore beaucoup à faire avant de bien huiler cette nouvelle mécanique et d'installer un swing qui pouvait le préserver des blessures. Mais cette victoire était une bonne façon de débuter l'année.

Elin, en particulier, était aux anges. C'était la première victoire de son homme depuis leur mariage, et elle l'avait accompagné sur les dix-huit trous le dimanche.

De retour à l'hôtel, elle se pencha vers lui et dit : « Il faut fêter ça. Qu'est-ce qu'on fait ? » En précisant qu'à l'époque où elle travaillait comme nounou pour les Parnevik, il y avait toujours une grande fête à chaque victoire de Jesper.

« Pas de ça chez nous. Je ne suis pas Jesper. Je suis censé gagner à chaque fois », lui répondit Tiger.

Elin hocha la tête. Elle ne souriait plus. Pas de fête, donc.

Le détachement que Tiger affichait après chacune de ses victoires était un ingrédient de sa marche vers l'excellence. Même s'il avait joué de façon parfaite, il faisait comme si c'était juste normal. Pour lui, le meilleur était toujours à venir.

« Tiger ne faisait jamais preuve d'aucune auto-satisfaction, parce que dans son esprit, c'était le plus grand ennemi du succès, dit Haney. Son approche, c'était : jamais satisfait, donc toujours affamé. C'est ainsi que pensent les plus grands : plus on se réjouit, et moins il y aura de raisons de se réjouir. »

Cette attitude lui permettait de garder sa motivation intacte semaine après semaine, mais elle avait aussi un impact sur son entourage. Elin finit par penser comme lui, à étouffer son enthousiasme et cacher ses émotions. On était comme ça, chez les Woods.

Le seul adversaire qui pouvait le faire sortir de ce schéma-là, c'était Phil Mickelson. Jamais il ne l'aurait reconnu, mais Tiger le considérait autrement depuis sa victoire au Masters 2004. Il était maintenant un candidat sérieux à sa succession. Il était peut-être en plein changement de swing, mais Mickelson y avait surtout vu un moment de faiblesse. Quelques semaines après Torrey Pines, les deux hommes se retrouvèrent en dernière partie du Ford Championship disputé au Doral. Woods s'imposa d'un petit coup (-24 contre -23) grâce à un putt de dix mètres enquillé pour birdie sur le trou 17. Une victoire qui lui permit également de retrouver la première place mondiale perdue en 2004. Mais plus important encore, il venait d'envoyer un message assez clair à Mickelson : *Je suis toujours meilleur que toi.*

Et il fut cette fois-là bien plus démonstratif que lors de ses victoires précédentes.

«On dirait qu'elle te fait bien plaisir, celle-là, hein ?» lui demanda Haney.

«Ah oui, comme à chaque fois que je bats ce gars-là.»

Au point d'organiser une petite fête ? Non, quand même pas.

CHAPITRE 22
MENSONGES ET MAGIE

Charles Barkley sortit son livre *Who's Afraid of a Large Black Man?* au printemps 2005. Un best-seller écrit à quatre mains avec le chroniqueur du *Washington Post* Michael Wilbon, dans lequel on retrouvait des conversations autour du racisme avec des personnalités telles que Bill Clinton, Morgan Freeman, Jesse Jackson, Marian Wright Edelman et Ice Cube. Barkley avait également évoqué le sujet avec Tiger Woods, qui lui avait avoué avoir été victime d'un acte raciste alors qu'il avait cinq ans. Il l'avait raconté de cette façon :

> *J'ai pris conscience de ce que signifiait le fait d'être noir le tout premier jour d'école, à la maternelle. Un groupe d'élèves âgés de onze ou douze ans m'avaient attaché à un arbre pour peindre le mot « nègre » sur mon corps et me jeter des pierres. C'était mon tout premier jour d'école. Et ça n'avait pas vraiment perturbé mon institutrice. J'habitais tout près de l'école et elle m'avait juste dit : « OK c'est bon, rentre chez toi. » Et j'ai dû semer ces gosses pour pouvoir rentrer à la maison.*

Ce n'était pas la première fois qu'il racontait cette histoire. Il l'avait déjà évoquée en diverses occasions, dans des versions plus ou moins identiques, mais celle-ci était la plus spectaculaire de toutes. C'est a priori Earl qui en avait parlé le premier à *Golf Magazine*, en 1992, en précisant simplement que Tiger était le seul noir de toute son école et qu'il avait été attaché à un arbre par des élèves plus âgés. Le *Los Angeles Times* en avait reparlé en 1993, lors d'un portrait consacré à Tiger, et l'histoire ressortit à plusieurs reprises les années suivantes. Gary Smith, dans son long article de référence publié en 1996 dans *Sports Illustrated*, l'avait présentée ainsi :

Voilà ce qu'il s'est passé : une bande de gamins ont attaché Tiger à un arbre pour lui jeter des pierres et le traiter de nègre et de singe. Il avait seulement cinq ans et n'en a parlé à personne pendant plusieurs jours, tout en essayant de comprendre ce qui venait de lui arriver.

John Strege en parla lui aussi dans la biographie autorisée qu'il avait consacrée à Tiger, en qualifiant l'incident de « première expérience traumatisante du racisme », incident au cours duquel Woods fut attaché à un arbre, insulté et caillassé. En 1997, la célèbre intervieweuse Barbara Walters lui avait demandé de raconter la première fois où il avait été victime de discrimination. Woods avait là encore parlé de cette histoire à la maternelle, mais en assurant cette fois qu'il saignait de partout suite aux jets de pierres.

C'était ce qu'il avait vécu de plus grave en matière de racisme au cours de toute sa vie. Sauf qu'après enquête, il semble que cet événement n'ait en fait jamais eu lieu.

Bâtie sur un seul niveau avec des murs couleur crème, l'école primaire de Cerritos a ouvert ses portes en septembre 1961. Elle est située tout près d'un parc, le long d'un large boulevard où la circulation est souvent dense. Lorsque nous l'avons visitée en 2016, les deux classes de maternelle étaient séparées des classes de primaire, comme c'était déjà le cas le 14 septembre 1981 pour le premier jour d'école de Tiger. Maureen Decker, son institutrice de l'époque, se souvient encore de certains détails comme s'ils avaient eu lieu la veille. Elle n'a pas oublié non plus l'interview donnée sur le sujet par Tiger Woods il y a vingt ans de cela. C'était la toute première fois qu'elle en entendait parler, et ça ressemblait à une scène digne d'un film de Spike Lee.

« J'étais totalement estomaquée, dit-elle. J'en suis presque tombée de ma chaise parce que je savais que ce n'était pas vrai. Comment des élèves de onze ou douze ans auraient-ils pu passer devant moi ou d'autres instituteurs pendant les heures de classe ? On ne les aurait jamais laissés entrer pour jouer avec des enfants de maternelle. »

Les deux classes de maternelle étaient reliées entre elles par une salle de travail réservée aux instituteurs. L'aire de jeux, intégralement clôturée, se situait juste à côté. Seuls les tout-petits y avaient accès. Jim Harris, le directeur des opérations de mainte-nance dans le district de Savannah, nous a fait visiter les lieux. Le grillage mesure 1,5 m de haut et les élèves sont sous surveillance constante. A fortiori pour un premier jour d'école, ce qui rend l'histoire de Tiger plutôt improbable. «Je ne vois vraiment pas comment ça aurait pu arriver, explique-t-il à ce sujet. Les enfants sont plus que protégés.»

Woods raconte aussi qu'il fila directement chez lui après l'incident. Mais il aurait fallu pour cela qu'il quitte l'aire de jeux et l'école sans se faire remarquer par les instituteurs, et qu'ensuite il traverse la deux fois deux voies située juste devant l'établissement sans éveiller la suspicion de l'agent chargé de faire traverser les piétons. D'où cette question : comment un enfant de cinq ans attaché à un arbre dans une aire de jeux, avec le mot «nègre» peint sur le corps, caillassé au point de saigner, aurait-il pu réussir à se détacher, s'échapper, traverser la route tout en étant poursuivi par d'autres enfants plus âgés, et cela sans que personne ne remarque quoi que ce soit ?

Mais ce n'est pas tout. Dans la série *Tiger Woods DVD Collection* sortie en 2004, Earl Woods raconte que cette histoire est arrivée alors que son fils venait d'entrer en CP, et qu'il ne lui en avait pas parlé pendant deux ou trois jours. Earl assure avoir ensuite demandé à Donald Hill, le directeur de l'école, de mener une enquête, qui aurait conduit à des sanctions pour les élèves fautifs. Une affirmation démentie de manière catégorique par Hill : «Je n'ai jamais entendu parler de ça, dit-il en 2003. N'importe quel père de famille serait venu me voir pour une affaire aussi sérieuse. Et lui n'a jamais franchi la porte de mon bureau.»

Nous avons également demandé à la super-intendante du district de Savannah, Sue Johnson, s'il y avait trace d'un incident de ce genre dans les archives de l'école. Elle nous a répondu par mail qu'aucun problème de la sorte n'avait été consigné nulle part.

Alors pourquoi raconter un truc pareil s'il ne s'est effectivement rien passé ? La réponse se trouve peut-être dans la phrase la plus célèbre qu'Earl Woods ait jamais prononcée : « *Let the legend grow* »[63]. Le père de Tiger aimait bien se dépeindre en expert des médias, et il savait qu'un incident de type raciste ne ferait qu'embellir le destin et l'image de «l'Élu».

---

63. «Et maintenant, que la légende s'écrive.»

Tiger n'avait plus remporté de Majeur depuis l'US Open en juin 2002. Mais en arrivant au Masters 2005, il sentait la balle comme jamais lors de ses parties d'entraînement. Le tournoi fut très perturbé par la pluie, et il comptait six coups de retard sur Chris DiMarco après deux tours, en raison notamment d'un mauvais démarrage le jeudi (74, +2). Un retard ramené à quatre coups le samedi soir, alors que les deux hommes avaient encore neuf trous à jouer pour leur troisième tour. Hank Haney envoya alors un texto à Tiger, juste avant d'aller se coucher : «Continue à faire ce que tu fais. Personne ne peut te battre. Même si tu dois aller en play-off, ce tournoi est pour toi.»

La relation entre les deux hommes était désormais idyllique. Même si Tiger ne le remerciait pratiquement jamais ni ne lui faisait le moindre retour sur ses méthodes de travail, il se laissait guider par les préceptes de son entraîneur. Et il avait confiance en lui.

Tiger enchaîna sept birdies consécutifs entre les trous 7 et 13 lors du troisième tour pour prendre trois coups d'avance sur Chris DiMarco avant le dernier tour. Mais il n'en avait plus qu'un au départ du 16, un par 3, où il envoya son coup de départ trop long et trop à gauche. Sa balle était collée contre la seconde tonte de rough, dans une zone si improbable que Steve Williams n'y avait jamais fait la moindre reconnaissance. Tout était en place pour le chip le plus fabuleux de l'histoire du golf.

Woods aimait bien s'entraîner dans ses chambres d'hôtel. Plus d'une fois, il s'était amusé à faire des chips par-dessus son lit, à l'aveugle, pour viser un flacon de shampoing dans la salle de bains ou le trou d'évacuation de la baignoire. Et plus d'une fois, il avait atteint la cible du premier coup, ou dunké comme au basket. Il savait tout faire avec un wedge. Là, il opta pour un coup roulé, afin de faire atterrir sa balle sur une marque située sur le green, bien au-dessus du drapeau. Elle ralentit et commença à prendre la pente pour descendre et se rapprocher du trou, provoquant les cris de la foule et ce commentaire de Verne Lundquist, devenu un grand classique de télé : «Et c'est parti... Oh mon Dieu...» La balle s'arrêta juste au bord du trou pendant deux secondes qui semblèrent durer une éternité, avant de finalement tomber pour birdie. Les spectateurs devinrent comme fous, et Woods hurla avant de taper dans la main de son caddie de façon désordonnée, tant l'excitation était à son comble. «OH, WOW !» hurla Lundquist. «Est-ce que vous avez déjà vu un truc pareil dans votre vie ?»

Non, personne n'avait jamais vu ça. Ce coup magique était comme un symbole de ce que Woods était capable de faire club en main : l'imagination, le toucher, le contrôle, l'exécution, il y avait tout. On pouvait ne pas aimer l'être humain, voire même carrément le détester, mais il montrait des choses sur un parcours que lui seul savait faire. Et souvent, le dimanche après-midi, il partageait son don avec des millions de téléspectateurs, leur permettant de vivre par procuration des sensations autrement plus fortes et exaltantes que celles qu'ils pouvaient connaître pendant la messe. Jamais le golf n'avait été aussi populaire.

Phil Knight, Kel Devlin et d'autres cadres de Nike rentrèrent sur Portland le lendemain matin. Le champagne coulait à flots dans le jet privé du PDG. Le mardi, Jim Riswold et son équipe de créatifs de l'agence Wieden+Kennedy avaient déjà conçu trois spots publicitaires avec le slogan *Just Do It.* Le concept était simple : le chip de Woods sur le 16, une bande-son comme un cœur qui bat, et les commentaires en direct de Lundquist. L'un des trois clips avait été retouché et une étoile surgissait au moment où la balle disparaissait dans le trou. C'était le préféré de Riswold, les deux autres étant nettement plus classiques. Mais il fallait obtenir l'accord de l'Augusta National Golf Club, et ce n'était pas gagné.

L'honorable institution autorisa Nike à utiliser les images, sans aucune contrepartie financière. Mais elle tenait absolument à visionner la publicité pour la valider avant diffusion ; et Glenn Greenspan, le responsable communication à Augusta, mit son veto pour le clip avec l'étoile. Ce qui n'eut aucune importance au final : la campagne fut un immense succès et devint l'une des pubs les plus emblématiques de Nike.

Peu de temps après son mariage, Woods avait donné son accord pour une interview avec le magazine *People*, dont le journaliste Steve Helling n'avait qu'une seule obsession : Elin. « J'ai tout de suite su qu'Elin était une femme à part, confia Tiger. Celle qu'il me fallait, en tout cas. Elle est vraiment exceptionnelle, et je mesure la chance de l'avoir à mes côtés. Nous n'en sommes qu'au début de notre histoire, et ça s'annonce merveilleusement bien. »

Woods avait lui aussi pas mal de questions à poser au journaliste. Helling venait d'enquêter sur la rupture entre Brad Pitt et Jennifer

Aniston, et Tiger se demandait si Angelina Jolie avait joué un rôle dans cette histoire. Il voulut aussi en savoir davantage sur Tom Cruise et Nicole Kidman. Il n'avait jamais rencontré tous ces acteurs, mais il en parlait comme s'ils faisaient partie du même club que lui.

Et quand le journaliste de *People* ramena la conversation sur son mariage avec Elin, il lui donna une réponse passe-partout : «Je l'ai épousée parce que j'imagine passer ma vie à ses côtés.»

Peut-être qu'au moment où il le disait, il le pensait vraiment. Mais comment imaginer un futur aussi radieux alors qu'il continuait de se comporter comme par le passé ? Peu de temps après cette interview, il était assis à sa table VIP du Light, à Las Vegas, accompagné de son vieux pote Bryon Bell et de Jerry Chang, qu'il avait connu à Stanford. Il remarqua une jolie jeune femme vêtue d'un jean moulant et d'un petit haut qui laissait deviner ses formes avantageuses. Elle s'amusait avec des amis lorsque le chargé de relations VIP de Tiger vint lui murmurer les mots magiques : «Tiger aimerait beaucoup vous avoir à sa table».

Jamie Jungers avait vingt et un ans. Elle était originaire d'une petite ville du Kansas et espérait que sa vie deviendrait plus intéressante à Vegas. Elle mesurait 1,80 m pour 47 kilos. Elle travailla un peu comme mannequin, trouva un petit boulot dans le bâtiment et s'investit auprès d'une association caritative baptisée Angels of Vegas. Tiger l'accueillit à sa table avec ces mots : «Tu es superbe».

Quelques heures plus tard, passablement ivre, elle se retrouva seule avec lui à la Mansion. Il était maintenant aussi confiant dans l'intimité que sur un parcours. «Ça a démarré normalement, et puis c'est vite devenu très chaud, raconta-t-elle ensuite à propos de leur première nuit. Des tas de positions. C'était comme s'il me connaissait depuis un bon moment, comme s'il se sentait tout de suite très à l'aise avec moi.»

Elle profita d'une pause pour lui demander s'il était marié. Une question qu'on ne lui posait pratiquement jamais, mais Jamie Jungers ne s'intéressait pas au golf et ne lisait pas la presse people. Tiger lui répondit que sa femme était rentrée en Suède pour rendre visite à sa sœur jumelle.

Elle partit au petit matin, persuadée que c'était une aventure d'une nuit et rien de plus. Mais son téléphone sonna un peu plus tard.

«Hey, c'est Tiger. C'était bien hier soir, j'aimerais beaucoup te revoir.»

Ce fut le début d'une aventure passionnelle qui allait durer un an et demi. Il l'appelait sa « petite tasse de café » et lui indiqua la marche à suivre pour ne pas se faire repérer. Elle devait par exemple enregistrer son numéro de téléphone sous un autre nom. Puis Bryon Bell s'occuperait du reste. Il lui dirait où se trouver et quand. Leur premier rendez-vous en dehors de Vegas eut lieu à Chicago, dans sa suite. Bell gérait également tous les billets d'avion quand Tiger voulait qu'elle le rejoigne quelque part. Et quand elle venait lui rendre visite dans sa villa de Las Vegas, à la Mansion, elle devait prononcer le mot de passe à l'accueil : « Salut, je m'appelle Jamie et je suis avec Tiger », et les portes s'ouvraient.

Mais elle mit des années à se rendre compte qu'elle n'était qu'un trophée parmi d'autres pour lui. Comme beaucoup de femmes, elle s'était laissée avoir par l'excitation des rendez-vous secrets avec le sportif le plus célèbre au monde.

Il serait facile de dire à propos de ses aventures extra-conjugales : *tel père tel fils*, ou encore *une pomme ne tombe jamais loin de l'arbre*. Mais les experts en addiction au sexe voient les choses d'une manière un peu plus complexe, notamment en ce qui concerne les hommes influents à tendance narcissique, habitués à tout contrôler autour d'eux. Les narcissiques, expliquent-ils, cherchent à bâtir un mur pour se protéger, parce qu'ils ont un cœur d'artichaut et une estime d'eux-mêmes plutôt fragile. Et c'est seulement une fois en cure qu'ils se rendent compte que c'est leur fragilité qui les a conduits à un comportement addictif ; alors qu'avant, ils avaient plutôt eu tendance à penser : *je suis imperméable à tout*. Un autre facteur est ce qu'on appelle la « valeur conditionnelle », c'est-à-dire l'estime de soi fondée sur la performance : plus j'ai du succès, plus je suis brillant, et plus j'ai de pression − et plus il faut que je me débarrasse de cette pression. On rencontre enfin le profil-type de l'enfant-héros qui reprend malgré lui l'héritage de son père, ce qui conduit à une colère qui ne peut s'exprimer qu'à travers le sexe. Du genre : *je n'ai jamais pu me mettre en colère contre toi plus jeune, parce que tu étais trop fort. Mais maintenant je peux.*

Il ne supportait pas de rester chez lui, mais ça n'avait rien à voir avec sa femme. Et il ne limitait plus ses infidélités à Las Vegas. Il ne contrôlait plus ses pulsions et sortait régulièrement dans les night-clubs d'Orlando, comme au Roxy et au Blue Martini. Le Club Paris avait lui ouvert deux mois seulement après leur mariage. Fred Khalilian, son propriétaire, avait versé des millions de dollars à Paris Hilton pour avoir le droit d'utiliser son nom. Tiger devint vite un habitué des lieux, tranquillement installé à l'étage à regarder la piste de danse, un verre à la main, attendant que la serveuse qu'il avait repérée termine son service. Il aimait bien traîner avec Khalilian, à fumer des cigares dans son bureau et à parler sports.

Khalilian avait l'habitude de fréquenter des stars et savait les décrypter comme personne. Et il voyait que le jeune homme assis en face de lui était en grande souffrance, malgré ses airs tranquilles. Il avait déjà remarqué ça chez d'autres avant lui. «J'ai passé pas mal de temps avec Michael Jackson, dit-il. Et Tiger me faisait beaucoup penser à lui. Lui non plus n'avait jamais vraiment connu d'enfance, et il voulait jouer les durs, faire ce qu'il voulait quand il voulait. Et s'il cherchait à ce point à faire ce qu'il n'était pas censé faire, selon moi, c'est précisément parce qu'il avait passé sa vie à faire ce qu'on attendait de lui.»

Sa vie privée plutôt mouvementée n'avait en tout cas aucune influence sur ses performances. 2005 fut l'une de ses toutes meilleures années : six victoires, dont le Masters et le British Open, plus une deuxième place à l'US Open et une quatrième à l'USPGA. Il se classa deuxième en distance de drive, avec une moyenne de 289 mètres. Il obtint la meilleure moyenne de score et fut désigné joueur de l'année pour la septième fois, un record. Mais plus fort encore que n'importe quelle statistique : à presque trente ans, il venait de reconstruire son swing pour la troisième fois. Il le maîtrisait mieux que jamais, et il était redevenu le meilleur joueur du monde.

CHAPITRE 23
LA DISPARITION

Tiger s'autorisa un break de six semaines juste avant son trentième anniversaire. Il ne tapa aucune balle pendant vingt-quatre jours consécutifs, ce qui ne lui était jamais arrivé. Il se passait des choses autrement plus graves en Californie, dans la maison de son enfance. Son père était maintenant en phase terminale, il avait besoin de soins quotidiens et il ne pouvait plus bouger de chez lui. Fin décembre 2005, Kultida appela Royce, la fille d'Earl, pour lui dire que la situation était désespérée et qu'il avait besoin de quelqu'un à plein temps à ses côtés. Un appel qui venait souligner l'ampleur de la crise de famille.

Cela faisait déjà très longtemps qu'Earl recevait des soins à domicile. Tiger payait lui-même une armée d'infirmières qui venaient donner à son père les médicaments qu'il devait prendre pour son cœur, son diabète, ses problèmes de circulation sanguine et pour les complications dues à son cancer de la prostate. Il pouvait aussi compter depuis plusieurs années sur une employée à plein temps, qui l'aidait pour sa toilette et ses rendez-vous médicaux. Mais dans un de ses légendaires coups de colère provoqué par un malentendu au sujet des soins, Kultida avait renvoyé l'assistante du jour au lendemain, en la traitant de simple « femme de ménage ». Elle était pourtant bien plus que cela. Cette femme avait accompagné Earl Woods au cours des années les plus dures de sa vie. Les plus solitaires, aussi.

Royce qualifia l'incident entre les deux femmes de « petit coup de gueule ». Un euphémisme. Tous ceux qui ont eu à faire à Kultida quand elle pétait les plombs s'en souviennent encore. Royce prit un congé sabbatique de six mois pour gérer la situation. Elle s'installa dans la maison d'enfance de Tiger à la mi-janvier 2006.

Lui aussi avait passé beaucoup de temps en Californie pendant son break, juste avant l'arrivée de Royce. Mais il ne tenait pas à se mêler des rapports assez tendus entre ses parents. Il savait bien ce qui se passait depuis leur séparation : Earl avait embauché beaucoup de femmes, aussi bien pour ses affaires que pour son plaisir personnel. Kultida s'en était rendu compte et ça l'avait énervée plus que tout. Mais elle n'était plus chez elle et avait choisi de ne rien dire.

Tiger savait pour son père, mais jusqu'à quel point ? Cela reste aujourd'hui encore un mystère. Une source directement impliquée dans le quotidien d'Earl nous a confié que l'ambiance chez lui ressemblait à « un putain de rodéo ». Une jeune femme se présenta un jour vêtue d'une mini-jupe ultra-courte et d'un haut qui ne cachait pas grand-chose. Elle s'assit sur les genoux d'Earl pour lui faire des câlins et fut embauchée sur-le-champ comme « assistante de voyage ». Mais le décor avait bien changé à la fin de l'année 2005. Earl Woods n'arrivait presque plus à bouger, et la seule femme à ses côtés était l'assistante que Kultida venait de virer.

Les performances de Tiger sur le parcours ne s'en ressentaient absolument pas. Il avait toujours su faire la part des choses entre vie privée et vie sportive, dès l'enfance, pour bloquer toute forme d'émotion quand il se trouvait entre les cordes. Plus que son jeu de fer ou son physique exceptionnel, c'était là sa plus grande force. Il remporta le Buick Invitational fin janvier 2006 pour son retour à la compétition. Une semaine plus tard, il s'imposait au Dubaï Desert Classic, et au Doral juste après.

Un début de saison exceptionnel, surtout compte tenu de la complexité de sa vie privée. Juste avant son retour à la compétition, il s'était rendu à un centre d'entraînement des forces spéciales de la Marine, à Coronado (Californie). Il avait reçu un accueil à la hauteur de sa célébrité : une équipe des SEALs avait été mise à sa disposition pour lui faire visiter le centre, où il avait pu s'entretenir avec des recrues et observer l'utilisation d'armes en conditions réelles. Il raconta à qui voulait l'entendre qu'il avait voulu devenir l'un des leurs, plus jeune. Puis il eut une conversation privée avec le maître d'armes et lui demanda comment les SEALs arrivaient à gérer le stress au fil des ans. « C'est tout un mode de vie. Tu le fais, et tu t'entraînes non stop », lui répondit-il.

Une méthode qu'il connaissait mieux que personne.

Il s'occupait également beaucoup de sa fondation et semblait sincèrement intéressé par les programmes d'éducation. Il se trouvait à Saint-Louis (Missouri) lors des attentats du 11 septembre 2001, où devait se dérouler le WGC-American Express Championship. Le tournoi fut annulé et comme plus aucun avion ne décollait, il décida de louer une voiture pour rentrer chez lui à Orlando. Un voyage en solitaire, quinze heures d'autoroute tout au long desquelles il eut le temps de réfléchir à ce qui comptait vraiment pour lui. Le pays était sous le choc et il voulait faire quelque chose qui ait du sens, qui rende le monde meilleur. Son projet n'était pas encore tout à fait clair, mais il comptait aider les plus jeunes et il sentait bien que sa Tiger Woods Foundation, sous sa forme actuelle, n'était pas faite pour ça. Il passa un coup de fil à son père pour en discuter et une fois arrivé chez lui, sa décision était prise. Les clinics qu'il donnait n'étaient finalement qu'un grand barnum sans impact réel, et il devait se concentrer sur ce qui comptait vraiment : l'éducation. Il se lança alors dans un projet qui mit quatre ans à aboutir : le Tiger Woods Learning Center, un bâtiment ultra-moderne où étaient enseignées des matières telles que les sciences, la technologie et les mathématiques. D'une surface de plus de 3 000 m², il fut bâti à Anaheim, tout près de là où il avait grandi, et accueillait essentiellement des jeunes issus des minorités et de familles à faibles revenus.

L'inauguration était prévue pour février 2006 et il voulait que ça se sache. Sa fondation demanda à Barbara Bush, l'ex-Première Dame, de bien vouloir y assister comme invitée d'honneur. Elle donna son accord avant de se rétracter. Arnold Schwarzenegger, le gouverneur de la Californie, fut à son tour sollicité, sans plus de succès, pour des raisons d'agenda. Il proposa d'envoyer son épouse Maria Shriver, une journaliste télé, mais l'équipe de Tiger recherchait quelqu'un de bien plus connu. Le temps commençait à presser, et le directeur exécutif de la fondation, Greg McLaughlin, décida alors d'appeler Casey Wasserman, un boss de l'industrie du divertissement et petit-fils du légendaire nabab d'Hollywood Lew Wasserman. Casey passa un coup de fil à Doug Band, l'avocat et conseiller personnel de Bill Clinton. L'ironie de cette requête n'échappa pas à Band.

« Ils ne t'ont pas raconté l'histoire ? » demanda-t-il à Wasserman.

Il faisait bien sûr référence à ce qu'il s'était passé en 1997, lorsque Tiger avait refusé de se rendre à la cérémonie d'hommage à Jackie Robinson. Bill Clinton l'avait évidemment mal pris, et la situation s'était ensuite aggravée lors de la Ryder Cup 1999.

Le président des États-Unis s'était rendu dans le vestiaire de l'équipe américaine, et Woods choisit pile ce moment-là pour en sortir. Il refusa également de se laisser prendre en photo à ses côtés lors d'une visite de la Team US à la Maison-Blanche. Tiger était persuadé que l'ancien président le haïssait et ne donnerait jamais son accord. Lui n'oubliait jamais la moindre humiliation, et il était convaincu que Clinton fonctionnait comme lui.

Mais ce n'était pas le cas, et celui-ci finit par dire oui à deux conditions : Tiger devait l'appeler en personne pour le lui demander, et accepter de jouer dix-huit trous avec lui pour briser la glace. De plus, il souhaitait voyager en avion privé pour rejoindre la côte ouest.

Tiger n'avait pas envie de s'y coller et le fit savoir à plusieurs reprises. Mais il passa finalement outre ses réticences pour passer le coup de fil tant attendu. Clinton le mit rapidement à l'aise, comme il savait si bien le faire, et tout fut rapidement mis sur pied : l'avion, le parcours et la cérémonie.

« Eh ben ! C'était facile, en fin de compte », dit Tiger à haute voix après avoir raccroché.

La veille de l'inauguration, il prenait son petit déjeuner avec McLaughlin au club-house du Shady Canyon Country Club, Irvine, où il devait jouer au golf avec Bill Clinton. Casey Wasserman se dirigea vers lui, accompagné par Arn Tellum, un agent de sportifs. Woods ne les avait jamais vus et plutôt que de faire la conversation, il leur demanda tout de suite si l'ex-président était arrivé. Puis il leur dit, le visage impassible : « Je suis très impatient de parler de cul avec lui. »

La situation devint encore plus gênante à l'arrivée de Clinton. Tiger ne fit rien pour réchauffer l'atmosphère entre les deux hommes. Clinton commença par monopoliser la conversation et prendre les choses en main, comme il en avait l'habitude, avant que Woods ne l'interrompe d'un : « Mais comment vous faites pour vous rappeler toutes ces conneries ? » Puis, sur le parcours, il passa la plupart du temps seul dans sa voiturette, les yeux rivés sur son téléphone. Il ricanait quand Clinton balançait ses drives loin du fairway et raconta bon nombre de blagues grossières avant de quitter le green immédiatement après avoir rentré son dernier putt, sans attendre les autres, une entorse sévère à l'étiquette.

« Il s'est montré vraiment infect, raconta un témoin de la scène. C'est ce jour-là que j'ai compris qui il était vraiment. Et je n'avais jamais vu le président aussi écœuré par qui que ce soit. »

Pour ne rien arranger, une semaine plus tard, les assistants de Bill Clinton envoyèrent une photo où celui-ci posait sur le parcours aux côtés de Tiger, en lui demandant de bien vouloir la signer. A-t-il oublié, a-t-il refusé? On ne sait pas vraiment, mais l'équipe de Bill Clinton dut rappeler plusieurs mois plus tard pour demander quel était le problème. C'est seulement après cette relance que Tiger finit par signer et renvoyer la photo. Un membre du staff de Bill Clinton se souvient encore de cette journée, des années plus tard: «C'est dingue! Clinton s'était bougé le cul jusqu'en Californie et lui ne pouvait même pas signer une photo? Tout ce barouf se résumait à "Je suis Tiger Woods, maître du monde, et je vous emmerde".»

Au cours de sa prestigieuse carrière aux commandes de l'émission *60 Minutes*, Ed Bradley avait pu rencontrer des personnalités aussi diverses que Mohamed Ali, Michael Jordan, Bob Dylan ou Michael Jackson. Il avait de gros problèmes de santé[64], mais il espérait encore interviewer une ou deux célébrités – et notamment Tiger Woods. Cela faisait des années qu'il le sollicitait en vain. Mais le numéro un mondial, en recherche de publicité pour son nouveau centre éducatif, venait enfin de changer d'avis. Avec une condition: que le sujet principal de l'interview soit l'inauguration de son Learning Center. Il n'autorisa pas Bradley à voir son yacht ni à venir chez lui. De même, le sujet Elin Woods ne devait pas être évoqué. «Il ne voulait absolument pas qu'on rencontre sa femme. Et pourtant, on a tout essayé», raconta Ruth Streeter, la productrice de l'émission.

Bradley brûlait malgré tout d'impatience de lui poser d'autres questions sur le rôle de son père, sa façon de gérer la notoriété quand il était enfant, et sur ce qu'il pensait du racisme. L'interview eut lieu début 2006, et il était très nerveux, une chose inhabituelle chez lui.

Woods avait l'air au contraire parfaitement calme. Ce n'était pas la première fois qu'il était confronté à des journalistes adroits dans cet exercice: il avait déjà eu à faire à Charlie Pierce, John Feinstein, Charlie Rose, Barbara Walters et Gary Smith. Il n'allait plus se laisser piéger à raconter des histoires salaces à l'arrière d'une limousine ou à pleurer en direct devant Oprah Winfrey. Il s'assit

---

64. Il est décédé le 9 novembre 2006.

face à Bradley, qui comprit très vite qu'il n'avait aucune intention de se confier sur quelque sujet que ce soit.

Du style :

WOODS : *J'aime bien mon intimité.*
BRADLEY : *Et comment vous vous y prenez pour gérer ça ?*
WOODS : *Je fais de mon mieux.*

Bradley voulut également lui parler de l'incident à la maternelle pour évoquer le racisme. Woods lui répondit avec un détachement total : « Eh bien ils m'ont attaché à un arbre, et puis ils m'ont jeté des pierres. Ça arrive parfois. »

Bradley demanda pourquoi, Woods dit qu'il n'en savait rien. L'animateur tenta une relance en lui demandant comment ses parents avaient réagi, mais Tiger lui répondit qu'il ne se souvenait plus. Même quand Bradley abordait des sujets aussi paisibles que son talent golfique, Woods balançait des phrases toutes faites qui n'apportaient absolument rien de neuf.

Sur la route de l'aéroport, Bradley et Streeter refaisaient l'interview, comme un vieux couple. « On n'a même pas pu l'approcher. Il ne nous a rien donné », résuma Bradley.

Un aveu très sincère de sa part, lui qui était généralement considéré comme le meilleur de tous dans cet exercice, à la fois doué et roublard. « Sa grande qualité, c'était sa spontanéité. Peu importe ce que la personne interviewée pouvait bien lui dire, il savait toujours comment enchaîner », dit de lui son producteur exécutif Jeff Fager. Il avait même réussi à obtenir des confidences de Timothy McVeigh, auteur à Oklahoma City de l'un des pires attentats jamais commis sur le sol américain. Mais Woods semblait davantage sur ses gardes qu'un condamné à mort. « Il avait peut-être trente ans, mais il était toujours glacial, pas vraiment terminé en tant qu'être humain. Et toujours aussi solitaire, estima Streeter. Pour être tout à fait honnête, je ne pense pas qu'il essayait de nous cacher quelque chose. Il se comportait juste comme il l'avait prévu. C'était vraiment bizarre, mais on n'a jamais trouvé la clé. »

Woods masquait malgré tout beaucoup de choses, notamment à propos de son mariage et de son image. « J'ai trouvé un partenaire pour la vie et mon meilleur ami, dit-il à Bradley. Elin a vraiment été incroyable. Elle a amené de la joie et de l'équilibre dans ma vie. On adore faire des choses tous les deux. »

Sauf que sa vie, tout comme son mariage, étaient tout sauf équilibrés. Elin et lui se voyaient à peine, et Tiger semblait totalement absent lors de leurs rares apparitions publiques. Il n'était pratiquement jamais chez lui et passait son temps à chasser de nouvelles conquêtes, ce qui ne l'empêcha pas de raconter à Bradley : « La famille passe avant tout le reste. Ça a toujours été le cas dans ma vie et ça ne changera jamais. »

Les reins d'Earl ne fonctionnaient pratiquement plus et il fut placé sous assistance respiratoire le 2 mai 2006. Tiger se trouvait dans son appartement de Newport Beach, en compagnie de Jamie Jungers, quand sa mère l'appela pour lui annoncer la nouvelle. Il partit tout de suite chez son père où Royce faisait tout ce qu'elle pouvait pour maîtriser ses émotions. La fin était toute proche, c'était une évidence. Tiger resta quelques heures avant de retourner à Newport Beach, où l'attendait Jungers : « Je voyais bien qu'il se faisait du souci pour son père, raconta-t-elle plus tard. Et puis il est allé se coucher et on a fait l'amour, comme d'habitude. »

Il fut réveillé sur le coup des trois heures du matin par un coup de fil de sa mère, qui venait lui annoncer le décès de son père. Il ne dit rien et ne montra aucune réaction. Il savait que son père était en train de mourir, et le moment tant redouté venait d'arriver. Il raccrocha, les yeux dans le vide.

On en avait tellement raconté sur la relation père-fils entre les deux hommes... Tiger avait dit et répété que son père était son meilleur ami, celui qui le comprenait le mieux. Ils étaient tombés si souvent dans les bras l'un de l'autre après une de ses victoires qu'un caméraman était systématiquement collé aux basques d'Earl le dimanche pour être sûr de ne pas rater la scène. Mais Tiger n'était pas à ses côtés au moment où il s'est éteint. Il était chez lui, dans les bras d'un mannequin pour lingerie qu'il avait déniché à Vegas. Earl rendit son dernier souffle dans les bras de sa fille, qui avait passé les quatre derniers mois de sa vie à ses côtés.

« Les gens avaient bien conscience de leur proximité, dit-elle. Mais ils ne savaient pas à quel point papa et moi étions proches, nous aussi. J'ai toujours été la petite fille à son papa. J'ai terriblement souffert quand il est mort, j'étais totalement perdue. Il était l'élément central de ma vie. »

Tiger fut dévasté lui aussi. Il ne voulait pas le dire, mais il venait de perdre sa référence, son point d'ancrage. Il ne voulut pas montrer son chagrin lors des funérailles, auxquelles assistèrent plusieurs personnes qui l'avaient connu dans sa prime jeunesse – comme Joe Grohman, désormais head pro sur le Navy Course, et le journaliste Jaime Diaz. Charles Barkley, Michael Jordan et Hank Haney étaient là eux aussi. Tous remarquèrent que Tiger restait stoïque au moment d'évoquer la vie de son père. Et ses remarques furent tellement dépourvues de la moindre émotion que presque personne ne se souvient vraiment de ce qu'il a dit ce jour-là.

Earl fut incinéré, et sa famille voyagea ensuite par vol privé pour se rendre au cimetière de Manhattan, Kansas, là où il avait grandi. Les enfants de son premier mariage avaient toujours imaginé qu'une pierre tombale classique viendrait marquer l'emplacement de sa tombe. Ils furent très surpris de voir qu'il n'en était rien, même plusieurs mois après sa mort. Aujourd'hui encore, cette histoire n'est pas vraiment claire. Personne ne sait pourquoi, et c'est toujours une source d'indignation pour certains membres de la famille.

«Kultida s'est occupée de tout, dit Royce en 2016. Donc je ne peux pas vous dire pourquoi. Je ne sais même pas s'il y a une raison précise.»

Seule Kultida pourrait expliquer pourquoi elle a décidé d'enterrer son ex-mari de cette façon. Peut-être que la clé se trouve dans ce qu'elle avait dit un jour à son sujet, alors qu'il était encore vivant: «Vieil homme devenir doux. Vieil homme pleurer, pardonner les gens. Moi pas. Moi pardonner personne.»

Elle parlait peut-être mal anglais, mais elle était facile à comprendre. Et Earl avait beaucoup à se faire pardonner. Il l'avait trahie d'emblée en l'amenant aux États-Unis alors qu'il était toujours marié à sa première femme. Puis il l'avait trompée, rabaissée et insultée. Elle avait été plus qu'agacée de le voir placer des attentes démesurées sur les épaules de leur fils unique – Tiger a été envoyé sur Terre par Dieu et il sera l'être humain le plus important de l'histoire, disait-il – et de le voir s'accaparer toute la réussite de Tiger. Si Earl avait eu le choix, il aurait sans doute demandé à son fils de construire un immense monument avec une inscription du genre «Ici repose le père de Tiger Woods». Mais c'était Kultida qui décidait, et elle avait choisi de l'enterrer de telle sorte que personne ne puisse le retrouver. Elle fit tout de même paraître un avis de décès à la rubrique nécrologie du *New York Times*, qui disait: «Golf: Earl Woods, le père de Tiger, est mort.»

Quelques semaines après la mort de son père, Tiger fit route vers une région montagneuse située près de la frontière mexicaine, non loin de la petite ville de Campo. Après avoir traversé une vaste zone désertique aux allures d'Afghanistan, il finit par rejoindre un centre d'entraînement. Le journaliste Wright Thompson a raconté ce qu'il s'y est passé pour *ESPN Magazine*, en 2016. En tenue de camouflage, Tiger était équipé d'un fusil d'assaut M4 et d'un revolver à la ceinture pour entrer dans une « kill house » – une maison où les SEALs ont pour habitude de s'entraîner à libérer des otages et à tirer sur l'ennemi. Des exercices de simulation, bien sûr, mais dans des conditions de stress et de violence extrêmes. Un commandant en chef des SEALs l'accompagnait dans sa mission, mais Tiger fut victime de tirs de paint-ball qui provoquèrent de gros hématomes sur son corps. Il eut lui aussi l'occasion de tirer sur des militaires qui jouaient le rôle de terroristes. Thompson écrivit : « Au final, Tiger apprit à "nettoyer" une pièce et à traverser des barrières de flammes. Il put faire ce que très peu de civils avaient eu l'occasion d'expérimenter : se battre en conditions réelles au milieu de vrais Navy SEALs. »

L'US Open se disputait deux semaines plus tard, mais personne ou presque ne savait où il se trouvait. Les SEALs étaient eux-mêmes un peu perplexes. L'un des instructeurs, dont le père avait lui aussi fait le Vietnam, le prit à part pour lui demander prudemment : « Qu'est-ce que tu viens faire ici, sérieusement ? »

« C'est mon père, répondit Tiger. Quand j'étais tout petit, il m'avait dit que j'avais le choix entre devenir golfeur professionnel ou soldat dans les opérations spéciales. »

C'était là une nouvelle version de l'histoire qu'on n'avait jamais entendue jusqu'ici. Ni dans la bouche de Tiger, ni dans celle d'Earl, qui n'en avait jamais parlé dans les trois livres qu'il avait publiés ni dans les nombreuses interviews qu'il avait accordées. Mais juste après sa mort, Tiger en avait lourd sur la conscience.

« Pour moi, il était clairement à la recherche de quelque chose, dit l'instructeur à Thompson. La plupart des gens vivent avec des regrets, mais lui avait pu voir ce à quoi sa vie aurait pu ressembler. »

Hank Haney, l'une des rares personnes à connaître l'emploi du temps de Tiger dans le détail, était plutôt inquiet de ce mini stage militaire. Il lui envoya ce texto :

Tu penses vraiment que c'était une bonne idée d'aller là-bas deux semaines avant l'US Open? Il faut que tu t'enlèves ce truc de la tête et que tu te contentes des jeux vidéo. Et à ta façon de parler et d'agir, on dirait que tu comptes toujours intégrer les SEALs. Mec, t'es devenu fou ou quoi? Ils ne plaisantent pas là-bas, ils tirent à balles réelles.

Woods n'était pas fou. Il souffrait et était un peu perdu sur le plan émotionnel. Quelques semaines après son stage commando, il se trouvait dans un night-club à New York. Cori Rist, une blonde plantureuse proche de la trentaine, attira son regard. Elle était danseuse au Penthouse Executive Club à Manhattan. L'un de ses amis l'aborda quelques minutes plus tard, avec la phrase habituelle: «Tiger aimerait bien vous rencontrer.»

Elle alla s'asseoir à sa table et il se mit à lui raconter des blagues. À un moment, il plaça ses chaussures l'une à côté de l'autre et remua ses pieds de haut en bas en lui demandant: «Tu sais ce que c'est?»

Et de répondre, devant son silence: «Un noir qui enlève sa capote.»

Il avait déjà fait cette blague lors du shooting photo pour *GQ* en 1997, devant Charlie Pierce et les jeunes filles qui s'occupaient de lui. Dix ans plus tard ou presque, il avait toujours recours à cet humour puéril, qui lui permettait d'éviter les conversations classiques avec les femmes. C'était l'un des avantages de la célébrité: pas besoin de tact ni de tenir de grands discours pour avoir des conquêtes à sa table.

Ils burent quelques verres puis il l'emmena jusqu'à l'appartement d'un ami. Ils prirent l'habitude de passer la nuit ensemble à chaque fois qu'il venait à New York. Il lui parlait beaucoup de son père, du rôle qu'il avait joué dans sa construction en tant qu'homme. Il lui envoyait de nombreux textos, aussi, pour savoir ce qu'elle faisait en son absence. Danseuse dans un club de strip-tease haut de gamme, elle était habituée aux hommes possessifs. Mais là, c'était encore autre chose. «Il était très jaloux, raconta-t-elle. C'était un peu comme au lycée, quand tu appelles quelqu'un sans arrêt: "Et qu'est-ce que tu fais? Et est-ce que tu penses à moi?" Il avait toujours besoin qu'on le rassure et qu'on s'occupe de lui.»

Il reprit la compétition six semaines après la mort de son père, pour l'US Open qui se disputait tout près de New York, au Winged Foot Golf Club. Pour la toute première fois en trente-sept

Majeurs disputés chez les professionnels, il loupa le cut. Changement de décor un mois plus tard, pour le British Open disputé au Royal Liverpool de Hoylake : il y remporta sa troisième Aiguière d'Argent à -18, son onzième Majeur au total. Il joua de façon absolument parfaite toute la semaine. Hank Haney dit qu'il n'avait jamais vu un jeu de fer aussi affûté de toute sa carrière. Tiger évita tous les bunkers de fairways et n'utilisa qu'une seule fois son driver en soixante-douze trous.

Il craqua complètement une fois son tout dernier putt rentré, ce qu'il ne s'était pas autorisé à faire depuis la mort de son père. Il prit son caddie dans ses bras et plongea sa tête contre son épaule pour des pleurs incontrôlables. Puis il éclata en sanglots dans les bras de sa femme, à la sortie du green. « C'était comme un déluge qui s'évacuait, dit-il après. Tout ce que mon père signifiait pour moi, tout ce qu'il m'avait appris... J'aurais aimé qu'il puisse voir une dernière victoire en Majeur. »

Ce triomphe au British Open marqua le début d'une de ses plus fantastiques séries. Il remporta le Buick Open deux semaines plus tard, puis l'USPGA dans la foulée, avec cinq coups d'avance sur son second. Il devenait ainsi le premier joueur de l'ère moderne à gagner deux Majeurs deux années consécutives. Il remporta également le Bridgestone Invitational la semaine suivante, puis le Deutsche Bank Championship tout début septembre, pour un total de six tournois d'affilée pour finir l'année. Il dominait dans tous les secteurs, mais c'est surtout son jeu de fers qui faisait la différence. « En 2006, il se mettait plus près des drapeaux avec une avance de 2,56 m par rapport à la moyenne des joueurs, note Brandel Chamblee, l'analyste de Golf Channel. C'est juste inconcevable. On trouve en général entre trente et cinquante joueurs par tranche de trente centimètres, mais lui était 2,56 m devant tout le monde. »

Les historiens s'accordent encore aujourd'hui pour dire que 2000 fut la plus grande saison jamais vue en golf, mais Woods était maintenant devenu un joueur autrement plus solide. En 2006, il remporta huit des quinze tournois auxquels il prit part, un pourcentage de victoires totalement inédit. Et le plus fou dans cette histoire, c'est qu'il venait de vivre la saison la plus aboutie de sa carrière alors que sa vie privée était plus chaotique que jamais.

L'homme qui l'avait élevé et mis sur la voie n'était plus là ni pour le guider dans ses errances personnelles, ni pour assister à son triomphe absolu. Earl avait ses vices et ses imperfections, c'est une évidence, mais Tiger le considérait comme son étoile du Berger. L'étoile disparue, il allait s'adonner sans retenue à ses obsessions, et tricher, encore et encore, pour tenter de couvrir tous ses écarts. Personne ne s'en rendait vraiment compte à cette époque, mais toute sa vie n'était qu'un mensonge.

CHAPITRE 24
TIC, TAC, TIC, TAC

Tiger rencontra Roger Federer pour la toute première fois lors de l'US Open 2006. Il se trouvait dans son box, sur le court principal, pour l'encourager lors de sa finale contre Andy Roddick. Federer remporta ce jour-là son troisième US Open consécutif, et Woods lui proposa de venir le voir sur un de ses tournois. Chose faite en mars de l'année suivante, lors du Doral disputé en Floride. Ce fut le début de leur amitié, facilitée par plusieurs facteurs : ils étaient tous deux considérés comme les plus grands de l'histoire dans leurs disciplines, et ils partageaient le même agent (IMG) et le même sponsor (Nike).

« On se comprend assez bien, dit Federer à l'époque. Les gens attendent énormément de nous, du coup c'est plutôt sympa de se connaître et de pouvoir en parler. »

Comme à son habitude, Tiger ne révéla pas grand-chose de cette relation. Pas sûr non plus qu'il ait confié quoi que ce soit de très personnel à Federer, mais les deux hommes avaient ceci en commun d'avoir révolutionné leur sport – Tiger en amenant une dimension physique inédite dans un jeu où il était surtout question de toucher, et Federer en apportant une touche technique et esthétique dans un sport qui devenait de plus en plus physique et puissant.

Au début de l'année 2007, le doute n'était plus permis : Tiger allait battre le record de quatorze Majeurs de Nicklaus, et Federer celui de Sampras, vainqueur de quatorze tournois du Grand Chelem. Restait une question : qui allait y arriver en premier ? La cote était à ce moment-là en faveur de Tiger, qui avait remporté douze Majeurs contre neuf à Federer. Les deux hommes se lancèrent un défi amical. On le sait maintenant : Roger Federer allait remporter son quinzième Majeur en 2009, à Wimbledon, et il sera sans doute très difficile pour Tiger d'espérer rejoindre Nicklaus à l'avenir. Et personne n'avait imaginé que le début de son déclin aurait pour cadre le siège arrière d'une Cadillac Escalade, tout près de chez lui.

Début 2007, Tiger Woods ignorait encore que le *National Enquirer* avait repéré ses allées et venues dans les clubs d'Orlando. Dans les grandes villes comme New York et Los Angeles, le tabloïd faisait son beurre en suivant les plus grandes célébrités dans leurs aventures extra-professionnelles. Des jeunes femmes assez jolies pour entrer dans les meilleurs clubs ou les fêtes privées travaillaient pour lui et l'informaient de ce qu'il s'y passait. Tout comme un large réseau de barmen, videurs, valets et serveuses rémunérés entre 200 et 500 dollars la soirée pour laisser traîner un œil à droite et à gauche et glaner des scoops sur les stars les plus prisées du public. En 2007, Tiger Woods ne se classait pas dans la même catégorie que Brad Pitt ou Jennifer Aniston. Mais une disgrâce restait une disgrâce, et le *National Enquirer* savait les transformer en or mieux que personne.

Le journal avait été lancé dans les années 1950 par Generoso Pope Jr., qui perpétuait une double tradition familiale : une appétence pour la presse, et des liens supposés avec la Mafia. En trente-six années à la tête du journal, il fit du slogan «*Enquiring minds want to know*»[65] une phrase entrée dans la culture populaire. Il avait bien compris que les gens voulaient du sang et des tripes, et il avait su en tirer profit. Le journal finit par atteindre un sommet dans ce domaine en 1977, en publiant en une la photo d'Elvis Presley dans son cercueil, pour des ventes totales estimées à 6,7 millions d'exemplaires.

Le *National Enquirer* changea du tout au tout après la mort de Pope. La publication fut rachetée par American Media, un fonds d'investissement qui possédait déjà la plupart des tabloïds du pays. Sous la direction de David Perel, elle commença à réaliser des enquêtes bien plus sérieuses et poussées. Perel croyait beaucoup en ce qu'il appelait «le comportement humain si prévisible», et il savait se montrer très patient. Il disait toujours à propos d'une histoire : on ne force pas notre chance, c'est elle qui viendra à nous. C'est exactement ce qui arriva avec Tiger. Le journal eut vent en 2006 d'une rumeur selon laquelle celui-ci venait souvent «chasser» autour d'Orlando. Il lança plusieurs reporters sur ses traces

---

65. «Les esprits curieux veulent savoir.»

dans divers night-clubs. Fred Khalilian nous a confirmé que cette année-là, le tabloïd lui avait proposé à plusieurs reprises des centaines de milliers de dollars pour obtenir des images de vidéosurveillance de son Club Paris. « Il n'y avait que Tiger qui les intéressait, dit-il. Je leur ai dit d'aller se faire foutre. Ce n'est pas le genre de la maison. »

Au départ, personne ne voulait révéler quoi que ce soit sur les aventures nocturnes de Tiger – pas en 2006, en tout cas. Il savait de plus se montrer très discret dans les carrés VIP et faisait toujours en sorte de ne jamais être vu en public avec des femmes. Mais il était bien plus audacieux en dehors, jusqu'à organiser des rendez-vous galants chez lui quand sa femme était absente.

Le tabloïd semblait avoir perdu la partie. Jusqu'à ce qu'il reçoive une info d'une femme qui assurait que sa fille vivait une histoire avec Tiger. Elle était même prête à vendre des preuves. « Comportement si prévisible », nous y étions.

Mindy Lawton travaillait comme serveuse au Perkins Restaurant & Bakery, un café-restaurant où Tiger et Elin prenaient souvent leur petit déjeuner. Brune et très bien faite, elle les plaçait et les servait depuis des mois. Elle avait noté deux choses : c'était toujours Elin qui prenait la commande pour deux, et le couple n'échangeait pratiquement pas une parole. « Je ne voyais aucun signe de tendresse entre eux, dit-elle. J'imaginais qu'il ne ressentait plus rien pour elle. »

Elle remarqua un matin que Tiger la regardait différemment. Le téléphone sonna juste après leur départ, elle décrocha.

« Salut, c'est Ti. »

« Qui ? »

« Tiger. Je sors au Blue Martini avec des amis ce soir. Ça te dirait de venir avec nous ? »

Une scène d'autant plus déroutante qu'elle impliquait l'athlète le plus célèbre au monde, marié avec l'une des plus belles femmes de la planète – qui plus est enceinte de leur premier enfant à ce moment-là. Et pourtant, Tiger Woods était bien en train de draguer la serveuse qui avait l'habitude de leur servir leur petit déjeuner. Un comportement hypersexuel que l'on ne peut comprendre qu'en le replaçant dans le contexte d'une addiction – ce que les experts désignent comme un « cerveau pris en otage ». Tout comme les accros à la drogue ou à l'alcool, les dépendants au sexe tentent de remplir un vide alors qu'ils se trouvent dans une situation ingérable. Ce n'est plus une question de plaisir ou de passion : ils essaient juste de moins souffrir, peu importe l'endroit ou le partenaire.

Quelques heures après le coup de téléphone, Mindy Lawton se trouvait dans le carré VIP du Blue Martini Lounge, en compagnie de Tiger et de ses amis. Il sortait toujours accompagné, pour deux raisons principales : se retrouver dans le rôle d'une sorte de chef de meute, et ne jamais être vu seul en présence d'une femme dans un lieu public. Il faisait toujours en sorte d'être le plus prudent possible pour rester à l'abri des regards indiscrets.

« Qu'est-ce que tu fais après ? » lui demanda-t-il alors que le bar fermait. Elle n'avait rien de prévu. Il lui expliqua la marche à suivre.

Il était garé sur le parking tout près du Perkins Restaurant, sur le coup des trois heures du matin, quand Mindy Lawton le rejoignit avec sa voiture. Elle le suivit jusque chez lui, après avoir franchi le poste de sécurité d'Isleworth. Woods l'amena jusqu'à sa maison, toutes lumières éteintes. À peine arrivés au salon, il la déshabilla. « On l'a fait tout de suite, comme ça, se souvient-elle. Il était fougueux et très brutal. » Il lui tira les cheveux, lui donna des fessées. Ils finirent nus dans la cuisine, lumières allumées. Elle sortit de chez lui trois quarts d'heure plus tard, juste avant le lever du jour. Débraillée comme une poupée de chiffon, elle pensait avoir été traitée comme un vulgaire coup d'une nuit.

Quelques heures plus tard, Woods prit son petit déjeuner au Perkins accompagné de deux amis. Elin n'était pas en Floride cette semaine-là. Il envoya un texto à Mindy Lawton pour lui dire qu'il aimerait bien la revoir. Il l'amena à nouveau chez lui, sans prendre cette fois la peine de la faire entrer dans la maison. Ils n'allèrent pas plus loin que le garage, où il lui enleva ses vêtements et la colla contre le mur. Ça allait se passer systématiquement comme ça entre eux : rencontres discrètes et parties de jambes en l'air.

Il prenait de plus en plus de risques, et elle commençait à tomber amoureuse. Elle ne pouvait pas s'empêcher de raconter ce qui se passait à sa famille. C'est ainsi que sa mère eut l'idée de contacter le tabloïd, pour leur donner l'info contre rémunération.

Lorsque Woods donna un nouveau rendez-vous à Mandy, sur un parking au petit matin, il ne savait évidemment pas qu'il avait été repéré. Un photographe était déjà sur place. Il vit Lawton balancer quelque chose au sol juste avant de rejoindre Tiger dans sa voiture pour faire l'amour. Puis les deux amants repartirent chacun de leur côté, et le paparazzi alla voir de plus près. Il découvrit un tampon hygiénique, plein de sang. Comme un officier de police collectant des preuves médico-légales, il le glissa dans un petit sac plastique.

David Perel, rédacteur en chef du *National Enquirer*, fut prévenu sur-le-champ. Il informa à son tour David Pecker, le PDG d'American Media.

«Putain, c'est pas vrai, on tient notre Elvis!» s'exclama son boss.

Le tabloïd faisait environ un quart de ses ventes dans les supermarchés Walmart, et près des trois quarts dans des chaînes de grands magasins. Son lectorat de base ne jouait pas au golf et se moquait des résultats de Tiger Woods; mais comme beaucoup d'autres, il se délectait des rumeurs et n'aimait rien tant que voir quelqu'un tomber de son piédestal. «Nos lecteurs sont en général des losers, donc ils aiment bien lire des choses négatives sur ceux qui ont réussi et qui se retrouvent dans la mouise», confia Pecker au *New Yorker* en 2017.

Après quelques débats en interne, Perel finit par appeler IMG en leur laissant un message à la fois intriguant et menaçant: «Tiger Woods aurait-il une relation de quelque nature que ce soit avec Mindy Lawton?» Puis il raccrocha.

Mindy Lawton finit elle aussi par comprendre qu'elle avait été repérée. Elle en informa Tiger, qui la mit en contact avec Mark Steinberg: «C'est bon, on s'occupe de tout», la rassura l'agent.

IMG rappela tout de suite Perel, qui ne voulait pas dévoiler tout son jeu. Il précisa simplement qu'ils avaient des photos, sans rentrer dans les détails. Il savait bien, cependant, qu'elles étaient inexploitables: pas assez de lumière et trop de grain pour être imprimées. Mais il se gardait bien de le dire à IMG, qui était de toute façon en panique totale. Le risque d'un scandale public était très élevé, aussi bien pour Tiger que pour l'agence. Woods gagnait environ 100 millions de dollars par an en contrats de sponsoring, et certains de ses partenaires mettraient fin à leurs accords si ses infidélités venaient à être connues.

Perel et Steinberg menaient les discussions, bientôt rejoints par une armée d'avocats et de cadres des deux groupes. Neal Boulton, éditeur en chef pour American Media, prit part aux négociations dès le début. «IMG savait qu'ils devaient faire face à un problème majeur, et c'était plutôt tendu », raconte-t-il. Il avait également le titre d'éditeur en chef de la revue *Men's Fitness*, considérée comme la plus noble des publications d'American Media, et qui allait jouer un rôle primordial dans la discussion entre IMG et le *National Enquirer*.

Woods se retrouvait dans une situation plutôt inconfortable. Les règles qui régissaient le monde des tabloïds n'étaient pas les mêmes que celles de la presse golfique, tout compte fait bien plus tendre. IMG et Steinberg comprirent très vite qu'ils ne pourraient jamais exiger de l'*Enquirer* qu'il renonce à publier cette histoire. Il fallait qu'ils leur donnent quelque chose en échange. Ils proposèrent donc à *Men's Fitness* de faire un reportage « exclusif » sur Tiger Woods, à la condition que le tabloïd ne publie rien sur Mindy Lawton. Boulton, pour une fois, trouva le procédé répugnant.

« Je me disais : *non, c'est pas vrai, on va quand même pas faire ça ?* Je veux dire, je ne suis pas un saint et j'ai connu mes problèmes moi aussi, notamment avec la drogue. Mais faire chanter le sportif le plus populaire au monde ? Là, on dépassait vraiment les bornes. »

Boulton était connu comme le loup blanc dans le monde de l'édition à New York. On l'aurait dit échappé d'une nouvelle de Truman Capote. Brillant, bisexuel, consommateur régulier de stupéfiants et doté d'un « melon » énorme, il avait su se faire une place au soleil chez American Media, où il était responsable du développement de plusieurs titres et avait notamment supervisé plusieurs refontes de l'*Enquirer*. Il savait bien qu'il était la dernière personne à pouvoir donner des leçons de morale. Mais il y avait des choses qu'il n'était pas capable de faire. Les négociations entre IMG et American Media étaient entrées dans leur phase finale. Boulton quitta le bureau un vendredi soir et n'y remit jamais les pieds. (David Pecker expliqua plus tard qu'il ne s'agissait pas de chantage, selon lui, puisqu'il avait de toute façon décidé de ne pas publier l'histoire.)

Les deux parties finirent par se mettre d'accord et signer un contrat très détaillé, qui stipulait notamment le titre qui figurerait en couverture et interdisait la moindre allusion à une quelconque histoire d'adultère. Roy S. Johnson, un ancien de *Sports Illustrated*, fut chargé du reportage. Journaliste expérimenté, il avait déjà croisé Tiger et Earl à plusieurs reprises.

« Je ne faisais pas partie de son cercle d'intimes, mais je l'avais déjà rencontré plusieurs fois. On restait en contact, la plupart du temps à travers Earl », expliqua-t-il. Il précisa aussi qu'il n'avait pas la moindre idée de ce qui se tramait en coulisses. Son job était d'écrire le reportage, point. Il passa une journée entière avec Tiger à Isleworth.

Woods aimait bien Johnson, et il apparut particulièrement décontracté ce jour-là. Il prenait visiblement plaisir à montrer au photographe comment il travaillait son physique.

« Il était vraiment musclé, dit Johnson. Ses tee-shirts étaient faits sur mesure de façon à dessiner ses biceps. » Le journaliste dut également jouer les directeurs artistiques pendant le shooting. Il tenait à ce que les clichés rendent hommage au swing de Tiger, et le photographe le prit sous tous les angles. Mais Johnson en voulait une toute dernière.

« Tu crois qu'on peut encore en faire une de face ? demanda-t-il à Tiger. Sans que tu aies besoin de taper la balle. »

Mais Woods, lui, voulait swinguer pour de vrai.

Il expliqua au photographe et à son assistant, en charge du pare-soleil, où se positionner, à trois mètres devant lui. « Et maintenant, surtout, vous ne bougez plus. »

Johnson était nerveux. Tiger avait prévu de taper une balle avec son driver, avec deux hommes situés juste devant lui, par une petite fenêtre de vingt-cinq centimètres. Il tapa alors un plein swing, et la balle fila exactement où il avait visé. Il renouvela l'opération à six reprises, pour le même résultat.

Le reportage parut fin juin dans les kiosques, juste après l'US Open 2007. Tiger était tout sourire en couverture, avec le titre écrit en rouge et en lettres capitales : « TIGER ! SA MÉTHODE ÉTONNANTE : COMMENT IL EST DEVENU AUSSI MUSCLÉ. » L'article courait sur douze pages, et Johnson y expliquait à quel point Tiger battait tous les records en termes de travail physique. Il parla aussi du fait qu'il allait devenir papa pour la première fois.

Et c'est ainsi que l'affaire Mindy Lawton retourna dans l'ombre.

Woods était convaincu depuis toujours qu'il était au-dessus des lois. Ses parents lui avaient mis ça en tête alors qu'il n'était encore qu'un enfant, et son statut n'avait fait que renforcer ce sentiment que tout lui était permis. Il était au lycée lorsqu'il reçut une exemption de sponsor pour participer à son premier tournoi du PGA Tour. *Exemption*, un terme propre au golf pour désigner une invitation, et qu'il avait appliqué à sa vie quotidienne. Mais il était passé au travers des gouttes dans l'affaire Mindy Lawton d'extrême justesse, cette fois-ci. Il jouait un jeu de plus en plus dangereux.

La façon dont Mark Steinberg avait géré le problème aurait pu lui valoir le titre de « Pompier de l'année ». Certes, le tabloïd avait fait suivre Tiger, et la mère de Lawton l'avait balancé. Mais si on en était arrivé là, c'était uniquement parce qu'il agissait n'importe comment, à la manière d'un désespéré. Peut-être qu'à ce moment-là son agent ne savait pas tout de ses incartades répétées, mais cette histoire aurait clairement dû l'alerter. L'athlète le plus connu au monde, qui valait des milliards, se compromettre ainsi pour un coup rapide sur un parking ? Ce n'était pas là l'attitude d'un homme qui avait juste commis un écart, mais plutôt celle d'un individu totalement perdu, qui appelait au secours pour qu'on vienne le sortir de là.

Le contrat à peine signé entre IMG et le *National Enquirer*, Woods était déjà reparti en chasse. Sa nouvelle cible : une serveuse de San Diego, âgée de vingt et un ans. En avril 2007, Jaimee Grubbs, une jolie blonde de 1,74 m et 48 kilos, était partie à Vegas avec quelques copines, histoire de prendre du bon temps. Elle avait maintenant l'âge légal pour commander et boire de l'alcool et elle voulait fêter ça au Light.

Assez rapidement, un responsable de l'accueil VIP leur offrit des boissons gratuites et leur proposa de rejoindre un groupe d'hommes assis à une table. Elle fut plus que surprise de tomber sur Tiger Woods. Elle ne connaissait rien au golf mais elle l'avait tout de même reconnu, et elle n'en revenait pas de voir qu'il s'intéressait à elle. En fin de soirée, tout le monde grimpa dans la limousine de Tiger, et ses copines se firent déposer à l'hôtel. Jaimee fut invitée à la villa de Tiger, celle de la Mansion. Les potes de Woods voulurent la persuader de les rejoindre dans le jacuzzi. Sans succès.

« Sans vouloir vous vexer, la scène de la fille seule avec quatre gars à poil dans un jacuzzi, ce sera sans moi », leur dit-elle.

Elle finit par s'endormir sur le canapé du salon et fut réveillée avec ces mots doux : « Est-ce que vous êtes prête pour votre massage ? » Un kiné l'attendait pour lui donner le premier massage professionnel de sa vie. La prestation coûtait 400 dollars, et un ami de Tiger lui avait dit de signer la note et d'ajouter 100 dollars de pourboire, qui seraient mis sur à l'ardoise du numéro un mondial. Puis l'ami en question l'accompagna pour une séance de shopping à crédit illimité, dans la Rolls-Royce Phantom que Tiger avait à sa disposition pour le week-end. Cette nuit-là, vêtue d'une robe toute neuve que Tiger lui avait offerte, elle s'amusa jusqu'à trois heures du matin avec ses copines, avant de le rejoindre à la Mansion. Woods se comporta à nouveau en gentleman en la laissant dormir seule. Et au matin, lorsqu'elle ouvrit les yeux, il lui murmurait : « Réveille-toi, ma belle au bois dormant. »

Ils prirent le petit déjeuner ensemble, mais il avait un avion à attraper. Elle l'aida à préparer ses affaires en chahutant un peu avec lui et en le poussant sur le lit. Il lui donna un baiser d'adieu et promit de l'appeler la prochaine fois qu'il passerait à San Diego.

Jaimee Grubbs avait l'impression d'avoir vécu son *Pretty Woman* – sauf que ce n'était pas un film, et qu'elle ne savait pas dans quoi elle s'embarquait. Elle ne savait même pas qu'il était marié. « Je n'aurais jamais cru qu'il puisse être un homme à femmes », confia-t-elle plus tard.

Toutes les femmes que fréquentait Woods n'étaient pas aussi naïves. C'était par exemple le cas de Michelle Braun, une mère maquerelle bien connue en Floride et en Californie, qui gérait un réseau d'escorts haut de gamme appelé Nici's Girls. Elle gagnait des fortunes à cette époque-là et proposait les services de jeunes femmes, playmates ou stars du porno à des hommes prêts à lâcher des sommes à cinq ou six chiffres pour passer du temps avec elles. Tiger avait fait appel à ses services bien avant l'histoire avec le *National Enquirer*. Selon Braun, Bryon Bell s'occupait de tout, mais Woods avait parfois des urgences et il appelait lui-même. « Il me disait : "Salut, c'est Tiger, je file à Los Angeles pour une réunion. Tu as quelqu'un sur Orange County aujourd'hui ?" »

Il recherchait surtout des profils classiques, des « *girls next door* » propres sur elles, et il était prêt à payer des sommes à cinq chiffres pour un week-end. Mais Braun finit par lui présenter l'une des jeunes femmes les plus exotiques de son réseau, Loredana Jolie Ferriolo, une ex-mannequin qui posa notamment pour le magazine *Playboy*, et dont les tarifs pouvaient monter jusqu'à 100 000 dollars. Elle comptait parmi ses clients certains des hommes les plus riches du monde – des princes saoudiens, des chefs d'État, des PDG. Elle révélera par la suite que Woods avait payé 15 000 dollars pour leur première rencontre, réglait ses sessions de shopping et l'avait invitée aux Bahamas, à Dubaï et Las Vegas pour leurs rendez-vous secrets.

Au milieu de ce chaos qu'était leur vie, Elin donna naissance à leur premier enfant le 18 juin 2007, en Floride. Woods venait tout juste de terminer deuxième de l'US Open à Oakmont, en Pennsylvanie, à un petit coup du vainqueur Angel Cabrera. Son dernier putt à dix mètres pour arracher le play-off était passé juste à droite du trou. Furieux, il quitta le parcours sans dire un mot et prit son avion privé pour arriver à Orlando vers 23 heures et filer directement à l'hôpital. Il arriva juste à temps pour assister à la naissance de sa fille, Sam Alexis Woods.

Née un peu plus d'un an après la mort d'Earl, Sam fut baptisée ainsi en souvenir de son grand-père. Lorsque Tiger était plus jeune, son père l'appelait en effet parfois «Sam», un surnom qu'il était le seul à utiliser et toujours dans des circonstances bien spécifiques. «Quand il voulait me faire savoir qu'il était là, ou pour me rappeler qu'il était derrière moi quelle que soit la situation, il m'appelait "Sam". À la fois sur le parcours et en dehors. Ça me donnait toujours le sourire», dit Tiger.

Hank Haney fut parmi les premiers à être prévenu. Tiger le considérait comme un de ses amis, même s'il pouvait parfois se montrer très froid. Mais son entraîneur et son caddie lui apportaient cet équilibre qui lui faisait si cruellement défaut en dehors des parcours. Et en dépit du grand n'importe quoi qu'était sa vie privée, Tiger joua à nouveau merveilleusement bien en 2007. Il remporta sept des seize tournois auxquels il prit part, et notamment l'USPGA, son treizième Majeur. Il se classa premier dans toutes les statistiques, dont la moyenne de score. Il fut élu joueur de l'année pour la neuvième fois, un record.

Mais c'est aussi en 2007 que Hank Haney considéra, selon ses mots, que Tiger «était plus près de la fin de sa grandeur que du début». Ça ne se voyait pas vraiment sur les tournois, mais plutôt lors des séances d'entraînement et lors des tests de matériel avec Nike. «C'étaient des changement très légers, juste en dessous de la surface. Sa routine de travail n'était plus aussi rigoureuse. Il semblait distrait», selon son coach.

Le principal élément perturbateur était son téléphone, qui n'arrêtait pas de sonner ou de bipper. Hank Haney ne savait pas ce qui se tramait avec toutes ses conquêtes. En revanche, il ne lui échappait pas que Tiger se montrait beaucoup moins concentré lors de leurs séances. Plutôt que de lui faire part directement de ses remarques, il tenta une approche détournée avec une vanne sur son vieux modèle de téléphone : « Je n'arrêtais pas de lui dire : "Mais quand vas-tu te débarrasser de cet ignoble modèle à clapet ?" » Mais Tiger avait une bonne raison de ne pas choisir un smartphone plus moderne : les messages n'apparaissaient pas sur l'écran de son vieux téléphone...

Il avait cessé d'appeler Michelle Braun depuis que cette dernière s'était fait arrêter par le FBI en octobre 2007, à l'issue d'une descente dans sa maison. Les autorités fédérales l'inculpèrent pour blanchiment d'argent et accompagnement d'une personne d'Orange County à New York « avec l'intention que cette personne se livre à des actes de prostitution ». Elle plaida coupable en 2009, paya une amende de 30 000 dollars et passa plusieurs mois en résidence surveillée. Mais Tiger avait eu le temps de se bâtir un gigantesque réseau de femmes dont les noms et numéros étaient consignés dans son téléphone. Jaimee Grubbs était juste l'une d'entre elles. Après leurs premières rencontres à Vegas, il l'avait retrouvée à l'hôtel W de San Diego. Et plus ils passaient de temps ensemble, plus les textos de Woods se faisaient pressants, à des années-lumière du tendre « Réveille-toi, ma belle au bois dormant » des premiers temps :

Je vais bientôt te déshabiller.

Envoie-moi un truc bien coquin.

Si l'utilisation permanente de son téléphone était un indice du chaos de sa vie personnelle, Hank Haney et Steve Williams étaient beaucoup plus inquiets, en 2007, devant l'état de son corps. Il avait tout le temps mal quelque part. Des douleurs que son caddie et son coach attribuaient à ses séances de musculation trop intenses et à ses entraînements avec les Navy SEALs.

Le mini-stage qu'il avait effectué auprès des SEALs en 2004, juste après le Masters, avait surtout représenté une belle opportunité de renouer le lien avec le passé de son père. Mais sa fascination pour la chose militaire s'était transformée en obsession depuis la mort d'Earl. Hank Haney pensait que son jeu et sa santé étaient désormais en danger. Et Steve Williams s'inquiétait tout autant lui aussi.

Mais Tiger n'en tenait pas compte et sollicitait au contraire de plus en plus son corps. Il se lançait dans de longs footings chaussé de bottes de combat et vêtu d'un gilet lesté. Pire encore : en 2007, il effectua plusieurs stages avec les SEALs, avec sauts en parachute et guérilla urbaine au programme. Il se rendit également dans un centre spécial d'entraînement à Coronado deux jours seulement avant son premier tournoi de l'année, à Torrey Pines. Il y fit notamment la rencontre d'un soldat qu'il finit par embaucher comme garde du corps personnel et qui venait parfois chez lui pour lui enseigner des techniques d'auto-défense et restait même dormir de temps en temps.

Steve Williams n'appréciait que modérément l'influence que son nouveau garde du corps pouvait avoir sur Tiger. Haney et lui n'avaient pas oublié ce que Tiger leur avait dit : il songeait à arrêter le golf pour se lancer dans une carrière militaire. Mais ça n'inquiétait pas Steinberg plus que ça quand ils lui en parlaient.

«Non, ça n'arrivera pas. Aucune chance. Il ne peut pas. Il a des obligations», répondait-il.

Mais son agent n'avait pas vraiment conscience de tout ce que Tiger pouvait faire avec les SEALs. Lors d'un stage commando de trois jours, il sauta en parachute jusqu'à dix fois par jour. Tiger confia même à un de ses amis qu'il s'était blessé à l'épaule lors d'une collision dans les airs avec un soldat. Une autre fois, lors d'un exercice de guérilla urbaine, il fut blessé à la jambe par une balle en caoutchouc pour finir avec un hématome aussi gros qu'une balle de tennis. «J'ai merdé, expliqua-t-il à son coach. J'aurais sans doute perdu toute mon unité en conditions réelles.»

Mon unité ? Il parlait de plus en plus comme un soldat, et de moins en moins comme un numéro un mondial. Un jour, dans son salon, il prit son coach par le cou et lui dit : «Tu vois, là, je pourrais te tuer en deux secondes.»

Puis il lui expliqua qu'il avait entamé des démarches officielles pour rejoindre les Navy SEALs à temps complet. Et quand Haney lui expliqua que l'âge limite était de vingt-huit ans et qu'il en avait trente et un, Tiger lui répondit qu'ils feraient sans doute une exception pour lui.

Son coach tenta une toute dernière manœuvre pour le faire changer d'avis. Les deux hommes se trouvaient sur le putting green d'Isleworth lorsqu'il lui dit : «Et le record de Jack Nicklaus ? Ça ne veut rien dire pour toi ?»

Woods le regarda droit dans les yeux et lui répondit : « Non. Si ma carrière devait s'arrêter maintenant, eh bien j'en serais très fier. »

« Tiger, ton destin, c'est de devenir le plus grand golfeur de l'histoire. Pas un militaire. Il faut que tu t'enlèves ça de la tête. » Sans résultat.

Keith Kleven, qui était depuis longtemps le coach physique de Tiger, était lui aussi inquiet. Les muscles de son élève devenaient si hypertrophiés qu'ils en faisaient souffrir ses articulations. Et tous les exercices militaires auxquels il s'adonnait – particulièrement les tractions et les footings en tenue de combat – abîmaient ses épaules et ses genoux. Kleven en parla avec Hank Haney et Steve Williams, qui décidèrent alors de relancer Mark Steinberg sur le sujet.

« D'accord, je lui en toucherai à nouveau un mot », promit l'agent.

Le 30 juillet 2007, Steinberg convia toute l'équipe à dîner, chez lui, près de Cleveland. Tiger, Haney et Williams étaient là, et Steinberg prit Woods à part dans son bureau après le repas. Leur conversation dura une heure. Cinq jours plus tard, Tiger remportait le WGC-Bridgestone Invitational à Firestone. Puis l'USPGA à Tulsa, deux semaines plus tard, ainsi que le BMW Championship et le Tour Championship en septembre. Il termina l'année avec quatre victoires sur ses cinq derniers tournois, et prit la deuxième place de la seule épreuve qu'il ne remporta pas. Steinberg avait manifestement su trouver les mots pour le convaincre. Il avait bouclé son année 2007 de la plus brillante des manières.

Il n'avait pas encore trente-deux ans et déjà treize Majeurs à sa ceinture. Le temps était son allié pour aller chercher le record de Jack Nicklaus, qui lui-même pensait que Tiger allait y arriver : « Si son corps tient le coup, il le battra, sans aucun doute », reconnut-il. Surtout que les plus grands joueurs qui l'avaient précédé avaient tous atteint leur maturité golfique entre trente et quarante ans. Tiger s'apprêtait, a priori, à vivre ses meilleures années. Lors d'une conférence de presse, on lui demanda s'il connaissait l'existence d'un site internet qui le comparait à Dieu. Tiger dit qu'il en avait entendu parler mais qu'il ne l'avait jamais consulté. Le journaliste le relança en lui demandant s'il pensait, oui ou non, qu'il y avait en lui quelque chose de divin. Il sourit, et finit par répondre : « J'en suis tellement loin, mec. »

CHAPITRE 25
JUSTE DE LA DOULEUR

Voilà des années qu'il jouait avec le ligament du genou très abîmé. Les médecins lui avaient dit en 2002 qu'il en restait seulement 20 %. En juillet 2007, Tiger sentit que quelque chose ne tournait plus rond, mais il n'en parla à personne. Les plus grands sportifs, toutes disciplines confondues, avaient l'habitude de composer avec la douleur. Il dit un jour : « Il y a une différence fondamentale entre être blessé et avoir mal. Si je souffre, pas de souci, je peux me débrouiller. Ce n'est pas grand-chose, la douleur. En revanche, si je suis blessé, mon corps ne répond plus. » En d'autres termes : s'il était en état de jouer et de gagner, alors il jugeait qu'il n'était pas blessé. Il vivait intensément l'instant présent et ne se projetait pas sur le futur à court terme.

Son corps le lâchait, sa vie privée partait dans tous les sens, mais rien ne changeait sur le parcours : il était toujours intouchable. Il débuta l'année 2008 comme il avait terminé 2007. Il remporta ses trois premiers tournois – le Buick Invitational, le WGC-Accenture Match Play Championship et le Arnold Palmer Invitational. Mais il avait de plus en plus mal au genou et finit par l'avouer à Hank Haney. Sauf qu'il n'avait absolument pas l'intention de faire une pause.

« Les médicaments feront leur effet, je vais bien », dit-il à son coach.

Il avait pris pour la première fois des antidouleurs en 2002, déjà pour lutter contre ses problèmes au genou. Mais en 2008, la douleur était devenue nettement plus intense, et Woods dut prendre du Vicodin pendant le Masters. Il termina deuxième du tournoi, à trois coups du vainqueur Trevor Immelman. Une superbe performance compte tenu de l'état dans lequel il se trouvait. Il aurait même pu gagner sans trop de souci, si son putting n'avait pas été aussi catastrophique. Un domaine du jeu où il est uniquement question de toucher et de feeling – des sensations qui peuvent être très perturbées en cas de prise d'antidouleurs.

Woods prit finalement la décision de se faire opérer à Park City juste après le Masters. « J'avais décidé de composer avec la douleur pendant le Masters et de me faire opérer juste après, dit-il sur son site officiel. Le bon côté de la chose, c'est que je suis déjà passé par là et je sais comment gérer. J'entamerai ensuite ma rééducation et j'espère revenir le plus vite possible. »

Mais tout ne se passa pas comme prévu. Thomas Rosenberg et Vern Cooley, les chirurgiens qui l'avaient déjà opéré en 2002, comptaient simplement nettoyer le cartilage du genou. Une procédure assez simple qui avait pour but de réduire la douleur et de lui permettre d'être prêt pour l'US Open qui se disputait sept semaines plus tard. Mais les deux médecins firent une découverte inattendue pendant l'opération : le ligament était complètement déchiré, il avait besoin d'une greffe.

La situation était dure à comprendre d'un simple point de vue médical. Woods avait réussi à remporter neuf de ses douze derniers tournois avec un genou pratiquement hors service. Et il termina deux fois deuxième et une fois cinquième sur les trois épreuves qu'il n'avait pas gagnées. Ses statistiques étaient encore meilleures qu'en 2000 et 2006, ses deux saisons les plus abouties.

La première idée de Rosenberg fut de réparer son genou pendant l'opération. Mais Woods était inconscient, et il n'avait donné son accord que pour un nettoyage du cartilage. Si le chirurgien décidait de reconstruire son genou, la rééducation serait bien plus longue et lui ferait manquer les trois Majeurs à venir. Il ne pouvait prendre une telle décision sans l'accord de Tiger. Il se contenta donc de faire ce qui était prévu, une solution provisoire qui devait lui permettre de tenir jusqu'à la fin de l'été.

Woods avait certes une tolérance hors normes à la douleur, mais ce sont aussi ses muscles incroyablement renforcés autour de son genou qui lui avaient permis de tenir aussi longtemps. Il les avait développés grâce à ses innombrables séances de musculation, mais ils avaient un peu fondu après l'opération. La douleur était devenue encore plus forte, les gonflements et les raideurs aussi. Il avait malgré tout l'intention de reprendre la compétition fin mai au Memorial Tournament, et il recommença à taper des balles. Pour rapidement ressentir un grand « crac » juste en dessous du genou gauche.

Deux jours plus tard, il dînait chez lui avec sa femme et son coach quand il voulut se lever de table. Il fut comme foudroyé sur place et grimaça de douleur, les yeux fermés. Hank Haney et Elin échangèrent un regard plein d'inquiétude.

« C'est bon, ça va », leur dit-il.

« Tiger, tu n'es même pas capable de marcher. Comment veux-tu espérer jouer ? » lui demanda son coach.

Il boitait tellement le lendemain qu'il déclara forfait pour le Memorial et passa une IRM. Le docteur Rosenberg vint le voir chez lui quelques jours plus tard avec les résultats. L'ambiance était plutôt sombre quand il ouvrit son ordinateur pour montrer deux traits noirs sur les radios de Tiger. Deux fractures de fatigue sur le tibia gauche, juste en dessous du genou, expliqua-t-il.

Tiger ne dit rien, les yeux dans le vide. L'US Open avait lieu deux semaines plus tard sur le parcours de Torrey Pines, en Californie du Sud. L'endroit était magnifique, avec ses falaises et ses vues imprenables sur le Pacifique. Pour le golfeur lambda, c'était un paradis. Pour les professionnels, nettement moins : le South Course était l'un des parcours les plus difficiles du circuit. Mais Tiger l'aimait bien, parce que les fairways étaient larges et qu'il n'y avait pratiquement aucun hors-limite. Il y avait remporté un titre mondial chez les juniors à l'âge de quinze ans, et aussi six titres du PGA Tour, dont quatre consécutifs entre 2005 et 2008. Et tout son esprit était tourné vers cet US Open depuis des mois et des mois. Il estimait qu'il était là-bas chez lui, et il voulait le gagner plus que tout.

Sauf qu'il souffrait maintenant d'une rupture du ligament et de deux fractures au tibia. Hank Haney demanda à Rosenberg quelle était la procédure classique dans ces cas-là.

« Six semaines avec des béquilles, plus un mois de rééducation », répondit-il.

Autant dire une saison blanche pour Tiger, s'il n'était pas en état de jouer les trois derniers Majeurs de l'année.

Puis Tiger prit la parole pour dire : « Je vais jouer cet US Open et je vais le gagner. »

Il avait l'air si sûr de lui que Rosenberg n'osa pas le contredire. « Tiger, tu peux toujours essayer, dit-il. Tu n'aggraveras pas la situation. Après, je ne sais pas jusqu'où tu pourras supporter la douleur. »

« C'est juste de la douleur, rien de plus, répondit-il en mettant ses chaussures de golf. Viens Hank, on va s'entraîner. »

Earl avait un jour dit de son fils qu'il était le premier golfeur de l'histoire doté d'un physique de vrai sportif. Pour Tiger, ça voulait dire être fort, résistant, et savoir composer avec la douleur comme les footballeurs et les basketteurs en avaient l'habitude. En faisant comme si elle n'était pas là, tout simplement : « On fait avec, nous autres sportifs. On doit se lever chaque matin et se bouger le cul à la salle de gym, tout en sachant qu'on va avoir mal. Il faut se mettre dans un état d'esprit particulier. Moi, j'aime bien. »

Il joua neuf trous le samedi précédant l'US Open au golf de Big Canyon Country Club, à Newport Beach. Un vrai désastre. Encombré d'une énorme genouillère, il n'arrivait pas à bouger le bas de son corps et envoyait ses balles absolument n'importe où. Après neuf trous, il n'avait plus de balles dans son sac. La genouillère déréglait totalement la mécanique de son swing.

« Je ne peux pas jouer avec ce truc-là », dit-il à Haney.

Il la portait depuis des semaines, sur les recommandations du docteur Rosenberg. Il l'enleva pour jouer les neuf trous suivants. Hank Haney était persuadé que la douleur serait trop forte et qu'il renoncerait à disputer l'US Open. Mais il avait sous-estimé la détermination de son élève.

Il boitait bas sans son attelle, mais il jouait beaucoup mieux. Certes, il souffrait nettement plus, mais le fait de jouer avec un physique en sale état semblait lui donner du tonus. Son jeu s'améliorait jour après jour. Mais plus il jouait et plus son genou gonflait. La raideur devenait de moins en moins facile à gérer. Son kiné personnel devait lui prodiguer des soins avant et après chaque séance d'entraînement. Il refusait en revanche de prendre des médicaments comme il l'avait fait pendant le Masters. Juste de l'Advil, rien de plus ; mais il semblait déterminé comme jamais à lutter contre la douleur.

La nouvelle politique anti-dopage du PGA Tour devait entrer en vigueur au 1er juillet 2008. Woods avait voulu subir une série de tests sanguins entre le Masters et l'US Open, et ce afin, expliqua-t-il à son coach, de s'assurer de ne pas être hors-la-loi à cause des compléments alimentaires qu'il prenait depuis longtemps. « C'est en tout cas comme ça qu'il me l'a présenté, raconta Haney en 2017. "Ils vont faire des tests, et parfois tu es contrôlé positif alors que c'est bidon." Il m'a aussi dit : "Le Motrin peut donner des contrôles positifs à la marijuana. Je veux être sûr que les compléments alimentaires que je prends ne tombent pas sous le coup de la loi." Il a ensuite ajouté que tous ses tests étaient bons.»

L'US Open 2008, disputé sur le South Course, était le parcours le plus long jamais vu en Majeur avec ses 6975 mètres. Il avait de surcroît été préparé comme un US Open, avec un rough plus qu'épais et des greens ultra-rapides à plusieurs plateaux. Les organisateurs avaient décidé, pour la toute première fois, d'aligner les trois premiers mondiaux ensemble lors des deux premiers tours – Woods, Mickelson et Adam Scott. Tout le monde ou presque savait que Tiger avait subi une intervention chirurgicale mais personne, en dehors de ses intimes, n'était conscient de son état général avec son ligament rompu et ses deux fractures de fatigue au tibia. Il ne voulait pas que ça se sache, de toute façon. Pour lui, Mickelson et Scott n'étaient pas de vrais athlètes. Et personne d'autre que lui, pensait-il, ne serait capable de jouer un tournoi dans cet état-là. «Il savait qu'il se trouvait devant le plus grand défi de sa carrière. Et ça l'a inspiré pour finalement réaliser un exploit incroyable», dit Haney.

Il montra toutes les facettes de son génie pendant les quatre jours de compétition, surtout au putting. Des drives complètement lâchés lui valurent certes quatre doubles bogeys, mais on retiendra surtout ses trois eagles, notamment deux le samedi : un putt monstrueux de près de vingt mètres en descente sur le 13, et un autre de treize mètres sur le tout dernier trou. Juste avant cela, il avait rentré une approche pour birdie sur le 17 qui aurait sans doute roulé des mètres et des mètres derrière le trou si elle n'était pas tombée dedans. Et du jeudi au dimanche, il rentra un nombre démentiel de putts pour le par entre deux et six mètres.

Il possédait un coup d'avance sur Lee Westwood et deux sur Rocco Mediate au matin du dernier tour. Jamais il n'avait perdu un Majeur alors qu'il était seul leader le dimanche. Mais il était un peu dans le dur à trois trous de la fin, avec un coup de retard sur Mediate, un joueur classé 147e mondial et qui n'avait plus gagné depuis six ans sur le PGA Tour. Westwood était lui aussi dans le coup, mais il jouait avec Tiger, ce qui changeait beaucoup de choses. Ils avaient été nombreux par le passé à subir «l'effet Tiger», ce qu'un joueur professionnel expérimenté décrivait comme «des nerfs en pelote et une frappe de balle perturbée. Cette semaine-là, les joueurs étaient tous terrorisés devant lui. Personne n'avait les couilles de lui tenir tête.»

Personne, sauf Rocco Mediate. Il avait bouclé le tournoi à -1 total et possédait un coup d'avance sur Tiger, qui devait rentrer un putt de quatre mètres sur le dernier green pour arracher un play-off sur dix-huit trous. Mediate regardait ça depuis la tente de recording, sur un écran télé.

Tiger avait quatre mètres à rentrer, et c'était grâce à Steve Williams, qui avait eu le cran de monter en première ligne. Woods avait égaré son deuxième coup dans le rough, et il lui restait quatre-vingt dix mètres pour aller au drapeau. Il voulait frapper un sandwedge à 56 degrés, mais vu le lie de sa balle et son état d'excitation, Williams préférait qu'il utilise un 60 degrés. Il mit tout son poids – et son job – dans la balance.

« Tiger, tu dois absolument me faire confiance sur ce coup-là. Si je me plante, tu me vires. Je sais à quel point c'est important pour toi. Alors tu me fous dehors si j'ai tort. »

Mais il n'avait pas tort. La balle rebondit six mètres derrière le trou, pour revenir et s'immobiliser à quatre mètres. Le putt était cependant bien plus délicat qu'il n'en avait l'air. S'il le tapait un peu trop fort au-dessus de la ligne, la balle n'allait jamais tourner à gauche. Et s'il l'envoyait un tout petit peu trop à gauche, elle n'aurait aucune chance de revenir. Ça revenait à putter sur une crête. Pire encore : la balle se trouvait sur la partie du green la plus abîmée, avec des traces de clous et des bosses un peu partout. Il se dit : *Deux balles et demie sur la droite. Le putt va breaker sur la fin. Tu restes concentré et tu tapes juste un coup aussi pur que possible.* Ce qu'il fit.

Son putt rentra bord droit à la toute dernière seconde. La foule explosa si fort qu'on entendit sans doute les hurlements à des kilomètres à la ronde. Tiger hurla lui aussi, les poings serrés et le corps tourné vers le ciel. La douleur avait alors totalement disparu devant la décharge d'adrénaline. Il avait gagné le droit de jouer dix-huit trous de plus contre Mediate le lundi.

« Incroyable », murmura ce dernier quand il vit le putt tomber sur son écran de contrôle.

Mais l'euphorie laissa vite la place à l'inquiétude. Woods s'était préparé à jouer soixante-douze trous, pas quatre-vingt dix. Sa jambe et son genou lui faisaient souffrir le martyre. Il passa presque toute la nuit avec son kiné, et se dit qu'il allait devoir puiser en lui comme jamais pour y parvenir.

Pendant le play-off, Nike diffusa une publicité dans laquelle on entendait la voix d'Earl, comme s'il s'adressait à son fils depuis l'au-delà : «Tiger, je te promets que jamais dans ta vie tu n'auras à faire face à une personne aussi forte que toi mentalement.» Et ils étaient peu nombreux, ce jour-là, à effectivement savoir qu'il allait devoir être plus fort que jamais.

On crut d'abord qu'il allait s'échapper sans trop de problème, avec ses trois coups d'avance après dix trous. Mais les deux hommes se retrouvèrent à égalité au départ du 14. Tiger grimaçait de douleur sur chaque coup ou presque, et restait immobile de longues secondes après la frappe avant de reprendre son chemin. Il avait maintenant un coup de retard au départ du 18. Mediate eut un putt pour la gagne sur le 18, assez long, qu'il ne put convertir. Et Tiger rentra son dernier putt à 1,20 m pour birdie et prolonger le play-off en mort subite. C'était la première fois que cela arrivait depuis 1954.

C'est là que Mediate finit par craquer. Il envoya son drive très à gauche et toucha le green en trois, en se laissant un putt de sept mètres pour le par. Woods avait lui tranquillement assuré le sien. Et Mediate ne put convertir sa dernière opportunité, pour s'incliner après une performance exceptionnelle des deux joueurs.

Tiger quitta le green en marchant doucement pour prendre place dans une voiturette aux côtés de son épouse. Son futur s'annonçait alors radieux, malgré son genou en compote et son tibia fracturé. Il ne perdait pas une occasion de rappeler qu'Elin et lui formaient comme une équipe dans l'éducation de leur fille. Sam marchait depuis peu, en traînant un club de golf avec elle dans la maison. Et cette victoire à Torrey Pines était au-delà du réel. «C'est sans doute la plus grande», confia-t-il.

Il avait trente-deux ans et venait de remporter son quatorzième Majeur. Nicklaus y était parvenu à l'âge de trente-cinq ans. Il semblait bien parti pour battre tous les records possibles et imaginables. Le chroniqueur du *New York Times* David Brooks le qualifia de «modèle de force mentale» et écrivit qu'il «s'était élevé au-dessus du simple statut d'être humain pour devenir l'incarnation de l'immortalité.»

Qui aurait pu croire à ce moment-là que ce serait peut-être son dernier tournoi du Grand Chelem ?

CHAPITRE 26
LES FAISEURS DE MIRACLE

Huit jours après la victoire la plus extraordinaire de sa carrière, Tiger Woods se fit opérer à Park City. Les chirurgiens prirent un bout du ligament de sa cuisse droite pour pouvoir reconstruire son genou gauche, et ils lui demandèrent d'observer un repos complet pendant deux mois.

«Je pourrai faire des pompes?» demanda Tiger.

La réponse était non.

«Des abdos?»

Non plus.

«De la musculation sur le haut du corps?»

Non, là encore.

«Qu'est-ce que je peux faire, alors?»

Le docteur Rosenberg voulait juste qu'il se repose et qu'il donne du temps à son corps pour se remettre.

Les deux mois qui suivirent l'intervention furent extrêmement difficiles pour lui. La douleur était terrible et ne diminuait pas avec le temps. Il détestait le protocole de soins parce qu'il ne lui procurait aucune excitation. Il voulait retourner à la salle de sports, mais il ne pouvait pas : il fallait d'abord respecter les étapes de sa rééducation. Heureusement pour lui, son équipe savait vers qui se tourner.

Le docteur Mark Lindsay avait maintenant belle réputation auprès des sportifs de haut niveau à la recherche de techniques innovantes en matière de rééducation et de rééquilibrage du corps. Basé à Toronto, chiropracteur aux «mains magiques», il avait travaillé avec des centaines d'athlètes, notamment Maria Sharapova, Donovan Bailey et Alex Rodriguez. Il avait surnommé sa méthode ART, pour «Active Release Technique». C'était un mélange de massages neuromusculaires et d'étirements destinés à libérer les «fascias», ces membranes qui enveloppent les groupes de muscles et d'organes. Une méthode à la fois contrôlée et très agressive, et qui permettait d'optimiser les délais de rééducation et les performances.

«C'est comme jouer d'un instrument, expliqua un jour Lindsay au journaliste et auteur canadien Bob McKenzie. Tu peux être super intelligent, tu peux même être brillant, cela ne sert à rien si tu ne parviens pas à retranscrire ces sensations avec tes mains. Et je reconnais assez facilement celui qui possède un don pareil. Parfois, je me dis : "C'est cool, c'est mon boulot."»

C'est la star de volley-ball Gabby Reece qui avait présenté Lindsay à Tiger. Elle l'avait connu grâce au joueur de football américain Bill Romanowski, quatre fois vainqueur du Super Bowl. Il s'en était lui-même remis à Lindsay à la fin des années 1990, pour un résultat édifiant : il avait joué 243 matchs consécutifs comme défenseur jusqu'à sa retraite en 2003.

«En gros, la carrière de Tiger aurait été foutue s'il n'avait pas rencontré Mark. Son corps était totalement bloqué, et sa chaîne cinétique était en vrac», dit Romanowski.

Six semaines après l'opération, Lindsay orienta Tiger vers Bill Knowles, un spécialiste réputé du travail physique, qui collaborait depuis vingt ans avec des athlètes de niveau mondial, surtout des skieurs et des skieuses ; il savait donc reconnaître quand un genou se trouvait dans un sale état. Et celui de Woods n'était pas beau à voir. «Disons juste qu'il avait subi une très grosse opération. Ce n'était pas une petite intervention, mais quelque chose de très lourd», décrivit Knowles quelques années plus tard.

Woods et Knowles travaillèrent ensemble cinq jours par semaine pendant six mois – surtout de la gymnastique et de la piscine, deux fois deux heures par jour. Knowles s'occupait bien évidemment de son genou, mais aussi du reste de son corps et un peu de son esprit.

Il put à nouveau frapper des balles à la mi-octobre. Le docteur Rosenberg lui recommanda la plus grande prudence, mais Tiger débuta avec des swings estimés à 60 km/h. Au bout d'un mois, il envoyait la balle à 140 mètres avec des swings à plus de 100 km/h. Il se remit à fond dans son travail de musculation, en insistant sur le bas du corps. À la fin de l'année, ses charges de travail étaient aussi intenses qu'avant l'opération.

Il était prêt à reprendre la compétition début 2009, mais il se blessa au tendon d'Achille droit à la fin de l'année 2008.

C'était la troisième fois en un an qu'il était victime d'une blessure sérieuse.

Venant après une si longue attente, cette blessure le meurtrit aussi bien psychologiquement que physiquement. Le docteur Lindsay l'adressa alors à un autre praticien, basé lui aussi à Toronto : le docteur Anthony Galea. Les deux hommes se connaissaient depuis les jeux Olympiques d'hiver de 1994 et avaient partagé le même bureau pendant des années. Galea était considéré comme le pionnier du PRP – la thérapie par plasma riche en plaquettes –, un procédé qui implique de prélever une petite quantité de sang chez le sportif blessé, avant de la placer dans une centrifugeuse pour séparer les globules rouges des plaquettes. Le plasma enrichi en protéines est ensuite injecté directement dans la zone en question – tendon, muscle ou ligament – et le corps se répare plus rapidement et de façon plus instinctive.

« C'est très efficace, explique Lindsay. Et cela reste légal à la condition que vous l'utilisiez pour soigner une véritable blessure. Les plaquettes contiennent des facteurs de croissance – essentiellement une forme de cellules souches, mais c'est votre propre tissu, et pas des médicaments ou des substances étrangères. Ça fonctionne très bien pour les déchirures aux ischio-jambiers, à l'aine et aux tendons d'Achille. C'est pourquoi Tony et moi avons si bien travaillé ensemble. Il traitait la blessure spécifique et moi je travaillais sur l'ensemble du corps. »

Tiger accepta de rencontrer Galea, qui se trouvait à Tampa pour soigner Hines Ward, le receveur de Pittsburgh, juste avant le Super Bowl. Le médecin le rejoignit directement chez lui à Isleworth.

En 2009, Galea était perçu, à l'instar de Lindsay, comme un faiseur de miracles, l'homme de la situation quand un sportif de très haut niveau avait besoin d'une procédure de soins particulière. Il avait un look plutôt spectaculaire, avec ses cheveux noirs en brosse et ses traits félins, presque liftés. Son parcours était singulier : fils d'une esthéticienne et d'un comptable, il avait obtenu son diplôme de médecine au Canada, à la McMaster University, avant de monter sa propre clinique près de Toronto (The Institute of Sports Medicine Health & Wellness Center). Sa première épouse lui avait donné quatre enfants. Il demanda le divorce pour se marier avec une joueuse de tennis de moins de vingt ans, avec qui il eut trois autres enfants. Il avait pour passion l'archéologie biblique, et il jurait avoir connu un éveil spirituel dans une oliveraie lors d'un de ses nombreux voyages à Jérusalem.

Dans leur livre *Blood Sports*, Tim Elfrink et Gus Garcia-Roberts racontent qu'il avait « un penchant pour les brevets médicaux d'un médecin de la région de Miami nommé Allan R. Dunn, qui grattait le tissu cicatriciel des articulations inflammées pour ensuite les nourrir avec des hormones de croissance pirates ». Galea citait souvent le docteur Dunn dans ses conférences, au grand désarroi de ce dernier. « Qu'il aille se faire voir. Je ne veux rien avoir à faire avec lui », dit-il aux deux auteurs. Mais de plus en plus de sportifs venaient consulter Galea.

Des documents judiciaires laissent également penser qu'il fournissait gratuitement certains athlètes en Viagra et en Cialis, sans risque de détection aux contrôles anti-dopage. Quand il se rendait aux États-Unis, il demandait à son assistante de lui préparer toute une série de produits pour ses clients : perfusions et tuyaux pour intraveineuses, centrifugeuses, seringues, ginseng, Nutropin, Actovegin, Cialis, Viagra, Celebrex. Selon l'acte d'accusation émis par le gouvernement américain en 2009, il avait demandé à son assistante de « sortir les pilules de Viagra et de Cialis de leurs emballages d'origine pour les mettre dans des boîtes sans étiquette, histoire de passer plus sereinement la frontière. » Il suffisait que les athlètes fassent la demande et il leur en donnait gratuitement et sans ordonnance. « Le Viagra était très tendance, surtout pour ceux qui ne voulaient pas aller chez le médecin pour s'en faire prescrire », raconte un sportif qui avait travaillé avec lui.

Pour leur premier rendez-vous, Galea se rendit à Isleworth et Tiger s'allongea sur une table de massage dans sa chambre. Il eut d'abord un tressaillement quand le docteur lui planta une aiguille dans son tendon d'Achille douloureux pour lui injecter du plasma enrichi. Il se sentait déjà mieux le lendemain. Quand Galea revint le voir, il renouvela l'opération et injecta aussi du plasma riche en plaquettes dans son genou. Il était à la hauteur de sa réputation de faiseur de miracles.

Selon des archives judiciaires et d'autres sources, les compétences médicales bien à part du docteur Galea s'articulaient autour de quatre traitements : le plasma enrichi ; des anti-inflammatoires en intraveineuse qui contenaient, entre autres, de l'Actovegin, un médicament illégal dérivé du sang de veau ; des piqûres à base d'Actovegin ; et « des piqûres contenant un mélange de substances, dont du Nutropin – une hormone de croissance humaine –, injecté dans le genou pour régénérer le cartilage et réduire l'inflammation articulaire.»

Galea affirma au *New York Times* fin 2009 que son traitement préféré pour les blessures au genou ou aux ligaments restait le plasma riche en plaquettes. Il raconta aussi qu'il avait soigné le genou de Woods à l'aide de ce seul procédé, en utilisant une centrifugeuse empruntée à un confrère d'Orlando – sans recourir ni à l'Actovegin, ni à toute autre substance interdite. Il précisa qu'il avait fait quatre ou cinq séances avec lui – ce qui s'avérera mensonger.

Selon des documents obtenus auprès de l'administration de l'État de Floride, Galea s'est rendu quatorze fois chez Tiger Woods entre janvier et août 2009, en lui facturant 3500 dollars chaque séance, plus les frais de voyages en première classe et d'hôtel, pour un total estimé à plus de 76 000 dollars.

Une collaboration qui serait probablement restée dans l'ombre sans les événements du 14 septembre 2009. Ce jour-là, l'assistante de longue date du docteur Galea traversait le Peace Bridge, qui relie le Canada aux États-Unis à Buffalo, New York. Un officier des douanes américaines lui demanda de garer son véhicule pour une vérification de routine. Lui et ses collègues découvrirent alors cent onze seringues, une centrifugeuse et un sac contenant vingt flacons et soixante-seize ampoules de diverses substances, dont dix milligrammes de Nutropin (du plasma enrichi de synthèse) et 250 millilitres d'Actovegin. L'assistante expliqua aux policiers qu'elle se rendait à une conférence à Washington, ce qui était un mensonge. Elle apportait en fait à Galea ce qu'il appelait un «kit médical» pour qu'il puisse soigner un joueur de NFL.

Sur le point d'être inculpée et menacée de poursuites judiciaires sérieuses, elle préféra collaborer avec l'administration américaine. Elle mit son téléphone à disposition des enquêteurs. Un mois plus tard, le 15 octobre 2009, la police canadienne effectua une descente dans les bureaux de Galea et saisit son «dossier NFL» et son «journal de soin de sportifs professionnels».

Le docteur fut ensuite inculpé de cinq chefs d'accusation par un grand jury fédéral, dont «possession d'hormones de croissance avec intention de les distribuer» et «introduction de médicaments sans étiquette pour en faire commerce entre deux pays». Il fut aussi inculpé d'entrée illégale sur le territoire américain à plus de cent reprises entre juillet 2007 et septembre 2009 afin de fournir des médicaments illégaux et des soins à plus de vingt athlètes professionnels, dont Tiger Woods. Ses factures sur cette seule période de deux ans étaient estimées à 800 000 dollars. Galea plaida coupable pour les médicaments sans étiquette et fut condamné à un jour de prison et 275 000 dollars d'amende.

Le docteur a toujours assuré avoir traité les blessures au genou uniquement à base de plasma et d'Actogevin. Mais son assistante affirma le contraire lors d'une déclaration sous serment au FBI : «Le docteur Galea avait parfois recours à des injections qui contenaient des hormones de croissance, qui permettaient au cartilage de mieux se reconstituer et de reprendre sa croissance.» Elle expliqua aussi aux autorités américaines qu'il avait utilisé ce type de piqûres avec au moins huit athlètes – sept aux États-Unis et un au Canada. (Son avocat nous a précisé par e-mail qu'elle n'avait cependant jamais vu le docteur utiliser ce procédé avec Tiger Woods.)

Un examen minutieux du dossier judiciaire révèle pourtant ce qui pourrait être interprété comme une tentative de dissimuler la nature exacte du travail du docteur Galea, ainsi que l'inventaire de ses collaborations avec des athlètes de haut niveau. Les factures qu'il émettait restaient plutôt vagues dans leurs formulations : «consultation», «consultation/intraveineuses/piqûres». Les chèques étaient libellés au nom de Gaela Investments Inc., et pas en son nom propre ou à celui de sa clinique.

L'utilisation des hormones de croissance était légale au Canada et très encadrée aux États-Unis. Pour sa défense, le docteur Galea assurait les avoir utilisées seulement avec des patients âgés de plus de quarante ans afin d'améliorer leur état général et leur énergie. Il avait aussi avoué en avoir utilisé à titre personnel pendant dix ans.

Tiger Woods avait-il eu recours à un coup de pouce pharmaceutique afin d'optimiser sa guérison? Pour une source impliquée dans les soins qu'il avait reçus du docteur Galea, cela ne fait aucun doute : «La réponse est oui, c'est sûr à 100%.»

Cette même source assure également que Tiger a bénéficié de piqûres dont le mélange contenait des «quantités très faibles» de testostérone et d'hormones de croissance : «Tous ces produits – le plasma enrichi, la testostérone et les hormones de croissance – fonctionnaient merveilleusement bien pour accélérer la guérison de la zone blessée, dit-elle. Si les quantités sont faibles et injectées directement sur la blessure, alors elles sont indétectables aux contrôles anti-dopage. On n'en trouve plus aucune trace dans l'organisme dès le lendemain. Mais peut-être que Tiger n'avait aucune idée des produits qui lui étaient prescrits.»

Les soupçons de dopage autour de Woods avaient toujours existé. *Sports Illustrated* avait fait un sondage en 2010 auprès de soixante et onze joueurs professionnels, et 24% avaient répondu «oui» à la question «Pensez-vous que Tiger ait déjà utilisé des hormones de croissance ou tout autre produit dopant?» Ceux qui le pensaient imaginaient qu'il avait pris de la testostérone non seulement pour sa métamorphose musculaire du début des années 2000, mais aussi pour pouvoir encaisser ses énormes charges de travail – deux fois deux heures de musculation tous les jours. Ce qui aurait également pu expliquer la fragilité inhabituelle – en tout cas en golf – de ses tendons et de ses ligaments. Victor Conte fait partie de ceux convaincus que Woods a eu recours à des produits interdits. Fondateur du laboratoire BALCO, au centre d'un immense scandale de dopage aux stéroïdes en 2003, il est désormais propriétaire d'une société prospère qui fabrique des compléments alimentaires (la SNAC, pour Scientific Nutrition for Advanced Conditioning). Il demeure aujourd'hui un fin connaisseur du dopage dans le sport de haut niveau.

Selon lui, l'historique des blessures de Woods tendrait à prouver un appauvrissement minéral de son corps provoqué par la prise de produits dopants. «Lorsque vous prenez des stéroïdes anabolisants, votre corps finit par manquer de cuivre, dit-il. Et pendant que vous construisez vos muscles avec de l'azote et que vous favorisez la synthèse des protéines grâce à l'utilisation de stéroïdes, vous affaiblissez le tissu conjonctif, les ligaments et les tendons. Est-ce que ses blessures à répétition sont liées à la prise de stéroïdes anabolisants? Pour moi, la réponse est oui.»

Woods a toujours nié de façon catégorique tout usage de produits dopants. «Le docteur Galea est venu chez moi, racontat-il lors d'une conférence de presse durant le Masters 2010. Il ne m'a jamais prescrit d'hormones de croissance, et je n'en ai jamais pris de toute ma vie. Je n'ai jamais pris quoi que ce soit d'illégal, de toute façon.»

Galea, quant à lui, a toujours nié avoir voulu améliorer les performances des sportifs qu'il traitait, comme nous l'a dit son avocat Brian H. Greenspan: «Ça n'a jamais été le cas. Ces sous-entendus sont faux à 100%.»

Greenspan précise également que Woods a eu recours aux services du docteur Galea parce qu'il était un précurseur dans l'utilisation du plasma enrichi. Il était là pour soigner, pas pour tricher. Lorsqu'on lui a demandé si Galea avait injecté de la testostérone et des hormones de croissance à Woods, Greenspan nous a répondu que le docteur n'était pas en mesure de nous le préciser. Il a ajouté, dans un e-mail : « Le docteur Galea est dans l'obligation de préserver la confidentialité des dossiers médicaux de ses patients, qui ne peuvent être divulgués sans leur consentement écrit. »

Ceux qui connaissent toute la vérité sur ce dossier se comptent sans doute sur les doigts d'une main. Le docteur Mark Lindsay en fait probablement partie. Entre le 15 septembre 2008 et le 30 octobre 2009, il a soigné Woods à quarante-neuf reprises, selon l'administration de l'État de Floride. Il facturait chaque journée deux mille dollars plus les frais, pour un total de 118 979 dollars. Il a aussi raconté leur travail à certains de ses amis, par le détail : Tiger se réveillait et Lindsay lui appliquait son procédé d'Active Release Technique. Puis il partait s'entraîner pendant trois heures avant de rentrer déjeuner, moment où Lindsay effectuait une autre séance. Et quand Tiger se préparait pour un Majeur, Lindsay se rendait au practice avec sa table de massage pour des séances d'une heure entre chaque session de travail technique.

« Le but était d'augmenter sa souplesse et son rendement. Et le faire en même temps que ses séances de travail technique était d'une grande efficacité », expliqua-t-il.

Le docteur Lindsay avait d'abord refusé de nous donner des explications officielles. Mais il a finalement obtenu de Tiger Woods l'autorisation de s'exprimer à la fois sur leurs séances et sur l'utilisation éventuelle de produits dopants par son client. Le 17 décembre 2017, il a ainsi signé une déclaration qui courait sur quatre pages, après validation par son avocat Timothy S. B. Danson. Il nous l'a transmise après accord de Tiger Woods. En voici les passages les plus significatifs.

« J'ai été très proche de Tiger durant toute cette période. À aucun moment je ne l'ai vu prendre ou demander des substances interdites ou qui puissent améliorer ses performances, ni même y faire allusion. Quiconque suggère ou sous-entend le contraire est mal informé et

se trompe. Au contraire, Tiger était pleinement impliqué dans un processus de rééducation approprié et très rigoureux.

Tiger Woods est un athlète exceptionnellement doué et très discipliné. Ces qualités, ainsi que sa passion et son implication pour devenir le meilleur golfeur de tous les temps, sont à couper le souffle et le placent parmi les plus grands athlètes de l'histoire du sport. On ne peut pas penser de façon classique avec lui. Ses performances et sa capacité de récupération n'ont rien à voir avec le commun des mortels. Ses qualités exceptionnelles et uniques, qui en ont fait le meilleur dans son domaine, sont les mêmes qualités exceptionnelles et uniques qu'il a utilisées pour sa rééducation et son retour.

Je pratique la médecine sportive depuis plus de vingt-sept ans. J'ai traité des centaines d'athlètes de classe mondiale, couvert huit fois les jeux Olympiques ainsi que de multiples compétitions dans toutes les disciplines. Je sais ce que sont le tonus musculaire et les tissus. C'est essentiel au bon traitement d'un patient. Je continue de faire des recherches et de me tenir au courant des dernières publications médicales pertinentes. Je comprends le tonus corporel et musculaire et les tissus, ainsi que les effets de certains médicaments. Le tonus et les tissus du corps et des muscles de Tiger Woods sont tout à fait conformes à ce que l'on peut attendre d'un athlète de haut niveau qui n'a jamais pris de produits dopants. En d'autres termes, il n'y avait aucune preuve de rigidité, de raideur et d'hypertonie de son tonus corporel et musculaire ou de ses tissus pendant mes multiples examens physiques de Tiger Woods, ce à quoi on pourrait s'attendre s'il avait pris des médicaments pour améliorer ses performances.

À partir de cette expérience et de mes observations et soins, mon opinion professionnelle est qu'il n'a pas pris de substances pour améliorer ses performances, et qu'une telle hypothèse serait à ses yeux odieuse et répugnante. Tiger Woods est vraiment l'un des athlètes les plus impressionnants, talentueux, impliqués et déterminés avec lesquels j'aie jamais travaillé. Ce sont ces qualités et ces attributs qui ont contribué à sa rééducation et son retour. »

CHAPITRE 27
LE CRASH

Peut-être n'y avait-il jamais eu autant de vacarme sur une épreuve du PGA Tour. On n'y voyait presque plus rien, ce dimanche 29 mars 2009, sur le dernier green du Bay Hill Invitational : le crépuscule était tombé au moment où Tiger Woods enquillait un putt de cinq mètres pour la victoire. C'était l'un de ses plus beaux come-backs – il avait cinq coups de retard sur Sean O'Hair au départ du dernier tour, pour finalement le battre d'une longueur – et la foule venait d'exploser de joie, si fort que les hurlements durent s'entendre à des kilomètres à la ronde. Les commentateurs de NBC évoquèrent une performance « magique ». Ils auraient pu également dire *supernaturelle* ou *d'un autre monde* sans que ce soit exagéré. Woods avait soigné ses tendons d'Achille voilà seulement trois mois. Ses fractures de fatigue au tibia et son ligament en vrac avaient été guéris, quoi que Lindsay et Galea aient bien pu faire. La façon dont il avait fondu sur Sean O'Hair pour le battre sur le tout dernier trou était un indicateur on ne peut plus clair : il était de retour.

Il quittait le green au milieu des ovations lorsqu'Arnold Palmer lui-même vint le féliciter. « Qu'est-ce que je t'avais dit l'an dernier ? Qu'Earl aurait aimé ça. Oh oui, il aurait adoré. »[66]

Woods sourit et le remercia. Il était aux anges.

On se souviendra toujours de 2009 comme d'une année maudite pour Tiger, avec son mystérieux accident de voiture et le scandale mondial de ses infidélités. Des événements qui eurent lieu en novembre et en décembre. Auparavant, il avait joué l'un des meilleurs golfs de sa vie et remporté sept de ses dix-neuf tournois – il finit également dans le top 10 à seize reprises. Ses statistiques étaient encore une fois impeccables : premier à la moyenne

---

66. Woods s'était déjà imposé un an plus tôt grâce à un birdie sur le dernier trou.

de birdies, au scoring, au jeu de fer entre 150 et 180 mètres, et au nombre de greens pris en régulation. Il finit premier au classement de la Money List, avec plus de 10 millions de dollars de gains, et bien évidemment à la première place mondiale. C'est cette année-là qu'il devint le tout premier sportif au monde à dépasser le milliard de dollars de revenus dans une carrière. En résumé : il était le plus grand golfeur de l'histoire, le plus grand sportif de sa génération, et l'athlète le plus riche de tous les temps.

Mais il vivait dans le déni, il trompait ses proches et il se trompait lui-même. Son deuxième enfant était né en février : un garçon, Charlie Axel Woods. Sa naissance aurait dû l'inciter à passer plus de temps auprès des siens. La plupart des grands joueurs avaient par le passé connu une petite baisse de régime au moment de leur paternité, parce que leurs priorités avaient changé. « Quand j'étais plus jeune, avant d'avoir des enfants et de bien gagner ma vie, je voulais juste jouer au golf, raconta Tom Watson. Jouer, travailler, et devenir meilleur. Puis j'ai eu des enfants, et j'ai voulu passer du temps avec eux. Et donc j'ai perdu un peu de terrain sur les autres. » Woods, lui, n'a pas voulu changer de méthode et d'emploi du temps. Il était là pour gagner tous les tournois. Il s'était coupé de sa famille, et surtout de sa femme, en raison de son narcissisme qui venait nourrir ses addictions autodestructrices à la musculation, aux anti-douleurs, aux somnifères et au sexe.

C'est son éducation qui l'avait conduit à devenir cette espèce de machine à gagner. C'était elle, aussi, qui l'empêchait d'avoir une vraie relation de couple avec sa femme, basée sur la loyauté, la confiance et l'altruisme. De la même façon qu'il ne pouvait pas être un bon père. Il aimait ses enfants, c'était une évidence, mais son mode de vie le condamnait à devenir un père absent.

En juin 2009, il se trouvait à New York pour assister à un événement promotionnel pour EA Sports, qui lançait un nouveau produit sur le marché. Puis il donna une interview à Steve Helling, du magazine *People*, le jour même de la mort de Michael Jackson, victime d'une overdose d'anti-douleurs et de somnifères. Il était manifestement fatigué et fit ces déclarations au moment d'aborder la paternité : « Mon père est mort avant que Sam ne vienne au monde. Je n'ai donc jamais pu parler du sujet avec lui. Ce sera un regret éternel. Je pense à lui tous les jours. Il m'a tout appris, et j'entends sa voix. »

Tiger Woods avait commencé à prendre de l'Ambien pour combattre les insomnies au moment où son père s'apprêtait à mourir. Trois ans plus tard, il avait toujours ce type de problème. Torturé par la douleur et rongé par les regrets face à la mort d'Earl, conscient de ses lacunes en tant que père, il avait désespérément besoin de parler avec son meilleur ami. Il semblait plus seul que jamais, et cette interview sonnait comme un appel au secours.

Il retrouva son ami Derek Jeter après l'interview à *People*. Les deux hommes se rendirent dans un night-club de Manhattan accompagnés par trois jeunes filles. L'une d'entre elles s'appelait Amber Lauria, et c'était la nièce de Mark O'Meara. Tiger la connaissait depuis 1997. Il avait passé beaucoup de temps avec elle à son adolescence, et leur relation depuis le début était celle d'un grand frère avec sa petite sœur. Amber Lauria avait terminé ses études, elle travaillait pour la chaîne Fox News et ils se voyaient à l'occasion de ses passages à New York. Ils se téléphonaient régulièrement et s'envoyaient des SMS.

Elle raconta que leurs conversations prirent une tournure nettement plus triste après la mort d'Earl. Il avait souvent l'air malheureux.

«Il me considérait comme un membre de sa famille, mais quand même, je me disais: il doit vraiment être au fond du trou pour appeler et pleurer aussi souvent, pour être aussi mal depuis tout ce temps. C'est après la mort de son père que j'ai senti un vrai changement chez lui.» Amber aimait beaucoup sa femme, et elle se disait: *j'aimerais tellement qu'Elin soit avec lui quand il est comme ça.* Mais elle se rendait bien compte que ce n'était pas aussi simple de voyager avec deux enfants en bas âge.

Elle accepta de le rejoindre au night-club parce que c'était son amie. «Il était seul, il avait besoin de gens autour de lui», dit-elle. Mais elle sentait bien que les choses allaient de travers. «Je lui ai dit: "Je suis là pour toi, mais tu ne devrais pas être avec ta femme, ou au moins l'appeler? Je sais que tu voyages beaucoup, mais il se passe quoi là?"»

Il était à la dérive sur le plan émotionnel. Il voyageait de ville en ville et enchaînait les conquêtes. Il en rencontrait la grande majorité dans les clubs et les casinos. Il assurait à chacune d'elles qu'elle était la seule. Il exerçait une sorte de contrôle sur elles – celles qu'il payait comme celles qu'il séduisait. La plupart étaient plus jeunes que lui, moins raffinées, en admiration devant son statut mais pas vraiment conscientes de la portée de ses exploits. Une situation qui lui permettait de mener plus facilement sa double vie.

Mais il rencontra cette semaine-là une femme bien différente de toutes les autres. Rachel Uchitel était une beauté fascinante de trente-quatre ans. Elle avait grandi dans un environnement privilégié à Manhattan, obtenu un diplôme de psychologie et était devenue célèbre malgré elle juste après les attaques terroristes du 11 septembre. Le *New York Post* diffusa une photo où elle était en pleurs en tenant un portrait de son fiancé disparu, qui travaillait au World Trade Center. Le cliché fit le tour du monde grâce à internet. Elle travailla ensuite comme productrice télé chez Bloomberg avant de devenir manager et responsable de l'accueil VIP dans des night-clubs de luxe, de New York à Las Vegas. Elle avait une excellente réputation grâce à son sens du contact et sa rigueur. Elle eut également sa petite notoriété après une histoire d'amour avec l'acteur David Boreanaz. Elle connaissait aussi Derek Jeter.

Tiger tomba tout de suite sous le charme. Elle avait un an de plus que lui et son style de vie était assez semblable au sien, en tout cas davantage que toutes celles qu'il avait pu connaître jusqu'ici. Elle avait l'habitude de voyager autour du monde, de fréquenter la jet-set, les stars et les PDG. Elle se retrouva elle aussi dans son répertoire téléphonique, et Tiger était enregistré dans le sien sous le nom de code Bear.

Elle prit l'habitude de venir le voir à Orlando, où il mettait un appartement à sa disposition. Il tirait les rideaux quand il la retrouvait. Ils regardaient des films jusque tard dans la nuit, et il n'avait pas de problème pour s'endormir quand il était à ses côtés, malgré ses insomnies récurrentes. Deux éléments venaient renforcer leur relation : ils s'entendaient bien sur le plan physique, et ils avaient tous les deux connu des deuils douloureux – il souffrait encore de la disparition de son père, et elle avait perdu son fiancé dans une attaque terroriste et son père d'une overdose de cocaïne. Tiger lui dit un jour : « Tu me rends si heureux. » Un aveu bien triste pour un homme dont la famille vivait juste à côté, avec sa femme qui s'occupait de leur fille de deux ans et de leur fils de neuf mois, sans se douter de rien.

Hank Haney n'avait à ce moment-là pas conscience de tout ce qui se passait dans sa vie, mais il avait bien noté que Tiger s'entraînait moins et qu'il était moins concentré. «Je me demandais parfois : "Mais il est où, là?" Il me disait qu'il avait des courses à faire et il disparaissait pendant une heure ou deux. Ou bien lorsque Elin était absente et que je le voyais se préparer à sortir et que je lui demandais où il allait, il me répondait qu'il devait retrouver son ami Bryon Bell chez lui. Je voyais bien qu'il mentait.»

Mais jamais il n'avait imaginé qu'il allait rejoindre ses conquêtes tout près du practice. Hank Haney était celui qui passait le plus de temps avec Woods, et il ne l'avait jamais vu flirter. Alors être infidèle... «Je ne l'ai jamais vu avec qui que ce soit, dit-il. Et je suis le genre d'ami à demander ce qu'il se passe si je vois quelque chose. Steve Williams était tout comme moi.»

La seule chose que Tiger ne pouvait cacher à son entraîneur et à son caddie, c'était son attitude de plus en plus tendue sur le parcours. Les deux hommes avaient bien perçu quelques signaux d'alerte sur son état émotionnel à l'occasion de son retour sur le circuit en 2009. Lors du Masters, notamment. Woods n'avait pas joué son meilleur golf (il termina sixième à quatre coups du vainqueur Angel Cabrera) et il était en colère juste après son dernier tour : «Je me suis battu avec mon swing toute la journée, à coller du sparadrap partout. Et j'ai presque gagné le tournoi avec ce swing rafistolé.» Il ne mentionna pas le nom de Hank Haney. Mais cette remarque était plus qu'ambiguë et commença à nourrir les rumeurs de rupture entre les deux hommes.

Haney écrivit un mail à Tiger pour s'en plaindre : «Personne n'a apprécié ta façon de te comporter au Masters. Tu avais l'air tendu et énervé pendant toute la semaine.»

Il était à bout au niveau émotionnel, et cela se vit clairement lors de l'USPGA disputé à Hazeltine, près de Minneapolis. Il prit quatre coups d'avance sur ses seconds après deux tours, grâce à des cartes de 67 et 70. Un départ idéal pour se mettre en quête de son quinzième titre du Grand Chelem. Mais juste après son deuxième tour, un reporter eut l'audace de lui demander s'il s'était déjà «fait dessus» pendant un Majeur.

Furieux, Woods le regarda sans rien dire, plein de morgue.

Un silence pesant s'installa, finalement brisé par Kelly Elbin, qui dirigeait la conférence de presse : «On va prendre ça pour un non, j'imagine», dit-il.

«Sois créatif, tu sais faire d'habitude», finit par répondre Tiger.

Mais la question allait s'avérer pertinente.

Woods parvint à garder deux coups d'avance après le troisième tour, et tout suspense semblait alors avoir disparu. Il n'avait jamais perdu un Majeur quand il menait après trois tours, ce qui lui était déjà arrivé à quatorze reprises. Il jouait en dernière partie avec Yang Yong-eun, plus connu sous le nom de Y. E. Yang. Un Coréen du Sud de trente-sept ans qui avait touché son premier club à dix-neuf ans et qui n'avait jamais joué sous le par avant vingt-deux. Fin 2008, il avait dû rentrer un putt de deux mètres sur le dernier green des épreuves de qualification pour obtenir ses droits de jeu sur le PGA Tour. Il avait remporté un seul tournoi sur le circuit américain (en mars, au Honda Classic). Il n'avait a priori aucune chance.

Fidèles à leurs habitudes, Woods et son caddie ne lui adressèrent pas la parole de la journée. Mais Yang n'en fut aucunement déstabilisé, et il avait recollé au score après douze trous. Avant de se retrouver plugué dans le bunker de green du 13, alors que Woods avait lui planté son coup de fer de 224 mètres à 2,5 m du trou. Il allait sans doute faire bogey, Woods birdie, et le suspense allait s'évaporer pour de bon. Sauf que Yang tapa un coup exceptionnel pour se mettre à quatre mètres du trou, pour ensuite enquiller son putt pour le par.

Woods pouvait encore prendre un coup d'avance, à condition de faire birdie. C'était le genre de putt sous pression qu'il ne ratait jamais. Sauf cette fois-ci : la balle resta bord gauche, à sa grande stupéfaction. Il avait l'air à la fois incrédule et en colère.

Les joueurs qui en avaient fini avec leur partie étaient surexcités à l'intérieur du club-house. Certains d'entre eux s'étaient par le passé effondrés face à Tiger, et ils étaient prêts à encourager n'importe qui contre lui, même un fils de fermier coréen qu'ils connaissaient à peine. Woods avait encore cinq trous pour faire la différence, mais quelque chose clochait ce jour-là. Sur le 14, un court par 4, Yang rentra son approche pour eagle. Woods rentra lui son putt à deux mètres pour birdie pour ne concéder qu'un coup, mais il en rata deux autres assez courts sur le 15 et le 17 pour finalement perdre de trois coups. Il avait par le passé occupé la tête d'un Majeur à quatorze reprises au matin du dernier tour, pour quatorze victoires. Sa série venait de s'interrompre.

Steve Williams dit un jour à un de ses amis que cette défaite à l'USPGA fut la toute première brèche dans l'armure. C'était le début de ce qu'il appelait l'effet boule de neige, lorsqu'un événement imprévu «provoque un petit doute qui entre dans la conscience et va ensuite jusqu'à toucher l'imaginaire», ainsi qu'il l'avait décrit dans son livre *Golf at the Top* sorti en 2006. Puis, une fois blessée dans sa partie la plus sensible, la personne touchée «commence à être de plus en plus perméable aux interprétations négatives que l'imaginaire place sur le prochain coup, la prochaine journée, le tournoi suivant.»

En d'autres mots : il suffit que vous ratiez une fois quand ça compte vraiment − comme un putt de moins de trois mètres pour birdie le dimanche après-midi d'un Majeur − et les pensées sombres s'accumulent et prennent de plus en plus de place. C'est un peu ce qui arriva à Tiger à l'automne, après cette cruelle défaite. Lors du Deutsche Bank Championship, il jeta son driver de colère après un mauvais coup. Idem à l'Australian Masters, en novembre, où il balança son driver si fort au sol qu'il rebondit jusque dans la foule massée autour du tee de départ. Il aurait pu blesser quelqu'un.

Hank Haney regardait le tournoi à la télévision et se dit : *cet homme-là a des problèmes.*

Mais ça allait bien au-delà de ce qu'il pouvait imaginer. Le 29 août 2009, il avait envoyé une série de textos hardcore à Joslyn James, une actrice porno qu'il comptait parmi ses maîtresses, et qui donnaient une idée de son état d'esprit :

16h08 : Je vais te maintenir au sol pendant que je t'étrangle et que je baise ce cul qui m'appartient.

16h10 : Ensuite je te dirai de fermer ta gueule pendant que je te mets des baffes et que je te tire les cheveux pour te faire crier.

17h : Je veux vraiment me montrer brutal avec toi, et te frapper.

17h15 : Je veux que tu m'implores de te donner ma bite, que tu l'embrasses tout autour pour que je te la colle dans la bouche.

17h26 : T'as vraiment intérêt à le faire la prochaine fois qu'on se voit, sinon je vais te frapper, te fesser, te mordre et te baiser jusqu'à ce que tu demandes grâce.

En octobre, il envoya ce SMS à Jaimee Grubbs : «On se voit dimanche, c'est la seule nuit où je suis totalement libre.»

Il avait aussi une relation avec une responsable marketing d'un club de Las Vegas, âgée de vingt-sept ans, à qui il avait confié être malheureux dans son mariage et ressentir beaucoup trop de pression dans sa vie.

À la mi-octobre, il donna rendez-vous à Jaimee Grubbs à Newport Beach, puis il lui envoya ce texto le 18 :

Changement de plan. Retrouve-moi à l'hôtel, c'est bien plus sûr. J'ai réservé la chambre 905, côté est.

Avec ensuite ces instructions :

La réservation est au nom de Bell – M. et Mme Bryon Bell.

Au même moment, il organisait un autre rendez-vous avec Rachel Uchitel.

Le *National Enquirer* avait lui repris sa filature, suite à un nouveau tuyau. En 2007, IMG et ses avocats ingénieux semblaient avoir réussi un coup de maître en étouffant sa liaison avec une serveuse de pancakes à Orlando. Mais Tiger avait sous-estimé la force des tabloïds : ils étaient comme des requins, capables de repérer une goutte de sang dans l'océan à des kilomètres. Lui était comme un animal blessé, l'*Enquirer* avait toujours gardé un œil sur lui – et dès que Rachel Uchitel entra dans la danse, la chasse fut ouverte pour de bon. Des photographes se mirent en planque devant son appartement, au cas où.

Une source du tabloïd raconte : « On s'est juste dit, bon bah on la suit et on voit. Le scénario fonctionne bien dans les séries télé, mais dans la vraie vie, le taux de réussite est à peu près de 2 %. Et là, ça a marché au-delà de nos espérances. Jusqu'à leur chambre. »

La chambre en question se trouvait au Crown Towers de Melbourne, là où Woods résidait pendant l'Australian Masters. Rachel Uchitel était sur le point de s'y rendre après avoir reçu cet e-mail de Bryon Bell : « Voilà tous les détails pour le vol. Désolé pour tous ces changements. On se voit demain. »

Bell était un élément essentiel du dispositif : c'est lui qui arrangeait les rendez-vous et qui gardait le secret sur ces affaires. Mais pas sur ce coup-là. Une équipe de photographes se tenait prête à l'aéroport de Melbourne, ainsi qu'à l'hôtel. Lorsqu'elle prit l'ascenseur pour le trente-cinquième étage, un reporter du tabloïd réussit à l'accompagner et lui demanda si elle se rendait dans la suite de Tiger Woods. Elle commença par nier, mais sans convaincre qui que ce soit. Elle finit par rentrer aux États-Unis pour laisser l'équipe de Tiger se débrouiller avec un énorme scandale à l'horizon.

Sa vie privée risquait d'exploser, mais Tiger remporta pourtant l'Australian Masters avec deux coups d'avance – sans compter les 3 millions de dollars de prime de participation. Il se montra ensuite particulièrement bavard avec les journalistes locaux : « C'était un parcours assez piégeux, tout de même. Il n'est pas spécialement long, mais on peut taper des coups pas si mauvais que ça et se retrouver en fâcheuse posture. On doit savoir où on peut se permettre de rater. C'est ce que j'aime dans ce genre de parcours – ça va très vite, et il faut savoir travailler la balle. »

Une conférence de presse finalement très révélatrice de sa double vie. Son mariage était sur le point d'exploser, il savait que de possibles révélations risquaient de le mettre en grand danger, mais il était capable de parler tranquillement de la stratégie à adopter sur un parcours sec et rapide. Exempté depuis très longtemps de toute responsabilité dans sa vie de tous les jours, il avait fini par se convaincre qu'il pouvait tromper sa femme en toute impunité et qu'il ne se ferait jamais surprendre.

On peut aussi imaginer que tous les risques qu'il prenait dans sa vie privée – et les montées d'adrénaline qui allaient avec – venaient quelque part renforcer son génie créatif sur le parcours. Peut-être qu'il s'était montré tellement génial clubs en mains qu'il avait besoin de se trouver des défis à la hauteur en dehors – la plongée, les stages commando, la musculation à outrance. Toutes les femmes de sa vie n'étaient donc là que pour combler un vide. Parce qu'aussi curieux que cela puisse paraître, les faits étaient évidents : il jouait le meilleur golf de sa vie alors que tout partait en quenouille à côté. Comme si le chaos venait renforcer son jeu. Il eut cependant un mauvais pressentiment pendant son vol retour. Une fois arrivé à Isleworth, il confia à un joueur professionnel : « Je crois bien que les médias vont sortir une sale histoire sur moi. »

Problème supplémentaire : Rachel Uchitel avait peut-être nié toute relation devant le journaliste en Australie, mais elle s'était confiée à plusieurs de ses amis. Et l'un d'eux, après être passé au détecteur de mensonges, vendit toute l'histoire à l'*Enquirer*.

Woods tenta à nouveau d'étouffer l'affaire, comme le confia une source interne au tabloïd : « On a dû recevoir des appels de tous les avocats qu'il avait pu employer dans sa vie. »

Mais ça ne pouvait plus marcher comme ça. Woods était devenue une cible trop évidente, trop attirante. Et l'histoire était en plus «magnifiée» par le fait qu'il avait une réputation de bon père de famille, un mensonge à l'eau de rose entretenu par toutes ses campagnes de pub avec Nike, Disney ou American Express. Il avait réussi à échapper au tabloïd pendant de nombreuses années. Mais il était devenu une personnalité publique, avec son visage sur les boîtes de céréales, les panneaux d'aéroport et partout ailleurs. Il était dans le viseur, et le *National Enquirer* allait tirer.

«En général, on n'y va pas tant qu'on n'a pas de preuves irréfutables. Mais une fois qu'on les a, plus rien ne peut nous faire changer d'avis, dit une source du tabloïd. S'ils veulent négocier ou s'ils nous menacent, on leur dit: "OK, allez-y, attaquez-nous en justice." Et puis ensuite on les attaque à notre tour pour plainte abusive.»

Quand ils comprirent que la partie était définitivement perdue, Tiger et son équipe essayèrent de sauver ce qui pouvait encore l'être. Mark Steinberg appela Hank Haney, en route pour la Chine où il s'apprêtait à ouvrir une académie: «Hank, je préfère te prévenir. Il y a une histoire qui va sortir dans la presse, Tiger avec une fille. Ce n'est pas vrai. Tout va s'arranger, mais si on te demande quoi que ce soit, tu ne dis rien.»

Puis il envoya un texto à Steve Williams: «Il y a une histoire qui sort demain. Rien de vrai, du tout. Ne parle à personne.»

Tiger devait maintenant convaincre sa femme. Il lui dit qu'il n'y avait rien entre lui et Uchitel, que toute cette histoire n'était que mensonges. Mais le lundi 23 novembre, juste avant la sortie du magazine, l'«Affaire Uchitel» commença à circuler sur le net. Avec notamment une citation attribuée à la maîtresse de Tiger, qu'Elin reçut comme un coup de couteau: «C'est Tiger Woods. J'en ai rien à faire de sa femme. On s'aime, c'est tout.»

Prise de court, Elin ne savait pas qui croire. C'était la semaine de Thanksgiving, Charlie venait de faire ses premiers pas et de prononcer ses premiers mots. Les meilleures nouvelles du monde, mais ce qu'elle venait de lire sur le web l'empêchait de penser à quoi que ce soit d'autre. Elle décida d'appeler la personne en qui elle avait le plus confiance – Josefin, sa jumelle. Elles étaient les meilleures amies du monde depuis toujours, et Josefin saurait quoi faire, pensait-elle. Elle avait réussi ses diplômes de droit à Londres et à Stockholm, pour ensuite rejoindre la société américaine McGuireWoods LLP. Elle se trouvait dans leurs bureaux londoniens quand Elin l'appela, et elle lui apporta tout de suite tout le soutien nécessaire.

La situation dégénérait, et Tiger eut l'audace incroyable d'organiser un rendez-vous téléphonique entre Elin et Rachel Uchitel. Sa maîtresse confirma ses dires : non, il n'y avait absolument rien entre eux... Elin n'était pas convaincue et demanda à voir le téléphone de Tiger. Effrayé qu'elle puisse découvrir l'ampleur des dégâts, il tenta par tous les moyens d'effacer ses traces. Il laissa un message vocal urgent à Jaimee Grubbs : «Tu pourrais changer ton message vocal s'il te plaît ? Ma femme veut que je lui donne mon téléphone et elle pourrait t'appeler. Donc, si tu pouvais enlever ton nom du message et juste laisser un numéro de téléphone comme message d'accueil. Il faut que tu fasses ça pour moi. C'est super important. Vite. Bye.»

Le lendemain, veille de Thanksgiving, le *National Enquirer* fut distribué dans tous les supermarchés de la région d'Orlando avec ce titre : « Exclusivité mondiale : le scandale adultère de Tiger Woods». Une couverture qui mit encore plus d'huile sur le feu chez les Woods. L'ambiance était désastreuse, d'autant plus que la mère de Tiger était venue leur rendre visite. Et rien ne l'angoissait plus que de risquer de la décevoir. Kultida avait connu maintes trahisons familiales, avec ses parents qui l'avaient abandonnée et son mari qui l'avait trompée toute sa vie. Si elle devait se rendre compte que son fils avait fait pire que son père, sa réaction risquait d'être terrifiante.

Les vacances donnèrent une fausse impression de répit. Le pays vivait au ralenti, et les révélations du tabloïd connurent finalement assez peu d'échos. Mais le téléphone de Tiger regorgeait d'informations potentiellement explosives, et il était devenu complètement accro. Il ne pouvait s'empêcher d'envoyer des textos, même en ce jour de fête. Il souhaita un joyeux Thanksgiving à Jaimee Grubbs, qui lui répondit «Toi aussi mon amour».

Elin était elle aussi obsédée par le téléphone de son mari. Elle attendait la première occasion pour le consulter. Ce qu'elle fit lorsque Tiger s'endormit après avoir pris de l'Ambien ce soir-là. Elle parcourut tous ses textos jusqu'à en trouver un qui disait : «Tu es la seule que j'aie jamais aimée». Et ça ne lui était pas destiné.

Elle ne savait pas vraiment à qui il l'avait envoyé. Elle écrivit un texto au même numéro, pour voir, qui disait : «Tu me manques.

Quand est-ce qu'on se revoit ? » La personne répondit tout de suite. Tiger dormait, Elin appela le numéro et Rachel Uchitel décrocha. Elin reconnut tout de suite sa voix et devint comme folle.

On connaît la suite de l'histoire : Tiger qui sort de chez lui pieds nus, en plein milieu de la nuit, qui monte dans son 4x4 et qui va s'encastrer dans une bouche d'incendie près de chez son voisin. La police qui arrive, après un appel au 911, et qui découvre les vitres arrières de sa voiture éclatées à coups de clubs de golf. Par son épouse...

Esther Perel, une psychologue pour couples réputée, a travaillé avec des centaines de personnes dont la vie de famille a été fracassée par les infidélités : « En dehors de la mort et de la maladie, il n'existe pratiquement rien d'aussi destructeur que l'adultère », assure-t-elle. Dans son best-seller *The State of Affairs: Rethinking Infidelity*, elle explique que la souffrance de l'épouse trompée va bien au-delà de la confiance bafouée. « C'est l'anéantissement de la vision romantique de l'amour. C'est un choc qui nous fait remettre en question notre passé, notre avenir et même notre identité. Le maelström d'émotions déclenchées par la révélation d'une affaire extra-conjugale est si bouleversant que de nombreux psychologues jugent qu'il en reste parfois des vraies séquelles : rumination obsessionnelle, hyper-vigilance, torpeur et dissociation, rages inexplicables, attaques de panique. »

Ce serait un euphémisme d'affirmer qu'Elin a vécu un « maelström d'émotions » en apprenant tout ce qui s'était passé. Mais quand Tiger gisait inconscient sur la route, en cette nuit du 27 novembre 2009, avec la bouche ensanglantée, il apparaissait finalement tel qu'en lui-même – fragile, vulnérable, blessé. En état de choc, Elin essayait d'aider celui qui venait de lui briser le cœur – elle plaça un oreiller sous sa tête, lui enleva ses chaussettes, mit une couverture sur son corps tout en le suppliant d'ouvrir les yeux. Prise de panique, Kultida se demandait ce qu'il pouvait bien se passer, tout comme les officiers de police et les infirmiers. Tiger fut déposé sur une civière et porté jusqu'à une ambulance. Il ouvrit les yeux quelques secondes, et essaya de parler. Ses lèvres remuèrent sans émettre le moindre son, puis ses yeux partirent en arrière comme s'il venait de mourir. Elin hurla et Kultida se mit à pleurer alors que les ambulanciers fermaient les portes du véhicule qui s'éloignait dans la nuit.

CHAPITRE 28
LA TEMPÊTE

Mais comment en suis-je arrivé là ?

Pour Woods, c'était une question qui allait bien au-delà de sa présence à l'hôpital, au service des urgences. Lorsqu'il se réveilla le lendemain matin, son monde venait d'exploser. Ce qui au départ était une tentative désespérée de cacher la vérité à sa femme s'était transformé en crise majeure. Le monde entier allait bientôt savoir.

Le personnel médical s'affairait autour de lui. Ils vérifièrent ses fonctions vitales, nettoyèrent sa lèvre pour ensuite la recoudre et lui firent une prise de sang. Des appareils contrôlaient sa pression sanguine et les battements de son cœur, on surveillait son évolution, et une infirmière prenait régulièrement de ses nouvelles. Lui qui avait l'habitude de tout contrôler devait s'en remettre totalement aux autres.

Deux officiers de police attendaient devant sa chambre pour lui poser des questions. Ils voulaient également connaître les résultats de ses tests sanguins. Elin leur avait déjà donné deux boîtes qui contenaient ses médicaments – les somnifères (Ambien) et les antidouleurs (Vicodin). La question était maintenant de savoir si la prise de ces pilules avait pu provoquer l'accident. Et les caméras de télévision arrivaient sur le parking, de plus en plus nombreuses.

Après quelques heures, ses fonctions vitales étaient stables et il devenait clair qu'il ne souffrait que de blessures superficielles. Il demanda à rentrer chez lui et l'hôpital le laissa sortir sur le coup de 13 heures.

Il avait regagné son domicile, mais les officiers de police avaient mis sa voiture en fourrière et voulurent la fouiller. Ils ne trouvèrent qu'un livre à l'intérieur – un ouvrage de science écrit par un professeur britannique nommé John Gribbin et intitulé *Get a*

Grip on Physics[67]. Enfant, il aimait bien lire les comptes-rendus des missions de la NASA. Adulte, il avait gardé cet intérêt pour l'espace. Comme un symbole de son innocence perdue, l'ouvrage était recouvert par les éclats de verre. Comment Tiger avait-il pu provoquer autant de dégâts, et renverser autant de choses, en cent cinquante mètres à peine ? Il était rentré chez lui depuis quelques heures lorsque la Florida Highway Patrol rendit public l'incident, en précisant qu'une enquête était toujours en cours et que le conducteur pourrait faire l'objet de poursuites. « Nous ne pensons pas qu'il s'agisse d'une querelle conjugale », ajouta un porte-parole de la police, ne faisant ainsi qu'alimenter les rumeurs qui prétendaient le contraire.

Le porte-parole de Tiger Woods publia un communiqué ce même après-midi, assurant qu'il était en bonne forme. Une mascarade, tant il semblait plus vulnérable que jamais. L'enquête à venir de la police était susceptible de passer sa vie personnelle au microscope, et sa femme ne lui faisait absolument plus confiance. Elin se méfiait de tout le monde désormais, sauf de sa propre famille. Sa sœur Josefin avait bien saisi la détresse dans laquelle elle se trouvait. Elle demanda à Richard Cullen, l'un des associés de son cabinet d'avocats : « Est-ce qu'on pourrait aider ma sœur ? »

Cullen avait par le passé travaillé sur les affaires du Watergate et de l'Iran-Contra[68]. Il avait aussi fait partie de l'équipe rapprochée du président George W. Bush pour le recompte des voix lors de l'élection de 2000. Après avoir été procureur général de l'État de Virginie, il travailla pour plusieurs multinationales sous le coup d'enquêtes diligentées par l'administration américaine. Il possédait plusieurs cabinets en Europe et aux États-Unis. Aucun d'eux n'était spécialisé dans les affaires de famille, mais Cullen était un tacticien hors pair, capable d'affronter et de résoudre n'importe quel type de problème. Il semblait parfaitement taillé pour cette mission. Elin, elle, se trouvait en terre inconnue. Elle était encore sous le choc, mais avait cependant vite compris que divorcer du sportif le plus riche du monde, si divorce il devait y avoir, ne serait pas une procédure comme les autres : ce serait aussi la fin d'un business florissant. Elle avait deux enfants en bas âge, et elle voulait également être sûre de faire ce qui était le mieux pour eux.

---

67. *Comprendre la physique.*
68. Scandale politico-militaire des années 1980.

Elle finit par s'engager avec McGuireWoods. Cullen dirigeait l'équipe avec l'aide de son partenaire Dennis Belcher, et trois autres avocats furent également mis sur le coup – dont la sœur d'Elin, Josefin. L'armée d'avocats que Woods avait l'habitude d'employer risquait cette fois de trouver à qui parler.

Woods avait quitté l'hôpital depuis quelques heures quand deux officiers de police vinrent frapper à sa porte. Elin les invita à entrer, mais leur dit que son mari dormait et qu'il n'était pas en état de leur parler. Ils lui demandèrent quelques détails sur l'accident de voiture, mais elle refusa de répondre en son absence. Elle leur proposa de repasser le lendemain à 15 heures, puis quitta le salon, disparaissant par un couloir. Seuls dans la maison des Woods, les deux officiers décidèrent alors de s'en aller.

L'emploi du temps de Tiger le lendemain de l'accident comporte encore beaucoup de zones d'ombre. Certains pensent qu'il a pris un vol privé pour l'Arizona afin de se faire remplacer une dent qu'il aurait perdue quelque part entre le moment où Elin a appelé Uchitel et celui où les infirmiers l'ont trouvé inconscient, étendu à terre près de chez lui. Plusieurs sources assurent qu'un chirurgien-dentiste réputé de la région de Phoenix s'est occupé de l'opération. Celui-ci n'a pas voulu répondre à nos questions. Mais Tiger avait des problèmes autrement plus sérieux qu'une dent cassée.

Mark Steinberg en avait bien conscience, plus que quiconque. Il avait espéré depuis le début que cette histoire avec Rachel Uchitel resterait confinée aux pages du *National Enquirer*. Parce que personne ne prendrait vraiment au sérieux un article de tabloïd, et Tiger pourrait une nouvelle fois passer à travers les gouttes. Il y aurait certes de la tension dans son couple, mais tout le reste – son jeu, ses contrats, sa fondation – continuerait à fonctionner normalement. La situation s'était cependant nettement détériorée quand il arriva chez son client. Son mariage était au plus mal, son accident de voiture faisait les gros titres partout dans le monde, et la stratégie à adopter devenait du coup moins évidente. Dans les vingt-quatre heures qui suivirent l'accident, l'officier chargé des relations publiques pour la Florida Highway Patrol reçut plus de mille six cents e-mails de différents organes de presse qui cherchaient à en savoir plus. Les requêtes venaient du monde entier : Mexique, Canada, Japon, Australie... L'agence Associated

Press avait elle passé soixante-huit coups de fil pour demander des documents, des mises à jour et des photos. Lorsque Steinberg retrouva Tiger chez lui, des hélicoptères tournaient au-dessus de sa tête et les camions avec transmission satellite des chaînes de télévision étaient garés en masse devant les portes de la résidence.

Les journalistes se posaient les mêmes questions que les policiers : pourquoi Tiger Woods avait-il quitté son domicile à 2 h 30, en pleine nuit ? Où comptait-il se rendre ? Comment avait-il pu perdre à ce point le contrôle de son véhicule ? Quel rôle avait joué sa femme dans cette histoire ? Et aussi : est-ce qu'il était sérieusement blessé ?

Woods se trouvait devant un dilemme. Légalement, rien ne l'obligeait à répondre aux questions des policiers. Mais refuser de le faire risquait de renforcer les suspicions, comme s'il avait quelque chose à cacher. Il avait toujours été très fort pour se façonner une image de gendre idéal aux yeux du public. Et là, les événements le poussaient à se regarder pour de bon dans un miroir, ce qu'il avait toujours réussi à éviter. Mais il restait dans le déni, à mentir à sa femme, à sa mère, et surtout à lui-même.

La mission de Steinberg s'annonçait impossible. Il commença par tout annuler, notamment la conférence de presse que Tiger devait tenir trois jours avant le début d'un tournoi qui aidait sa fondation. Il devait également y participer comme joueur, mais son agent prétexta une blessure pour mettre fin à sa saison 2009. Puis il s'occupa de la police. Quand les enquêteurs arrivèrent aux alentours de 15 heures, comme prévu la veille, il les accueillit à l'extérieur de la maison pour leur dire que son client ne se sentait pas bien. Il leur demanda à son tour de revenir le lendemain à la même heure, leur assurant que Tiger et Elin seraient alors en état de leur parler.

Mais Woods n'avait sans doute pas l'intention de dire quoi que ce soit. Steinberg demanda à Mark NeJame, l'un des avocats les plus célèbres d'Orlando, de gérer les relations avec la police. Il rembarra une nouvelle fois les officiers le lendemain, puis NeJame leur signifia que ce n'était plus la peine de revenir : son client ne dirait rien. Il se contenta de leur envoyer une copie de son permis de conduire et une attestation d'assurance.

Le 29 novembre, lors d'une nouvelle visite au domicile des Woods, les officiers de police rencontrèrent Mark NeJame, qui leur remit les documents en question. Ils lui demandèrent alors s'il était possible de visionner les images des caméras de surveillance de la nuit de l'accident. Ils reçurent une réponse du cabinet de NeJame un peu plus tard dans la journée : Tiger Woods n'était pas en mesure de les récupérer. En d'autres termes : oubliez.

Le nombre de camions satellite aux portes d'Isleworth augmentait encore et encore, et Tiger fit paraître un communiqué sur son site officiel cet après-midi-là :

Je comprends qu'il puisse y avoir de la curiosité, mais toutes les rumeurs et les informations fausses et malveillantes qui circulent sur ma famille et sur moi-même sont simplement irresponsables.

Elin, mon épouse, a agi avec beaucoup de courage quand elle a vu que j'étais blessé. Elle a été la première à m'aider. Toute autre affirmation est absolument fausse.

Cet accident a été très pénible et difficile pour Elin, notre famille et moi-même. Je remercie tous ceux qui se sont inquiétés et qui m'ont envoyé leurs vœux de rétablissement.

Mais je demanderai à tout le monde de respecter notre intimité, même si certains peuvent se montrer particulièrement envahissants.

Seulement trente-six heures s'étaient écoulées depuis l'accident. Pour Woods, ça avait sans doute ressemblé à des semaines. Sa femme ne connaissait pas tout le tableau, loin de là, et il n'y avait probablement rien de plus pénible que de rester chez soi et craindre le pire : que tous les secrets finissent par être révélés. Les premiers jours, son scandale d'adultère était resté cantonné aux pages des tabloïds. Mais les barrages systématiques mis en place par son équipe de conseillers attisaient la curiosité des médias grand public. Le dimanche, le *New York Times* titra en une : «Qu'est-ce que Woods essaie de cacher ? » Les agences Reuters et Associated Press cherchaient à en savoir davantage. Les journalistes des chaînes d'infos s'y étaient collés à leur tour. La situation était explosive.

Steinberg avait lui aussi de bonnes raisons de paniquer. La crédibilité de Tiger semblait s'effondrer chaque jour un peu plus, alors qu'elle était le fondement même de sa valeur marchande. Les contrats de Woods avec ses sponsors lui assuraient de toucher plus de cent millions de dollars par an. Qu'un journal aussi sérieux que le *New York Times* pose une telle question, c'était une vraie menace sur ses revenus. Les PDG n'avaient que faire des ragots de tabloïds, mais ils lisaient tous le *Times*. Si cette histoire ne se calmait pas rapidement, ils allaient devenir nerveux.

Le lendemain du communiqué publié par Woods, l'avocat représentant l'administration américaine pour Isleworth refusa la demande de la police, qui voulait émettre une citation à comparaître pour Tiger. Au-delà de l'enquête en cours, les officiers voulaient surtout avoir accès à son dossier médical et aux résultats de ses tests sanguins. L'avocat estima cependant qu'il n'y avait pas assez d'éléments à charge, et le 1er décembre, Tiger reçut une simple contravention d'un montant de 164 dollars. Plus d'une centaine de reporters et de cameramen assistèrent à la conférence de presse donnée dans les locaux de l'administration centrale, qui annonça que l'affaire était close. NeJame, l'avocat de Tiger, fit ce commentaire : « Nous sommes satisfaits de la décision. Cette histoire appartient au passé. »

Sauf que ça ne faisait que commencer. L'équipe de Tiger s'était démenée dans tous les sens pour essayer d'éteindre l'incendie, mais c'est comme s'ils avaient voulu combattre un feu de forêt avec une simple couverture. NeJame avait peut-être réussi à tirer son client des griffes de la police, mais il n'avait aucune chance face à la puissance des tabloïds et l'intérêt grandissant du public. Moins de vingt-quatre heures après la fermeture officielle de l'enquête, le magazine *Us Weekly* publiait en couverture une photo de Tiger et Elin, comme s'ils filaient le parfait amour, accompagnée du titre « Oui, il l'a trompée ». L'article racontait tout de sa romance avec Jaimee Grubbs, qui avait selon certaines rumeurs perçu 150 000 dollars en échange de son témoignage. Elle affirmait qu'elle avait rencontré Tiger à une vingtaine de reprises, à chaque fois pour coucher avec lui, et qu'il lui avait envoyé plus de trois cents textos très osés. Elle avait aussi transmis son message vocal au magazine, qui l'avait mis en ligne sur son site. Le téléphone de NeJame commença à sonner non-stop.

Une deuxième maîtresse était maintenant connue du grand public, et Tiger publia un nouveau communiqué sur son site. Pour s'excuser, cette fois. « J'ai déçu ma famille, et je le regrette du fond du cœur, écrivit-il. Je n'ai pas été fidèle à mes valeurs, et je ne me suis pas comporté comme ma famille le mérite. Mais pour moi, cette histoire doit se régler dans le seul cadre de notre intimité. »

Nike publia immédiatement un communiqué très clair pour assurer Tiger et sa famille de son soutien le plus total. Ses autres sponsors étaient en revanche bien plus prudents. Gatorade s'en tint à : « Notre partenariat continue », ce qui sous-entendait « pour l'instant ». Un porte-parole de Gillette fut encore plus sibyllin en affirmant : « À ce jour, nous ne prévoyons aucune modification de nos campagnes marketing. » Son business à plusieurs dizaines de millions de dollars était clairement en danger, et Steinberg et ses avocats se trouvaient devant une perspective effrayante : combien d'histoires sont susceptibles de sortir ? Et comment faire en sorte que ses conquêtes gardent le silence alors que les tabloïds étaient prêts à les payer pour qu'elles déballent tout ?

La plus menaçante de toutes s'appelait Rachel Uchitel. Elle avait embauché Gloria Allred, une avocate très connue, qui avait programmé une conférence de presse à Los Angeles. La dernière chose dont Woods avait besoin, c'était de la voir pleurer devant une armée de reporters et de caméras. Mais l'événement fut annulé dès que les avocats de Tiger purent parler à Allred. Même si Rachel Uchitel fit la couverture du *New York Post* avec ce titre : « Les green-fees de Tiger : des millions de dollars pour faire taire Rachel − et plus encore pour garder sa femme ». Les détails ne furent jamais révélés, mais Uchitel avait paraît-il reçu dix millions de dollars contre la signature d'un accord où elle s'engageait à ne rien dire du tout sur leur relation.

Tiger avait beau tenter n'importe quoi, toutes les histoires et les infos sortaient les unes après les autres. Le lendemain des gros titres sur Uchitel, Mindy Lawton prit à son tour la parole pour jurer que Tiger refusait de mettre des préservatifs quand ils se voyaient. Ce qui déclencha une nouvelle vague de critiques, certains l'accusant de mettre la santé de son épouse en danger.

Elin avait été stupéfaite de découvrir que son mari la trompait, juste avant l'accident de voiture. Mais elle était maintenant en état de choc devant l'enchaînement des révélations. Elle n'arrivait pas à croire ce qu'elle lisait. « Je me sentais de plus en plus bête au fur et à mesure que les infos tombaient, dit-elle. Comment avais-je pu ne me rendre compte de rien ? » Surtout qu'il ne s'agissait pas simplement de deux ou trois conquêtes à la va-vite : Tiger était un véritable coureur de jupons.

La mère d'Elin et sa sœur jumelle étaient venues d'Europe pour lui apporter leur soutien et l'aider à s'occuper des enfants. Elles lui rappelèrent qu'au cours des trois dernières années, elle avait accouché deux fois, repris des cours du soir pour valider son diplôme de psychologie et géré l'éducation des enfants. Il lui était presque impossible d'accompagner Tiger sur ses tournois. Elle n'avait de plus aucune raison d'être suspicieuse à son égard, puisqu'elle lui avait toujours été loyale et qu'elle n'imaginait pas que l'inverse ne soit pas tout aussi vrai. Elle avoua quand même à sa mère qu'elle avait toujours eu tendance à faire confiance aux gens, mais qu'elle craignait que ce ne soit plus le cas désormais. «Le mot *trahison* n'est pas assez fort, dit-elle. C'est comme si mon monde venait de s'écrouler.»

Le 11 décembre 2009, le nombre officiel de maîtresses de Tiger était monté à quatorze. Cet après-midi-là, il annonça qu'il mettait le golf entre parenthèses. «Je suis bien conscient de voir à quel point mon infidélité a pu décevoir et blesser de nombreuses personnes, au premier rang desquelles ma femme et mes enfants, dit-il sur son site officiel. Je demanderai à tout le monde de faire preuve de compréhension : mes fans, les gens de ma fondation, mes sponsors, le PGA Tour, et mes partenaires de jeu. Après un examen de conscience, j'ai décidé de prendre une pause d'une durée indéterminée. Je dois travailler pour devenir un meilleur père, un meilleur mari et une meilleure personne.»

Ses sponsors lui donnaient énormément d'argent pour ses exploits clubs en mains, certes, mais aussi parce qu'il avait une réputation immaculée. Mais c'était déjà devenu de l'histoire ancienne. Tiger fut mentionné en une du *New York Post* pendant vingt et un jours consécutifs, c'est-à-dire davantage que les vingt unes d'affilée consacrées aux attentats du 11 septembre 2001. Les artistes de stand-up s'en donnaient à cœur joie avec ses infidé-lités. Le lendemain de l'annonce de son break, l'émission *Saturday Night Live* diffusa un sketch intitulé «Maîtresse numéro 15». Une satire que les sponsors de Tiger apprécièrent modérément. Accenture, son partenaire depuis 2003, fut le premier à rompre son engagement. La société lui versait sept millions de dollars par an et diffusait en boucle la publicité «*Go on. Be a Tiger*». Anciennement appelée Andersen Consulting, elle était devenue un géant présent dans cinquante-deux pays avec 177 000 salariés, et sa valeur boursière était estimée à 26 milliards de dollars. Accenture avait dépensé 50 millions en publicités pour la seule année 2008, avec le plus souvent Tiger Woods en tête d'affiche. «Tiger était notre outil de communication le plus efficace, aucun doute là-dessus», dit au *New York Times* le porte-parole de la société, Fred Hawrysh.

Était. Il appartenait maintenant au passé.

«Après une étude attentive de la situation, nous avons conclu qu'il n'était plus l'homme de la situation pour Accenture», fit savoir l'entreprise, qui mit fin à leur collaboration tout de suite après ce communiqué et le remplaça sur son site internet par la photo d'un skieur anonyme. Le lendemain, toute trace de Tiger Woods avait disparu de leurs bureaux new-yorkais. Une stratégie d'effacement qui allait rapidement s'étendre à leurs locaux dans le monde entier.

Deux jours plus tard, le *Times* affirma que les autorités fédérales américaines avaient lancé une enquête afin de déterminer si le docteur Tony Galea avait prescrit des produits dopants à ses athlètes, tout en précisant que Woods l'avait reçu à de multiples reprises à son domicile en 2009. Puis le *Wall Street Journal* révéla de nombreux détails sur l'accord passé entre American Media, *Men's Fitness* et l'équipe de Tiger pour enterrer l'histoire avec Mindy Lawton en 2007.

C'était un véritable feu de forêt qui dévorait tout sur son passage. Le scandale enflait de jour en jour, et les partenaires de Tiger se défilaient les uns après les autres : AT&T, Procter & Gamble, Tag Heuer... Seuls Nike et EA Sports lui restèrent fidèles. Le PDG d'EA Larry Probst et son comité directeur pesèrent le pour et le contre – leur relation qui courait depuis douze ans contre la puissance du scandale. Le fabricant de jeux vidéo avait dû affronter plus d'une tempête avec Mark Steinberg au fil des ans, essentiellement parce que Tiger refusait de partager l'affiche avec d'autres golfeurs professionnels. Le service marketing d'EA avait un jour imaginé le concept de « *Young Guns* » pour promouvoir des golfeurs plus jeunes et mettre un peu de piment dans l'affaire. Refus immédiat et sans appel de Tiger. Mais EA Sports sentait bien que c'était le moment de faire bouger les choses. «La roue venait de tourner, et je savais qu'on allait enfin pouvoir obtenir les concessions qu'on recherchait depuis si longtemps», dit Chip Lange, alors vice-président du marketing pour EA Sports. L'idée, c'était de pouvoir mettre en avant Rory McIlroy, la toute nouvelle star du jeu.

Tiger était sorti de l'hôpital depuis trois semaines et il restait enfermé chez lui. Il avait également coupé tout contact avec l'extérieur en dehors de Mark Steinberg. Mark O'Meara lui envoya des textos et des e-mails, sans jamais recevoir de réponse. Hank Haney se fendit lui aussi de quelques SMS, et Steve Williams laissa des messages. Mais il les ignora tous, sans doute trop mal à l'aise pour parler avec ses amis.

Ces derniers étaient plutôt déroutés, à la fois par le silence du joueur et par les révélations quotidiennes dans la presse. Hank Haney croisa Charles Barkley en décembre et lui demanda s'il était au courant de cette double vie : « Charles, lui dit-il, je veux que tu sois totalement honnête avec moi.»

« Hank, répondit Barkley, laisse-moi te demander un truc : je passais entre dix et quinze jours par an avec Tiger, et toi à peu près deux cents. Si toi tu ne savais pas, mais putain, comment moi j'aurais pu être au courant ?»

Haney appela également Elin pour lui assurer qu'il n'était au courant de rien, et surtout pour prendre de ses nouvelles. Il adorait Elin, tout comme O'Meara et Williams, et les trois hommes étaient dégoûtés de voir à quel point elle était publiquement humiliée par ces histoires.

Elin ne répondit pas elle non plus. D'un naturel déjà timide, elle avait choisi de gérer sa situation avec sa famille et ses amis les plus proches. Jamais elle n'avait été aussi triste, jamais elle n'avait autant souffert. Elle tenta bien de masquer sa douleur devant ses enfants, mais la réalité était hélas bien trop brutale. Elle commença à perdre du poids, et son anxiété se transforma en insomnie. Elle avait de vraies décisions à prendre. Une famille unie était certes idéale pour élever des enfants. Mais Tiger et elle avaient-ils encore la moindre chance ?

Elle avait clairement besoin de s'éloigner de lui pour réfléchir. Elle déménagea à la mi-décembre, avec ses enfants, dans une maison vide du voisinage. Ils vivaient au milieu des cartons, et elle avait installé un petit arbre de Noël au salon. Ce n'était pas ce qu'elle avait imaginé pour le premier Noël de Charlie. Elle était assise, le regard perdu, et sa fille Sam vint lui parler en suédois :

« Maman, où est-ce que tu as bobo ?»

« Maman a bobo à son cœur, mais ça ira mieux bientôt », lui répondit Elin.

« Et si je te fais un bisou, ça ira mieux ? Ou alors du popcorn ?»

Le départ d'Elin et des enfants obligea Tiger à faire ce qu'il avait évité jusqu'ici : se regarder dans une glace. Il avait un sérieux problème et aussi besoin d'une aide concrète. Perdre des sponsors, ça pouvait arriver ; mais perdre sa famille, c'était une toute autre histoire. Il avait mis des années à se construire une image parfaite, mais tout venait de s'écrouler en quelques semaines, à cause de son addiction au sexe. Sans un traitement adapté, son mariage n'avait aucune chance de survivre. Il voulait absolument garder sa femme, alors il décida d'aller se faire soigner dans une clinique après Noël.

Pour le bien de ses enfants, Elin accepta de passer le 25 décembre avec lui. Mais elle partit ensuite en Europe avec ses deux tout-petits, histoire d'échapper à toute cette folie et de retrouver les siens.

Sa famille en Suède, Tiger se sentit pour le coup totalement seul. Il reçut un texto de Hank Haney au même moment, qui disait :

> Je veux juste que tu saches que je serai ton ami pour toujours, mon pote. Je suis sûr que tu te sens mal à cause de tout ça. Tout le monde fait des erreurs et on ne peut pas revenir en arrière. Sache que je suis là si tu as besoin de me parler. Je voulais juste que tu saches que je pense à toi. Accroche-toi.

Tiger finit par l'appeler en toute fin d'année. C'était la première fois qu'il lui parlait depuis un mois et demi : « Les médias me harcèlent, lui dit-il. Ils sont comme des vautours. »

La conversation fut brève et il ne se livra ni sur la situation générale, ni sur ses sentiments intimes. Sa voix était neutre, terne. Sans rentrer dans les détails, il dit : « Je crois que je vais être absent pendant un bon moment. »

Haney n'était pas sûr de bien comprendre, mais il préféra ne pas poser de questions.

CHAPITRE 29
LE JUGEMENT DERNIER

Le campus de Pine Grove Behavioral Health & Addiction Services est niché au milieu d'immeubles de bureaux sur Broadway Drive, dans le centre-ville de Hattiesburg, Mississippi. Tiger s'y rendit juste après les vacances pour suivre un traitement contre les addictions sexuelles baptisé Gratitude. Il dut d'abord remettre son téléphone portable à l'administration, puis il prit ses quartiers dans ce qui allait devenir son nouveau domicile pendant quarante-cinq jours : un tout petit chalet équipé d'un lit et d'une commode, rien de plus. Il n'avait accès ni à la télévision, ni à internet, et il devait faire salle de bains commune. Le couvre-feu était fixé à 22 heures, et quelqu'un venait systématiquement s'assurer qu'il était bien couché sur le coup des trois heures du matin. La prise de somnifères et d'antidouleurs était très encadrée. Une douzaine d'autres patients suivaient eux aussi le programme, mais c'était bien lui qui devait faire face au plus spectaculaire des changements de style de vie. C'était un milliardaire qui avait toujours vécu comme il l'entendait, et là, ça ressemblait à une prison.

Le programme Gratitude était une invention du docteur Patrick Carnes. C'est lui qui avait amené le terme *addiction au sexe* dans le jargon médical en 1983, en se basant à l'époque sur les comportements de certains patients en grande souffrance. Il avait ensuite écrit *Out of the Shadows: Understanding Sexual Addiction*[69], le premier véritable ouvrage sur le sujet. Il explique ceci : « La plupart des accros au sexe ont vécu dans leur enfance le syndrome de "l'éléphant dans le salon" : tout le monde assure que tout va bien, alors qu'il y a un problème évident qui pourrit la vie de tous les membres de la famille. Du coup, ils prennent l'habitude de dire que tout va bien, quelle que soit la situation, et ce dès la petite enfance. »

---

69. *Sortir de la pénombre et comprendre l'addiction au sexe.*

Les recherches du docteur Carnes avaient établi avec certitude que la grande majorité des accros au sexe étaient issus de familles où préexistait un problème d'addiction, et où les parents n'étaient plus «en accord», c'est-à-dire qu'ils ne partageaient plus rien ou presque. Les enfants ainsi élevés retenaient essentiellement deux choses : le droit à l'erreur est interdit, et on ne peut faire confiance à personne. Selon Carnes, les secrets deviennent alors plus importants que la vérité. Et l'addiction au sexe – tout comme celles à l'alcool, au jeu, au tabac ou aux drogues – est une maladie qui permet de s'évader, une alternative à la souffrance, à la trahison, et surtout à la solitude.

Earl Woods était lui accro au tabac et à l'alcool, et aussi un éternel coureur de jupons. Tiger devait de son côté supporter le poids des attentes excessives, et il avait beaucoup de mal à faire confiance à qui que ce soit. Il avait un vrai culte du secret et s'était toujours comporté en solitaire, de l'école maternelle jusqu'au PGA Tour.

Les thérapeutes qui gèrent les cas d'addiction au sexe sont toujours à la recherche de celles que les parents ont pu transmettre à leurs enfants, que ce soit l'alcool, les drogues, ou même le fait de vivre sans aucune limite. «C'est la nature même des familles qui ne fonctionnent plus», selon Bart Mandell, le premier thérapeute à avoir été formé par le docteur Carnes. «Ce sont des comportements qui ont été "appris". Et ils ont bien dû venir de quelque part pour être aussi ancrés.»

Au cours de la première semaine de traitement, Tiger dut subir une évaluation médicale exhaustive. D'abord un bilan physique général, puis un examen psychiatrique et des tests psychologiques. L'un des outils les plus performants s'appelait le Sexual Dependency Inventory (SDI) et permettait de recenser toutes sortes d'informations sur le comportement sexuel du patient (goûts, fantasmes, intérêts). Tiger fut ainsi contraint d'établir une chronologie courant de sa petite enfance jusqu'à ces dernières semaines et racontant par le détail toutes ses expériences sexuelles et tout ce que ses parents lui avaient enseigné sur le sujet. Il y avait plus de quatre cents questions au total, aussi intimes que précises : sa fréquence de masturbation, s'il s'était déjà fait surprendre, ses pensées les plus secrètes, ses envies...

Une démarche aussi intrusive était bien évidemment tout à fait intentionnelle. Au fil du temps, des recherches de plus en plus poussées avaient permis d'obtenir des informations sur les points communs des dépendants sexuels – et aucun n'était plus fréquent que les traumatismes de l'enfance. «L'équilibre et l'énergie familiale sont plus qu'essentiels, assure le docteur Monica Meyer, une collaboratrice du docteur Carnes. La plupart des malades viennent de familles au fonctionnement très rigide et qui communiquaient peu. Des familles avec des règles très strictes, donc, et presque pas de chaleur ni de proximité. Un enfant peut s'épanouir dans le cadre d'une famille très structurée, à condition qu'il reçoive également de l'amour et de l'attention. Mais sans proximité, sans chaleur affective, les structures sont juste un truc neutre, au final.»

Après analyse de ses tests, Tiger se vit prescrire un programme de soins sur mesure. Il assista également à de nombreuses thérapies de groupe, lors de séances où il n'avait plus la possibilité de masquer sa douleur et de la garder pour lui.

«La prise de conscience de ses traumatismes d'enfance est un moment-clé de la thérapie, celui où le patient réalise soudainement ce qu'il a pu vivre, dit le docteur Meyer. Il peut même arriver que certains demandent des comptes à leurs parents. Ça peut être un moment particulièrement difficile pour celui qui a la figure du héros dans la famille, parce que son rôle est de bien représenter les siens, et pas de les exposer aux secrets de famille. Alors dire toute la vérité et ressentir des émotions sur le rôle joué par des parents qui avaient été sincèrement dévoués, oui, c'est compliqué.»

Woods avait l'habitude de tout contrôler, comme tous les hommes de pouvoir. Et la simple idée de lâcher prise et de reconnaître son addiction au sexe, c'était comme si tout s'écroulait autour de lui. Mais il allait vite se rendre compte de quelque chose. Les séances de groupe se faisaient en général à six ou huit, et personne n'était disposé à écouter ce qu'on appelle le «discours du malade», à savoir se trouver des excuses ou des raisons pseudo-rationnelles pour expliquer la nature narcissique de son comportement.

Le traitement contre l'addiction au sexe s'inspirait de plusieurs principes de celui bien connu des Alcooliques Anonymes. Il y avait là aussi un «Gros Livre», semblable à celui des AA, qui reprenait les douze étapes vers la guérison, avec un message de fond similaire : *Accepte le fait que tu ne contrôles plus ce qui se passe. Tu es sans défense devant tes pulsions sexuelles. Ta vie est devenue impossible à gérer. Tu as besoin d'une aide extérieure pour y arriver.*

«La première étape, c'est de prendre conscience de votre fragilité et de votre besoin d'aide, selon le docteur Meyer. Si vous êtes sur le toit du monde, à manipuler et tromper tout le monde, il est crucial que vous parveniez à admettre que vous êtes incapable de contrôler vos pulsions et votre comportement sexuel, et que votre vie est devenue ingérable. C'est à cette seule condition que vous pouvez ensuite accepter une aide extérieure pour vous remettre sur pied.»

Woods était désormais prêt pour l'avant-dernière semaine de sa cure, appelée « *Family Week* » : une confrontation qui s'annonçait difficile avec son épouse Elin. Il avait été prévenu dès le début : la reconnaissance intégrale de toutes ses duperies faisait partie intégrante du processus. Il avait rédigé un document qu'il devait lire devant Elin, où il racontait tout de ses aventures extra-conjugales : les coups de téléphone, les textos, les rendez-vous, les mensonges, les cadeaux. Il n'était pas rare de voir des hommes de pouvoir confesser plus d'une centaine d'aventures dans ces conditions-là. Woods avait également dû écrire à quel point son attitude avait eu des répercussions sur sa vie et celle de son épouse. Il avait passé la semaine à chercher les bons mots avec un thérapeute et à s'entraîner à lire son texte devant les autres patients. Avait-il été honnête ? Avait-il regardé les gens dans les yeux ? Avait-il manifesté des regrets sincères ?

Elin avait toujours aimé écrire. Petite, elle voulait devenir journaliste comme son père. Difficile à cette époque d'imaginer qu'elle se retrouverait au cœur des révélations d'infidélités les plus folles de l'histoire contemporaine des États-Unis, et encore moins qu'elle écrirait sur le sujet. Mais c'est pourtant ce qu'elle avait fait pendant que son mari était en traitement, en noircissant de nombreuses pages de son journal intime. Elle avait dépassé le stade de la stupéfaction pour basculer dans la colère et la dépression. Elle avait vécu l'enfer, sa souffrance était impossible à imaginer, mais mettre des mots sur ses maux lui avait permis d'évacuer un peu de sa frustration. Ça l'avait rendue plus forte, aussi. Mais elle devait maintenant se rendre à Pine Grove pour le début de la *Family Week*.

Le jour de son arrivée, elle assista à plusieurs conférences sur l'addiction en général, et l'addiction au sexe en particulier. Puis vint le moment le plus terrible de la semaine : le mardi, où les patients avaient l'obligation de rendre des comptes. Elle n'avait pas vu Tiger depuis un mois et s'assit avec lui pendant plus d'une heure pour l'écouter tout déballer de sa vie secrète. Des thérapeutes assistaient à la scène pour prévenir tout excès de stress ou de colère, et pour conseiller aux épouses trompées de respirer profondément alors que la trahison de leurs époux était mise à nu. Elin était tombée amoureuse de Tiger parce qu'ils s'amusaient beaucoup quand ils étaient tous les deux. Son mariage avait été l'un des plus beaux jours de sa vie, mais ce temps-là semblait révolu. Le nombre considérable de ses maîtresses, les endroits où il avait fauté – des hôtels de luxe, certes, mais aussi des parkings et même *chez eux* : ça faisait trop de choses à admettre et pardonner. Après cette séance incroyablement difficile, Elin quitta la pièce pour rejoindre d'autres femmes qui avaient vécu la même chose qu'elle. Toutes essayaient de composer avec ce qu'elles venaient de vivre.

Les dépendants parlent souvent d'un soulagement émotionnel très fort une fois qu'ils ont révélé tous leurs mensonges. Mais ce n'est pas le cas pour les épouses et leurs proches ; pour eux, c'est comme être à la fois poignardé dans le dos et en plein cœur. Les thérapeutes ont une expression pour ça : le stress post-traumatique. (Le docteur Meyer précise qu'en 2011, le programme Gratitude a adapté sa méthode en améliorant le soutien apporté à la personne trompée, tant elle reçoit ces révélations avec une violence inouïe.) Les médecins demandèrent également à Elin de rédiger une déclaration pour expliquer à quel point l'attitude de Tiger l'avait humiliée et ravagée elle, personnellement, en plus des conséquences sur leur mariage.

Une confession insoutenable pour Woods. «Je l'ai trahie, dit-il. Mes mensonges et mon égoïsme lui ont fait énormément de mal. J'en aurai des regrets pour la vie.»

Le 8 février 2010 fut l'une des pires journées de sa cure : son fils Charlie soufflait sa première bougie, et Tiger était seul dans sa chambre avec ses regrets éternels. «J'ai raté le premier anniversaire de mon fils, confiera-t-il. Plus jamais ça : je veux faire partie de la vie de mes enfants.»

Il fit le serment de ne plus jamais manquer un seul de leurs anniversaires.

Le programme Gratitude l'avait obligé à se regarder dans une glace, et aussi au fond de lui-même. Il avait vécu trop longtemps dans le déni et il prenait de plus en plus conscience du mal qu'il avait fait autour de lui. Mais les tabloïds ne le lâchaient pas pour autant. Personne n'était censé savoir où il se trouvait, ni ce qu'il y faisait. Mais au bout de trois semaines, le site radaronline.com, une filiale du *National Enquirer*, annonça qu'il était en traitement dans une clinique du Mississippi. Le début d'une nouvelle tornade. L'*Enquirer* lança une opération à grande échelle à Hattiesburg. Ils se servirent de Google Earth pour bien repérer la zone autour de Pine Grove, puis ils listèrent toutes les entrées et sorties de la clinique pour voir où un de leurs photographes pourrait s'installer en toute légalité. « Et il n'y avait guère qu'un seul endroit possible », selon une source du journal, à savoir juste en face de l'entrée principale. Le tabloïd y positionna donc un photographe sept jours par semaine, vingt-quatre heures par jour. Avec un zoom et une patience de tous les instants... Woods finit par se montrer, une casquette sur la tête et un verre à la main, et la photo finit dans les pages de l'*Enquirer*. Elle venait illustrer un article qui affirmait que le golfeur avait confessé, dans le cadre d'un programme appelé Gratitude, avoir eu près de cent vingt maîtresses.

Cette chasse à l'homme était terrifiante. Il ne pouvait même pas leur échapper dans le cadre de ses soins.

Tiger put retourner chez lui à la fin de son traitement, le 15 février 2010. Il finit par sortir de sa maison, trois soirs plus tard, pour aller s'entraîner sur le practice d'Isleworth. Voilà trois mois qu'il n'avait pas touché un club. Il tapa quelques balles avec un sandwedge, pour les voir disparaître dans l'obscurité. On peut imaginer sans trop se tromper qu'il aurait bien voulu disparaître de la sorte lui aussi, au moins pendant quelque temps...

Son passage en clinique avait été, de son propre aveu, la chose la plus difficile qu'il ait eue à affronter. Il était au plus mal, et il n'était pas sûr qu'Elin ait envie de repartir dans quelque thérapie que ce soit. Il ne savait pas trop ce qu'elle pensait, sinon qu'elle était blessée au plus profond d'elle-même, et qu'elle lui avait demandé d'arrêter le golf pendant deux ans. Elle avait été très claire sur ce point.

Mais le golf était ce qui donnait un sens à sa vie. Il n'y avait qu'entre les cordes qu'il se sentait bien, et il avait plus que jamais besoin d'y retourner. Mais il avait d'ici là un obstacle autrement plus délicat à franchir : présenter des excuses publiques. Mark Steinberg avait constitué une équipe de gestion de crise pour l'aider dans ces semaines difficiles, et aussi pour minimiser l'impact potentiel sur les dons en faveur de sa fondation. Et les membres de ce comité de crise avaient été très clairs avec lui : hors de question de retourner sur le parcours sans avoir reconnu ses erreurs, présenté ses excuses, et imploré le pardon.

Ari Fleischer, l'ancien porte-parole de la Maison Blanche sous George W. Bush, avait pris les choses en mains. Il avait monté sa propre boîte de relations presse et de communication. Certains de ses clients étaient prestigieux. Parmi eux, le joueur de baseball Mark McGwire, qui avait dû affronter un scandale de dopage aux stéroïdes. Avant de reprendre du service comme entraîneur des Cardinals de Saint-Louis, il avait admis s'être dopé tout au long de sa carrière – même s'il affirmait l'avoir fait pour des raisons de santé –, y compris au cours de sa fabuleuse saison 1998 où il avait battu des records avec soixante-dix home runs. Il avait raconté sa vérité avec le cœur. Et Fleischer avait donné ce conseil à Woods : «Tu dois parler en toute sincérité, tu dois croire à ce que tu dis. L'Amérique est un pays qui pardonne plus facilement qu'ailleurs quand tu déconnes. Mais tu dois être sincère.»

Un conseil difficile à entendre pour Tiger, mais c'est bien son agent Mark Steinberg qui affichait la plus grande opposition à cette stratégie. Fleischer avait fréquenté la Maison Blanche et savait reconnaître mieux que personne les gens qui voulaient tout contrôler. Et Steinberg était l'un des pires qu'il ait jamais rencontrés dans ce domaine. Tout ce qui concernait Tiger devait passer par lui, en respectant une procédure bien précise. «J'ai dû m'y soumettre pour que Tiger accepte de s'excuser, ce qu'il a fini par faire. Mais j'ai vraiment ramé », dit-il.

Lorsque Tiger tapait des balles dans le noir à la veille de ses excuses publiques, il n'était toujours pas à l'aise avec l'idée de s'excuser en direct devant le monde entier. Surtout pour avouer qu'il s'était montré infidèle à de très nombreuses reprises. Les six semaines de traitement avaient déjà été assez humiliantes comme ça. Et puis tout le monde était déjà au courant, puisque tous les organes de presse avaient couvert l'histoire comme jamais.

Il se présenta pourtant devant les caméras le lendemain matin, au siège du PGA Tour basé à Ponte Vedra Beach, en Floride. L'ambiance était plutôt glauque lorsqu'il fit son entrée dans la pièce où trois rangées de chaises en bois avaient été disposées devant son pupitre. Des journalistes de trois agences de presse

– Associated Press, Reuters et Bloomberg News – étaient assis au milieu de quelques invités triés sur le volet : des sponsors, des amis (dont Notah Begay III), un représentant de Nike... Kultida avait pris place au premier rang. Elin avait choisi de ne pas venir.

Chemise ouverte, manteau élégant, il avait pourtant l'air nerveux comme rarement quand il prit place derrière le pupitre. «Bonjour, et merci d'être là aujourd'hui», commença-t-il.

Il était onze heures du matin en ce 19 février 2010, et l'Amérique s'était arrêtée de vivre pour assister à ces treize minutes de confession. Les gens étaient scotchés devant les écrans de télévision dans les aéroports, les bars et les réceptions d'hôtel. À Times Square, la foule s'était même amassée devant un écran géant. Vingt-deux chaînes de télévision avaient interrompu leurs programmes pour suivre l'événement en direct. Les audiences étaient incroyables : trente millions de téléspectateurs, douze millions d'auditeurs à la radio. Les sites internet plantaient régulièrement devant la hausse du trafic. Trois cents journalistes s'étaient entassés dans la salle de réception d'un hôtel voisin pour suivre l'événement sur un réseau télé privé. Certains avaient fait le déplacement depuis le Japon ou l'Australie.

«Je vois beaucoup d'amis à moi dans cette salle, commença Woods. Vous êtes nombreux à bien me connaître. Vous êtes nombreux à m'avoir encouragé ou avoir travaillé avec moi. Et aujourd'hui, vous avez tous une bonne raison de m'en vouloir. Je voudrais simplement dire à chacun d'entre vous : je suis profondément désolé pour mon comportement égoïste et irresponsable. J'ai eu des aventures. J'ai été infidèle. J'ai menti.»

Il lisait son texte et on aurait dit un robot, dans la voix comme dans l'attitude. Mais il était en train de faire quelque chose qui lui demandait bien plus de courage que de tenter un coup de fer 6 par-dessus une pièce d'eau.

«Je savais que ce que je faisais n'était pas bien, poursuivit-il, mais je m'étais convaincu que je n'avais pas à respecter les règles. Je ne me suis jamais soucié de savoir si je faisais du mal à quelqu'un. Je ne pensais qu'à moi, et je pensais pouvoir m'en sortir à chaque fois. Je me disais que j'avais travaillé dur toute ma vie et que je pouvais me permettre de céder aux tentations. Je pensais que j'avais le droit de faire ça... Mais je me trompais. Je me suis comporté comme un idiot. Il n'y a aucune raison que je puisse bénéficier d'un passe-droit...

« Mes défaillances m'ont obligé à m'analyser comme jamais je n'avais voulu le faire, dit-il encore. Ce fut dur d'admettre que j'avais besoin d'aide. Mais c'est pourtant le cas. »

Kultida écoutait avec attention et s'essuyait sans cesse les yeux. Elle avait toujours été son plus grand soutien. Elle avait marché tous les parcours du monde en long en large et en travers pour suivre les exploits de son fils. Mais dans le même temps, elle était aussi responsable du poids écrasant qui pesait sur ses épaules. Sa façon d'être et de fonctionner venait de ses parents, il n'y avait aucun doute là-dessus. Et jusqu'à sa cure de désintoxication, rien n'avait pu la modifier.

Chaque parent devrait normalement veiller à ce que son fils ou sa fille soit bien équilibré, amical, respectueux, et aussi épanoui que possible. Mais Tiger n'avait pas bénéficié d'un tel environnement. À la place, Earl et Kultida lui avaient fabriqué un univers parallèle, un monde où ils contrôlaient tout et où Tiger était destiné à devenir le meilleur. Pour ce faire, ils lui avaient enlevé une part d'humanité pour la remplacer par du talent. C'était une forme d'éducation qui convenait à Earl et Kultida, et ce même si leur mariage était bancal. Ils s'étaient peut-être séparés après le passage professionnel de leur fils, mais ils avaient malgré tout gardé une forme de contrôle sur lui. Il suffisait qu'il les aperçoive sur le parcours, et c'était comme si la télécommande s'enclenchait. Résultat : Tiger était certes devenu le plus grand golfeur de tous les temps, mais il ne savait pas aimer ni se faire aimer. La fascination dont il faisait l'objet n'était due qu'à ses performances clubs en mains – et pas à ses qualités en tant qu'être humain.

Kultida fondit en larmes quand elle l'entendit dire « J'ai besoin d'aide », mais elle l'aimait toujours autant. Et elle était fière de lui comme jamais. Pour elle, sa façon de se battre contre les éléments dans sa vie de tous les jours avait encore plus de valeur que ses exploits sur le parcours. Tout le monde avait ses faiblesses et ses petits secrets. Tout le monde faisait des erreurs. Mais qui sur cette planète devait endurer un tel déferlement de critiques et d'humiliations comme Tiger le vivait actuellement ? Il admettait sa fragilité, il disait qu'il avait besoin d'aide, et ça demandait un courage énorme. Bill Clinton, Kobe Bryant ou Eliot Spitzer[70]

---

70. Homme politique américain auquel sa fréquentation de prostituées de luxe coûta en 2008 son poste de gouverneur de l'État de New York.

avaient eux aussi dû faire face à un scandale du même genre, mais aucun d'eux ne s'était montré aussi honnête que Tiger.

« Je suis très fière d'être sa mère, un point c'est tout, dit Kultida après les excuses publiques de Tiger. Il n'a rien fait d'illégal. Il n'a tué personne. »

Tiger avait évoqué plusieurs choses lors de son discours, en dehors des allusions voilées à son traitement : il ne savait pas quand il comptait reprendre la compétition, il avait délaissé les valeurs du bouddhisme enseignées par sa mère, et sauver son mariage était sa plus grande priorité. Il reconnut qu'Elin et lui discutaient des dégâts qu'il avait causés, mais qu'ils ne savaient pas de quoi leur futur serait fait. « Elle a été très claire sur le sujet : elle ne va pas me juger sur des mots, mais sur mes actes », affirma-t-il.

Il s'en prit aussi sévèrement à la presse, coupable selon lui d'avoir divulgué de fausses informations sur la nuit du 27 novembre. « Je suis très en colère quand je lis des trucs aussi farfelus, dit-il. Elin ne m'a jamais frappé cette nuit-là, ni aucune autre nuit. Il n'y a jamais eu la moindre violence conjugale pendant notre mariage. Jamais. »

Il semblait s'adresser directement à son épouse dans les derniers mots de sa déclaration. Il ne lui demandait pas de l'aimer de façon inconditionnelle, comme sa mère. Il espérait juste avoir une chance de réparer les dégâts. « Il y a beaucoup de personnes qui croyaient en moi dans cette salle, et aussi beaucoup de personnes qui croyaient en moi à la maison. Aujourd'hui, je suis ici pour vous demander de m'aider. Et j'espère que vous pourrez un jour à nouveau me faire confiance. »

Du bon boulot.

Tiger venait de recevoir un texto de Hank Haney, et ça lui faisait vraiment plaisir. Il l'appela juste après son discours pour le remercier. « En tout cas, j'ai appris quelque chose, lui dit-il. Lorsque je reprendrai la compétition, ce sera pour moi et rien que pour moi. Je ne vais pas jouer pour mon père, ma mère, Mark Steinberg, Steve Williams ou Nike, ni pour toi ni pour les fans. Mais juste pour moi. »

Il n'avait jamais admis, jusqu'ici, qu'il avait pu jouer pour ses parents ou pour qui que ce soit d'autre. On connaissait la rengaine depuis toutes ces années : ses parents ne l'avaient jamais forcé à jouer au golf, c'était son choix à lui. Mais le fait est qu'il avait travaillé comme un fou surtout pour leur faire plaisir. Il recherchait leur amour, et le golf était le meilleur moyen de s'en assurer. Les seules fois où il voyait son père pleurer ou le prendre dans ses bras, c'était quand il gagnait. Le golf était le seul lien qui unissait encore son père et sa mère. Mais avec sa propre famille en danger et sa réputation ruinée, il devait désormais se poser des questions sur son éducation et sur ce qui le motivait encore.

« Bref, on a beaucoup de pain sur la planche », dit-il à son coach, en ajoutant qu'il avait tapé des balles la veille au soir : « Les toutes premières depuis que toute cette merde m'est tombée dessus. »

« Et alors, c'était comment ? »

« Oh, plutôt solide. »

Son swing, c'était presque tout ce qu'il lui restait. Elin avait déménagé avec les enfants. La plupart de ses sponsors l'avaient lâché. Il avait coupé tout contact avec ses amis. Que pouvait-il faire, à part retourner s'entraîner ?

Il rappela Hank Haney une semaine plus tard pour lui demander de venir à Isleworth. Il était prêt à s'y remettre. « Tu peux rester à la maison aussi longtemps que tu veux, lui dit-il. Il n'y a plus que moi ici. »

CHAPITRE 30
ÉTOUFFÉ PAR LA HONTE

La maison familiale n'en était plus vraiment une. Elin et les enfants étaient partis s'installer ailleurs. Tiger avait collé du papier kraft contre les fenêtres afin d'empêcher quiconque – surtout les photographes – de voir à l'intérieur. Des livres de développement personnel s'entassaient sur le comptoir de la cuisine. Il en avait terminé avec sa cure voilà tout juste un mois. Il faisait profil bas depuis qu'il était rentré chez lui : un peu de travail physique, taper quelques balles au practice, commander ses repas au club-house, et au lit de bonne heure. Il suivait une thérapie de couple et continuait de voir un médecin pour soigner son addiction au sexe. Il avait également repris ses séances quotidiennes de méditation : pour renouer avec sa culture bouddhiste, et aussi pour trouver les meilleures dispositions d'esprit afin de se réconcilier avec son épouse, si toutefois c'était encore possible. *J'ai besoin de faire tout ça*, se disait-il.

Pendant des années, Mark Steinberg, Nike et IMG s'étaient occupés de tout pour lui. Ils lui avaient dit où et quand se trouver, ils avaient toujours dépêché quelqu'un à ses côtés pour s'assurer qu'il n'oublie pas ses rendez-vous. Et pendant son temps libre, il se débrouillait pour retrouver ses conquêtes. Mais le traitement qu'il avait suivi l'avait changé et il essayait de se montrer plus honnête envers les autres ainsi qu'envers lui-même. La situation était toute nouvelle : il pouvait faire ce qu'il voulait de ses journées, il n'avait aucune obligation, ni sportive, ni commerciale. Son break était censé lui donner du temps pour apprendre à gérer son addiction, pour retrouver une forme de contrôle sur sa vie privée, et aussi pour tenter de sauver son mariage.

Il faisait des efforts, mais il était étouffé par la honte, en permanence. Il n'était pas quelqu'un de religieux, mais il voyait tous ses mensonges comme des « péchés personnels ». Il s'était confessé auprès de sa femme dans l'espoir d'aboutir à un début de rédemption. Pour des conversations certes exténuantes, mais dans lesquelles il avait trouvé une forme de libération. En revanche, ses séances publiques d'autoflagellation l'avaient totalement démoralisé. Les journalistes essayaient encore et encore d'exhumer certaines histoires de son passé. À ce jeu-là, le plus terrible d'entre eux avait pour nom Mark Seal. Il avait écrit un article dans *Vanity Fair* sous le titre « La tentation de Tiger Woods ». Il y révélait de nombreux noms, ainsi que des détails sordides ; le magazine avait également publié des photos osées de ses maîtresses.

Le pire, dans tout ça, c'est qu'il semblait ne jamais pouvoir échapper à son passé. Il avait dû faire face à l'une de ses voisines juste après sa sortie de clinique, une étudiante de vingt-deux ans qui était revenue à Isleworth pendant ses vacances de printemps. Elle était à la fois anxieuse et bouleversée. Un an plus tôt, au printemps 2009, Tiger l'avait emmenée jusqu'à son bureau, situé à deux petits kilomètres de chez lui, pour avoir une relation sexuelle avec elle. Elle voulait maintenant tourner la page.

Woods la connaissait depuis qu'elle avait quatorze ans. Son père avait réussi dans les affaires et c'était un grand admirateur de Tiger. Mais cette histoire d'un jour avait fait beaucoup de mal à la famille de la jeune fille, qui ne ressentait plus que mépris et colère à l'encontre du golfeur. Elle avait d'abord été très flattée de l'attention qu'un sportif aussi célèbre avait pu lui porter, avant de très vite culpabiliser. Elle avait vu un berceau dans les bureaux de Tiger, et ça lui rappelait sans cesse qu'Elin venait juste d'accoucher. Il lui avait semble-t-il envoyé des textos explicites dans l'espoir de la revoir, mais elle avait choisi de ne pas y répondre. Et quand toutes les histoires sur ses maîtresses étaient sorties, elle avait compris qu'il s'était juste servi d'elle. « Je voulais creuser un grand trou, me glisser dedans et mourir », confia-t-elle à un ami, selon certaines informations.

Elle alla donc le voir et lui dit les choses de manière directe : « Je me sens vraiment bafouée par ce que tu m'as fait. »

Tiger lui répondit qu'il était désolé.

Il se retrouvait devant un choix cornélien : devait-il le dire à Elin ? Il avait presque tout raconté à sa femme pendant son traitement dans le Mississippi, mais il n'avait pas osé parler de leur jeune voisine. C'était déjà assez douloureux comme ça – pour lui comme pour elle – d'évoquer les actrices porno, les mannequins pour sous-vêtements, les fêtardes, les escorts hors de prix et les serveuses de pancakes… Mais Tiger et Elin étaient d'accord sur un point : ils n'avaient pas d'autre choix que de le faire s'ils voulaient se donner une chance de rester ensemble.

Il se rendait bien compte que son mariage était devenu plus que précaire. Le seul point positif, c'était qu'Elin tenait vraiment à élever les enfants dans le cadre d'une famille unie. Et lui parler de cette histoire avec la voisine serait sans doute la goutte d'eau qui ferait déborder le vase. Et ça ne ferait que remuer le couteau dans la plaie, également. Il lui avait déjà brisé le cœur. Pourquoi devrait-il encore en rajouter une couche ? Mais ne rien dire restait malgré tout une option très risquée.

Il décida cependant de se taire. Ses raisons étaient-elles purement égoïstes, ou empreintes d'une forme de noblesse ? Difficile à dire. Mais son choix ne s'était pas fait dans une ambiance sereine, à tout le moins.

Tiger s'était tenu à l'écart de tout le monde pendant sa carrière : les fans, les journalistes, mais aussi les autres joueurs. Il pensait qu'il en serait toujours ainsi. Mais son break lui avait donné une autre vision des choses. Il venait de réaliser à quel point tout cela était fragile ; l'ambiance et la compétition lui manquaient. Il avait recommencé à taper des balles mi-février, puis à s'entraîner plus sérieusement avec Hank Haney début mars. L'évidence commençait à s'imposer : on oublie la pause et on y retourne !

Le 16 mars 2010, il publia un communiqué pour annoncer son retour début avril au Masters : « C'est à Augusta que j'ai gagné mon premier Majeur, et j'ai toujours eu le plus grand respect pour cette épreuve, écrivit-il. Après une pause plus que nécessaire, je pense que je suis maintenant prêt à démarrer ma saison au Masters. »

Hank Haney ne s'y attendait pas. Il pensait que c'était encore trop tôt. Ils s'entraînaient ensemble depuis tout juste une semaine et Tiger en mettait de partout. Son jeu n'était absolument pas au niveau pour espérer faire quelque chose de bien en tournoi. Il était certes encore rouillé, mais surtout, il avait l'air totalement désemparé sur le parcours. Comme s'il portait toute la misère du monde.

Tiger allait se planter, ça ne faisait pas de doute pour Haney. Augusta était l'un des tests ultimes en golf et il y serait scruté comme jamais. Sean McManus, le président de CBS, avait affirmé que son retour à la compétition serait l'événement le plus suivi des quinze dernières années, la cérémonie d'inauguration de Barack Obama mise à part.

Mais sa décision était irrévocable. Personne ne savait ce que ça faisait, d'être Tiger Woods. Sa vie était un champ de ruines et son passé hypothéquait grandement son avenir. Le seul endroit où il se sentait bien, c'était sur le parcours, et tant pis s'il prenait le risque de fâcher son épouse en refusant de faire un break de deux ans, comme elle le lui avait demandé. L'environnement ne serait plus du tout le même pendant quatre jours. En golf, le passé, c'est le dernier trou, rien de plus. Le présent, celui qu'on joue, et le futur, le trou suivant. Il était impatient d'en découdre à nouveau et demanda à Steve Williams de le rejoindre à Isleworth.

Son caddie arriva en Floride le 3 avril et il avait beaucoup de choses à lui dire. Juste après que le scandale eut éclaté, il avait demandé à maintes reprises à Mark Steinberg de publier un communiqué jurant qu'il n'était au courant de rien. En guise de quoi il ne reçut aucune réponse. Puis une ancienne maîtresse de Tiger, en quête de notoriété et sans doute d'argent, assura qu'elle avait rencontré Tiger ET Steve Williams à Las Vegas, laissant ainsi entendre que le caddie savait tout et qu'il n'avait jamais rien dit. Une rumeur jamais vérifiée, mais qui fit les gros titres en Nouvelle-Zélande et qui commença à se répandre tout autour du monde. Tiger avait fini par envoyer un e-mail d'excuses à son caddie pendant sa cure. Puis il avait appelé Kirsty, la femme de Williams, pour essayer d'apaiser la situation. Mais c'était un peu tard. Kirsty adorait Elin et elle n'était pas vraiment convaincue par la sincérité de ses propos. Et comme, par ailleurs, le doute persistait sur ce que savait vraiment Williams, les infidélités de Tiger avaient eu pour conséquence de mettre à mal à la fois son mariage et sa réputation chez lui, en Nouvelle-Zélande.

Woods se rendait bien compte qu'il avait sérieusement déçu son porte-sac. Et il savait aussi qu'il ne pourrait pas échapper à une vraie discussion en tête-à-tête. Mais quand Williams arriva chez lui, à Isleworth, il lui dit qu'il devait partir et qu'ils parleraient plus tard.

Cela lui plut moyennement. Il avait énormément de reproches à lui faire et il comptait bien les exposer le plus vite possible. Steinberg lui avait d'ailleurs assuré qu'il pourrait en parler avec Tiger dès son arrivée. Il était toujours en rogne au moment de le rejoindre pour une partie d'entraînement, quelques heures plus tard. Il dit à Haney : «Je ne sais même pas pourquoi on va à Augusta. Il n'a aucune chance de passer le cut s'il joue comme ça. C'est une horreur.»

Hank Haney était du même avis, mais il savait qu'ils n'arriveraient pas à convaincre Tiger. Sur le tout dernier fairway, il implora son joueur de modifier son swing pour réduire sa marge d'erreur, et tant pis si ça lui faisait perdre un peu de longueur. «Tu n'as aucune chance avec ce swing-là», lui dit-il en toute franchise.

Woods et Williams purent finalement discuter le lendemain, sur le chemin de l'aéroport. Planqué derrière le volant et ses lunettes de soleil, Tiger ne quitta pas la route des yeux pendant que son caddie balançait toute sa rancœur. Il lui dit qu'il avait mis sa famille en danger et qu'il allait devoir se battre pour à nouveau gagner son respect. Il ne se sentait pas considéré à sa juste valeur après toutes ses années de service. Il exigeait donc trois choses de son boss : davantage de communication, une augmentation et des excuses.

C'est surtout la demande d'augmentation qui énerva Tiger. Mais après tout, il jugea que son caddie s'était montré loyal dans cette épreuve. Et puis c'était son ami, il avait besoin de lui et ne voulait pas d'une autre embrouille. Mais pendant qu'il réparait les pots cassés avec Williams, une autre source d'inquiétude se pointait à l'horizon. Le *National Enquirer* avait fini par découvrir son histoire avec sa jeune voisine et le tabloïd comptait la publier pendant le Masters. Et il s'apprêtait aussi à vivre sa toute première conférence de presse depuis son accident de novembre 2009. Il allait devoir cette fois répondre à des questions, et non pas lire un texte devant un pupitre. Les reporters avaient beaucoup de choses à lui demander, et certainement pas à propos de son jeu. Il était plus qu'anxieux.

Les fans de basketball s'étaient tous rangés derrière Kobe Bryant quand il avait conduit les Lakers au titre NBA juste après les accusations de viol contre lui. Les fans de football américain avaient eux bien accueilli Michael Vick à sa sortie de prison – il avait purgé une peine de vingt et un mois pour avoir organisé des combats de chiens – juste avant qu'il ne réalise l'une des meilleures saisons de sa carrière. Mark Steinberg était persuadé que les fans de golf sauraient se montrer indulgents avec Tiger. Mais à une seule condition, lui dit-il : qu'il joue bien.

Les deux hommes évoquèrent les cas de Bryant et Vick. Le dimanche, ils avaient aussi préparé la conférence de presse dans la maison que Tiger avait louée, en anticipant les questions qu'on risquait de lui poser et en imaginant ses réponses du mieux possible. Puis il prit place dans l'immense salle de presse d'Augusta, le lundi à 14 heures. Il s'assit à côté de Craig Heatley, un membre du club en charge des relations presse. Il n'y avait plus un siège de libre.

« Mesdames et messieurs, bon après-midi et bienvenue à tous, commença Heatley. Nous avons Tiger Woods avec nous, quatre fois vainqueur ici. Tiger, c'est un plaisir de vous compter parmi nous. »

Woods ne savait pas trop à quoi s'attendre, mais il se sentit immédiatement à l'aise. Il connaissait la salle de presse par cœur, ainsi que la plupart des visages qui composaient l'assistance. Il avait appris une nouvelle phrase pendant sa cure : « Est-ce que vous êtes prêt à vous ouvrir ? » Et il décida de s'ouvrir comme jamais auprès de tous ces reporters qu'il fréquentait depuis plus de dix ans.

« Ce que j'ai fait pendant ces dernières années, c'est terrible pour ma famille, dit-il. Et peu importe si j'ai gagné autant de tournois. Je parle de la douleur que j'ai pu causer à mon épouse, à sa famille, à ma mère... Et mes enfants, plus tard, eh bien ils vont devoir... Je vais devoir tout leur expliquer. »

C'était sans doute l'émission la plus intéressante que la télévision ait jamais diffusée un lundi après-midi. La plupart des chaînes avaient décidé de bouleverser leurs programmes pour retransmettre la conférence de presse en direct, notamment les plus suivies comme Fox News, CNN et ESPN. Tiger n'avait aucun document sous les yeux, il parlait juste avec son cœur. Puis il dut faire face à une rafale de questions très personnelles, ce qui était simplement inimaginable voilà six mois : les soupçons de dopage, la nature de sa relation avec le docteur Anthony Galea, le Vicodin et l'Ambien, son mariage, ses aventures, les détails de son accident de voiture, et son traitement actuel.

Il ne prononça pas les mots « addiction au sexe » et il refusa poliment de répondre à la question « Quelle est la nature de votre traitement aujourd'hui ? »

« C'est personnel, merci », dit-il. Mais il accepta d'évoquer tous les autres sujets :

– Il n'avait jamais pris de produits dopants, et le docteur Galea n'avait fait que lui injecter du plasma enrichi.

- Les autorités fédérales avaient pris contact avec lui dans le cadre de leur enquête sur le médecin canadien, et il coopérait pleinement.

- Il prenait du Vicodin et de l'Ambien, mais il ne suivait pas de traitement contre l'addiction pour ces deux médicaments.

- La cure avait été très violente ; son traitement était toujours en cours ; Elin n'assisterait pas au Masters ; il faisait tout son possible pour garder sa famille unie.

« Qu'est-ce qui a été le plus difficile pour vous ? » demanda un reporter en fin de conférence.

« Devoir regarder en moi comme je n'avais jamais voulu le faire auparavant », dit-il. Il fit aussi la promesse de se calmer autant que possible quand ça ne tournerait pas en son sens sur le parcours, et de montrer plus de gratitude envers les fans de golf. « Il faut que je devienne une meilleure personne », insista-t-il encore.

C'était ça, le Tiger 2.0 : ouvert, repentant et plein de remords. Le plus grand sportif de l'histoire n'avait jamais paru si vulnérable et si humain. Steinberg, Haney et Williams ne pouvaient s'empêcher de penser aux conséquences sur le parcours. L'intimidation – le regard de glace, l'attitude froide, le mode machine enclenché – avait toujours été l'une de ses plus grandes forces. Ce Tiger reformaté allait-il rester aussi compétitif que par le passé ?

Woods, lui, s'inquiétait davantage de l'attitude des fans. Allaient-ils le fusiller du regard ? Le chambrer ? Ou juste le regarder sans rien dire ? Ils furent très nombreux à le suivre pour ses parties d'entraînement, à l'encourager ou à lui lancer un petit mot gentil. Une ambiance qui semblait rejaillir sur son jeu. Hank Haney avait bien noté qu'il tapait nettement mieux la balle et qu'il se concentrait davantage. Steve Williams sentait lui aussi toute cette énergie positive. Les spectateurs étaient tous derrière lui. Pour la première fois depuis longtemps, il avait le sourire. Augusta était comme un refuge.

Du moins ça y ressemblait.

Billy Payne occupait le poste de président de l'Augusta National Golf Club depuis 2006. Il avait été quelques années plus tôt directeur du comité d'organisation des jeux Olympiques d'Atlanta en 1996. Il tenait toujours une conférence de presse le mercredi qui précédait le tournoi. Pour faire le bilan de l'année en cours et pour parler de l'avenir du golf, entre autres choses. Mais il décida cette année de ne pas s'en tenir à son texte et de s'en prendre à Tiger.

« Il a oublié que le fait d'être riche et célèbre l'obligeait à se montrer responsable, et pas invisible, dit-il. Ce ne sont pas seulement ses fautes qui sont odieuses, mais son attitude en général : il nous a tous déçus ici, et plus important encore, il a déçu nos enfants et nos petits-enfants. Il ne s'est pas montré à la hauteur des attentes. »

Que Tiger se fasse rabrouer par les experts, les chroniqueurs ou autres invités de talk-shows, soit. Ça lui arrivait si souvent qu'il n'en tenait même plus compte. Mais que le boss d'Augusta le réprimande ainsi publiquement, la veille du début du tournoi, c'était quelque chose de stupéfiant. Payne parlait au nom de tous les membres du club, et il n'hésita pas à lui expliquer comment il devrait se comporter à l'avenir.

« Arrivera-t-il à passer à autre chose ? demanda-t-il. Je l'espère, oui, et je le pense aussi. Mais on ne le jugera plus sur ses performances désormais, mais plutôt sur son degré de sincérité. J'espère qu'il va se rendre compte d'une chose : tous les gamins présents ici aimeraient bien avoir son swing, mais ils se contenteraient largement de le voir sourire. »

Billy Payne ne s'était jusqu'ici jamais permis de s'exprimer publiquement au sujet d'un joueur, pas plus que ses prédécesseurs au poste de président. C'était une première.

Les conférences de presse du chairman de l'ANGC sont d'habitude si lénifiantes que personne ou presque n'y prête attention. Mais les attaques directes à l'encontre de Tiger firent aussitôt la une des journaux aux États-Unis. Même la presse étrangère les mentionna.

Tiger en prit bien évidemment connaissance. Lorsqu'on lui demanda ce qu'il pensait de la phrase « Il a déçu tout le monde », il encaissa sans broncher. « Je me suis déçu moi-même », répondit-il simplement.

C'était forcément douloureux pour lui d'entendre qu'il avait laissé tomber les enfants et qu'il n'avait pas joué le rôle d'exemple qu'on attendait de lui. Mais il n'avait pas envie de s'attarder là-dessus, même en privé.

« Hey, t'as entendu ce qu'il a dit ? » lui demanda Hank Haney sur le chemin de la maison.

« Ouais », lui dit Tiger.

Le soir même, le site du *National Enquirer* fit la promotion de son numéro à paraître le lendemain avec ce titre : «Les ébats sexuels de Tiger avec la fille de son voisin». «De manière tout à fait choquante, était-il écrit, Tiger a commencé à lui faire des avances dans sa voiture, à quelques mètres seulement de chez lui, où se trouvait son épouse adorée. Puis l'histoire s'est terminée sur le canapé de son bureau, pendant plus de deux heures. Pour voir les photos de sa magnifique et jeune conquête, courez – ne marchez pas – acheter le dernier numéro de votre *Enquirer* avant qu'il ne soit épuisé ! Bonus : tout le détail de ses textos très salaces, vous ne les trouverez nulle part ailleurs !»

L'histoire se répandit comme une traînée de poudre dans toute la presse. *Deadspin* et le *Huffington Post* publièrent des photos de la voisine de Tiger, et le *Daily News* et le *New York Post* choisirent un titre plus qu'explicite : «Tiger a couché avec la fille de son voisin, âgée de vingt et un ans». Sans doute la goutte d'eau pour Elin, qui en déduisit assez rapidement qu'il valait mieux mettre fin au mariage plutôt que d'élever ses enfants dans un environnement privé d'amour et de confiance réciproque. Elle finit par prévenir Tiger : leur mariage était fichu, elle voulait divorcer.

Earl Woods avait assuré à Tiger que jamais il ne se retrouverait devant quelqu'un de plus fort que lui mentalement. Il s'était pour cela appuyé sur des techniques pas forcément adaptées à un adolescent : en l'insultant – «enculé de ta mère» –, en essayant de le démolir – «pauvre petite merde» – et en le poussant à bout – «petit négro de merde». Il l'avait traité comme un soldat, pour l'endurcir, et il avait réussi sa mission : aucun golfeur au monde n'avait sa volonté de fer. Et tout le monde avait pu s'en rendre compte le jeudi 8 avril, premier jour du Masters 2010.

Une véritable marée humaine avait pris place autour du premier tee. Les spectateurs regardaient frénétiquement du côté du club-house, là où Tiger était censé sortir pour se rendre sur le putting-green avant d'aller taper son premier drive. Il ne savait plus quoi penser au moment d'entrer dans l'arène. Les gens avaient été gentils avec lui, mais qu'en serait-il maintenant ? Il finit par sortir, à la fois nerveux et conquérant, en regardant droit devant lui. Les spectateurs étaient si près qu'ils auraient pu le toucher. On entendit alors les premiers applaudissements, puis quelques encouragements : «Tiger !» «Bienvenue chez toi !» «On est avec toi !»

Plutôt que de marcher sans tenir compte de ce qui se passait autour de lui, comme il l'avait toujours fait jusqu'ici, il se mit à sourire et à saluer les gens, tout en essayant de garder ses émotions pour lui. Après des mois d'autoflagellation et de culpabilité, des mois à s'être fait fracasser dans les journaux, il se retrouvait enfin au milieu des siens, entouré de gens qui l'admiraient pour son talent. Puis il se mit à l'adresse devant sa balle, et le silence se fit. On n'entendait pas une mouche voler alors qu'il s'apprêtait à jouer son premier coup en compétition officielle depuis cent quarante-quatre jours. Tout le monde – des journalistes aux millions de téléspectateurs, en passant par les salariés de Nike et la bonne dizaine de milliers de spectateurs qui se pressaient autour de sa partie – n'avait qu'une seule question en tête : était-il encore capable de bien jouer au golf après une telle descente aux enfers ?

Le silence fut rompu par le son du contact entre sa face de club et la balle. Dix secondes plus tard, cette dernière se posait en plein milieu du fairway, pour déclencher un tonnerre d'applaudissements. Il était bel et bien de retour.

Il était tout sourire quand il tendit son club à Steve Williams pour descendre le premier fairway sous les acclamations de la foule. Juste au-dessus d'eux, un avion volait à basse altitude avec une banderole qui disait *TIGER: DID YOU MEAN BOOTYISM?*[71] Même sa culture bouddhiste était l'objet de moqueries. Mais il pouvait tout encaisser quand il se trouvait sur le parcours. Nike en profita de son côté pour diffuser un spot publicitaire pendant qu'il jouait son premier tour, où on le voyait filmé en gros plan, le regard sombre. En voix off, comme s'il parlait depuis l'au-delà, son père s'adressait à lui : «Tiger, je vais me montrer curieux... J'aimerais savoir à quoi tu pensais, et j'aimerais aussi savoir ce que tu ressens, là. Et aussi : est-ce que tu as appris quelque chose ?» Puis l'image zoomait sur lui avec un fondu au noir, et le logo de Nike apparaissait à l'écran.

Tiger avait toujours eu soif d'intimité, mais ses péchés étaient maintenant exposés au grand jour, et sa rédemption ne pourrait avoir lieu que sous l'œil du grand public. «Mes regrets seront éternels», écrivit-il plus tard.

Il fut malgré tout capable de ramener une carte de 68 (-4) au milieu de ce tourbillon. Jamais il n'avait scoré aussi bas pour

---

71. Jeu de mots avec *buddhism*, *booty* pouvant se traduire par «fesses» ou «plan cul».

un premier tour au Masters. Puis il joua 70 le vendredi, pour se trouver à seulement deux coups de la tête avant le week-end. Pendant deux jours, il avait souri aux fans, donné l'accolade à ses camarades de jeu et tapé dans la main de son caddie plus souvent qu'il ne l'avait fait au cours des quinze dernières éditions réunies.

Steve Williams était ravi de le voir se comporter de la sorte. Mais alors qu'il quittait le media center en compagnie de Woods et de Steinberg, il entendit son agent dire que s'il voulait gagner, il devait «arrêter de faire le gentil» et redevenir l'ancien Tiger. «Je n'en croyais pas mes oreilles, se souvient-il. Après tout ce qu'il avait traversé, après qu'il se fut publiquement engagé à devenir moins hautain et agressif... Son agent lui conseillait de faire le contraire.»

Ce fut un moment charnière pour Steve Williams. Il espérait que ce Masters allait donner à Tiger l'occasion de se montrer moins agressif et plus tolérant. Et là, tout à coup, on lui demandait d'oublier tout ça. «À partir de ce moment-là, écrivit-il plus tard, quelque chose s'est brisé en moi, et ma relation avec Tiger ne fut plus jamais la même.»

Vingt-quatre heures plus tard, Hank Haney eut une drôle de prémonition : *C'est la toute dernière fois qu'on va travailler ensemble.* L'idée lui était venue juste après le troisième tour, où Tiger avait scoré 70 pour se retrouver à quatre coups du leader Lee Westwood et à trois coups de son meilleur ennemi Phil Mickelson. Il était encore en course pour la victoire à la veille du dernier tour, un exploit compte tenu des circonstances. Et pourtant, il était fou de rage en se dirigeant vers le practice en fin d'après-midi.

«J'ai joué comme une merde», dit-il.

Au contraire : il avait touché quinze greens en régulation, une statistique toujours impressionnante à Augusta. Mais il envoyait bouler Hank Haney à chaque fois que ce dernier lui prodiguait ses encouragements. Tout ce qu'il voyait, c'est qu'il avait perdu du terrain sur les deux premiers. Il en voulait à son swing de n'avoir pas fonctionné comme il le souhaitait – et donc à son coach, qu'il estimait responsable de la situation.

Il était d'une humeur massacrante le lendemain matin. Son mariage explosait, les tabloïds et les comédiens de stand-up le flinguaient à tour de rôle, et ce putain de Phil Mickelson jouait le meilleur golf de sa vie.

Il ne tapait que des balles basses à l'échauffement. Il avait l'air abattu. Hank Haney finit par lui dire : «Tu as juste à envoyer la balle dans les airs.» C'était une sorte d'expression récurrente entre eux, une phrase que le coach prononçait quand il voulait que Tiger ouvre davantage sa face de club pour obtenir une trajectoire plus haute. Woods voyait bien de quoi il voulait parler. En général, il répondait favorablement à sa requête, mais pas là. Il lui dit : «Qu'est-ce que tu entends par là?» Puis il recommença à taper des balles basses, comme s'il n'avait rien entendu.

Quelque chose se brisa chez Hank Haney à ce moment-là, comme s'il venait de réaliser que tout ça n'en valait pas la peine. Il se sentait épuisé au niveau émotionnel. Steinberg lui avait bien dit plusieurs fois que Tiger le considérait comme l'un de ses amis les plus proches, mais il ne voyait pas les choses de cette façon. Woods avait peut-être suivi une cure pour modifier sa façon d'être, mais rien n'avait changé en fait : il n'était toujours pas bienveillant envers son coach. Il tapa quelques putts avant de se diriger vers le tee de départ. Haney lui dit ces derniers mots : «Tu vois très bien de quoi je veux parler. Fais-le et tout se passera bien.»

Tiger hocha la tête.

«Bonne chance», lui dit-il encore. Les tout derniers mots qu'il prononça en tant que coach de Tiger Woods.

Il réussit deux eagles lors du dernier tour, sur les trous 7 et 15, pour jouer 69. Mais Mickelson joua l'un de ses meilleurs tours en Géorgie : cinq birdies et pas un bogey pour une carte de 67 et une troisième veste verte. Tiger termina quatrième à cinq coups. «Du bon boulot!» lui dit Steve Williams à la sortie du dernier green. «Du vrai bon boulot!»

Un euphémisme : seuls trois joueurs l'avaient devancé, et aucun d'entre eux n'avait eu à gérer ce qui lui était tombé dessus depuis des mois. Williams était sincèrement impressionné. Mais Tiger devait maintenant retourner à son triste quotidien, et il n'avait envie de parler à personne.

Hank Haney passa un coup de fil à Mark Steinberg : «C'est fini, lui dit-il, j'arrête.»

«Hank, tu ne peux pas. Pas maintenant. Tu ne peux pas lui faire ça, il traverse la passe la plus difficile de sa vie.»

Haney ne répondit rien.

«Tu sais comment il est. Il a besoin de toi. Ne l'abandonne pas maintenant.»

CHAPITRE 31
LA SÉPARATION

Tiger Woods et Hank Haney avaient travaillé ensemble pendant six ans, de mars 2004 à avril 2010. Une période pendant laquelle Tiger disputa quatre-vingt treize tournois du PGA Tour pour en remporter trente et un – dont six Majeurs. Son ratio de 33 % de victoires était absolument énorme, encore meilleur qu'avec Butch Harmon : trente-quatre victoires – dont huit Majeurs – en cent vingt-sept tournois, soit 27 %. Des statistiques inédites à ce niveau. Haney était également devenu un intime de Tiger, mais les événements des six derniers mois avaient causé pas mal de dommages collatéraux. Et il en faisait malheureusement partie.

Touché par le plaidoyer de Steinberg, il avait pourtant accepté, à contrecœur, de renouer avec Tiger juste après le Masters. Il prit le temps de lui envoyer un e-mail de cinq pages aussi sincère que possible pour lui expliquer comment il voyait les choses pour les cinq années à venir. Steinberg était en copie lui aussi, et Haney imaginait recevoir un retour rapide et attentionné après avoir exprimé ses envies de départ. Mais Tiger ne lui répondit jamais.

Il faut dire qu'il avait des problèmes autrement plus sérieux à régler que les états d'âme de son coach. Son quotidien était rythmé par des rencontres avec des avocats, des conseillers financiers et des discussions à propos de la garde de ses enfants. Et par-dessus le marché, une autre histoire d'adultère avait fait son apparition. Une femme prétendait qu'il était le père biologique de son enfant. Facile dès lors d'imaginer que lire un e-mail de cinq pages sur des pistes techniques, puis d'y réfléchir et d'y répondre, ne se trouvait pas au premier rang de ses urgences. Il finit par appeler Hank Haney deux semaines plus tard, juste avant de disputer le Quail Hollow Championship à Charlotte. Il ne fit aucune allusion au mail mais évoqua tout de suite cette histoire de paternité supposée. Selon lui, ça n'était tout simplement pas possible vu les dates de leurs rencontres.

Ils discutèrent encore quelques minutes et Tiger ne fit que parler de lui. Jamais il ne prit des nouvelles de son entraîneur. Ça se passait toujours comme ça depuis six ans, mais Hank Haney en fut cette fois plus qu'agacé. Il attendait un signe de son joueur, un vrai. En vain.

Livré à lui-même, Woods fit un tournoi catastrophique et loupa le cut. Il scora 79 le vendredi, sa pire carte depuis 2002. Une semaine plus tard, toujours sans Hank Haney, il abandonna lors du dernier tour du Players Championship en raison de douleurs à la nuque. Un gamin lui cria dessus alors qu'il se dirigeait vers le club-house : « Hey, Tiger ! Tu peux dire adieu à ta première place mondiale ! »

L'euphorie de son retour au Masters s'était dissipée. Il n'avait plus de swing, sa tête était ailleurs et il se montrait incapable de rentrer les putts importants comme il avait su le faire tout au long de sa carrière. Il n'avait plus l'air invincible du tout. Les autres joueurs l'avaient bien remarqué, et les fans aussi.

Mais il ne donnait aucune nouvelle à son coach. Pas un coup de fil, pas un texto, rien. Et Hank Haney n'avait aucune envie de se faire virer comme Butch Harmon quelques années plus tôt. *Tu ne vas pas me laisser tomber comme ça*, pensa-t-il. *Va te faire foutre !*

Haney écrivit un communiqué le lendemain du Players dans lequel il expliquait avoir mis fin à leur collaboration. Il l'envoya à Jim Gray, de Golf Channel, tout en lui demandant de ne pas le publier avant quelques heures. Puis il envoya un texto à Tiger pour lui dire qu'il avait besoin de lui parler. « Pas aujourd'hui, je suis avec les enfants », répondit-il.

Il était en pleine procédure de divorce avec Elin, mais il essayait de passer un maximum de temps avec Sam et Charlie. Le sentiment de culpabilité qu'il avait éprouvé en manquant l'anniversaire de son fils avait agi comme un électrochoc : ses enfants passeraient désormais avant tout le reste, y compris sa carrière.

Il ne savait pas que Haney comptait arrêter de travailler avec lui et il fut donc très surpris de recevoir ce deuxième texto : « Si quelqu'un devrait être capable de comprendre le sens du mot "amitié" en ce moment, c'est bien toi. Je t'ai toujours considéré comme un ami. Je ne suis pas sûr que l'inverse soit vrai. »

Haney avait toujours très mal encaissé les critiques qui lui étaient faites à propos de son travail avec Tiger. Et Woods imaginait qu'il prenait là encore les choses trop à cœur. Mais il se trompait : son ressentiment était bien plus profond. «Peut-être qu'il est temps de faire une petite pause», suggéra Tiger.

Haney renvoya un SMS sur-le-champ, avec des mots suffisamment clairs pour ne pas laisser de place au doute : «Tiger, merci pour tout ce que tu as fait pour moi, et merci de m'avoir donné cette incroyable opportunité. Je ne pourrai jamais assez te remercier, mais il est désormais temps pour toi de trouver un autre coach.»

Mais Tiger faisait la sourde oreille : «Merci Hank, mais on va encore travailler ensemble.»

«Non, ça n'arrivera plus. C'est fini. Terminé. Je ne suis plus ton coach.»

Quelques secondes plus tard, cette réponse de Tiger : «On se parle demain matin.»

Il tint une conférence de presse téléphonique cet après-midi-là, durant laquelle il expliqua aux reporters qu'il travaillait toujours avec Hank et qu'ils avaient beaucoup à faire. Il avait déjà perdu sa femme et coupé les ponts avec la plupart de ses amis, et il semblait ne pas vouloir accepter que son coach le laisse tomber à son tour. Il fut pourtant bien obligé de l'admettre lorsque Golf Channel diffusa son communiqué : «J'ai prévenu ce jour Tiger que je ne serai plus son coach. Et pour que ce soit bien clair : il s'agit de ma décision.»

Puis Mark Steinberg l'appela à son tour, pour lui dire que Tiger allait publier son propre communiqué afin d'expliquer que la décision avait été prise «d'un commun accord». Ce coup de fil le rendit fou de rage. Il répondit à Steinberg que c'était des «conneries» et qu'il révélerait publiquement qu'il s'agissait d'un mensonge si jamais c'était écrit sous cette forme. Une menace qui produisit son effet. Steinberg modifia le texte pour écrire : «Hank Haney et moi sommes tombés d'accord pour dire qu'il ne sera désormais plus mon coach.» Tiger lui téléphona juste après pour le remercier à la fois du travail effectué et d'avoir été un ami si fidèle. Et il ajouta : «Tu sais, on va encore bosser ensemble.»

Haney était stupéfait. Il lui répondit : «Tiger, si tu veux que je jette un œil à ton swing ou que je te donne mon avis, je le ferai avec grand plaisir. Mais en tant qu'ami. Je ne serai plus jamais ton coach.»

«On va encore travailler ensemble», persista Tiger.

Haney eut un rire nerveux : « Non, aucune chance. »

Il fut interviewé quelques jours plus tard par Golf Channel, et Jim Gray lui demanda s'il avait déjà vu Tiger prendre des produits dopants. Il répondit qu'il n'y croyait pas une seconde, puis ajouta : « Tout ce que je sais, c'est qu'il avait des problèmes d'addiction au sexe. »

Tiger était furieux, et il lui envoya un texto juste après l'émission : « Merci d'avoir dit à tout le monde que j'étais en cure pour mon addiction au sexe. »

Steinberg se montra encore plus direct. Il lui téléphona, fou de rage : « Comment as-tu pu faire une chose pareille ? hurla-t-il. Comment il va faire pour lever de l'argent maintenant ? Sa fondation est foutue, là ! »

« Je ne voulais pas lui faire du mal ni lui causer de problèmes. »

« Tu ferais mieux de ne plus donner d'interview », ajouta Steinberg, menaçant.

« Mark, tu n'as plus aucun contrôle sur moi, désormais. Je parle à qui je veux. »

Voilà quinze ans que Tiger travaillait avec Peter Mott et son cabinet d'avocats sur sa planification successorale, plutôt complexe, et pour gérer son empire financier. Il ne prenait pratiquement aucune décision sans les consulter. Il avait été avisé d'écouter les conseils de John Merchant en 1996. Et Peter Mott devait maintenant s'occuper d'un dossier majeur : son divorce avec Elin.

Tiger avait gagné plus d'un milliard de dollars, à la fois sur et en dehors du parcours. Ses actifs étaient estimés à 750 millions. Il possédait des propriétés un peu partout dans le monde : certaines en son nom propre, d'autres conjointement avec Elin. Et comme la loi de Floride exigeait un partage équitable des biens, il y avait énormément de points à régler.

Tiger n'avait aucune envie de vivre un divorce compliqué. Il voulait que tout se passe pour le mieux avec les enfants, exactement comme Elin, et ils devaient à tout prix éviter une bataille juridique. Les avocats des deux parties finalisèrent l'accord en tout début d'été, en présence de Tiger et d'Elin. Compte tenu des circonstances, c'était un petit miracle. Et Tiger avait été très clair : il subviendrait aux besoins de ses enfants et de son ex-épouse.

Il lui versa ainsi un peu plus de cent millions de dollars, et ils s'étaient également mis d'accord sur une forme de garde partagée. Tiger déménagerait dans l'immense résidence de 835 m^2 qu'ils avaient achetée 40 millions de dollars à Jupiter Island (Floride). Ils avaient prévu d'y habiter tous les quatre voilà quelques mois, mais Elin et les enfants étaient désormais à la recherche d'une demeure près de North Palm Beach, une trentaine de kilomètres plus au sud.

Le divorce fut une épreuve plus que douloureuse pour Tiger. Il prenait pleinement conscience de ce qu'il avait gâché. Au début de leur histoire, Elin était si belle que ceux qui la croisaient n'avaient d'yeux que pour elle. Bilingue, extrêmement intelligente, elle comptait bien réussir sa carrière professionnelle. Mais elle l'avait mise entre parenthèses à l'âge de vingt et un ans pour s'installer aux États-Unis et vivre avec Tiger Woods, pour le meilleur et pour le pire. Elle avait mis toute son énergie dans l'éducation de ses enfants, jusqu'à ce que Tiger lui brise le cœur. Et quand le tribunal de Bay County (Floride) rendit le jugement de divorce officiel le 23 août 2010, elle reprit son nom de jeune fille : Elin Maria Pernilla Nordegren.

Le divorce eut pour elle un effet libérateur. Elle était si stressée les semaines précédentes qu'elle commençait à en perdre ses cheveux. Et aujourd'hui, elle se sentait plus forte que jamais. Certes, la vie familiale dont elle rêvait pour ses enfants n'était plus qu'un lointain souvenir. Mais elle se sentait enfin libre. Elle n'avait plus à subir les règles étouffantes de la vie sur le PGA Tour, ni l'oppressante équipe bâtie autour de Tiger et dont il avait fait une machine à son service. Elle s'était débarrassée de tous ses fardeaux. Elle était désormais une mère célibataire, mais elle avait seulement trente ans et tous les rêves lui étaient permis. Mais elle tenait d'abord à faire un point définitif sur ce qu'elle venait de traverser.

Elle n'avait jamais accordé la moindre interview pendant les neuf ans qu'elle avait passés avec Woods – trois comme petite amie et six en tant qu'épouse. Son avocat Richard Cullen lui avait conseillé d'en donner une après le jugement de divorce. Ce qu'elle fit avec Sandra Sobieraj Westfall, journaliste pour *People*. Elle passa au total plus de dix-neuf heures avec elle, à chaque fois à son domicile, pour finir en couverture du magazine sous le titre « My Own Story »[72]. Elle refusa de dire quoi que ce soit de mal

---

72. *Ma version de l'histoire.*

au sujet de Tiger, mais elle se montra totalement honnête sur sa douleur et sa déception.

« Il faut du temps pour pardonner, dit-elle. C'est la toute dernière étape du deuil. Je vais être très franche avec vous : je travaille encore dessus. Je sais que je dois accepter et pardonner, pour passer à autre chose et être aussi heureuse que possible. Et je sais que j'y arriverai. »

Le classement mondial est remis à jour toutes les semaines, chaque lundi. Mais du 12 juin 2005 au 30 octobre 2010, la première place avait été systématiquement occupée par Tiger Woods, pour un record inédit de 281 semaines consécutives. Une série qui prit fin le 31 octobre lorsque Lee Westwood lui passa devant. Woods n'avait à ce moment-là plus gagné le moindre tournoi depuis plus d'un an, et l'accueil chaleureux qu'il avait reçu à Augusta était de l'histoire ancienne. Les fans le chahutaient. Les autres joueurs n'avaient plus peur de lui. Il avait perdu sa femme, son coach, et même son swing. Et il allait bientôt perdre son caddie.

Il avait demandé au Canadien Sean Foley de prendre la succession de Hank Haney. Totalement obsédé par le golf, Foley était la figure de proue des jeunes professeurs qui s'appuyaient sur la technologie type TrackMan, une sorte de radar qui mesurait des tas de paramètres – contact entre la balle et le club, trajectoire de la balle, du club, vitesse de spin, etc. Il utilisait des termes comme « chaînes de fascias » ou « sous-modalités kinesthésiques » pour expliquer sa vision du swing à Tiger. Steve Williams trouvait cela très bizarre. L'arrivée de Sean Foley dans l'équipe était pour lui un signe très clair : Tiger n'était plus le même, et leur complicité était en train de disparaître elle aussi. Ils avaient gagné soixante-douze tournois ensemble, dont treize Majeurs. Mais il n'y avait plus d'alchimie entre eux depuis son retour sur le circuit. Et que Tiger veuille à nouveau changer de swing avec un professeur aussi « différent » ne faisait qu'empirer les choses.

L'année 2011 fut un long chemin de croix, aussi bien au niveau de son swing que de sa santé. Il prit certes une belle quatrième place au Masters, après avoir même occupé la tête du tournoi un court instant le dimanche, mais il s'y blessa au tendon d'Achille gauche suite à une frappe en déséquilibre. Cette blessure l'obligea à déclarer forfait au Wells Fargo Championship un mois plus tard. Puis il abandonna lors du premier tour du Players, après avoir scoré 42 sur ses neuf premiers trous. Il souffrait d'une entorse au ligament du genou gauche, en plus de ses douleurs au tendon.

Il dut également déclarer forfait pour l'US Open mi-juin. Il reçut alors un appel de Steve Williams, qui lui annonça que l'Australien Adam Scott avait besoin d'un caddie pour le tournoi et le job l'intéressait.

«Pas de problème», lui répondit Tiger.

Mais il changea d'avis après mûre réflexion. Scott restait l'un de ses concurrents directs, et ça l'emballait moyennement de voir son propre caddie lui filer un coup de mains. Steinberg envoya un texto à Williams pour lui demander d'y renoncer.

Furieux, Steve Williams appela Tiger en direct. Il avait donné son accord à Scott et il ne voulait pas revenir en arrière. Et puis c'était juste l'affaire d'une semaine, rien de plus.

Tiger finit par céder, mais ça ne lui plaisait définitivement pas.

Une nouvelle brèche venait de s'ouvrir entre les deux hommes, au moment même où Tiger était en froid avec IMG. L'agence avait décidé de se séparer de Mark Steinberg en ne renouvelant pas son contrat qui courait jusqu'à fin juin. Les infos n'étaient pas très claires à ce sujet. Certaines sources affirmaient que Steinberg avait été viré pour manque de résultats, trop occupé à gérer le quotidien de son joueur ; d'autres prétendaient que les deux parties n'avaient pu s'entendre sur un nouvel accord. Tiger jugeait de son côté que son agent avait accompli un travail magistral depuis 1999, et qu'il s'était montré d'une fidélité à toute épreuve depuis novembre 2009. Il décida donc de le suivre chez Excel Sports Management et annonça la nouvelle le 6 juin 2011.

Adam Scott loupa le cut à l'US Open. Il était inscrit à l'AT&T National deux semaines plus tard, un tournoi que Tiger accueillait dans le cadre de sa fondation mais qu'il ne pouvait jouer cette année, toujours en raison d'un physique défaillant. Il sollicita à nouveau l'aide de Williams, mais Tiger mit cette fois son véto en stipulant que leur collaboration serait terminée s'il acceptait cette nouvelle pige.

«Eh ben c'est fini alors», se contenta de répondre Steve Williams.

Il lui avait toujours dit ce qu'il pensait, contrairement à tous les béni-oui-oui qui gravitaient autour de Tiger. Il n'avait jamais été intimidé par son boss et il était devenu de moins en moins tolérant avec lui au fil des années. Il donna donc son accord à Adam Scott, sans hésiter une seconde. Puis, après le dernier tour, il retrouva Tiger dans une salle de réunion du club-house pour un tête-à-tête.

Tiger était déjà là quand il entra, posé à la cool dans un fauteuil, les pieds sur la table – la position préférée de son père quand il voulait faire une démonstration de sa puissance. Williams comprit tout de suite qu'il serait inutile d'exprimer toute sa colère. À quoi bon perdre son temps ? Il lui souhaita bonne chance pour la suite de sa carrière, et Tiger en fit de même. Comme toutes les relations d'importance qu'il avait pu avoir dans sa vie, celle-ci connut une fin glaciale. Ils échangèrent certes une vraie poignée de mains, mais il y avait une évidente frustration des deux côtés. Tiger était persuadé que Williams avait dit du mal de lui dans son dos, une erreur fatale pour un caddie ; et Williams pensait avoir été traité comme un moins que rien (il n'a pas voulu répondre à nos questions sur son travail avec Tiger, invoquant un accord de confidentialité).

Fin juillet, juste après le British Open, Woods annonça sur son site la fin de sa collaboration avec son caddie historique, en précisant qu'il était « temps de passer à autre chose ». Steve Williams publia un communiqué dès le lendemain : « Après treize ans de bons et loyaux services, inutile de vous dire que j'ai accueilli la nouvelle avec stupéfaction. Au vu de ce qu'il s'est passé depuis un an et demi – le scandale, le changement de coach et de swing, toutes ses blessures –, je suis très déçu de voir que notre partenariat couronné de succès s'achève aujourd'hui. »

Tiger avait fait de lui un homme riche : il avait sans doute gagné près de douze millions de dollars au cours des onze dernières années. Williams écrivit plus tard qu'il avait toujours eu l'impression d'être son « esclave » – une expression bien trop excessive, sans doute le fruit de leur rupture difficile. Ils se retrouvèrent sur un parcours en août 2011, pour le Bridgestone Invitational. De retour de blessure, Tiger termina à la trente-septième place ; Adam Scott remporta l'épreuve avec quatre coups d'avance, sa première victoire avec Steve Williams comme porte-sac. Qui, surexcité, déclara juste après sa sortie du dernier green : « C'est la plus belle victoire de ma carrière. »

Un message adressé à Tiger et qui voulait dire : celle-là, tu peux te la coller où je pense.

Deux mois plus tard, Tiger choisit d'embaucher Joe LaCava, un caddie à l'ancienne de quarante-sept ans. Sa présence sur le parcours était rassurante. Mais de tous les fidèles qui l'avaient accompagné depuis ses débuts, seul Mark Steinberg était encore à ses côtés. Sa situation était assez sinistre : outre son physique de plus en plus fragile, il semblait avoir définitivement perdu son aura d'invincibilité. Il n'avait joué que neuf tournois en 2011, le dernier en septembre au Frys.com Open où il avait pris la trentième place. Il était redescendu au cinquante-deuxième rang mondial. Une aberration : il n'y avait pas cinquante et un joueurs qui étaient meilleurs que lui dans le monde. Il n'y en avait même pas un seul. Mais il avait vraiment besoin de retrouver une forme physique convenable.

CHAPITRE 32
HUMAIN, TROP HUMAIN

Il s'apprêtait à reprendre la compétition en 2012 et il n'avait plus gagné depuis plus de deux ans. Il avait joué vingt-sept tournois depuis son retour en avril 2010, sans succès. Le fait de changer de swing pour la quatrième fois de sa carrière ne le mettait pas dans les meilleures dispositions. Et les modifications techniques radicales demandées par Sean Foley faisaient l'unanimité contre elles : tous les suiveurs du circuit étaient persuadés que non seulement elles tuaient l'instinct créatif de Tiger, mais aussi qu'elles contribuaient à sa série de blessures en fragilisant son physique. Il avait mal au dos, au cou, au genou, au tendon d'Achille, et il abandonnait de plus en plus souvent au beau milieu d'une épreuve. Mais le problème principal se situait surtout dans sa tête : il avait perdu son instinct de tueur.

Son état d'esprit lui avait toujours permis de faire la différence. Les autres joueurs étaient littéralement morts de peur devant lui. Il était intouchable depuis si longtemps, avec son physique de bodybuilder, sa vitesse de swing, son jeu complet, ses gardes du corps, son caddie dur comme une pierre... Il avait aussi le plus malin des agents, la plus belle des femmes, et une fortune immense. Tous ces éléments avaient contribué à renforcer le facteur intimidation. Et puis le scandale, le divorce et les révélations publiques étaient venus assombrir le tableau, et c'est comme si un poids énorme s'était soudain envolé des épaules de ses adversaires. Ils le regardaient autrement, dorénavant. D'accord, il avait toujours autant de talent entre les mains. Mais c'était un être humain comme les autres, finalement, avec ses faiblesses et ses failles.

Tiger avait une autre image de lui-même depuis sa thérapie. Ses parents lui avaient fait croire qu'il était «l'Élu» et qu'il devait se comporter comme un «tueur de sang-froid». Il était devenu célèbre si jeune que cela avait causé des dommages impossibles à anticiper et qui s'étaient manifestés après bien des années. Pour le dire avec une métaphore : les graines de son processus d'autodestruction avaient été semées bien avant son mariage avec Elin. Et il avait fallu qu'il aille en cure pour se rendre compte à quel point il vivait dans le mensonge.

Son traitement lui avait permis de remettre certaines choses à l'endroit, mais il avait aussi laissé des traces. Il avait lui-même avoué que ça avait été «horrible», «la chose la plus dure» qu'il ait eue à vivre. Son calvaire avait également eu des conséquences sur son mental : sa confiance en lui en avait été affectée, et ses adversaires savaient désormais qu'il n'était plus invincible.

La cure l'avait aussi obligé à regarder les femmes d'un autre œil – il ne devait plus chercher à avoir des relations sexuelles avec toutes celles qu'il pouvait croiser s'il n'éprouvait pas des sentiments sincères. Sinon, il risquait de se mettre en grand danger. Facile à dire mais difficile à faire, tant il se trouvait là devant l'un de ses plus grands défis. Il avait été habitué à claquer des doigts pour avoir n'importe qui ou presque. «Je n'ai pas obéi aux règles qu'un homme marié se doit d'honorer, avait-il dit. Je pensais pouvoir faire tout ce que je voulais. Je pensais que j'avais travaillé dur toute ma vie et que je pouvais céder aux tentations. Et avec l'argent et la gloire, je n'avais pas besoin de chercher bien loin pour les trouver.»

On lui avait demandé de respecter deux choses : ne pas céder à la tentation avec la première venue, justement, et se lancer dans une relation saine et sérieuse avec une femme. Une tâche ardue. «Il y a des femmes qui vont me courir après encore plus qu'avant», avait-il confié à Hank Haney à sa sortie du programme Gratitude. «Surtout les cinglées.»

Cette situation risquait de lui rendre la vie impossible, et surtout plus solitaire que jamais. Des journalistes avaient écrit voilà quelques années qu'Elin vivait un «véritable conte de fées», puisqu'elle avait réussi à séduire le sportif le plus célèbre du monde. Mais c'était tout le contraire, en fait, comme Mia Parnevik l'avait expliqué dès 2004 au magazine *Sports Illustrated* : «Les gens pensent qu'elle vit une histoire à la Cendrillon, mais c'est lui qui a gagné le gros lot. Il aurait pu ne jamais rencontrer de fille sympa avec sa vie de dingue. Il a de la chance de l'avoir trouvée. Vous imaginez à quel point sa vie était vide avant Elin ? Il tapait des balles toute la journée, et c'est tout.»

Des propos prémonitoires, en fin de compte. Dix ans après avoir rencontré Elin, il était revenu au point de départ et passait ses journées à taper des balles. Quant à imaginer une relation sérieuse avec une femme, ça relevait de l'utopie. Mieux valait toutes les éviter pour l'instant. Et le golf lui donnait à la fois une raison de se lever le matin et un sens à sa vie. La compétition lui avait toujours fait le plus grand bien. C'est pour ça qu'il avait continué à jouer malgré la douleur, et il lui semblait voir le bout du tunnel fin 2011. Il venait de remporter le Chevron World Challenge, un tournoi qui réunissait dix-huit des meilleurs golfeurs du monde. L'épreuve n'était peut-être pas inscrite au calendrier du PGA Tour, mais elle lui avait redonné confiance comme rarement. Il se sentait mieux physiquement, aussi. Jusqu'à ce qu'il soit secoué par quelque chose qu'il n'avait pas vu venir.

C'est en janvier 2012 qu'il eut vent de la rumeur : Hank Haney avait écrit un livre – « *The Big Miss: Mes années avec Tiger Woods* ». Il devait sortir juste avant le Masters. *Il a écrit un bouquin, sérieusement ?* Woods était sous le choc et il se demandait bien pourquoi il publiait un truc pareil. *Pourquoi est-ce qu'il ne m'en a pas parlé ?*

Steinberg était furieux lui aussi. Rendre publique une relation aussi intime entre un professeur et son élève allait à l'encontre des lois non écrites du golf professionnel. Ça n'avait jamais été fait jusque-là. Pire que tout : Haney n'avait même pas eu la décence de prévenir Tiger. Un coup dans le dos qui venait confirmer qu'il y avait encore de la rancœur entre les deux parties. « C'est vrai, je ne les ai pas prévenus, expliqua plus tard Hank Haney. Mais rien dans mon contrat ne m'interdisait d'écrire ce livre. »

Au vu de l'obsession de Tiger pour sa vie privée et des clauses de confidentialité qu'il insérait systématiquement dans les contrats de ses collaborateurs, il était assez hallucinant de constater que Hank Haney avait eu les mains libres pour écrire ce qu'il voulait. Son éditeur se refusait tellement à le croire qu'il lui avait demandé à plusieurs reprises s'il était bien sûr de son bon droit. Haney l'avait systématiquement rassuré sur le sujet. « C'est Steinberg qui a merdé », disait-il.

Pour Woods et Steinberg, ce livre était un acte de haute trahison. Il allait fragiliser Tiger davantage encore, surtout en expliquant que leurs désaccords auraient pu être évités s'il s'était montré un peu plus reconnaissant. Il aurait suffi de quelques petits gestes pour rassurer Hank Haney, mais on ne montrait pas ses émotions comme ça chez les Woods. Une fois que la relation professionnelle était terminée, il ne donnait plus aucun signe de vie. Ce fut le cas avec son ancien coach : ils s'étaient séparés voilà deux ans, et jamais il ne l'avait appelé ou ne lui avait envoyé le moindre texto. Pourtant, ses derniers mots au téléphone avaient été : « Je sais qu'on sera amis pour toujours. » Pour Haney, ça voulait surtout dire : « Tu ne racontes rien. » Mais il avait décidé de ne pas en tenir compte.

Pire encore : il avait choisi Jaime Diaz comme plume. Aucun autre journaliste au monde ne connaissait mieux Tiger et sa famille. Il l'avait aidé à écrire son livre de technique. Il avait passé beaucoup de temps avec eux et il avait même voyagé jusqu'en Thaïlande avec Kultida. Pour Tiger, c'était une trahison de plus.

Golf Digest publia les bonnes feuilles fin février. Le magazine avait choisi le passage sur les Navy SEALs : son envie d'intégrer les troupes qui tournait à l'obsession, et aussi l'entraînement très lourd qu'il avait subi au risque de se blesser. Ces révélations firent les gros titres dans tout le pays, et les SEALs eux-mêmes n'échappèrent pas à la critique. Ils durent répondre à plusieurs questions, notamment sur le fait d'avoir autorisé un civil à se préparer avec eux. « Je peux effectivement vous confirmer qu'il a utilisé des armes dans l'une de nos installations en 2006 », affirma un porte-parole de l'armée à CNN. Il faut se souvenir qu'en 2012, le public ignorait encore tout de ses envies de carrière militaire. Haney portait cette information aux yeux de tous contre son gré.

Steinberg lança la contre-attaque en qualifiant sa prose de « psychologie de salon ». Son communiqué disait : « Tiger a toujours eu le plus grand respect pour la chose militaire, notamment en raison du passé de son père. Que Haney fasse passer cette admiration pour quelque chose de négatif, c'est vraiment lui manquer de respect. »

Des critiques qui eurent l'effet inverse de celui escompté. Le livre n'était toujours pas en vente, mais le buzz tout autour n'arrêtait pas d'enfler. Tiger fut cerné de questions à son sujet lors de la conférence de presse d'avant-tournoi au Honda Classic. Il les balaya les unes après les autres jusqu'à ce qu'Alex Miceli, un collaborateur de Golf Channel, lui demande s'il avait vraiment envisagé de rejoindre les SEALs.

« J'ai déjà répondu à toutes les questions à ce sujet », esquiva-t-il de façon laconique.

«Alors j'ai dû louper cette réponse-là», relança Miceli.

«Eh bien je crois que j'ai déjà dit ce que je pensais du livre, répliqua-t-il. C'est dans le livre ce truc? C'est dans le livre?»

Miceli lui dit qu'il ne l'avait pas lu, mais qu'il l'avait vu dans les extraits publiés par le mensuel.

«T'es adorable. Tu le sais, hein?» dit alors Tiger. *Adorable*, son expression codée pour dire *trou du cul*.

Il était connu pour ce genre de répliques. Mais Miceli refusa d'abdiquer, ce qu'il ne se serait sans doute jamais permis de faire avant novembre 2009. Il dit que le communiqué de Steinberg laissait penser que toute cette histoire était fausse, et qu'il voulait entendre la vérité de sa bouche à lui.

Tiger était furieux et le fusilla du regard pendant cinq longues secondes. «J'en sais rien, finit-il par dire. Passez une bonne journée.»

The Big Miss devint un best-seller dès sa sortie. Qu'un ancien intime de Tiger se permette de tout raconter était un véritable événement. Les journalistes ne purent s'empêcher de le lire. Les joueurs en parlaient entre eux. Les caddies et les coachs tenaient des messes basses. Haney avait tout balancé, sa relation avec sa femme comme sa façon de traiter les gens. Il lança aussi quelques piques à l'attention de son agent. Mais Tiger continua à jouer en dépit de tout ce cirque. Il scora 62 le dimanche pour finir deuxième du Honda Classic, puis s'imposa trois semaines plus tard lors du Arnold Palmer Invitational. C'était sa première victoire aux États-Unis depuis le BMW Championship de septembre 2009. Ça se passa en revanche nettement moins bien en Majeurs: il loupa complètement son Masters (quarantième) et termina vingt et unième de l'US Open alors qu'il était en tête après deux tours. Mais il était clairement de retour et finit par s'imposer deux nouvelles fois sur le circuit américain, au Memorial Tournament et à l'AT&T. Il était remonté à la deuxième place mondiale en juillet, seulement devancé par Luke Donald.

C'est à cette période qu'il fit la connaissance de la skieuse Lindsey Vonn, âgée de vingt-sept ans. Un ami qui travaillait pour sa fondation avait fait les présentations. Tiger n'avait connu aucune aventure depuis sa sortie de clinique, mais il se sentit tout de suite à l'aise en sa compagnie. Il avait peut-être rencontré des centaines de femmes à travers le monde, mais jamais une qui ait autant de points communs avec lui. Elle avait débuté le ski à deux ans, avec un père sans arrêt derrière elle, pour s'entraîner douze mois sur douze à l'âge de sept ans. À l'adolescence, elle partit s'installer à Vail (Colorado) avec sa mère pour skier à plein temps au Ski & Snowboard Club Vail. Elle n'était pas inscrite au lycée et suivait des cours en ligne pour avoir le temps de s'entraîner du matin au soir. Une jeunesse bien différente des autres filles de son âge : pas de fêtes, pas de soirées pyjama, pas de relations en dehors des gens qu'elle croisait au ski. Elle débuta sa carrière professionnelle à seize ans et finit par remporter huit Coupes du monde de descente. Elle fut aussi la première Américaine à devenir championne olympique de la discipline (Vancouver 2010).

Tiger l'admirait énormément, pour ses résultats comme pour son implication. Elle s'entraînait entre six et huit heures par jour et ne vivait que pour le ski. Mais malgré sa domination, elle n'était pas à l'aise avec l'image qu'elle renvoyait. Elle était complexée par son corps, à se demander si les gens ne la remarquaient pas seulement à cause de sa taille et de ses muscles. Et elle avait aussi beaucoup de mal avec la célébrité. Le seul endroit où elle se sentait à la fois bien et invincible, c'était sur les pistes.

Tiger Woods et Lindsey Vonn étaient des âmes sœurs à bien des égards. C'était la première fois qu'il rencontrait une femme avec la même vision du monde que la sienne, et elle pouvait le comprendre mieux qu'aucune autre. Elle dit un jour à son propos : « Il veut gagner et il veut devenir le plus grand, il n'y a que ça qui l'intéresse. » Tiger pouvait passer pour un égoïste aux yeux de tous, mais pas à ceux de Vonn. Elle savait que les sportifs de haut niveau avaient tous besoin d'être autocentrés.

Ils avaient également un autre point commun : ils essayaient tous les deux de se remettre d'un mariage raté. Lindsey Vonn avait épousé son premier amour mais les choses avaient mal tourné, et le divorce s'était lui aussi mal passé pour s'étirer sur plus d'un an. Mais elle se sentait bien avec Tiger. Sa présence la rassurait et, après le divorce de Lindsey, leur amitié évolua en une relation plus sérieuse. Elle prit de plus en plus de place dans sa vie au fil des mois. Ses enfants l'adoraient, et Elin aussi, ravie de voir que Sam et Charlie s'entendaient aussi bien avec elle.

Pour la première fois depuis le crash de novembre 2009, il y avait une femme qui s'intéressait à lui en toute sincérité.

Le 5 février 2013, Lindsey Vonn disputait les championnats du monde en Autriche et Tiger, chez lui, avait allumé la télé. C'était le jour du Super-G, une épreuve à mi-chemin entre la descente et le slalom géant. Elle était la grande favorite et tout le monde était scotché devant l'écran : Tiger, son cuisinier personnel, son employé de maison et sa fille Sam, alors âgée de cinq ans. Vonn dévalait la pente de Schladming à pleine vitesse lorsque son genou lâcha pour une chute d'une violence inouïe. Elle poussa un hurlement de douleur, si fort qu'on l'entendit nettement à la télévision. Tiger eut peur que sa fille soit hantée par un tel cri et il demanda à son employé de maison de la faire sortir de la pièce.

Il n'eut pas besoin de revoir les ralentis pour comprendre la gravité de la situation. Il connaissait ce type de douleur par cœur depuis des années. Il se sentait totalement impuissant alors qu'un hélicoptère l'évacuait vers l'hôpital le plus proche. Les nouvelles n'étaient pas bonnes : rupture des ligaments et fracture dans le haut du tibia. Impossible de savoir si elle pourrait à nouveau skier un jour.

Tiger envoya son jet privé en Autriche afin de ramener son amie dans les meilleures conditions jusqu'au Colorado, où elle devait se faire opérer. Il put la voir avant l'intervention. Il la rassura, lui dit que tout allait bien se passer. Il savait que le plus dur restait à venir : « La rééducation sera douloureuse. Très douloureuse. Tu devras te mettre dans un état d'esprit totalement différent. »

Cet accident fut un moment charnière dans leur histoire. Ils diffusèrent des photos sur leur compte Facebook juste après l'opération pour lever le mystère sur leur relation. Puis Tiger publia un communiqué sur son site officiel : « Lindsey et moi sommes amis depuis un bon moment, écrivit-il en mars 2013. Nous nous sommes rapprochés au fil des mois et nous sommes maintenant ensemble. Merci de bien vouloir respecter notre vie privée. »

Tiger avait réalisé un début d'année 2013 exceptionnel en remportant le Farmers Insurance Open en janvier, puis le WGC-Cadillac et le Arnold Palmer Invitational en mars. Il était redevenu numéro un mondial et s'avançait en grand favori vers le Masters d'Augusta. Lindsey Vonn l'accompagna en Géorgie pour sa première sortie officielle à ses côtés. Woods voulait décrocher sa cinquième veste verte et il fit un excellent début de tournoi avec un 70 lors du premier tour. Il fut encore meilleur le vendredi : trois birdies sur ses quatorze premiers trous pour prendre la tête du tournoi. Les conditions de jeu étaient terribles avec un vent violent et tourbillonnant, et il était le seul joueur à n'avoir pas concédé de bogey ce jour-là. Les spectateurs étaient en transe. Mais on se souviendra hélas de ce Masters 2013 pour ce qui lui est arrivé sur le trou numéro 15.

Il avait envoyé son drive très à droite, puis il avait tapé son deuxième coup sous les arbres pour se rapprocher du green. Il lui restait un coup de wedge de soixante-seize mètres pour toucher le green en trois sur ce par 5 protégé par une pièce d'eau. Son approche fut parfaite, presque trop : la balle rebondit deux mètres avant le trou pour ensuite percuter le mât. Conséquence terrible : il avait mis tellement d'effet que la balle fila à toute vitesse en arrière pour terminer sa course dans l'eau. Un sacré coup du sort, vu qu'il se serait sans doute mis tout près du trou pour birdie si la balle n'avait pas touché le drapeau. Et compte tenu des circonstances – il était en tête du tournoi, en quête de son quinzième Majeur – c'était peut-être le pire coup de malchance de sa carrière.

Il n'en revenait pas. Comment un tel truc avait-il pu se produire ?

Trois options s'offraient à lui. La première : aller se droper sur la gauche, à quarante mètres du green, dans une zone prévue à cet effet. La deuxième : tracer une ligne imaginaire qui allait du trou à l'endroit où sa balle était entrée dans l'eau, et se droper en arrière de cette ligne, aussi loin qu'il le voulait. Et la dernière : droper sa balle « aussi près que possible » de l'endroit où il avait tapé son troisième coup. Dans tous les cas avec un coup de pénalité, bien entendu.

Nul doute que Steve Williams aurait donné son avis dans un tel cas de figure. Mais Joe LaCava restait lui immobile alors que Tiger se dirigeait vers le green pour évaluer la situation. Il élimina tout de suite la première option, bien trop dangereuse : le coup était délicat à doser, et le grain de l'herbe était dans le mauvais sens. Même chose pour la deuxième, il avait trop peu de green pour poser sa balle. Il retourna donc vers son sac pour droper une balle près de sa position initiale. Mais, toujours énervé par ce qu'il s'était passé, il ne voulut pas jouer exactement du même endroit. *J'ai besoin de reculer un peu*, se dit-il.

Sans consulter son caddie ni un arbitre, il décida de droper sa balle deux mètres derrière le divot qu'il avait laissé. Une entorse flagrante au règlement, qui exigeait un drop «aussi près que possible» du point initial. Dix centimètres, ça passait. Mais deux mètres? Aucune chance. Ses deux partenaires de jeu, déjà sur le green, se trouvaient trop loin pour remarquer quoi que ce soit. À soixante-dix-huit mètres du trou, Tiger tapa à nouveau un coup de wedge parfait, la balle s'immobilisant à 1,20 m du trou. Il rentra son putt pour bogey, un score assez exceptionnel au vu du scénario. Il rendit une carte de 71 pour se placer à trois coups du leader avant le week-end. La chasse était ouverte le samedi, et il aimait ça.

Il donna une interview à ESPN juste après avoir signé sa carte où il raconta ce qu'il s'était passé: «Je suis retourné près de là où j'avais joué mon troisième coup. J'ai décidé de reculer de deux mètres, puis de taper un coup qui serait deux mètres plus court que le précédent. Comme ça j'allais éviter de me retrouver dans la même situation, à frapper le mât après le rebond ou à risquer de basculer de l'autre côté du green. Je me disais que c'était la bonne décision d'enlever quatre mètres à mon coup de wedge, et ça s'est avéré payant au final.»

Des commentaires qui déclenchèrent immédiatement une polémique sur les réseaux sociaux. Le soir même, le commentateur vedette de CBS Jim Nantz passa un coup de fil à Fred Ridley, le président du comité d'organisation du tournoi, pour lui parler des déclarations de Tiger. C'était une sacrée pagaille, et Nantz n'était pas au courant de tout. David Eger, l'un des experts les plus reconnus en matière de règles, regardait le tournoi chez lui et s'aperçut de l'erreur de Woods. Il téléphona tout de suite aux officiels pour les prévenir. Il ressortait donc que Ridley avait été mis au courant très tôt. «J'avais remarqué une chose: il n'y avait pas de divot près de l'endroit où il tapait son cinquième coup, raconta Eger au journaliste Michael Bamberger. Il ne jouait pas du même endroit, c'était une évidence, et une pénalité de deux coups s'imposait.» Alerté par le message d'Eger, Ridley décida de revoir la vidéo de l'incident alors que Tiger était encore sur le parcours. L'entorse à la règle ne faisait aucun doute, mais il ne prit pas la moindre décision, laissant Tiger finir son tour et signer sa carte de score comme s'il ne s'était rien passé. Mais Woods avait publiquement affirmé qu'il s'était dropé à deux mètres de sa position initiale. Il devait être pénalisé, et il avait de fait signé une carte de score incorrecte. Il devait donc être disqualifié. Ce qu'Eger avait voulu éviter dès le début en prévenant les organisateurs aussi rapidement que possible.

La tempête médiatique s'annonçait terrible. Ridley retourna à Augusta dans la soirée pour revoir les images une nouvelle fois et discuter avec Jim Nantz. Celui-ci déclara ensuite à l'antenne que ce n'était que le début de l'affaire. Twitter s'empara du débat et personne ne savait plus quoi faire. Après minuit, Tiger fut réveillé par un texto de Mark Steinberg lui précisant que Ridley voulait le voir à la première heure le samedi matin.

Tiger avait certes commis une faute, mais Ridley aussi. Le tournoi était déjà fortement critiqué pour avoir sanctionné Guan Tianlang, un Chinois de quatorze ans qui s'était qualifié pour le Masters en remportant l'Asia-Pacific Amateur Championship. Le jeune garçon s'était distingué lors du premier tour en ramenant une excellente carte de 73. Il était bien parti pour passer le cut lorsqu'il reçut une pénalité pour jeu lent sur le dix-septième trou, une sanction bien excessive quand on sait à quel point les parties sont longues au Masters[73]. C'était le tout premier joueur de l'histoire à être ainsi sanctionné à Augusta. Tout le monde prit sa défense, y compris son partenaire de jeu Ben Crenshaw, en précisant notamment qu'il était trop facile de s'en prendre à un gamin. Tout le monde, ou presque. Interrogé sur le sujet, Tiger avait simplement répondu : « Eh bien, les règles sont ce qu'elles sont. »

Peut-être, mais on se demandait bien pourquoi Ridley ne les appliquait pas avec lui, justement. S'il le faisait, cela revenait à disqualifier le numéro un mondial d'un Majeur où il jouait la gagne. Ne pas le faire, c'était risquer de se faire accuser de favoritisme.

Tiger arriva à huit heures du matin à Augusta pour y rencontrer Ridley ainsi que Billy Payne. Dans le même temps, l'analyste Brandel Chamblee ouvrit la journée sur Golf Channel avec du lourd. Il commença par rappeler que Bobby Jones s'était lui-même infligé une pénalité à l'US Open 1925, pour finalement perdre le tournoi d'un coup. Et il ajouta : « Il revient à Tiger Woods de s'infliger une pénalité et de se disqualifier lui-même pour avoir signé une carte de score incorrecte. » Une opinion largement partagée en salle de presse.

---

73. Il franchira finalement le cut pour finir cinquante-huitième.

Mais Tiger restait sur sa position en affirmant qu'il n'avait pas délibérément enfreint le règlement. «Sur le trou 15, j'ai pris un drop que je pensais conforme aux règles, écrivit-il sur Twitter. Je ne savais pas à ce moment-là que ce n'était pas le cas. Je n'en avais aucune idée avant de signer ma carte.»

Ridley ne voulait pas suivre la loi au pied de la lettre lui non plus. Il finit par trouver une règle qui remontait à 1952 et qui disait : «Une sanction de disqualification peut, dans certains cas exceptionnels, être levée, modifiée ou imposée si le Comité estime qu'une telle mesure est justifiée.» Le cas exceptionnel, pour le coup, concernait Ridley lorsqu'il n'avait pas voulu intervenir alors qu'il savait ce qui venait d'arriver et que Tiger était encore sur le parcours. Ça n'excusait pas la faute technique de Tiger, mais c'est bien son attitude à lui qui l'avait ensuite conduit à signer une carte incorrecte. Dans l'espoir de mettre fin à cette histoire, il lui donna une pénalité de deux coups pour transformer son 71 en 73. Le numéro un mondial était autorisé à jouer le week-end.

«On vient de prendre deux coups de pénalité, et on va avoir plus de boulot que prévu pour revenir dans la course», dit-il ensuite à son caddie.

Mais ce n'était pas aussi simple. La décision de Ridley fut contestée de toutes parts, et Woods se retrouvait sous un feu nourri de critiques pour ne pas avoir voulu se disqualifier lui-même. «Il ne pourra pas vivre avec ça sur la conscience», affirma Brandel Chamblee sur Golf Channel. D'autres joueurs pros lui emboîtèrent le pas, et pas des moindres. Nick Faldo qualifia la situation d'«épouvantable» et lui demanda publiquement de prendre «la seule décision digne de ce nom» en reconnaissant son erreur et en abandonnant. Greg Norman posta ce tweet : «C'est une question qui concerne le joueur et aussi l'intégrité du jeu de golf. Woods a enfreint la règle, et le fait qu'il soit numéro un n'en est que plus grave. Qu'il se retire, pour l'honneur du jeu.»

Tiger se retrouvait à nouveau au centre d'un scandale, sauf que c'était cette fois son intégrité qui était remise en cause. On l'avait traité de tricheur dans sa vie privée pendant des mois, mais on ne l'avait encore jamais accusé d'être un tricheur sur le parcours. Ça lui faisait mal qu'on puisse le penser, mais il n'allait pas baisser les bras comme ça. Il publia un tweet laconique – «Je comprends la sanction qui m'est infligée par le comité du tournoi et je l'accepte» – puis il se dirigea vers le tee de départ sur le coup de 14 h 10. Il était dans l'œil du cyclone. Tous les regards étaient à nouveau tournés vers lui.

Lindsey Vonn n'en revenait pas. Elle avait l'habitude de se retrouver sous les feux de la rampe, mais ça n'avait absolument rien à voir avec ce qu'il pouvait vivre au quotidien. Elle n'en était que plus admirative.

On ignore à quel point la situation l'avait fragilisé, mais son jeu ne fut pas aussi affûté pendant le week-end. Il joua deux fois 70 pour finir quatrième à quatre coups du vainqueur. Clin d'œil cruel : Adam Scott remportait cette année-là son premier Majeur, avec Steve Williams comme caddie...

Et il n'était pas au bout de ses peines en ce qui concerne le règlement. Il remporta le Players Championship en mai, mais en envoyant son drive dans l'eau au trou 14 le dimanche pour ensuite prendre un drop que l'analyste Johnny Miller qualifia de «très limite» tant il semblait s'être rapproché du trou. Nouveau problème cinq mois plus tard lors du BMW Championship à Lake Forest, dans l'Illinois, lors du deuxième tour : sa balle avait bougé alors qu'il enlevait une brindille, il ne l'avait pas signalé et s'était vu infliger deux coups de pénalité. La scène avait été filmée par les caméras du PGA Tour et on lui avait rapporté l'incident avant qu'il ne signe sa carte de score, pour éviter le psychodrame d'Augusta. Slugger White, le vice-président des compétitions du circuit américain, lui montra les images pour être le plus transparent possible. Il voulut bien admettre que Woods n'avait rien vu sur le moment, trop occupé à bouger la brindille le plus délicatement possible. Mais même après avoir vu la vidéo, Tiger refusait de reconnaître que sa balle avait bel et bien bougé.

«Qu'est-ce qu'on fait maintenant ?» lui demanda Woods après avoir affirmé que sa balle était revenue à sa position initiale.

Ils regardèrent la vidéo, encore et encore, mais Woods se montrait de plus en plus catégorique au fil des minutes. La discussion commençait à devenir tendue, et ils lui infligèrent malgré tout une pénalité de deux coups pour transformer son double bogey en quadruple. Mais il ne voulait rien entendre et le fit savoir devant les médias.

«J'ai vu la vidéo et je pense que ma balle n'a fait qu'osciller pour ensuite revenir à sa place, dit-il. Pour moi, l'histoire aurait dû en rester là, mais ils voyaient les choses autrement. La discussion a été plutôt tendue, oui, parce qu'il ne s'est rien passé, selon moi.»

«Ils ont repassé la vidéo, encore et encore, poursuivit-il, mais pour moi ça ne changeait rien. Je me suis battu comme un chien sur le parcours, et c'est dur de se retrouver à sept coups de la tête plutôt qu'à cinq.»

Qu'il n'ait pas vu sa balle bouger sur le parcours, tout le monde était prêt à l'accepter. Mais qu'il s'obstine ensuite à nier l'évidence alors que les images étaient très claires, ça ne passait pas. Il avait employé le terme *osciller* – ce qui, en physique, signifie fluctuer de manière régulière – et Brandel Chamblee laissa entendre qu'il était peut-être un tricheur. «Il s'était mis les femmes de joueurs à dos après novembre 2009, dit-il en 2017. Et il venait de se mettre tous les autres joueurs à dos après son attitude au BMW Championship. Tous pensaient qu'il allait reconnaître les faits. Et comme il ne l'a pas fait, ils l'ont considéré comme un tricheur.»

Il écrivit aussi une chronique sur Golf.com dans laquelle il mit un 2/20 à Tiger parce qu'il se montrait «un petit peu cavalier avec les règles». Le mot de trop pour Steinberg, qui fit savoir à ESPN qu'il comptait intenter une action en justice contre Chamblee. Ce dernier finit par présenter ses excuses à Tiger, en reconnaissant qu'il était allé trop loin. «J'ai conscience que mes commentaires n'ont fait qu'envenimer le problème, dit-il sur son compte Twitter. Le golf est un jeu de gentlemen, et je ne suis pas fier de ce débat. Je tiens à m'excuser auprès de Tiger pour avoir mis de l'huile sur le feu.»

Mais Woods n'en avait que faire. «Tout ce que je peux vous dire, c'est que je suis passé à autre chose, dit-il aux reporters. Toute cette histoire est regrettable, d'autant plus qu'il ne s'est pas vraiment excusé et qu'il n'a fait que relancer le problème.»

Sa réputation de golfeur n'avait jamais été entachée, même au plus fort du scandale de ses infidélités. Mais le Masters et le BMW Championship avaient assombri le tableau. Et l'été avait charrié son lot de nouvelles inquiétantes. Il avait certes remporté le Bridgestone Invitational, mais son dos l'avait beaucoup fait souffrir la semaine suivante à l'USPGA, qu'il avait terminé à la quarantième place. Nouvelle alerte au Barclays fin août, avec la douleur qui était remontée jusqu'au cou et qui l'avait obligé à ne faire que des chips et des putts lors du pro-am disputé le mercredi. Woods assurait que le problème venait du matelas trop mou de sa chambre d'hôtel. Il termina deuxième du tournoi, mais la sensation d'avoir reçu un coup de couteau d'une violence inouïe le fit tomber à genoux à quelques trous de la fin.

La situation était complexe à analyser. Il avait remporté cinq tournois cette année-là, pour remonter à la première place mondiale et être élu joueur de l'année. Mais son swing n'était plus aussi sûr, son image s'était détériorée, et l'état de son dos laissait planer une grande inquiétude sur son avenir. Au final, hélas, 2013 restera comme un dernier rappel de sa grandeur plutôt que l'annonce de son vrai retour au sommet.

Sa force mentale : c'est ce que Lindsey Vonn admirait le plus chez lui. Tiger lui avait expliqué que le travail mental lui permettrait de gérer le quotidien et de faire des progrès constants pendant sa convalescence. Il détestait se retrouver en soins sur une table de massage, parce qu'il ne se passait rien. Mais la rééducation, c'était un combat et ça lui plaisait, en quelque sorte. Ça faisait un mal de chien, mais il se servait de ce mantra : *il faut vivre la douleur.*

Lindsey Vonn avait la ferme intention de participer aux jeux Olympiques de Sotchi en 2014. Elle travailla comme une folle, à sa façon à lui, pour finalement remonter sur les skis dix mois après son accident. Mais elle se blessa à nouveau au même endroit lors d'une chute à l'entraînement en novembre 2013. Elle était en larmes. Son rêve venait de se briser.

Tiger prit soin d'elle pendant l'hiver, mais il avait lui aussi ses problèmes. Les spasmes et ses douleurs dans le bas du dos l'obligèrent à déclarer forfait pour le Honda Classic. Il disputa le WGC Cadillac Championship, mais il avait si mal qu'il joua 78 le dimanche, le score le plus élevé de sa carrière pour un dernier tour. Il renonça également à s'aligner à l'Arnold Palmer Invitational dix jours plus tard. Mais il comprit qu'il était sans doute dans un sale état après un incident qui eut lieu chez lui, à Jupiter.

Il s'entraînait sur le petit parcours qui lui servait de jardin, juste derrière sa maison. Il venait de taper une approche lobée par-dessus un bunker et il sentit tout de suite qu'il venait de se pincer un nerf. Incapable de rester debout, il s'effondra au sol. Il y a la douleur, et il y a la *grosse* douleur. C'est ce qui était en train de lui arriver. Étendu sur le sol, il se disait que sa carrière était peut-être terminée. Il était incapable de bouger et il n'avait pas son portable avec lui. Il ne lui restait plus qu'à espérer que quelqu'un vienne lui rendre visite.

Sa fille Sam finit par arriver. Elle le cherchait partout.

«Papa, qu'est-ce que tu fais par terre?» lui demanda-t-elle.

«Oh Sam, Dieu merci tu es là. Tu peux aller chercher quelqu'un pour qu'on vienne m'aider, s'il te plaît?»

«Qu'est-ce qui se passe?» s'inquiéta-t-elle.

«C'est mon dos. Ça ne va pas fort.»

«Encore?»

«Oui Sam, encore. Tu peux aller chercher quelqu'un?»

CHAPITRE 33
LE POINT DE NON-RETOUR

Tiger avait dû se résoudre à passer sur la table d'opération le 31 mars 2014 tant la douleur était intense. Un disque exerçait une pression sur un nerf situé dans le bas de sa colonne vertébrale et seul un coup de bistouri pouvait régler le problème. Rien de vraiment surprenant, en fin de compte. Il swinguait à pleine puissance et avec une énorme rotation depuis qu'il était tout petit. Sa préparation physique démentielle à base de musculation, de courses longue distance et de stages *hardcore* chez les SEALs n'avait fait qu'aggraver la situation. Il devait subir une microdiscectomie, une procédure qui consistait à enlever la partie d'un disque lombaire qui presse contre une racine nerveuse. Pour utiliser une image informatique : c'était comme effectuer une défragmentation d'un disque dur dans l'espoir de pouvoir à nouveau faire fonctionner le système d'exploitation. Et comme avec un ordinateur, on n'était pas vraiment sûr du résultat. Les médecins lui demandèrent de se reposer aussi longtemps que possible.

Mais ce n'était pas vraiment dans ses habitudes. Il avait toujours raccourci les délais de rééducation après une intervention, la plupart du temps en dépit du bon sens. Il en fit de même cette fois-ci : le 26 juin 2014, soit moins de trois mois après être passé sur le billard, il disputait le premier tour du Quicken Loans National dans le Maryland. Il jurait être prêt, mais il joua +7 sur deux tours pour manquer le cut. Il fit à peine mieux un mois plus tard au British Open : cut passé de justesse pour une soixante-neuvième place finale à vingt-trois coups du vainqueur Rory McIlroy. Puis il manqua à nouveau le cut à l'USPGA, en boitant si bas le vendredi qu'il eut bien du mal à achever son deuxième tour. Il finit par admettre qu'il avait encore besoin de temps et décida de mettre fin à sa saison. Il avait joué sept épreuves en 2014, pour deux abandons et pas un seul score final sous le par.

Un cauchemar, mais le pire restait à venir. À trente-huit ans, il semblait toujours aussi costaud vu de l'extérieur, mais son corps le lâchait de partout et il avait l'air emprunté quand il jouait. Ses douleurs dorsales l'empêchaient de pivoter à 100 % et l'obligeaient à modifier son swing. Il voulait démarrer 2015 sur de nouvelles bases et arrêta sa collaboration avec Sean Foley. « C'est le bon moment pour passer à autre chose », annonça-t-il sur son site officiel le 25 août 2014.

Une décision qui ne surprit personne. Il avait encore essayé de reconstruire son swing en s'en remettant cette fois aux conceptions très techniques du coach canadien. Mais les chiffres ne plaidaient pas en sa faveur : il n'avait pas réussi à s'imposer en Majeur malgré quelques (petites) opportunités et son pourcentage de victoires était bien plus faible qu'avec Butch Harmon et Hank Haney – huit victoires en cinquante-six tournois, soit 14 %. Une comparaison assez injuste, tout de même : Woods avait souvent été blessé ces derniers mois et n'avait disputé que deux saisons pleines – 2012 et 2013 – avec Foley. Il avait réussi à remonter à la première place mondiale dans ce laps de temps, mais certains analystes n'en démordaient pas : le swing mis en place durant cette période avait contribué à fragiliser son physique. Ce que Woods refusa de reconnaître publiquement, préférant manifester toute sa gratitude : « Sean est un coach exceptionnel et je sais qu'il continuera à avoir du succès avec ses joueurs », dit-il.

Il assura vouloir prendre son temps avant de se décider pour la suite des opérations, mais il était en fait très impatient de découvrir quelque chose de nouveau. Son ancien colocataire de Stanford Notah Begay III lui présenta un jour Chris Como, un homme de trente-sept ans qui terminait ses études de biomécanique à la Texas Woman's University. Quelque chose de très nouveau, pour le coup. On ne voyait pas trop où il voulait en venir : qu'est-ce que le golfeur le plus talentueux de l'histoire pourrait bien apprendre d'un technicien inexpérimenté qui avait jusqu'ici travaillé avec Aaron Baddeley, Trevor Immelman et Jamie Lovemark ? Mais Tiger ne recherchait pas un nouveau coach, cette fois. La spécialité de Como, c'était l'application des lois de la mécanique aux mouvements humains dans le but d'améliorer les performances et de réduire les blessures. Tiger le choisit comme « consultant ».

Il était convaincu qu'il devait revenir aux sources. L'une des premières choses qu'ils firent ensemble fut d'exhumer de vieilles cassettes VHS de son époque Butch Harmon. Ils passèrent des heures à les décortiquer sous tous les angles, puis ils définirent ensemble une nouvelle direction technique. C'était la cinquième fois que Tiger remettait tout à plat et les options choisies par Como étaient très éloignées de celles de Foley. Mais à la fin de l'année, sa vitesse de swing et sa distance de drive étaient dignes de celles qu'il affichait en 2000.

« Chris Como voulait que Tiger revienne au swing de ses années juniors, dit Brandel Chamblee, un swing plus vertical avec un mouvement latéral. Mais le vrai changement, c'est qu'il n'était pas aussi arrogant et borné que Sean Foley. Je crois que ce dernier n'était pas prêt à travailler avec quelqu'un d'une telle stature. Il a bien changé depuis. Sean est maintenant devenu un formidable professeur, mais il n'était pas prêt à l'époque. Et il a contribué à la chute de Tiger. »

Woods était prêt à faire son retour sur le circuit au Phoenix Open, qui se disputait fin janvier en Arizona. Le Super Bowl, qui opposait les New England Patriots aux Seahawks de Seattle, se jouait ce dimanche-là dans la ville voisine de Glendale. Tiger imaginait que ça viendrait clore son week-end en beauté et il se procura des billets pour la rencontre.

Mais il se rendit d'abord en Italie, sur un coup de tête. Lindsey Vonn s'était remise de toutes ses blessures et ce jour-là, à Cortina d'Ampezzo, elle visait le record de victoires en Coupe du monde. Il voulait lui faire une surprise en assistant à l'une des courses les plus importantes de sa carrière. Il prit donc son jet privé pour se rendre en Italie, puis un hélicoptère pour rejoindre la station des Dolomites. Il y était incognito, planqué au milieu de la foule derrière des lunettes noires, une capuche sombre et un buff noir et blanc avec une tête de squelette. Et il était à ses côtés une fois la victoire acquise[74].

« C'est pas vrai ! J'arrive pas à croire que tu sois venu ! » s'exclama-t-elle.

« Je te l'avais dit », répondit-il.

Elle le prit dans ses bras et l'embrassa alors qu'il avait toujours le buff sur le visage. Qu'il soit venu en Italie, ça valait tout l'or du monde à ses yeux. Mais sa présence éclipsa rapidement son exploit.

---

74. Lindsey Vonn égalait ainsi le record de 62 victoires d'Annemarie Moser-Pröll.

Il avait tout fait pour éviter les journalistes, mais un photographe d'Associated Press diffusa un cliché où on le voyait sans son buff. Il lui manquait une dent de devant. Les tabloïds anglais sautèrent sur l'occasion pour rappeler la rumeur selon laquelle Elin lui aurait lancé un téléphone portable au visage pour lui casser une dent lors de la fameuse nuit de novembre 2009. Ce qu'il avait toujours nié.

Devant le buzz créé par cette nouvelle histoire, Mark Steinberg dut publier un communiqué précisant qu'un photographe l'avait touché au visage de façon accidentelle pendant que Lindsey Vonn célébrait sa victoire. «Les photographes se sont rués vers le podium au moment de la remise des prix. L'un d'eux, avec une caméra à l'épaule, a fait volte-face pour heurter Tiger au niveau de sa bouche», écrivit-il. Une version démentie par les organisateurs, qui affirmaient non seulement que Tiger ne se trouvait pas dans la zone réservée aux photographes au moment de la cérémonie, mais aussi qu'il avait été évacué en urgence par motoneige après avoir demandé une protection rapprochée. «Je faisais partie de ceux qui l'ont escorté de la tente jusqu'à la motoneige et je n'ai vu aucun incident de ce genre», affirma Nicola Colli, le secrétaire général de l'organisation. «Il nous a demandé davantage de sécurité à son arrivée et on a appelé la police pour qu'ils s'occupent de lui et de Lindsey.»

L'affaire s'était répandue bien au-delà des montagnes italiennes. Il n'était pas encore arrivé à Phoenix que le *Washington Post* et le *New York Daily News* remettaient en cause sa version des faits. Mais il était uniquement concentré sur son retour à la compétition. Le Phoenix Open est le tournoi le plus dément du circuit américain. Plus de 500 000 personnes y assistent chaque année dans une ambiance de fureur et de consommation d'alcool débridée. Il disputa neuf trous d'entraînement le mardi. La foule s'était massée autour de sa partie pour le soutenir avec bruit et ferveur. Touché par ces manifestions d'amour, il n'hésita pas à se mélanger aux spectateurs pour signer des autographes et poser pour des photos. Il se montra même décontracté lors de sa conférence de presse d'avant-tournoi, à blaguer avec les journalistes et à rappeler certaines anecdotes de sa jeunesse au Phoenix Open. Mais la conversation bascula rapidement sur sa dent. Un journaliste lui demanda : «Tiger, est-ce que vous pouvez nous dire ce qu'il s'est passé voilà deux semaines ?»

Il donna toutes les explications nécessaires, en toute sérénité. «Il y avait un gars avec une caméra agenouillé devant moi. Puis il s'est levé d'un coup pour partir et en tournant, il m'a frappé au visage avec son appareil, dit-il en montrant sa dent. Il a abîmé celle-ci, là, juste devant, et il a cassé celle d'à côté. Et moi, j'ai essayé de la garder en place en évitant de mettre du sang partout.»

Il dit aussi qu'il fut ensuite incapable de boire et de manger jusqu'à ce qu'il puisse voir un dentiste aux États-Unis. «Mon Dieu, ce vol retour, c'était une blague. Je ne pouvais pas manger ni boire quoi ce soit. Même respirer, ça me faisait mal.»

Mais plus il donnait de détails et moins il était crédible. Il était donc au milieu de tous les photographes avec la bouche en sang, et pas un seul d'entre eux n'avait pu prendre un cliché? Personne ne l'avait vu saigner, pas même Lindsey Vonn.

«Et ça vous fait quoi de voir que personne ou presque ne croit à cette histoire?» lui demanda un autre journaliste.

Il haussa les épaules avec un grand sourire. «C'est vous, les gars... Les médias. Vous êtes comme ça.»

«C'est pas seulement les médias, sur ce coup-là», répondit le journaliste.

«C'est comme ça», dit-il encore.

L'ambiance était au beau fixe jusqu'au jeudi, puis le cauchemar débuta. Il concéda deux bogeys sur ses deux premiers trous. Son petit jeu était catastrophique et il était à +4 après quatre trous. Il semblait souffrir de «yips au chipping», une expression golfique pour désigner les tremblements nerveux qui agitent un joueur au moment de doser ses coups, le conduisant à faire n'importe quoi. Le deuxième tour fut un long chemin de croix. Il devait jouer une approche à onze mètres sur le green du 4, mais il envoya sa balle quatorze mètres derrière la cible. Au 14, son chip de trente mètres n'en parcourut que dix-neuf. Il était à quinze mètres du trou au 15, mais il n'avait fait que sept mètres après avoir tapé deux coups. Il enchaînait les grattes et les tops; les spectateurs n'en croyaient pas leurs yeux. Il finit sa partie avec un triple bogey, deux doubles et six bogeys pour un score final de 82. C'était sans doute le pire parcours qu'il ait joué de toute sa carrière.

On s'attendait à le voir arriver visage fermé pour commenter sa performance, mais ce fut en fait tout le contraire. Il était tout sourire et n'hésitait pas à plaisanter avec la masse de journalistes autour de lui. Une attitude si curieuse que l'un d'eux finit par lui demander comment il pouvait sourire après ce qui venait de se passer. « C'est le golf, on a tous des jours comme ça », répondit-il.

Sauf qu'il n'avait jusqu'ici *jamais* vécu une telle galère. Sa carte de 82 était la pire qu'il ait jamais rendue en mille cent neuf départs sur le PGA Tour. Ce n'était pas un jour sans, mais bien une débâcle.

Tout le monde pensait évidemment à ses problèmes de dos, et un journaliste finit par lui poser la question : « Est-ce que vous avez été gêné par votre dos aujourd'hui ? Comment ça s'est passé à ce niveau-là ? »

« Tout va bien, répondit-il. Les problèmes sont derrière moi maintenant. »

Puis il prit son avion pour rentrer directement chez lui. Il n'était plus question d'assister au Super Bowl. Il avait du travail.

Il continuait à faire ce qu'il avait toujours fait avec la presse : raconter ce qu'il avait bien envie de dire, et tant pis si c'était des bobards. À Phoenix, il avait assuré à tout le monde que son dos allait bien et que ses soucis clubs en mains étaient dus à son changement de swing. C'était quand même Tiger Woods, vainqueur de quatorze Majeurs, alors les journalistes lui accordèrent le bénéfice du doute. Mais ça n'allait pas durer.

Il devait jouer le Farmers Insurance Open à Torrey Pines la semaine d'après. Ceux qui le suivaient depuis plusieurs années commençaient à s'inquiéter devant sa démarche incertaine et le coup de vieux qu'il avait pris. Ils furent également stupéfaits de le voir utiliser un putter pour tenter de sortir une balle du rough lors d'une partie d'entraînement. Il arriva tôt le jeudi matin pour s'échauffer avant son premier tour, mais dut attendre deux bonnes heures que le brouillard veuille bien se lever. Puis il put enfin démarrer sa partie pour faire là encore des choses hallucinantes, comme par exemple envoyer ses drives sur les fairways voisins des trous qu'il jouait. Et il avait bien du mal à ramasser sa balle après ses putts. Il réussit à jouer onze trous, le dernier comme un amateur, et il dit à ses partenaires qu'il s'arrêtait là. Deborah Ganley faisait partie des officiers de police de San Diego chargés de veiller sur lui. C'est elle qui devait le raccompagner en voiturette jusqu'au club-house, et elle promit de conduire le plus doucement possible pour ne pas lui faire mal. « C'est ok, lui dit-il, je vais bien. »

Personne n'arrivait à le croire. Pour la deuxième semaine consécutive, le meilleur golfeur de l'histoire ne savait plus jouer au golf. Que son dos soit en vrac, personne n'en doutait, mais dans quel état était sa tête ? Une armée de journalistes l'attendait au club-house pour recueillir ses impressions. Il minimisa ses problèmes clubs en mains ; puis il leur dit que son dos s'était bloqué pendant l'interruption de jeu et qu'il n'avait ensuite jamais réussi à se décontracter. «C'est juste que mes muscles fessiers se sont bloqués. Et puis ils ne se sont pas réactivés, et c'est donc allé jusque dans le bas de mon dos. J'ai essayé de les réactiver du mieux possible avant de reprendre, mais ils ne sont jamais restés activés.»

Des déclarations qui devinrent très vite cultes. Certains journaux en firent leurs gros titres, du genre «Tiger explique sa dernière blessure par ses "fesses hors service"». Et ce fut un concours de blagues sur Twitter avec le hashtag #fessiersdésactivés. «Il est devenu la cible des mauvais blagues»[75], twitta ainsi le journaliste Robert Lusetich.

Il avait été victime de certains commentaires ironiques par le passé, mais jamais on ne s'était moqué de son jeu à ce point. Même ses adversaires commençaient à avoir de la peine pour lui, à le voir marcher avec autant de difficultés et grimacer après chaque swing. «On a tous envie de gagner, mais personne n'a envie de voir l'un des nôtres souffrir comme ça», dit Ernie Els juste après Torrey Pines.

Le plus déçu de tous restait bien évidemment Tiger lui-même. Il était atteint dans sa chair comme dans son âme. C'en était trop pour lui et il décida de faire une pause. «Mon jeu et mes scores ne sont pas dignes d'un joueur professionnel, dit-il sur son site. Je joue chaque tournoi pour le gagner. Je reviendrai quand je serai à nouveau en état de le faire.»

Il ne disputa aucune épreuve pendant deux mois, jusqu'au Masters 2015. Il se rendit à Augusta accompagné de ses deux enfants et de Lindsey Vonn. C'était le seul point positif dans cette histoire : il avait quelqu'un à ses côtés qui le comprenait. Il avait vu comment elle s'était battue après ses opérations. Sa volonté inébranlable de dominer son sport ne cessait de l'impressionner. Il n'avait jamais vu ça chez personne. Ils avaient passé beaucoup de temps ensemble en salle de gym pour se remettre en forme. Et elle faisait maintenant vraiment partie de la famille. On en eut la confirmation lors du Par 3 Contest du mercredi à Augusta. Elle était à ses côtés alors que ses enfants Sam et Charlie jouaient

---

75. « *The butt of bad jokes* » en anglais.

le rôle de caddies. Elle savait très bien comment gérer toute l'attention autour de lui et se comporter de façon tout à fait naturelle avec lui comme avec ses enfants. « Ils sont géniaux, je les adore », dit-elle à un journaliste.

Il joua nettement mieux à Augusta. Il semblait en meilleure forme, déjà. Il avait perdu du poids depuis le début de l'année, il avait l'air plus souple et aussi moins fatigué. Et beaucoup plus souriant, également. Il eut quelques franches parties de rigolade avec son vieil ami Mark O'Meara. « Hey ! lui dit ce dernier, t'as intérêt à être là cet été. » Woods savait très bien de quoi il voulait parler. O'Meara allait entrer au World Golf Hall of Fame et la cérémonie devait avoir lieu à Saint Andrews au mois de juillet, à l'occasion du British Open. Il y avait un message caché derrière cette invitation. Pour Mark O'Meara, c'était une façon de lui dire qu'il était temps de passer l'éponge et qu'il lui pardonnait le fait de n'avoir plus donné signe de vie après le crash de novembre 2009.

Il était sixième après trois tours après avoir rendu des cartes de 73, 69 et 68. Trop loin du leader pour vraiment jouer la gagne – Jordan Spieth était en tête avec dix coups d'avance – mais ça ressemblait plus à l'ancien Tiger que ce qu'on avait pu voir en février. On lui demanda comment il avait fait pour revenir en forme, et sa réponse fut un chouia ironique : « Je me suis bougé le cul. » Il voulait toujours gagner, comme avant. Mais il y avait un facteur qui le poussait davantage encore. Il avait remporté son dernier Masters en 2005, quand ses enfants n'étaient pas encore nés. Ils avaient maintenant six et sept ans, et il voulait passer la veste verte devant eux.

Il termina hélas à la dix-septième place après un dernier tour en 73. C'était son meilleur résultat depuis son opération au dos un an plus tôt. Mais il venait malgré tout de finir à treize coups du vainqueur, Jordan Spieth, un jeune Texan charismatique de vingt et un ans. Il en avait trente-neuf et sa dernière victoire au Masters remontait à dix ans. Clairement, le temps ne travaillait pas pour lui.

On n'eut plus aucune nouvelle de lui les trois semaines qui suivirent le Masters. Il avait des problèmes personnels à gérer – sa rupture aussi soudaine qu'inattendue avec Lindsey Vonn, après trois ans d'une belle relation. Il l'annonça sur son site le 3 mai 2015 : « J'ai beaucoup d'admiration, de respect et d'amour pour Lindsey, et je garderai toujours des souvenirs fantastiques du temps que nous avons passé ensemble. Elle a été géniale avec Sam, Charlie et toute ma famille. Nous avons malheureusement des vies très mouvementées tous les deux, au plus haut niveau dans deux disciplines très exigeantes. C'est compliqué de passer du temps ensemble.»

Lindsey Vonn écrivit à peu près la même chose le même jour sur sa page Facebook : «Malheureusement, nous avons tous les deux des vies incroyablement mouvementées qui nous obligent à passer beaucoup de temps chacun de notre côté.»

Ils avaient réussi à garder leur relation aussi discrète que possible pendant trois ans et ils n'allaient pas se répandre en détails maintenant que c'était terminé. Mais leur rupture ne se résumait pas à une simple histoire d'emploi du temps. Vonn avait été une partenaire idéale pour Tiger. Elle l'aimait, elle aimait ses enfants, et elle s'entendait remarquablement bien avec Elin. Ils avaient d'ailleurs assisté tous les trois à une partie de tee-ball[76] de Sam et Charlie quelques semaines plus tôt. Mais lorsqu'on lui demanda ce qui avait motivé une telle décision, elle n'y alla pas par quatre chemins : «Me lancer dans une vraie relation juste après un divorce, ce n'est peut-être pas ce que j'ai fait de plus intelligent. Je ne regrette rien, j'étais amoureuse et j'ai passé trois années merveilleuses. Mais ce fut une expérience enrichissante, au final. On sait mieux quel genre de partenaire nous convient vraiment après chaque histoire.»

Le golf se mariait merveilleusement bien avec la personnalité de Tiger, dans le sens où il lui permettait de passer des heures et des heures dans la solitude la plus totale, sur le parcours comme au practice. Mais Vonn ne supportait pas de se retrouver seule, et au final cela aura coûté cher à Tiger, qui avouera un jour ne pas avoir dormi pendant trois nuits après leur rupture.

Il était toujours en pleine déprime un mois plus tard lorsqu'il décida de s'aligner au Memorial Tournament. Il franchit le cut mais joua de manière atroce au troisième tour pour ramener une carte de 85, le pire score de sa carrière, trois coups au-dessus du déjà terrifiant 82 du Phoenix Open en janvier. Même topo pour l'US Open deux semaines plus tard : deux premiers tours en 80 et 76 pour un total de 156 (+16). Son pire score après trente-six trous, avec une note artistique là aussi au plus bas : des sockets,

---

76. Un jeu de baseball simplifié pour enfants.

des injures et des clubs tapés au sol de colère. Il y eut même un moment terriblement gênant lorsque son club lui échappa des mains après une vilaine frappe pour atterrir sept mètres derrière lui. Les commentateurs télé étaient si perplexes qu'ils en restaient sans voix. « Je ne sais pas quoi vous dire, lâcha l'un d'eux en direct. Je ne sais vraiment plus quoi vous dire. »

Woods ne pouvait plus nier l'évidence : on ne se remettait pas d'une opération au dos comme d'une intervention à un genou. Un nerf en vrac était bien plus délicat à soigner qu'une articulation un peu abîmée. On ne sait pas s'il était vraiment optimiste ou s'il se mentait à lui-même, mais il continuait de prétendre qu'il progressait jour après jour. Alors qu'en réalité, il ne faisait qu'aggraver les choses en s'obstinant à jouer avec un physique bancal. Son premier trou du deuxième tour de l'US Open avait parfaitement résumé la situation : il avait envoyé un drive dans le rough et devait ensuite jouer sa balle avec un lie en pente. Mais il perdit son équilibre et se retrouva les fesses par terre. On ne savait plus si on devait en rire ou en pleurer.

Mark O'Meara fit son entrée au Hall of Fame le 13 juillet 2015 à Saint Andrews, juste avant le début du British. Pour l'ancien meilleur ami de Tiger, âgé de cinquante-huit ans, c'était là le couronnement de sa carrière. Il se dirigea vers l'estrade pour recevoir son trophée sous les applaudissements et tenir un discours très émouvant. Il espérait vraiment que Woods viendrait assister à la cérémonie. Ils avaient joué un nombre incalculable de parties d'entraînement ensemble et Tiger l'avait inspiré pour lui permettre de remporter ses deux Majeurs en 1998. Il lui passa un coup de fil quelques jours plus tôt pour s'assurer qu'il n'oublie pas de faire le déplacement. Vingt et un membres du Hall of Fame étaient présents. Mais pas Woods, qui pourtant se trouvait en ville pour disputer le British.

Mark O'Meara parla pendant dix-sept minutes. Il remercia chaleureusement Hank Haney pour avoir « changé sa vie », ainsi que Tom Watson pour son « influence incroyable ». Il dit aussi que Jack Nicklaus et Arnold Palmer étaient les deux plus grands de l'histoire. Mais il n'eut pas un mot pour Tiger. Il exprima toute sa déception courant 2016 d'une voix lasse : « Il y a un moment dans la vie où il faut savoir se comporter en être humain. Ce n'est plus ce que c'était entre nous, et je trouve ça dommage. » Un an plus tard, il ajouta : « Ce fut vraiment une immense déception. Pas tellement pour moi. Ça lui aurait fait tellement de bien de venir. »

Woods était une personne importante dans la vie de beaucoup de gens. En revanche, il se débrouillait toujours pour tout gâcher avec ses proches. La malédiction du génie ? C'était comme si son esprit était systématiquement dévoré par sa recherche d'excellence. Mais en 2015, tout ce qu'il pouvait faire, c'était espérer tenir jusqu'au dimanche soir. Juste avant le British, un journaliste le piqua au vif en lui demandant si on avait une chance de revoir un jour le vrai Tiger Woods. « Je sais que certains d'entre vous pensent que je suis mort et enterré, répondit-il. Mais je suis toujours là, assis en face de vous. J'aime jouer, j'aime me battre, et j'aime jouer ces tournois-là. »

Une affirmation qui en disait long sur son état d'esprit. Son corps lui réclamait du repos depuis des mois et des mois, mais il se montrait incapable de s'arrêter. Son père lui avait donné un code à l'adolescence : qu'il prononce le mot *assez* et il cesserait de le harceler. Mais il avait toujours refusé de s'y résoudre pour ne pas se faire traiter de dégonflé. Il avait maintenant trente-neuf ans et il ne voulait toujours pas renoncer. Qu'est-ce qu'il aurait fait de sa vie, sinon ? Il avait certes deux enfants merveilleux, avec qui il pourrait passer plus de temps. Sa fondation effectuait un travail fantastique et changeait la vie de milliers de gamins défavorisés. Il s'était aussi lancé dans la conception de parcours – à travers sa société TGR Design – et il commençait à avoir du succès : le Bluejack National (près de Houston, Texas) avait été récompensé par plusieurs prix, et des projets étaient en cours en Floride, au Missouri, aux Bahamas, à Dubaï et en Chine. Mais rien de tout cela n'aurait pu remplacer la compétition. Le golf était toute sa vie. Il n'était absolument pas prêt à arrêter.

Il avait remporté deux British à Saint Andrews, en 2000 et 2005, mais il loupa le cut en 2015, après deux tours joués en +7 total. La messe était dite, de toute évidence : il était maintenant classé à la deux cent cinquante quatrième place mondiale et sa chute n'en finissait pas. Jamais il ne s'était retrouvé aussi bas au ranking, sinon en 1996 à l'occasion de son passage professionnel.

« L'heure de la fin a sonné pour l'un des plus grands golfeurs de l'histoire », n'hésita pas à écrire le chroniqueur Joe Posnanski juste après le British.

Il disputa encore trois épreuves en 2015 : dix-huitième au Quicken Loans, cut manqué à l'USPGA, et une dixième place au Wyndham Championship après avoir été en tête le dimanche. Puis il subit le 18 septembre 2015 une nouvelle microdiscectomie. La même opération qu'en mars 2014, réalisée là encore par le docteur Charles Rich à Park City, pour lui enlever un bout de disque qui pinçait un nerf. Le chirurgien affirma que c'était un « succès total ». Mais la douleur était si intense qu'il dut repasser une nouvelle fois sur le billard un mois plus tard. Il était au plus mal, incapable de bouger ou presque et gavé de cachets antidouleurs pour tenter de faire disparaître la gêne. Chez lui, à Jupiter Island, il arrivait à peine à sortir du lit et restait allongé toute la journée. Il avait du temps pour réfléchir. Et une pensée l'effrayait plus que tout :

Peut-être bien que je ne pourrai plus jamais rejouer au golf.

CHAPITRE 34
EN PLEIN ROUGH

Il avait recommencé à bouger, mais cela restait laborieux. Il avait été opéré voilà deux mois et il arrivait tout juste à marcher dix minutes sur la plage. Il fallait ensuite qu'il rentre s'allonger pour passer l'essentiel de ses journées devant la télé. Il était en revanche incapable de suivre les tournois de golf. Voilà des années qu'il était au centre de l'attention, alors se transformer en simple spectateur? Aucune chance. Surtout qu'il souffrait encore le martyre et qu'il n'avait aucune envie de passer des heures à regarder des joueurs en pleine santé.

C'est sans doute génial d'être le meilleur du monde dans un domaine, peu importe lequel, mais il existe néanmoins des inconvénients. Déjà, aucune autre expérience ne peut se révéler aussi forte; et puis on ne peut que faire moins bien à l'avenir. Les doigts d'un grand pianiste deviennent un chouia plus lents, par exemple. Un chanteur d'opéra peut avoir des trémolos dans la voix, un sprinter devenir plus poussif au fil des ans. Pour Tiger, c'est son corps qui l'avait lâché. Il faut dire qu'il lui avait fait vivre la misère avec toutes ses blessures et des reprises d'entraînement systématiquement trop anticipées. Il allait bientôt avoir quarante ans et il devait désormais se montrer moins ambitieux, comme la plupart des quadras. Se lever le matin, c'était déjà compliqué; marcher, encore plus. Se pencher pour faire ses lacets, une mission quasiment impossible. *C'est quand même bien, tout ce que j'ai fait jusqu'ici*, finit-il par se dire. *Je n'ai aucune envie d'arrêter à cause des blessures, mais si ça doit arriver, eh bien tant pis.*

Voilà ce qu'il avait en tête juste avant son anniversaire, assis dans son nouveau restaurant – le Woods Jupiter – tout près de chez lui. Il s'y trouvait en compagnie du journaliste canadien Lorne Rubenstein, une poche de glace posée sur le dos.

«Vous pensez pouvoir reprendre quand?» lui demanda le reporter.

«Je ne me suis fixé aucune échéance, répondit-il. Et c'est plutôt compliqué à gérer, parce que je me suis toujours fixé des objectifs jusqu'ici. Là, je dois me mettre en tête que je n'ai rien à faire de mes journées. Et pour un gars qui a toujours aimé travailler, le concept n'est pas simple à intégrer.»

«Mais je suis en progrès, poursuivit-il. Je sais que primo, je ne veux plus retourner sur la table d'opération. Deuxio : même si je ne joue jamais plus, je veux malgré tout avoir une existence aussi agréable que possible avec mes enfants. Et ça, je n'en suis plus capable à cause de toutes ces interventions.»

Rubenstein lui posait des tas de questions sur des sujets divers, mais Woods ramenait tout à ses enfants. Un vrai tournant dans sa vie. Le fait d'être incapable de bouger l'obligeait à ouvrir les yeux sur autre chose que le golf. Et il n'en pouvait plus de ne pouvoir vivre normalement à leurs côtés. Sam et Charlie voulaient jouer avec lui et il était obligé de leur répondre : «Désolé mes chéris, mais je ne peux pas bouger.»

Il semblait s'en vouloir comme jamais de ne pas avoir passé assez de temps avec eux. Ses souvenirs de jeunesse les plus précieux, c'étaient tous ces moments aux côtés de son père sur les parcours de golf. Et il adorait faire du sport avec ses enfants. Sauf qu'il n'était plus capable de taper dans un ballon de foot, et ça le rendait très triste. «L'essentiel, dit-il encore à Rubenstein, c'est que je puisse avoir une vie normale avec eux. C'est bien plus important que le golf. Je viens juste de m'en rendre compte.» Mais ce n'était pas facile de tourner la page, tant son esprit était traversé de pensées contradictoires.

«Vous arrivez à vivre plus ou moins en paix, malgré tout ?» lui demanda Rubenstein.

«Eh bien je dirais que les seuls moments où j'ai été serein dans ma vie, c'est quand je tapais des balles sur un parcours», admit-il.

Il n'avait pas l'habitude de se livrer ainsi. Ses confidences étaient si intenses et si rares que le magazine *Time* fit de leur conversation un long article sous le titre «Les combats intérieurs de Tiger». Et Woods demanda aussi à Rubenstein de bien vouloir l'aider à écrire un livre commémorant le vingtième anniversaire de sa victoire au Masters 1997. Il passa beaucoup de temps avec lui pour sortir *Le Masters 1997 : Mon histoire* juste avant l'édition 2017. Il lui raconta beaucoup de choses personnelles, notamment comment il avait réussi à vaincre son bégaiement en passant deux ans avec un thérapeute pour arriver à parler convenablement. Il s'épancha aussi longuement sur la pression qu'il avait pu ressentir face à son statut de « grand espoir noir » du golf. Il revint également sur la formation musclée que son père lui avait dispensée à l'adolescence, en assurant que c'était grâce à lui s'il était devenu aussi fort. Son livre en disait très long sur l'amour qu'il portait à ses parents.

Il passa une année 2016 cauchemardesque, incapable de disputer un seul tournoi ni de faire la moindre apparition publique. Il ne donna de nouvelles à personne, y compris à ses proches lorsque ces derniers étaient en grande souffrance. Lorsque son ami Glenn Frey – le chanteur des Eagles – disparut de façon subite en début d'année, il n'appela pas sa famille et n'envoya pas ses condoléances. Un silence qui leur fit beaucoup de mal, selon un intime de Frey. Les Eagles avaient été un fidèle soutien de sa fondation à travers les années, en jouant plusieurs fois pour le Tiger Jam de Las Vegas afin de réunir des millions de dollars.

Idem avec Lindsey Vonn lorsqu'elle se fractura l'humérus du bras droit après une terrible chute de ski en novembre 2016. Elle fut opérée d'urgence, les médecins n'étaient pas sûrs qu'elle puisse à nouveau skier un jour, mais il ne donna aucun signe de vie. Une attitude qu'on pourrait facilement qualifier de cynique, mais peut-être était-il simplement trop occupé à lutter contre ses propres souffrances. Il avait mal, il souffrait d'insomnies et il prenait de plus en plus de médicaments.

Selon l'Institut de médecine, plus de cent millions d'Américains souffrent de douleurs chroniques, avec des répercussions terribles sur leur état psychologique. Rachel Noble Benner, une psychologue chargée de recherches à la Johns Hopkins University, explique ceci : « Les gens qui ont mal sont à la fois incompris et malheureux, et ont le plus souvent à souffrir d'erreurs de diagnostic. Ils ne peuvent plus réaliser ce qu'ils étaient capables de faire avant, et ça les affecte beaucoup. J'ai travaillé avec des gens qui ont eu une vie très remplie, comme des chefs d'entreprise, des professeurs ou des sportifs. Je les ai vus changer avec le temps et la douleur, pour devenir solitaires, dépressifs et drogués aux médicaments. Ils pensaient que leurs vies étaient devenues vides de sens. »

Tiger s'était lui toujours défini par rapport à ses résultats. Ses parents lui avaient appris que seule la victoire était belle, mais il n'avait plus gagné quoi que ce soit depuis quatre ans. Il ne savait plus où il en était. Plus étonnant : l'ambiance sur le circuit lui manquait, à lui qui avait toujours été un incurable solitaire. Alors il sauta sur l'occasion quand on lui proposa le rôle de vice-capitaine pour la Ryder Cup 2016.

Il n'avait jamais brillé dans cette épreuve par équipes, avec des statistiques très pauvres au vu de son talent : treize victoires, dix-sept défaites et trois nuls en sept participations. On l'accusait régulièrement de ne pas être motivé, et il est vrai qu'il s'était toujours montré distant dans le vestiaire américain. Mais il changea radicalement de comportement en tant que vice-capitaine. Il passait des heures au téléphone à parler stratégie, comme avec Brandt Snedeker par exemple. D'autres n'avaient auparavant jamais eu droit au moindre mot de sa part, et étaient soudain submergés d'appels. Un changement d'attitude totalement inattendu. « C'était un vrai leader de vestiaire, impliqué avec tout le monde. Pour la toute première fois », raconta une source proche de l'équipe US.

Le jour de la photo officielle, les douze joueurs américains s'étaient massés autour de leur capitaine Davis Love III. Woods était tellement dans son rôle qu'il se joignit à eux sans entendre le photographe qui lui demandait de bien vouloir s'écarter. Il était persuadé qu'il faisait partie intégrante de l'équipe, et aucun des joueurs n'osait lui demander de sortir du cadre. C'est le photographe qui dut s'y coller à nouveau, en toute diplomatie. « Euh, Tiger, s'il te plaît, tu peux t'écarter de la photo ? » lui demanda-t-il. Il se décala de deux mètres sur sa droite, mais ce n'était pas assez : il était toujours dans l'objectif. L'un des joueurs prit finalement son courage à deux mains et lui dit : « Tiger, tu ne fais pas partie de l'équipe. Va rejoindre les autres coachs. »

Tout le monde explosa de rire tandis qu'il souriait à pleines dents. Les jeunes joueurs ne savaient pas trop à quoi s'attendre de sa part pendant la semaine de compétition. Et là, il leur montrait qu'il n'était qu'un joueur comme les autres. Ils ne l'avaient jamais vu aussi humain. « Ça nous l'a rendu vraiment sympathique », dit l'un d'entre eux.

La compétition lui manquait plus que jamais et il ne supportait pas que son physique le mette ainsi hors jeu. Il avait subi trois opérations, il avait respecté les consignes des médecins en se reposant autant que possible, mais il souffrait toujours autant. Il vivait parfois de vraies journées noires, sans aucune solution pour atténuer la douleur. Même rester allongé sans bouger le torturait, et ça le rendait fou. Il n'était absolument pas en état de jouer mais, complètement désemparé, il décida malgré tout de disputer le Farmers Insurance Open fin janvier 2017. Il manqua le cut avec deux cartes de 76 et 72, des scores presque convenables tant son dos le faisait souffrir sur chaque swing. C'était son premier tournoi depuis dix-sept mois, et il semblait bien que l'heure de sa fin de carrière venait de sonner.

Il s'obstina, comme à son habitude, et décida d'aller jouer le Dubaï Desert Classic dès la semaine suivante. Un fiasco : le long voyage en avion n'avait fait qu'aggraver la situation et il abandonna après un premier tour en 77. Il fit une nouvelle apparition à la mi-février au Genesis Open, le tournoi qu'il organisait dans le cadre de sa fondation. Il pouvait à peine marcher et s'était rendu en Californie simplement pour assurer les relations publiques. Il assista à un dîner privé au Hillcrest Country Club de Beverly Hills. Les invités étaient sous le choc : « On aurait dit un vieillard de quatre-vingt-dix ans qui avait toutes les peines du monde à se déplacer », témoigna l'un d'entre eux.

Il avait ensuite prévu de rejoindre certains membres du club pour leur présenter ses nouveaux projets de conception de parcours. Il devait pour cela monter un petit escalier pour accéder à la salle de conférence, mais il n'y arrivait pas. Il réussit finalement à le franchir *en marche arrière*. Plus impressionnant encore : il avait le regard vitreux et les yeux injectés de sang. Un témoin affirma : « Il était clairement gavé de médicaments. »

Il dut annuler la conférence de presse qu'il avait prévu de tenir le lendemain. On ne le vit pratiquement plus jusqu'au Masters, en dehors d'un petit tour à New York pour promouvoir la sortie de son livre. Mais ses plages de repos répétées ne changeaient rien à l'affaire : il avait mal au dos, tout le temps, et il n'était pas en état de jouer au golf. Il se rendit malgré tout à Augusta pour assister au dîner des champions, qui se tenait le mardi soir comme tous les ans. Il prit place aux côtés de Mark O'Meara. Les deux hommes ne s'étaient pas reparlé depuis la cérémonie du Hall of Fame à Saint Andrews. Et Tiger n'avait même pas pris la peine de répondre aux textos envoyés par son vieil ami juste avant Augusta. Mais il était pourtant très heureux de le retrouver ce soir-là. Il aimait bien qu'il l'appelle encore « le Kid » après toutes ces années.

« Je t'aime », lui dit-il.

Il était probablement sincère, mais O'Meara ne savait plus quoi penser. Il connaissait Tiger mieux que personne sur le circuit, et il avait pourtant l'impression de ne pas le *connaître*. Tout comme Hank Haney, il n'arrivait pas à comprendre pourquoi il se montrait incapable de la plus élémentaire des politesses, et de répondre à un texto ou passer un coup de fil à l'occasion. Il ne donnait aucun signe de vie pendant des mois et des mois, mais dès qu'il croisait O'Meara, c'était comme s'il venait de retrouver un vieux frère perdu de vue depuis trop longtemps.

O'Meara lui demanda comment il allait. «J'ai des jours avec et des jours sans», répondit-il d'abord. Puis il finit par avouer qu'il vivait l'enfer et que sa collaboration avec Sean Foley n'avait probablement fait qu'aggraver les choses. Une discussion à bâtons rompus qui rappelait à O'Meara combien ils avaient pu discuter pendant leurs parties d'entraînement à Isleworth, et combien il pouvait aimer Woods quand il était comme ça.

O'Meara donna une brève interview à Golf Channel le lendemain, au cours de laquelle le présentateur Rich Lerner lui demanda des nouvelles de Woods. Il ne voulait rien révéler de trop intime et se contenta de raconter qu'ils avaient un peu discuté pendant le dîner des champions et qu'il avait «des jours avec et des jours sans». La nuit suivante, alors qu'il se dirigeait vers la salle de bains, il vit que son téléphone clignotait. C'était un message de Tiger. Il disait qu'il l'aimait comme un frère, mais qu'il apprécierait s'il pouvait éviter de parler de sa santé avec les journalistes.

Tout le monde savait plus ou moins dans quel état il se trouvait, mais c'était au-delà de ses forces de le reconnaître publiquement. Il était au bout du rouleau. Il avait tout essayé pour aller mieux – rééducation, médicaments, piqûres, repos – mais rien n'avait fonctionné. Incapable de vivre plus longtemps avec la douleur, il décida de consulter un chirurgien. Son disque situé en L5/S1 était devenu très fin, provoquant une sciatique, un dos en feu à chaque seconde et aussi des douleurs dans la jambe. On lui proposa d'effectuer une fusion vertébrale, qui consistait à enlever le disque abîmé pour que les deux vertèbres situées dessus et dessous n'en fassent plus qu'une. L'idée étant d'enlever toute pression sur le nerf pour se débarrasser du problème. Une opération à risques, certes, mais moins problématique dans le bas du dos que pour les vertèbres situées dans la partie supérieure.

Tiger subit donc une nouvelle intervention le 20 avril 2017. Son chirurgien, le docteur Guyer, dit après coup que c'était une réussite totale. Si tout se passait comme prévu, il pourrait reprendre l'entraînement après avoir respecté les délais nécessaires.

Un mois plus tard, Tiger donna de ses nouvelles à travers un message exceptionnellement long sur son site. Il dit d'abord qu'il n'avait pu se rendre à son Tiger Jam qui s'était tenu au MGM Grand de Las Vegas et qu'il remerciait tous ceux qui avaient fait le déplacement. Puis il écrivit : « J'ai subi une fusion vertébrale voilà un mois et c'est incroyable de voir à quel point je me sens mieux. La douleur a disparu presque instantanément. Voilà des années que je ne m'étais pas senti aussi bien. » Il expliqua ensuite pourquoi il avait choisi cette option, remercia les chirurgiens et finit par se montrer très optimiste pour son retour au jeu. « Il reste encore beaucoup de travail, mais les mots me manquent pour vous dire à quel point je suis heureux de ne plus avoir mal. »

Il avait publié son communiqué le 24 mai 2017. Cinq jours plus tard, il ingurgita un mélange de médicaments potentiellement mortel – du Dilaudid, prescrit sur ordonnance pour les douleurs aigües ; du Vicodin, un autre médicament puissant contre la douleur ; du Xanax, un anxiolytique prescrit pour les cas d'insomnies ; du THC, le principal composant de la marijuana ; de l'Ambien, pour lutter là aussi contre les insomnies – et perdit connaissance alors qu'il était au volant de sa Mercedes. Un policier se gara juste derrière lui un peu après deux heures du matin. Tiger avait immobilisé son véhicule à cheval entre la voie de droite et la bande d'arrêt d'urgence. Les deux pneus côté conducteur étaient explosés et les jantes endommagées. Le clignotant droit était en marche, les feux de stop allumés et le moteur tournait.

Le policier respecta la procédure habituelle : il alluma les lumières clignotantes sur le toit, déclencha sa caméra située sur le tableau de bord, puis vérifia l'intérieur du véhicule côté conducteur avec sa lampe-torche. Tiger Woods semblait endormi. L'officier tapa sur la vitre pour le réveiller et lui demanda de bien vouloir éteindre le moteur. Groggy, Tiger avait du mal à garder les yeux ouverts et à trouver le bouton d'ouverture de la fenêtre, tandis que le policier lui répétait les consignes. Il finit par y arriver et aussi par mettre la main sur son permis de conduire. Il se trouvait à vingt-cinq kilomètres de chez lui mais se dirigeait dans la direction opposée.

«Vous venez d'où ?» lui demanda l'officier.

«Jupiter.»

«Et vous allez où ?»

«Jupiter», répéta-t-il en s'endormant à nouveau.

Il se laissa aller contre l'appui-tête et ferma les yeux alors que le policier était retourné à sa voiture pour vérifier son permis. Un deuxième officier s'approcha de lui un peu plus tard pour lui demander une fois de plus d'où il venait.

«Los Angeles», répondit-il cette fois, en ajoutant qu'il se rendait à Orange County.

Le policier lui dit qu'il était en Floride et pas en Californie. Puis il lui demanda de sortir du véhicule, ce que Woods réussit à faire en s'appuyant sur la porte. Ses lacets étaient défaits, mais quand l'officier lui demanda s'il voulait les refaire, il expliqua qu'il ne pouvait pas se pencher aussi bas. Il avait du mal à articuler et à garder les yeux ouverts. Il titubait et n'arrivait pas à réussir les tests de sobriété, comme marcher sur une ligne ou rester en équilibre. Et la caméra avait tout enregistré, conformément à la loi américaine.

«Monsieur, je vais vous demander de bien vouloir mettre vos mains derrière le dos», lui dit finalement le policier en lui passant les menottes.

Son arrestation eut lieu la veille du Memorial Day[77], jour traditionnellement très tranquille outre-Atlantique. Mais le lendemain, à la mi-journée, sa photo d'identité judiciaire – méconnaissable, les yeux éclatés, le visage hagard et les cheveux ébouriffés – avait mis le feu à internet. Le *New York Post* et le *Daily News* en avaient fait leur une sous le titre «La conduite sous influence de Tiger». Et les autres sites et journaux rivalisaient de jeux de mots plus ou moins réussis et de superlatifs choqués.

Il passa la nuit à la prison de Palm Beach County puis fut libéré vers midi. Un de ses porte-parole publia un communiqué plus tard dans la journée : «Je me rends bien compte de la gravité de mes actes et j'en suis le seul responsable. Je veux que vous sachiez que je n'avais pas bu une goutte d'alcool. Il s'agit uniquement d'une mauvaise réaction à une prise de médicaments prescrits

---

77. Jour de congé national aux États-Unis, célébré le dernier lundi de mai.

sur ordonnance. Je ne pensais pas que les prises simultanées me mettraient dans cet état.»

Son test d'alcoolémie se révéla effectivement négatif, mais ce n'était pas le sujet. Ses analyses d'urine venaient de prouver que sa consommation de médicaments était juste irréelle. En mélangeant des antidouleurs ultra-puissants tels que le Vicodin et le Dilaudid avec des sédatifs comme le Xanax et l'Ambien, et en y ajoutant de la THC, Woods avait mis sa vie en danger en décidant de prendre le volant, sans parler de celles des automobilistes qu'il avait croisés en chemin. Le Vicodin, par exemple, peut provoquer de graves problèmes respiratoires et même la mort s'il est pris à hautes doses ou mélangé à d'autres substances. Et le Xanax peut provoquer des troubles de la mémoire, du jugement et de la coordination. Associés, ils peuvent bloquer la respiration et augmenter les risques d'accoutumance, de surdosage et d'affaiblissement des facultés générales.

Tiger n'était pas le seul à vivre un tel enfer aux États-Unis. La surmédication et les overdoses sont aujourd'hui la cause principale de décès chez les moins de cinquante ans avec 52 404 morts en 2016, un record historique. Mais personne n'avait jamais eu à subir une humiliation publique comme ce fut son cas en ce printemps 2017. Toutes les agences de presse étaient à l'affût du moindre détail de son arrestation, et la police de l'État de Floride avait rendu publique la vidéo de ses tests de sobriété en bord de route et de ses propos incompréhensibles pendant sa garde à vue. CBS, ABC, NBC, Fox et CNN l'avaient toutes diffusée. Et des millions de personnes l'avaient également vue sur YouTube.

Tiger ne méritait pas qu'on le cloue au pilori ni qu'on le tourne en ridicule. Il avait besoin d'aide. Il reçut un appel du champion de natation Michael Phelps peu de temps après son arrestation. Phelps avait remporté vingt-huit médailles olympiques au cours de sa carrière, dont vingt-trois en or, mais il avait également été arrêté deux fois pour «conduite sous influence» et avait dû passer huit semaines en clinique pour se faire soigner contre la dépression et l'anxiété. Une fois guéri, il avait décidé d'aider ceux qui avaient honte de souffrir de tels maux. «Je veux pouvoir dire devant tout le monde : "Oui, j'ai fait des trucs extraordinaires dans une piscine, mais je ne suis qu'un être humain", dit-il. Je dois composer avec les mêmes problèmes que tout le monde.» Il avait d'ailleurs aidé Notah Begay III dans son combat contre l'alcoolisme. Selon l'ancien golfeur, Phelps était l'une des rares personnes assez crédibles et expérimentées pour pouvoir aider Tiger.

Pour Phelps, c'était évident : «Je crois que cet incident n'est qu'un immense appel au secours», assura-t-il.

Woods lui passa un premier coup de fil, qui dura plus de deux heures. C'était le début d'une nouvelle amitié. Notah Begay s'impliqua lui aussi. Les deux hommes avaient su échapper à leurs problèmes. Ils unirent leurs efforts pour lancer une bouée de sauvetage à un Tiger qui était en train de se noyer en plein désespoir. «On n'essayait pas de sauver sa carrière, avoua Begay. On voulait juste lui sauver la vie et qu'il puisse à nouveau croire en des jours meilleurs.»

CHAPITRE 35
PASSER LE CUT

Tiger souriait aux anges alors que sa fille Sam (dix ans) et son fils Charlie (huit ans) posaient à côté de Lionel Messi pour une photo souvenir. Il était même fier comme un paon d'avoir pu organiser un tel rendez-vous. Ses enfants jouaient tous les deux au foot, l'équipe de Barcelone se trouvait en Floride en ce mois de juillet 2017 : il n'avait pas eu trop de problèmes pour disposer de ce privilège...

«Alors, vous êtes contents de rencontrer une légende vivante ? » leur demanda-t-il.

«Oui ! Et d'ailleurs on en a une à la maison », répondit Sam.

Tout le monde éclata de rire, mais Tiger venait de se rendre compte que ses enfants ne l'avaient jamais vu jouer au sommet de sa forme. Sam était bien trop jeune pour se souvenir de son quatorzième Majeur à l'US Open 2008, et Charlie n'était qu'un bambin lorsqu'il remporta son dernier tournoi sur le PGA Tour, le WGC-Bridgestone Invitational en 2013. *Ce serait tellement génial s'ils pouvaient porter mon sac pendant un tournoi,* se dit-il. *Ou s'ils pouvaient me voir gagner à nouveau.*

L'imagination avait toujours été l'une de ses plus grandes qualités. Il était capable d'inventer des coups et d'envisager des performances pourtant inconcevables, puis de faire en sorte que ça devienne vrai. Ses problèmes de dos ne lui avaient pas seulement pourri la vie, ils avaient également anesthésié son génie créatif. Mais depuis trois mois, il pouvait à nouveau savourer la vie comme elle le méritait : il n'avait plus mal nulle part, il pouvait bouger sans aucune gêne.

Il avait aussi suivi des soins pour arrêter de se gaver de médicaments. Les médecins avaient modifié ses posologies et le surveillaient régulièrement. Il avait fallu qu'il prenne ces risques démentiels au volant et qu'il subisse une nouvelle humiliation publique pour qu'il admette enfin qu'il avait besoin d'aide. «Je suis fier de lui, dit Mark Steinberg. Il va maintenant prendre soin de lui pour être capable d'avoir une vie aussi normale que possible.»

Son agent ne s'inquiétait plus pour la carrière de son joueur : c'est Tiger en tant qu'être humain qui lui avait causé du souci. Et Woods avait été très touché par toutes les manifestations de soutien et d'amitié, qu'elles émanent de ses amis ou d'autres sportifs de haut niveau. Il était maintenant déterminé à reprendre sa vie en mains et à enfin ouvrir ce deuxième chapitre qu'il n'avait jamais pu commencer. On put le voir lors de l'US Open de tennis disputé début septembre à New York. Il s'y était rendu pour assister au quart de finale de son ami Rafael Nadal. De nombreuses célébrités avaient également fait le déplacement – Uma Thurman, Bill Gates, Leonardo DiCaprio, Jerry Seinfeld. Mais Woods était le seul d'entre eux à être venu accompagné de ses enfants. Il pouvait enfin vivre normalement et faire des choses avec eux. Ils avaient pris place à ses côtés dans le box de Nadal. Et Tiger était lui en route pour quelque chose de bien plus important que ses victoires en Majeurs : la rédemption.

Il avait touché le fond en mai 2017. L'homme incapable de tenir debout et de s'exprimer convenablement sur une route déserte de Floride en pleine nuit, c'était l'exact opposé de celui qui enchaînait les victoires à coups de *fist pumps* et les publicités avec son sourire si charismatique. Woods avait tout perdu depuis novembre 2009 : son mariage, sa réputation, son statut d'icône du golf et sa santé. Une chute abyssale qui aurait tué la plupart d'entre nous – sauf qu'il n'avait jamais agi et réagi comme le commun des mortels. Sa volonté était inébranlable. Il savait qu'il avait toujours été différent, mais il exprimerait désormais cette différence en se servant de tout ce que ses parents lui avaient appris pour se relever, se débarrasser de ses fardeaux et repartir de zéro.

Il regardait les choses en face, maintenant. Il décida en août 2017 de suivre un stage destiné à ceux qui avaient commis une infraction au motif de «conduite sous influence». Puis, le 27 octobre, entouré de huit gardes du corps, il fit son entrée au tribunal de Palm Beach Gardens et plaida coupable de l'accusation de conduite dangereuse. Il reçut plusieurs condamnations : mise à l'épreuve pendant douze mois, tests sanguins pour contrôler sa prise de médicaments, suivi obligatoire d'un programme d'information sur la conduite sous influence, et cinquante heures de travaux d'intérêt général.

Il fit sa réapparition publique en décembre 2017 pour le Hero World Challenge, le tournoi qu'il organisait chaque année aux Bahamas afin de lever de l'argent pour sa fondation. Bien que l'épreuve ne soit pas officiellement inscrite au calendrier du PGA Tour, dix-huit des meilleurs joueurs mondiaux y participaient cette année encore. Mais la raison qui avait poussé un nombre impressionnant de journalistes à se faire accréditer était ailleurs : Tiger y faisait son retour à la compétition. Son dernier tournoi remontait au mois de février, une époque où il pouvait à peine tenir un club entre ses mains. Et tout le monde se demandait si la fusion vertébrale qu'il avait subie allait tenir le coup.

Il s'apprêtait à taper son coup de départ lorsqu'il aperçut Rafael Nadal. Le numéro un mondial de tennis était en vacances sur l'archipel et il avait décidé de venir le voir jouer sans rien lui dire. Le visage de Tiger s'illumina. Puis il balança un énorme drive, trente mètres plus long que son partenaire Justin Thomas. Son jeu était en place, on le vit même offrir à la foule l'un de ses fameux *fist pumps* après avoir rentré un long putt pour sauver son par. Les plus grands sportifs du monde entier en profitèrent pour se lâcher sur Twitter.

« C'est un grand jour, Tiger est de retour sur un parcours », écrivit Bo Jackson.

« L'attente est terminée. L'attente est terminée », pour Stephen Curry.

« Super heureux de voir Tiger de retour », dit Michael Phelps.

Tiger joua trois tours sous les 70 (plus un 75 le samedi) pour finir huitième à -8 total. Un score au final anecdotique, tant sa victoire allait bien au-delà du jeu de golf. Il ne prenait plus aucun médicament, alors que son médecin lui avait demandé d'en prendre avant chaque tour, par précaution. Il ne grimaçait plus quand il tapait la balle. Et il ne cherchait plus à raconter de bobards. Il reconnut qu'il se sentait bien, mais pas aussi bien qu'il y a vingt ans, parce que ce n'était juste pas possible à la quarantaine. Une nouvelle forme d'honnêteté qui laissait croire qu'il avait vraiment changé, cette fois.

Ses galères l'avaient finalement rendu plus humain que jamais, quelque chose de totalement inimaginable quand il était au sommet de sa gloire. Il était désormais clair qu'il n'aurait jamais autant d'influence que Martin Luther King, Gandhi ou Nelson Mandela. Pas plus qu'il ne suivrait les traces de Mohamed Ali ou Arthur Ashe dans le militantisme racial et social. De fait, rien n'avait changé ou presque depuis vingt ans qu'il évoluait sur le circuit américain : un seul joueur afro-américain – Harold Varner III – jouait sur le PGA Tour début 2018, et on en trouvait encore très peu parmi les meilleurs juniors du pays à la même date. Mais sa volonté de surmonter ses faiblesses et ses addictions était fascinante, et les fans l'adoraient pour ça. Sa performance aux Bahamas avait réveillé l'espoir. Lorsque sa participation au Farmers Insurance Open – disputé fin janvier à Torrey Pines – fut confirmée, les ventes de billets s'envolèrent.

Il ne savait pas lui-même ce qu'il était capable de faire clubs en mains, mais il était ravi de voir autant de monde sur ses parties d'entraînement. Lors de la conférence de presse d'avant-tournoi, il utilisa neuf fois le mot «*fun*» pour décrire son état d'esprit du moment. «Je n'ai pas plus d'ambition que ça cette semaine, ça fait trop longtemps que je n'ai pas joué, dit-il aussi. Je n'ai pas connu de saison pleine depuis 2015, ça commence à dater. Pour être honnête, je veux juste enchaîner les tournois et voir ce que ça donne.»

Ainsi parlait le nouveau Tiger Woods. À quarante-deux ans, il avait pris du poids et perdu des cheveux. Ses joues étaient un peu plus gonflées et on commençait à voir des plis au niveau de son cou. Mais les fans s'étaient massés par centaines autour du premier tee de départ le jeudi 25 janvier 2018 à 10 h 40. Des milliers d'autres avaient pris position un peu plus loin, de chaque côté du fairway. On entendait des cris d'encouragement, des «*C'mon Tiger!*» et des «*Let's go Tiger!*» Il avait retrouvé sa zone de confort et ce feeling qu'il avait tant aimé : *tout le monde me regarde!* Les autres joueurs, la foule, les téléspectateurs, tous n'avaient d'yeux que pour lui. Il avait toujours cette aura incomparable.

Nous étions en Californie du Sud un jeudi matin, mais ça ressemblait davantage à un dimanche après-midi de fureur à Augusta. Tiger avait remporté l'US Open dix ans plus tôt sur ce même parcours, avec une fracture au tibia et un genou détruit. Le golf avait bien changé depuis. Des tas de jeunes hyper talentueux s'étaient installés au sommet – Rory McIlroy, Dustin Johnson, Jordan Spieth, Rickie Fowler, Justin Thomas et Jon Rahm.

Mais aucun d'entre eux ne jouait dans la même catégorie que Tiger. À titre d'exemple :

– Rickie Fowler avait remporté trois tournois à l'âge de vingt-sept ans. Tiger, trente-quatre.

– Jordan Spieth avait dû jouer cent douze tournois avant de remporter sa dixième victoire. Tiger, soixante-trois.

– Dustin Johnson avait remporté son premier Majeur à trente et un ans. Au même âge, Tiger en avait déjà gagné douze.

Les joueurs de moins de trente ans étaient tous ravis de le retrouver sur les parcours ; sans vraiment pouvoir imaginer ce que c'était, à l'époque, de l'affronter au sommet de sa forme. Ceux qui l'avaient bien connu avant avaient en revanche noté une évolution significative dans son comportement – il était devenu tout souriant, bien loin du visage impassible qu'il arborait en permanence avant tous ses problèmes. Exemple : le jeudi du Farmers Insurance, à la sortie du green du 13. Il venait de louper un putt de soixante centimètres pour sauver son par, mais il ne manifestait aucune colère apparente. En route vers le tee du 14, il remarqua plusieurs militaires parmi les spectateurs. L'un d'entre eux avait pris en charge le drapeau du 13 pendant que les joueurs puttaient, une façon pour Torrey Pines d'honorer ses traditions militaires. Woods marqua une pause et les salua les uns après les autres.

Un geste qui surprit l'un des suiveurs du PGA Tour : « Il n'aurait jamais fait ça avant, mais alors jamais, dit-il. Il aurait gardé la tête basse, les yeux rivés au sol pour rejoindre le tee suivant. Mais là, il profitait enfin de ce qui se passait autour de lui. »

Restait une question : est-ce que ce nouveau Woods, tout en décontraction, était encore capable de dominer le monde du golf ? Pas cette semaine-là en tout cas. Son driving n'était pas encore réglé et il était en passe de manquer le cut du vendredi soir. Il avait besoin d'un birdie sur le 9, son dernier trou, pour espérer jouer le week-end. Il prit le green en deux sur ce par 5 pour se retrouver à vingt-quatre mètres du drapeau. Sous pression, il tapa un premier putt « à l'ancienne », suffisamment bon pour se poser tout près du trou et assurer le birdie nécessaire. Il était tout sourire au moment de saluer la foule et de serrer la main de Patrick Reed, son partenaire du jour.

Ce week-end-là, Roger Federer repoussait une nouvelle fois les limites de l'âge en remportant l'Open d'Australie à plus de trente-six ans. Son vingtième tournoi du Grand Chelem. Woods fut lui moins brillant, mais l'essentiel était ailleurs : il venait de jouer quatre tours en tournoi officiel pour la première fois depuis août 2015, au Wyndham Championship, et il s'était montré assez solide pour terminer vingt-troisième. Le public avait bien compris que ce retour-là n'était pas comme les autres. Les audiences du dimanche après-midi étaient en hausse de 38 % par rapport à l'année précédente. Et c'étaient les plus fortes depuis 2013, l'année où Tiger s'était imposé ici pour la dernière fois. C'était bien la preuve qu'il y avait lui et les autres : quand il était en forme, les gens regardaient le golf à la télé. Tout simplement.

Était-ce un miracle ou simplement le cours de son existence ? Difficile de trancher. Il était tombé dans cet immense trou noir qui avait englouti tellement d'enfants prodiges, aussi bien des sportifs que des musiciens ou des acteurs. Il en était sorti pour revenir à la lumière et reprendre une vie normale, et c'était bien là sa plus grande victoire. Il n'était plus le même homme. Il était maintenant prêt à montrer à tout le monde – à ses enfants, mais aussi aux jeunes joueurs professionnels et à tous les fans – ce que c'était vraiment, d'être une légende vivante.

REMERCIEMENTS

Ce livre n'aurait pu exister sans l'aide inestimable de notre excellente équipe. Nous saluons tout d'abord Timothy Bella, un journaliste extraordinaire qui nous a accompagnés sur *The System* et qui a joué un rôle identique dans ce voyage. Tim a fouillé pour trouver et obtenir des documents publics des mairies, des agences fédérales et agences d'État, ainsi que des tribunaux et des services de police. Il a mené plusieurs interviews qui se sont révélées très précieuses. Et nous l'avons surnommé «le fin limier» pour son incroyable capacité à utiliser les réseaux sociaux et autres bases de données pour localiser les individus, souvent quelques minutes à peine après que nous lui avions transmis un nom. Il a également lu et annoté plus de trois cents retranscriptions des conférences de presse de Tiger Woods.

Les avocats Bruce Fay (Floride) et Michael McCann (Vermont) ont déniché des dossiers immobiliers, des documents financiers, des archives judiciaires et des rapports de police. Ron Fuller, chercheur en droit à Washington, a trouvé des récépissés judiciaires et a aidé à ressortir des centaines de pages d'affaires judiciaires impliquant Tiger Woods, sa société, Nike, Titleist et d'autres personnes et entités. Eliza Rothstein a obtenu les chiffres de vente des livres publiés par Tiger Woods et Earl Woods. Dan Riemer de Revelations, Inc. à Plantation, Floride, a fait un travail de fond précieux.

Le *Stanford Daily* nous a fourni des copies de chaque article qu'il a publié concernant Tiger Woods. Dans le même temps, un documentaliste de *Sports Illustrated* nous a envoyé des courriers contenant des copies papier de plus d'un millier d'articles sur Tiger Woods provenant de journaux, magazines, revues et autres périodiques. Les assistants de recherche de Jeff Benedict, Brittany Weisler et Mette Laurence, ont classé tous ces articles et nous ont aidés à construire une chronologie détaillée de la vie de Tiger, un processus qui a pris plus de six mois.

La rédactrice en chef Carolyn Lumsden nous a fourni tous les articles du *Hartford Courant* concernant les diverses affaires du Connecticut contre John Merchant.

Le lieutenant-colonel Ben Garrett, du service des relations avec les médias de l'armée américaine, nous a aidé à obtenir les dossiers militaires d'Earl Woods. Et David Martin, correspondant de longue date de CBS News au Pentagone, nous a aidés à interpréter et à comprendre ces documents.

Jon Parton, rédacteur en chef du *Kansas State Collegian*, a mené une première entrevue avec Mike Mohler, le préposé à l'entretien du Sunset Cemetery, et a trouvé des informations sur le séjour d'Earl Woods à K-State.

Les journalistes Jaime Diaz, Alan Shipnuck, John Strege, John Feinstein, Jimmy Roberts et Wright Thompson ont eu la gentillesse de partager leurs précieuses connaissances. Les équipes de CBS Sports et de NBC Sports ont été d'une grande aide en fournissant des informations de fond et des archives vidéo.

Nous tenons aussi à remercier les personnes suivantes : l'ancien producteur principal d'ABC News, Paul Mason, l'homme derrière *Tiger's Tale*, le premier reportage télévisé sur Woods et sa famille, diffusé sur *Primetime Live* le 15 juillet 1993 ; Lance Barrow, le producteur coordonnateur de longue date du PGA Tour Golf sur CBS Sports, pour son hospitalité texane et son accès à certains événements ; Rick Schloss, directeur des médias pendant trente ans au Buick Invitational et au Farmers Insurance Open à Torrey Pines ; Dave Cordero, directeur des communications du World Golf Hall of Fame & Museum, pour le discours d'intronisation de Mark O'Meara en 2015 ; Tom Clearwater, pour nous avoir permis de parler à certains habitués de Las Vegas ; Norm Clarke, M. Las Vegas et l'homme derrière *NORM!*, son journal intime de Vegas ; Rick Ryan, président du Brooklawn Country Club ; Barclay Douglas Jr. et d'autres membres du Newport Country Club ; Ed Mauro ; Tom Graham, du Country Club of Fairfield ; et le docteur Gary Gray, PT, FAFS®, PDG du Gray Institute et père fondateur de Applied Functional Science.

Nous voulons également remercier une longue liste d'auteurs et d'analystes de sports et de golf, et nous commencerons par nous excuser auprès de ceux que nous avons par inadvertance oubliés.

La carrière de Tiger a été racontée par les meilleurs d'entre eux. Les voici, par ordre alphabétique, avec leur emploi correspondant au moment de leur travail sur Woods : Karen Allen, *USA Today* ; Nancy Armour, *USA Today* ; Michael Bamberger, *Sports Illustrated* ; Thomas Bonk, *Los Angeles Times* ; Nick Canepa, *San Diego Union-Tribune* ; Mark Cannizzaro, *New York Post* ; Brandel Chamblee, Golf Channel ; Tim Crothers, *Sports Illustrated* ; Karen Crouse, *New York Times* ; Tom Cunneff, *People* ; Steve DiMeglio, *USA Today* ; Larry Dorman, *New York Times* ; Tim Elfrink, *Miami New Times* ; Doug Ferguson, Associated Press ; Gus Garcia-Roberts, *Newsday* ; Shav Glick, *Los Angeles Times* ; Hank Gola, *New York Daily News* ; Bob Harig, ESPN.com ; Mickey Herskowitz, *Houston Chronicle* ; Tod Leonard, *San Diego Union-Tribune* ; Robert Lusetich, Fox Sports.com ; Jonathan Mahler, *New York Times* ; Cameron Morfit, *Sports Illustrated* ; Ian O'Connor, ESPN.com ; Bill Pennington, *New York Times* ; Bill Plaschke, *Los Angeles Times* ; Rick Reilly, *Sports Illustrated* ; Howard Richman, *Kansas City Star* ; Mark Seal, *Vanity Fair* ; Ed Sherman, *Chicago Tribune* ; Alan Shipnuck, *Sports Illustrated* ; Ron Sirak, Associated Press et Ronsirak.com ; Gary Smith, *Sports Illustrated* ; Howard Sounes, auteur ; Gary Van Sickle, *Sports Illustrated* ; Dan Wetzel, Yahoo Sports ; et Michael Wilbon, *Washington Post*.

Enfin, il y a l'équipe en charge de la publication, à commencer par notre agent, Richard Pine, un avocat incroyablement intelligent et créatif, et un ami encore meilleur. Il nous a accompagnés à chaque étape du processus, de l'idée à la publication. Dorothea Halliday a fourni des commentaires et des conseils inestimables sur le récit. Kelvin Bias a vérifié absolument tous les faits. Notre éditeur, Jofie Ferrari-Adler, nous a offert des conseils intelligents et perspicaces qui ont aidé à transformer le récit. Et ce fut un régal de travailler avec Jon Karp, ainsi qu'avec Jonathan Evans et toute l'équipe Simon & Schuster, et notamment : Julianna Haubner ; Richard Rhorer ; Larry Hughes ; Dana Trocker ; Kristen Lemire ; Lisa Erwin ; Samantha Hoback ; Ben Holmes ; Laura Ogar ; Jackie Seow ; et Carly Loman, qui a rendu les pages de ce livre si propres et si nettes.

INDEX DES NOMS DE PERSONNES

INDEX DES COMPÉTITIONS ET PARCOURS